BEST-SELLERS

Collection dirigée par Jean Rosenthal

FRANK McDONALD

PROVENANCE

roman

traduit de l'américain par Yves Malartic

ÉDITIONS ROBERT LAFFONT
PARIS

REMERCIEMENTS

Pour leurs commentaires, les idées et le temps qu'ils m'ont généreusement prodigués à divers stades de la rédaction de ce livre, je tiens à remercier William Coleman, conseiller en sécurité; John Taylor, des Archives nationales des E.-U.; Marco Grassi, conservateur; Raymond Perman de Christie's; David Nash, de Sotheby Parke Bernet; Barbara Guggenheim; Jane Livingston de la galerie Corcoran; le père Joannes Quasten, qui m'orienta dans les Catacombes; ainsi que maints propriétaires de galeries et courtiers en objets d'art qui me donnèrent sans réserve leur temps et leurs conseils. Je suis particulièrement reconnaissant envers Matila Simon, historien d'art, écrivain et critique; enfin à mes directeurs littéraires : Peter Davison et Félix Brenner.

Titre original : PROVENANCE

ISBN 2-221-00676-3
(édition originale :
ISBN 0-316-55552-5 Little, Brown & Company, New York)

Provenance (prɔvnɑ̃s) *n. f.* (*Prouvenanche,* 1294 ; repris 1835 ; de *provenant,* p. prés. de *provenir.*) Endroit d'où vient ou provient une chose. + Origine. + (T. de douanes) *Plur.* (1801) *Les provenances :* les marchandises et produits importés.

Le Petit Robert

« Ne vous amassez pas de trésors sur la terre, où la teigne et la rouille détruisent, et où les voleurs pénètrent et dérobent ;

« Mais amassez-vous des trésors dans le ciel, où la teigne ni la rouille ne détruisent point, et où les voleurs ne pénètrent ni dérobent.

« Car là où est ton trésor, là aussi sera ton cœur. »

Matthieu 6-19 à 21

A
la Maison de Cloghroe
et à tout ce qu'elle fut naguère
et à tous ceux qui
y vécurent
et y aimèrent

PREMIÈRE PARTIE

1979

1

Bien que la pluie eût cessé la brume s'étendait comme un suaire humide et gris sur le ciel de Londres. A l'heure de la fermeture des bureaux, Hugh Jenner se hâtait à travers la cohue, esquivant parapluies et flaques d'eau qui mouchetaient les trottoirs mal pavés du West End ; époumoné par sa marche rapide et par l'âge, il maudissait la bruine glaciale qui le pénétrait comme une lame. Il aspirait à échapper à l'humidité autant qu'à la routine de son existence quotidienne. Ses mornes journées au ministère — anachronisme bureaucratique délabré — avaient absorbé trente-trois années de sa vie. Son métier l'avait à la fois bercé et étouffé en le protégeant des réalités du monde et, en même temps, en l'empêchant d'y vivre pleinement.

A tout cela, une seule consolation : dans quelques mois — cinq pour être exact — il serait libre de réaliser le rêve de sa vie. Sa retraite acquise, il irait s'installer dans sa villa ensoleillée au sud de l'Espagne. A longueur de merveilleuses journées il aurait le temps de se prélasser sur sa terrasse, en sirotant du xérès et en admirant l'infini bleu de la mer.

Réconforté par de telles perspectives, Hugh Jenner remonta le col de son trench-coat, le serra plus étroitement autour de son cou, plongea profondément les mains dans ses poches et fonça, penché en avant comme s'il luttait contre une violente rafale de bise.

Outre le rêve de finir ses jours allongé au soleil, Jenner avait une autre obsession : sa calvitie. Quand il avait commencé à perdre ses cheveux dans sa jeunesse, il avait consulté le plus éminent trichologue de Londres, qui lui imposa une succession de traitements aussi coûteux et peu efficaces les uns que les autres. Ensuite, il s'efforça d'oublier sa chevelure en se fiant aux propos consolants d'un ami d'après qui la calvitie dénoterait une virilité exceptionnelle. D'abord cette idée lui plut puis il s'offrit une perruque noire. Au début elle lui alla fort bien mais, alors qu'il avançait en âge elle contrastait à l'excès avec son visage trop ridé et son dentier mal ajusté.

Petit fonctionnaire, relégué sur un des plus bas échelons de la grandiose hiérarchie administrative de Whitehall, Jenner avait passé trente-trois ans à organiser des enquêtes et à rédiger des rapports sur le système de la justice criminelle en Grande-Bretagne. Certes peu brillants, ses travaux étaient assez précis et pertinents pour servir utilement ses supérieurs immédiats qui ne les lisaient jamais mais les propulsaient à travers les méandres de l'administration vers des bureaucrates de grades plus élevés.

Nous le trouvons peu après cinq heures et demie de l'après-midi, instant où il rangeait rituellement les paperasses sur son bureau et s'en allait à The Ark : un des bistrots les plus banals de Londres. Il y prenait quelques consommations avant de gagner son appartement de célibataire aux Exeter Mansions, tout près de Piccadilly. Ses habitudes ne changeaient jamais. Il estimait que la régularité confère de la vertu et que les gens sans emploi du temps fixe sont dénués de tradition donc de substance.

Arrivé à son pub, Jenner en traversa le rez-de-chaussée en échangeant de brèves salutations avec quelques habitués réunis autour de la cheminée. L'escalier aux marches et à la rampe patinées par l'âge le conduisit au salon du premier étage où les clients s'alignaient, épaule contre épaule, devant un comptoir massif en acajou. Ici encore, il salua quelques vagues connaissances — notamment le champion de fléchettes de ce bistrot, objet de son admiration — et se glissa jusqu'à sa place coutumière, à l'extrémité du bar. Il commanda un gin rose et picora dans un bol de cacahouettes huileuses, tout en rêvant au soleil radieux et à la vie facile sur la Costa del Sol. Le souvenir des beaux jeunes hommes, peu vêtus, qu'on y voit au printemps et en été, le ragaillardit autant que le goût du gin.

Son premier verre vivement sifflé, Jenner en commanda un autre. Ces imbibitions successives paraîtront peut-être bizarres chez un homme apparemment aussi sobre, arrivé à l'âge de la retraite et considéré comme sévère par ceux qui le connaissaient peu. A coup sûr, rares étaient les habitués de The Ark qui le connaissaient bien. Peut-être n'y en avait-il même aucun. Il se complaisait dans cet isolement auquel il attribuait la valeur d'un grand secret.

En observant les visages qui se reflétaient dans le miroir embué, scellé au mur derrière le bar, il constata que c'étaient tous des habitués typiques du pub. Courtiers et banquiers y côtoyaient d'assez nombreux avoués et avocats. Presque tous entre deux âges, ils jouissaient visiblement de se trouver ensemble, rassurés mutuellement par leurs allures solennelles et leurs airs d'importance. Jenner écouta les propos qu'ils échangeaient mais sans prendre part à la conversation. Quoiqu'il éprouvât une sensation de bien-être en harmonie avec l'ambiance de cordialité de la soirée, il se sentait esseulé. En réalité, ces gens-là n'appartenaient pas au même monde que lui.

Son regard glissant lentement vers l'autre extrémité du comptoir, il remarqua un homme qu'il n'avait encore jamais vu à The Ark. Svelte et élégant, cet inconnu portait un complet taillé sur le Continent, au pantalon collant et au veston de style italien Les pointes de son foulard de soie magenta noué avec art s'enfonçaient dans l'échancrure de sa chemise bleu clair. Tenue trop recherchée pour un homme d'affaires, pensa Jenner; peut-être un acteur, un dessinateur, voire même un danseur. Notre vieux fonctionnaire se croyait capable de deviner la profession des gens d'après leur façon de s'habiller. Il s'y était entraîné et imaginait être devenu infaillible.

Le jeune homme passa la main dans sa chevelure blonde et lisse, regarda le miroir et y surprit les yeux globuleux de Jenner fixés sur lui. Il le salua d'un hochement de tête. Puis ils échangèrent des sourires prudents, dénotant un rien de gêne. Jenner comprit immédiatement ce que signifiait cette esquisse de communication discrète.

Bien qu'enchanté par cette prise de contact, il n'oublia pas sa prudence habituelle. Il ne se serait surtout pas risqué à nouer des relations dans son pub. Non, merci, disait-il à ses intimes; des lieux de rencontre moins ragoûtants mais plus sûrs lui suffisaient. Force lui était d'ailleurs de prendre des précautions. Sa situation, sa retraite... tout serait perdu si l' « Intérieur » apprenait la vérité à son sujet. Feignant l'indifférence, Jenner reporta son attention sur le bol de cacahouettes et d'un ton négligent commanda un troisième verre de gin rose. Incapable pourtant de conserver son sang-froid, il regarda à plusieurs reprises le reflet de l'inconnu dans la glace.

Enfin l'impensable se produisit : cet homme passa derrière les clients alignés le long du bar et s'arrêta auprès de Jenner.

« J'espère que ma présence ne vous dérange pas », dit-il avec un léger accent que Jenner jugea scandinave.

Bien qu'incapable de dissimuler sa curiosité, Jenner ne sut comment réagir. D'instinct il subodorait quelque chose de louche mais la joie d'être abordé ainsi par un aussi beau spécimen de la race humaine, nettement plus jeune que lui, l'emporta sur son appréhension et il tendit sa main droite. « Je vous en prie... Prendriez-vous quelque chose ?

— Avec le plus grand plaisir. Un verre de vin, si vous le permettez... Je m'appelle Baruch.

— Prénom ou nom de famille ?

— Mon seul nom.

— Et moi Hugh Jenner. Enchanté. »

Baruch expliqua qu'il était journaliste et arrivait de Suède. Il avoua sans ambages qu'il comptait passer la nuit à Londres mais n'avait pas encore retenu de chambre d'hôtel. Son sac de voyage se trouvait d'ailleurs à ses pieds.

Stupéfait par sa propre générosité Jenner offrit à Baruch de l'héberger. Le beau blond ne répondit pas. Mais Jenner insista en faisant valoir que son appartement se trouvait tout près du pub. Baruch accepta enfin et posa le bout des doigts sur le revers de la main de Jenner en un geste de gratitude.

Jenner en fut ravi mais se hâta de retirer sa main. Il se redressa, aussi raide qu'un officier de l'armée coloniale s'apprêtant à passer ses troupes en revue, mit le petit doigt sur la couture du pantalon, s'inclina en arrière et parcourut l'assistance du regard pour vérifier si quelqu'un les observait. Incapable de taire ses sentiments, il chuchota à Baruch qu'ils ne devaient pas agir aussi ouvertement dans un lieu public...

« La discrétion s'impose, dit-il gravement. Vous savez... nous ne sommes pas aussi libres qu'en Suède. »

Baruch ramassa son mince bagage, ils descendirent au rez-de-chaussée, sortirent et s'en allèrent côte à côte dans la nuit brumeuse.

Arrivés aux Exeter Mansions, ils gravirent l'escalier jusqu'au troisième étage. Parvenu devant sa porte Jenner reprit son souffle. Il porta la main à sa poitrine, tira de sa poche intérieure un drageoir d'écaille, et y prit une pastille blanche qu'il s'empressa de mâcher. Une infime bulle d'écume apparut à la commissure de ses lèvres.

« Un malaise ? demanda Baruch, visiblement inquiet.

— Rien qu'une pointe d'angine... », répondit Jenner. La gêne et la passion le firent rougir... Il ouvrit sa porte et fit entrer son invité.

Le salon était tapissé de marron foncé, et éclairé par un grand lustre : espèce de toile d'araignée en cristal scintillant. L'ensemble avait quelque chose d'équivoque. Une abondance excessive de meubles anciens faisait paraître la pièce plus petite qu'elle ne l'était. Jenner invita Baruch à s'asseoir sur un sofa couvert de velours vert, entre deux fauteuils à dossier droit, également tapissés de velours. Figurines et statuettes, posées sur la tablette de la cheminée, rivalisaient pour attirer l'attention avec deux gigantesques défenses d'ivoire pointant vers le plafond.

« Cela vous plaît-il ? » demanda Jenner.

Baruch hésita un instant en humant l'œillet rouge piqué au revers de son veston. « Je suis surtout étonné, répondit-il, le regard fixé sur une estampe de Lichtenstein représentant une main écrasée par le talon d'une botte. Quel contraste... Ce décor diffère tellement de votre tenue.

— Bah ! nous nous habillons tous ainsi au ministère. Nous devons nous fondre tous les uns dans les autres... Ma véritable personnalité est ici. » En parlant ainsi Jenner désigna la pièce d'un geste large.

« Mais, ce tableau n'a vraiment pas de rapport avec le reste, répondit Baruch en désignant du doigt une toile du XVIIIe siècle représentant un seigneur qui jouait du luth devant un groupe d'élégantes.

— Bah ! répéta Jenner. Un Watteau. Plutôt exceptionnel, n'est-ce pas ?

— Comment vous l'êtes-vous procuré ?

— Je l'ai trouvé dans une petite galerie de Motcomb Street. Il vous plaît ?

— Décoratif mais plutôt sentimental.

— En effet. C'est sa provenance qui m'intéresse. Il a été pillé par les nazis pendant la guerre.

— Passionnant ! »

Le visage de Jenner s'éclaira. Il alluma des bougies dispersées dans le salon et éteignit le lustre. Sous leur lumière dorée les traits de son visage ridé s'adoucirent. Il se sentit même rajeuni. « Quel bonheur de faire connaissance avec vous, dit-il.

— Moi aussi je me félicite de ce hasard. J'avais toujours entendu dire que les Anglais sont guindés.

— Dès que je vous ai vu dans le miroir du pub, j'ai deviné que nous sommes faits l'un pour l'autre.

— On est toujours heureux de se faire de nouveaux amis. Vous me paraissez tellement hors du commun, Hugh.

— Voudriez-vous du vin ?

— Bien sûr, dit Baruch. Vous êtes tellement accueillant ! »

Hors de lui, Jenner prit une bouteille dans un buffet et la déboucha sans pouvoir détourner ses yeux de Baruch qui prenait gracieusement ses aises sur le sofa de velours vert. Quand il arracha le bouchon de la bouteille, des miettes de liège tombèrent dans le vin. Exaspéré par sa maladresse, il posa la bouteille de côté, en prit une autre et la déboucha plus prudemment. Cette fois le bouchon apparut tout entier, intact. Rien que le meilleur, se dit Jenner à lui-même, rien que la perfection pour Baruch, ce soir. Il emplit deux verres et en offrit un à son invité. « Des baccarats : le cristal le plus fin », dit-il.

Baruch sourit, approbateur, et leva son verre. « Superbe, si mince, si fin qu'il serait invisible s'il ne contenait pas du vin. »

Une bouffée de douceur envahit la poitrine de Jenner. Il tendit la main pour palper le bras de Baruch. Le biceps lui parut aussi dur que du fer. La puissance de ce muscle l'excita. Il admira la largeur des épaules, le cou court et musclé, la poitrine gainée par la chemise de soie et le visage qui paraissait taillé dans du granit. « Charmant », dit-il. Ils burent en même temps, les yeux dans les yeux.

« Je vois que vous avez une cheminée, dit Baruch. Cela vous ennuierait-il...

— Du feu ? Mais bien sûr, mon ami. J'aurais dû y penser.

— Puis-je me rendre utile ?

— Non, vraiment pas. J'en ai pour un instant. C'est toujours prêt. J'emploie un pétrole sans fumée. Il suffit d'une allumette. »

Quand Jenner se pencha vers l'âtre, l'homme blond tira de sa poche un petit flacon de matière plastique, le déboucha vivement et versa quelques gouttes de son contenu dans le verre de Jenner.

En revenant vers son invité, le dos tourné au feu qui flambait, Jenner retira ses souliers et se pelotonna à l'autre extrémité du canapé. Voilà le début d'une belle soirée, pensa-t-il. Qu'il était beau ce nouvel ami, qu'il était vigoureux et germanique ! La perspective d'une superbe nuit d'amour l'affolait. « Buvons au bonheur d'une rencontre qui embellira notre vie à jamais, j'en suis sûr. »

Baruch sourit d'un air énigmatique et regarda Jenner porter le verre de vin à ses lèvres. Le poison agit presque immédiatement. Un instant plus tard Jenner se sentit succomber à une lourde somnolence. Il hocha la tête en attribuant cet état aux verres de gin qu'il avait bus avant le vin. Puis, juste avant de s'évanouir, il réalisa que ni le gin ni le vin n'étaient en cause. Son invité l'avait drogué. Cette idée lui fit horreur. Après tant d'années de tranquillité... Quelle trahison odieuse !

Sans se presser, Baruch prit des gants de chirurgien dans la poche de son veston et les enfila en se dirigeant vers le Watteau accroché au mur. Il retira du cadre la toile tendue sur son châssis, ouvrit sa valise et y plaça soigneusement son butin. De temps en temps, il jetait un coup d'œil vers le corps recroquevillé à l'extrémité du sofa. Il se rendit à la salle de bains et emplit la baignoire d'eau chaude. Par prudence, il y versa un peu d'huile parfumée puis vérifia la température du bout des doigts. Il retourna au salon, dévêtit rapidement Jenner, le prit dans ses bras, le porta à la salle de bains et le déposa doucement dans la baignoire.

Quand il l'eut bien installé dans l'eau chaude, Baruch ouvrit la bouche de Jenner, retira les prothèses dentaires et les mit dans un verre d'eau qu'il posa sur la tablette du lavabo. Puis il ouvrit la pharmacie murale et y prit une lame de rasoir. Il saisit les mains de Jenner l'une après l'autre et trancha les artères depuis la base du pouce jusqu'au tendon du petit doigt.

Il laissa tomber la lame de rasoir dans l'eau qui rosissait. La tête de sa victime s'y enfonçait lentement. Il sourit en voyant la perruque du cadavre se détacher de la tête et flotter à la surface où elle s'arrêta pudiquement au-dessus des parties génitales de Jenner...

L'assassin retourna au salon, ramassa les deux verres et les porta à la cuisine. Il lava soigneusement et essuya le sien qu'il rapporta au salon et remit dans le buffet. Quant à celui de Jenner, il se contenta de le rincer, le rapporta aussi au salon et y versa un peu de vin avant de le poser sur la table. Puis il rassembla les effets de sa victime, alla à la chambre à coucher et les disposa soigneusement sur le lit. Ensuite, il prit dans sa valise un complet noir à col de pasteur. Il se changea rapidement et eut même soin de retirer l'œillet du veston bleu pour le piquer au revers du noir. Il mit son complet élégant au fond de sa valise, par-dessus la toile de Watteau, jeta un dernier coup d'œil autour de la pièce et referma sans bruit la porte derrière lui... En descendant l'escalier, il retira ses gants de caoutchouc qu'il enfonça dans la poche de son pantalon. Il consulta sa montre. L'affaire s'était déroulée plus rapidement qu'il ne l'avait prévu. Il avait encore le temps de dîner au Rendez-vous, à Chelsea, avant de prendre l'avion pour Rome.

2

Dans un palais romain du XVIIe siècle, aux échos caverneux, situé dans une étroite rue pavée proche du Vatican, Mgr Hans Weiller était assis immobile, aussi impassible qu'un bouddha. Corpulent, le visage exempt de toute ride à soixante-cinq ans, les bras posés sur les accoudoirs finement sculptés d'un fauteuil vénitien en bois de poirier, il appuyait son double menton sur le revers de ses mains jointes. Le poids de sa tête faisait saillir ses lèvres vers le haut en une moue de mépris insolent. Sous ses épaisses paupières à demi abaissées, ses yeux d'un bleu délavé considéraient un échiquier en jade de Sibérie.

En dépit de son calme apparent, pourtant, les neurones de son cerveau palpitaient d'impatience et d'inquiétude : il attendait des rapports de Londres, Paris et New York. Il éleva son regard vers une horloge de chrysocale et de marbre posée sur une petite table au-delà de l'échiquier. Cinq heures. En dépit de ses préoccupations, il avait joué une partie d'échecs remarquable. Il avait abordé cette confrontation comme il se serait attaqué à un poisson bien rôti. Il avait arraché la peau, séparé les arêtes de la chair et maintenant il s'apprêtait à savourer ce mets.

Son adversaire assis en face de lui, le très estimable chef de la Commission d'archéologie sacrée du Vatican, membre de la Curie, l'évêque autrichien Alois Schneider, sentait à coup sûr que la partie touchait à sa fin. L'expression du vénérable vieillard indiqua qu'il se savait vaincu.

Au début de la partie l'évêque parut avoir assuré correctement la protection de son roi. A mi-chemin pourtant, Weiller recourut à une variante éblouissante du gambit de Wathier et brisa le roque de son adversaire. Schneider maintint la compétition jusqu'au vingt-quatrième coup. Puis il commit une erreur qui exposa sa dame. Dès lors Weiller sut qu'il l'emportait.

Pendant que son adversaire suait une once de sa graisse en méditant sur son armée en déroute, Weiller s'adossa dans son fauteuil. Il posa ses mains dodues sur l'extrémité arrondie des accoudoirs. L'horloge indiquait six heures et demie. L'attente ne durerait plus longtemps. Les rapports de Londres et de Paris arriveraient dans l'heure. Le message de New York ne parviendrait que beaucoup plus tard : vers trois heures le lendemain matin.

Weiller regarda froidement le visage luisant de l'évêque qui éleva sa main gauche. A cet instant les flammes de la cheminée firent étinceler l'améthyste de son anneau pastoral. Il avança le pion de sa reine à la cinquième case du roi. Puis il leva la tête et sourit d'un air craintif.

Le malheur était accompli. Il avait livré sa dame comme une vierge innocente privée de toute défense. Weiller lâcha l'accoudoir et étendit son avant-bras droit au-dessus de l'échiquier. Comme les pinces d'une langouste, son pouce et son index s'écartèrent puis se refermèrent sur sa tour. Il la poussa en avant jusqu'à la dame dont il s'empara. Alors sa main retourna lentement à la même place sur l'accoudoir.

L'évêque s'adossa à son tour, esquissa un pâle sourire et inclina sèchement la tête en signe de capitulation. « Magnifiquement joué, Monsignore.

— Venir à bout d'un adversaire de votre mérite, Votre Excellence, vaut plus que mille victoires. » Weiller tendit la main vers la carafe de cristal et proposa : « Encore un apéritif ?

— Avec le plus grand plaisir. »

Weiller se pencha au-dessus de la petite table et emplit lentement le verre de l'évêque d'un vermouth foncé, couleur de cornaline. « Ne trouvez-vous pas que les échecs offrent une clarté merveilleuse ? une pureté morale à laquelle les joueurs ne peuvent échapper ?

— Très juste, Monsignore. Il n'y a ni bien ni mal dans ce jeu, mais seulement stratégie, tactique, feinte, et surtout la prescience de ce que va jouer l'adversaire.

— Comme à la guerre, Votre Excellence.

— D'accord, reconnut l'évêque. La guerre comporte aussi, en effet, une pureté morale.

— Même celle d'Hitler ?

— Bien sûr, parbleu ! J'ai passé nombre d'années avant la guerre à Berlin où je représentais le Vatican. L'idéal teutonique m'a toujours séduit au point de vue politique et économique. D'autre part, en qualité d'Autrichien, j'éprouve des sentiments ambigus envers les Allemands. »

Monsignore Weiller sourit avec bienveillance, en faisant tourner son verre assez vite pour que le vermouth en affleure le bord. « M'exprimant objectivement et pas en qualité d'Allemand, je dois avouer qu'au fil des années j'en suis venu à la même conclusion. On pourrait presque approuver certaines idées d'Hitler. Il avait un grain, certes, mais n'était pas fou du tout. Quand nous considérons le déclin de l'Occident et que nous voyons des nations chrétiennes assiégées par leurs inférieures, nous pouvons accorder à Hitler d'avoir compris bien des vérités essentielles, particulièrement en ce qui concerne les juifs et leurs alliés communistes. »

L'évêque hocha la tête. « Voyons l'Italie d'aujourd'hui et ce qui s'y passe. La racaille s'est infiltrée dans presque tous les secteurs de notre société. Les porteurs de germes pathogènes empoisonnent notre civilisation et notre culture.

— Je le constate comme vous et, comme vous, je m'en inquiète, dit Weiller qui soupira et passa le bout de son index sur la monture de ses lunettes. Mais que pourrions-nous faire ? Permettons-nous seulement de remercier Dieu pour l'Eglise. »

Ils restèrent un moment assis face à face sans rien dire. Weiller remplit de nouveau le verre de l'évêque et versa quelques gouttes dans le sien. « Passons à des sujets plus agréables, dit-il. Les excavations progressent de manière satisfaisante à Monte Verde.

— Vous m'en voyez ravi, s'exclama l'évêque. Nous attendons les résultats avec impatience.

— Il s'agit essentiellement d'un travail d'archéologie, dit Weiller. Cela nous impose évidemment une extrême prudence.

— Je vous comprends, Monsignore.

— Il ne s'agit pas seulement de déblayer.

— Evidemment.

— Pourtant, dit Weiller d'une voix exprimant un rien d'irritation, voilà trois ans que cela dure. Nous avons dû attendre la permission si longtemps !

— Comme vous le savez, l'Eglise ne progresse que lentement, Monsignore. D'après une métaphore bien connue elle est construite sur un rocher et se meut...

— Aussi lentement qu'un rocher.

— Voilà ! Vous comprenez parfaitement, Monsignore.

— Le monde a grand besoin de compréhension, Votre Excellence. »

Weiller sirota un peu de vermouth et jeta un coup d'œil vers la cheminée. « Il faudra venir au chantier un de ces jours. Il règne une ambiance médiévale dans les catacombes.

— Elles sont beaucoup plus anciennes, Monsignore Weiller.

— Bien sûr.

— Nous avons envisagé pendant quelque temps d'électrifier les galeries mais nous n'avons pas retenu cette idée. Il faut tenir compte des touristes à qui cela aurait déplu. Il préfèrent les torches.

— Je les comprends, bougonna Weiller. Enfin, comme je vous l'ai dit, nous sommes au seuil de la percée. Dans quelques jours je crois que nous rouvrirons la salle intérieure de Monte Verde.

— Après combien de temps ? Trente ans, je crois. J'ai oublié quand eut lieu l'effondrement. »

Weiller éleva son regard vers le plafond lambrissé, aux poutres apparentes, comme s'il consultait le Ciel. « L'effondrement ?... Je crois, Votre Excellence qu'il eut lieu en juin 1944... »

3

Le soir obscurcit le ciel au-dessus de Paris lorsque le 747 d'Air France fonça en tonnant vers l'aéroport international Charles de Gaulle. Un élégant passager de première classe — visage buriné, quarantaine, ou presque, veston de daim — regarda les lumières qui clignotaient au sol.

Sous les rayons de la lampe qui lui avait permis de lire jusqu'alors, les traits de son visage — front large, nez droit, mâchoire forte — parurent quelque peu adoucis par l'animation que reflétaient ses yeux bleu-gris. Il était visiblement heureux de retourner chez lui. Dans les circonstances habituelles, son regard scrutait plutôt qu'il n'observait.

Cet homme s'appelait Alex Drach. La capitale prenant forme au-dessous de lui, il prit ses aises dans son fauteuil, passa la main sur ses cheveux noirs frisés et se rappela, comme toujours lorsqu'il y revenait, ses plus lointains souvenirs de Paris, de son père adoptif, Jocko Corvo, et de sa vie chez les Corses.

Alex avait alors à peine plus de trois ans ; il jouait sur le balcon du minuscule appartement des Corvo à Pigalle. Il braillait de joie chaque fois que Jocko faisait apparaître et disparaître, comme par magie, une pièce de cinq francs entre ses doigts. C'était au mois d'août par un après-midi merveilleusement exceptionnel. Le petit Alex ne savait pas ce qu'il se passait mais il sentait une ambiance extraordinaire. Mama Louisa, la femme de Jocko, portait une robe rose toute neuve, qu'elle avait cousue elle-même en utilisant des coupons de tissus achetés au marché noir. Elle aussi se trouvait sur le balcon et jouait avec un bouquet de fleurs en guettant l'arrivée des Américains.

Jocko, vêtu de son plus beau complet noir, se mit à chanter à pleine voix. Les couplets de l'hymne corse résonnèrent dans la rue étroite contre le mur d'en face.

Il fut un temps où Dieu était homme.
Napoléon ! Napoléon !

Le tintamarre de chenilles métalliques étouffa la chanson. Du coin de la rue déboucha une colonne de chars d'assaut et de camions bâchés qui dévala vers la place Pigalle. Des Allemands !

Tout à coup la rue éclata. La fusillade tomba des toits et des fenêtres. Une bouteille dont jaillissait une flamme tourbillonna en tombant et fit explosion dans la tourelle ouverte d'un Panzer. En un clin d'œil le tank ne fut plus qu'une masse de flammes jaunes. Un autre char d'assaut pivota en bas de la rue et son canon pointé sur un immeuble voisin tira un obus de 88 qui déchira la façade. Débris de pierres, morceaux de ciment et verre brisé jaillirent dans toutes les directions.

Au même instant, juste au-dessous du balcon, un camion obliqua follement, monta sur le trottoir et heurta la maison. Quelqu'un vociféra : « *Heraus! Schnell!* Dehors ! » En bondissant du camion, les Allemands furent pris sous le feu des insurgés. Plusieurs s'abattirent comme des soldats de plomb. L'un d'eux sauta par-dessus l'extrémité de la plate-forme, se glissa dessous puis, emporté par l'énergie du désespoir bondit dans l'immeuble dont le lourd véhicule avait défoncé la porte.

Pour Alex, le reste se déroula comme dans un rêve. Jocko l'arracha du balcon. De lourdes bottes martelaient l'escalier. Des poings frappaient à la porte. Tapie dans un coin, Louisa le serrait étroitement dans ses bras, en murmurant une prière. Voilà qu'un coutelas apparaît dans la main de Jocko. Il traverse le vestibule d'un seul bond. Un bruit terrifiant. Un Allemand gigantesque aux bottes luisantes se trouve dans l'appartement. Mais Jocko se dresse derrière lui, encore plus grand. Son bras puissant se glisse d'une épaule à l'autre de l'Allemand. La lame étincelle. Tout à coup, un mince sourire rouge apparaît sous le menton du soldat qui s'affaisse sur le plancher.

Penché au-dessus de lui, Jocko ne prononce qu'un seul mot : « *Giustizia!* »

Alex n'oublia jamais cet instant. Les bottes noires, le visage de l'Allemand, les yeux révulsés, la plaie béante de la gorge. Il n'oublia pas non plus le mot prononcé par Jocko au-dessus du cadavre. Il devait l'entendre encore souvent par la suite car il signifie une chose intimement liée au monde des Corses, unis par le sentiment de l'honneur et de la justice. Il retentissait encore dans la mémoire d'Alex au moment où le 747 s'abaissait vers l'aéroport ; il entendait la voix dure et sévère de Jocko.

Il boucla sa ceinture de sécurité lorsque l'avion commença à décrire des cercles avant l'atterrissage et il se réjouit d'être de retour à Paris. Ses affaires le retenaient généralement à New York mais il se sentait Parisien bien qu'il n'eût pas vécu en France depuis des années. Il connaissait dans cette ville les palaces de luxe, George V, Meurice, Plazza Athénée, où il avait séjourné mais ce n'était pas ce Paris-là qui l'intéressait, pas plus que celui des restaurants chers, des magasins chics...

Le Paris qu'il aimait, parce qu'il l'avait connu dans son enfance, c'était celui des rues étroites de Montmartre où il avait grandi parmi les proxénètes, les prostituées et les voleurs de Pigalle, sous l'aile protectrice de la famille Corvo, étroitement unie. Il se demandait ce qu'il serait devenu s'il était resté avec eux car il les avait quittés depuis plus de vingt ans pour vivre dans un monde très différent.

Depuis l'âge de quinze ans, Alex Drach avait vécu, étudié et travaillé à New York où il s'était intégré aux milieux artistiques, plus sophistiqués et qui passent pour plus civilisés. Finalement il était devenu exceptionnellement érudit en matière d'art : un expert certes, mais qui se spécialisait dans un domaine aussi exceptionnel : retrouver et recouvrer les œuvres d'art volées. Il se targuait plaisamment d'être un « chasseur de butin ».

Après avoir passé son examen d'histoire de l'art, il avait commencé par enseigner, mais pas longtemps. Pérorer devant quelques adolescents ne pensant qu'à eux-mêmes ne lui disait rien. Il avait énormément plu à ses élèves mais il les soupçonnait de suivre ses cours pour des raisons futiles. Etant donné qu'il était le plus jeune professeur de la faculté, les étudiants inclinaient à s'identifier avec lui. Les garçons l'admiraient parce qu'ils avaient eu vent de son violon d'Ingres. Qu'un professeur passât son temps à chasser des Rembrandt perdus ou volés échauffait leur imagination. Quant aux jeunes filles, elles le trouvaient attrayant, sans doute, pensait-il, parce qu'il tenait ses distances avec elles, beaucoup plus qu'à cause de leur amour de l'art. L'enthousiasme de ses élèves le réjouissait certes mais l'enseignement lui paraissait une activité banale, aussi consacrait-il de plus en plus son temps et son énergie aux affaires de sécurité.

Cette spécialisation lui avait permis de connaître les dessous du monde des arts et il avait constaté qu'à bien des points de vue ce milieu offrait plus de corruption et de violence que celui de Pigalle. Pour les gens évolués qui fréquentent les artistes et vivent de leurs œuvres, dans une société fermée où tout semble se dérouler selon un rituel, le milieu dans lequel il avait grandi paraissait sauvage et brutal. Peu importait à Alex. La meilleure partie de lui-même restait attachée à jamais au monde des Corses.

Cela ne signifie pas que son travail lui déplaisait. Il en raffolait au contraire. Il avait choisi cette profession en connaissance de cause, non seulement en raison des ressources financières qu'elle lui procurait mais aussi à cause de ses risques. Expert en son domaine il était exceptionnellement bien payé. Cela lui convenait, bien sûr, mais comptait moins pour lui que la satisfaction de résoudre des problèmes, de parfaire la technique subtile qui lui permettait de retrouver les objets d'art volés. Quant aux risques, il avait besoin de mener une vie dangereuse. Encore une caractéristique corse.

L'avion prit doucement contact avec la piste d'atterrissage et ralentit quand le pilote renversa la poussée des moteurs. Alex prit une profonde inspiration, dénoua sa ceinture et saisit la valise de cuir qui lui servait pour tous ses voyages, assez petite pour qu'il la glisse sous le siège en face de lui. Elle lui convenait parce qu'elle lui faisait gagner du temps. Il avait horreur d'attendre les bagages confiés à la consigne.

En arrivant à l'aéroport international De Gaulle, Alex eut l'impression de débarquer dans un univers futuriste : la gare aérienne proprement dite suggère l'idée d'un vaisseau de l'espace ovale étendant des tentacules de plexiglas qui l'alimentent en passagers et les éliminent. Les voyageurs se déplacent dans ces tunnels sur des tapis roulants comme des colis transportés par tube pneumatique. Alex se libéra sans incident du contrôle douanier. Le tapis de caoutchouc le conduisit ensuite vers un « satellite » d'où un escalier roulant le conduisit à l'air libre.

Des glaces coulissèrent pour lui livrer passage et il émergea de la gare sous l'âpre température de janvier. Au moment où il enfilait son pardessus, il remarqua trois prêtres qui bavardaient tranquillement. L'un d'eux avait fait le voyage avec lui et il avait déjà observé ses cheveux gris acier coupés ras. Il se le rappelait parce que cet homme portait un bouton d'argent à une oreille : bijou extraordinaire pour un membre du clergé.

Alex n'attendit que quelques minutes au bord du trottoir. Puis une Citroën rouge vif s'arrêta si brutalement que ses pneus crissèrent sur le pavé. La portière arrière s'ouvrit et le chauffeur, une jeune femme aux cheveux roux et aux grands yeux marron, lui sourit d'un air malicieux. « Bienvenue à Paris », dit-elle.

Ce n'était autre qu'Araminta, la nièce de Jocko ! Alex n'en crut pas ses yeux. Tout en elle était ovale : la courbe de ses sourcils, la forme de son visage, la plénitude de son corsage. Une telle maturité chez une fille de dix-neuf ans étonna notre voyageur. « Tu as changé, dit-il en souriant.

— Parce que tu es resté trop longtemps absent.

— Pour mon malheur ! » dit-il. Avec un éclat de rire, il jeta sa valise sur la banquette arrière, s'assit auprès d'Araminta qu'il baisa sur les deux joues. Puis il serra sa ceinture de sécurité.

« J'espère que tu resteras un moment, cette fois », dit-elle en embrayant d'un geste preste. La voiture démarra.

« Comment va Jocko ?

— Nerveux, comme toujours le père d'une jeune épousée, répondit Minta.

— Je m'en doute », répondit Alex qui émit un léger ricanement. La Citroën s'engagea sur la piste de droite de l'autoroute conduisant à Paris. « Arriverons-nous à temps pour la réception ?

— Ne t'en fais pas. Nous sommes sur l'autodrome Roissy-Paris. Je m'en tire en vingt minutes.

— A cette vitesse arrive-t-on vivant ? » demanda Alex en jetant un coup d'œil inquiet vers la jeune fille.

Elle sourit d'un air railleur, ralentit à l'entrée d'un virage puis fonça à toute vitesse.

Un instant plus tard, une BMW gris argent prit le même virage aussi vivement et suivit la Citroën. Les trois prêtres s'y trouvaient. Celui qui était assis à gauche de la banquette arrière assembla avec dextérité les pièces d'une mitraillette Ingram M-11. Sans la crosse, elle mesure moins de quarante-huit centimètres et ne pèse guère plus d'un kilo et demi. L'homme en vêtements de prêtre y ajusta un silencieux. Cet engin tire quinze balles à la seconde avec le minimum de bruit. Arme convenant parfaitement à l'emploi auquel son usager la destinait, elle est, en effet, facile à dissimuler, efficace et discrète.

4

Le même après-midi, Ray Fuller consulta sa montre à New York où il était dix-neuf heures cinquante-cinq : presque l'instant fatidique où commenceraient les enchères. Or André Rostand n'était pas encore arrivé. De son siège, au troisième rang, dans la principale salle de vente de Sotheby Parke Bernet, Fuller se tourna vers l'entrée. Il était inquiet. Peut-être Rostand avait-il décidé d'enchérir par téléphone afin de s'assurer l'anonymat pour que ses rivaux ne sachent pas à qui ils avaient affaire.

Non, se dit Fuller, le Vermeer qui serait vendu ce soir-là représentait un trop gros enjeu. Le vieux monsieur Rostand apparaîtrait donc un bref instant avant que l'aboyeur monte en chaire. A ce point de vue, Rostand réalisait des miracles de précision.

Chef comptable de la Rostand International, Fuller connaissait son patron depuis plus de trente ans et le savait extrêmement rusé. En se présentant exactement au moment où l'on exposait le premier lot à vendre, il produisait un effet psychologique maximum, comme si les enchères ne pouvaient commencer sans lui.

Toutefois Fuller échafauda des hypothèses. Peut-être Rostand avait-il conclu un accord avec le principal commissaire-priseur. Il lui aurait suffi de le lui demander. Chez Sotheby Parke Bernet, personne n'aurait refusé une telle faveur à Rostand. Fuller se promit de l'interroger à ce sujet, mais pas ce soir-là évidemment, car ce Vermeer étant en jeu, le patron ne serait pas d'humeur à plaisanter.

Au cours des dernières semaines, le vieillard avait changé. Il était devenu taciturne, facilement irrité par les propos futiles. Visiblement quelque chose le préoccupait. Fuller ne l'avait jamais vu de cette humeur. Peut-être Rostand était-il devenu trop vieux pour supporter les difficultés du métier. Peut-être ferait-il bien de remettre la galerie à son héritier légitime : son fils Philip. Cette idée fit horreur à Fuller mais l'heure avait peut-être fini par sonner. Quel que fût le sujet des préoccupations de Rostand, Fuller était convaincu qu'il avait un rapport avec la vente de ce soir-là. L'importance historique et, encore plus, l'immense valeur du Vermeer, véritable joyau d'art, avait attiré collectionneurs et courtiers du monde entier.

Au long des années, Fuller avait assisté à bien des ventes aux enchères mais aucune n'avait attiré une clientèle aussi brillante. Hormis le fauteuil réservé à Rostand auprès de lui, aucun des sept cents sièges capitonnés de rouge de la salle principale n'était libre. Dans les galeries voisines, des milliers de spectateurs étaient assis devant des écrans de télévision à circuit fermé, aussi vastes que des portes doubles. Plus une place de libre. Les derniers arrivés étaient condamnés à rester debout. Pour la plupart il s'agissait de curieux venus pour voir et être vus. Mais il y avait aussi parmi eux bon nombre de collectionneurs prêts à enchérir. Fuller remarqua un Allemand, magnat de l'acier, accompagné de deux femmes superbes qui avaient l'air de starlettes ; un célèbre dessinateur de mode anglais avec son compagnon habituel ; le directeur d'une banque suisse d'investissements avec son épouse. Tous étaient des clients de Rostand International. Fuller aurait pu esquisser la biographie des plus importants. Après tout, cela faisait partie de son métier.

Presque sans exception, chacune de ces personnalités était maîtresse d'un vaste empire financier ou culturel. Fuller les appelait les *illuminati*. Ils se connaissaient tous les uns les autres, évidemment, passaient leurs vacances dans les mêmes stations climatiques, assistaient aux mêmes réceptions et se cocufiaient à qui mieux mieux, en couples mixtes ou non, peu importait. C'étaient tous des amis. Fuller sourit en pensant combien ces gens-là s'émerveillaient de leur propre importance. Ils étaient arrivés en Bentley ou en Rolls Royce, les dames vêtues par Halston, Dior et Saint Laurent, les hommes en complet foncé, chemise à jabot et cravate noire.

Pourtant ces gens n'étaient pas les véritables acheteurs. Les *illuminati* n'enchérissent jamais ouvertement. Des courtiers dispersés dans la foule agissent pour eux. Ils tiennent à la discrétion. Moins le fisc apprend qui a acheté tel et tel objet d'art, mieux ça vaut. L'art est sacré, n'en doutons pas, mais c'est aussi une grosse affaire. Mieux qu'un investissement, un chef-d'œuvre représente la dernière monnaie libre du monde et un moyen éminemment « convenable » de se blinder contre l'inflation, d'échapper aux réglements des Bourses, bref le meilleur moyen de faire passer les frontières à son avoir sans le déclarer.

Il s'agirait donc de surveiller les courtiers et les représentants des musées. C'est eux qui pousseraient les enchères sur le Vermeer. D'après une liste qu'un indicateur travaillant chez Sotheby avait fournie à Rostand, Fuller vérifia leur présence et leur place dans la salle. Christopher Ashton, le blond directeur du Metropolitan Museum, aux allures aristocratiques, siégeait à sa place habituelle, juste en face de l'aboyeur. On pouvait compter sur lui pour foncer dès le début. Il aimait à participer à l'action sans réserve. Pourquoi s'en serait-il privé, se dit Fuller ; il n'engageait jamais son propre argent.

Charles Duranceau, l'opiniâtre courtier parisien, occupait sa place habituelle, dans le coin le plus reculé, au fond de la salle. A la manière d'un caméléon, il portait un smoking crème pour se fondre dans le beige du mur auquel il s'adossait.

Julian Johns de Londres, jeune homme agréable dont la mémoire enregistrait les œuvres d'art avec la précision d'un appareil photographique, se trouvait au second rang. D'une ambition insatiable, il s'était assuré les meilleures relations mondaines, surtout auprès de très riches dames âgées. A trente ans, Johns avait déjà la réputation d'un courtier consommé. Le bruit courait qu'il avait pour maîtresse, l'héritière d'un des plus gros conglomérats industriels du Brésil et qu'elle l'assistait financièrement. Si c'était exact, ce jeune homme deviendrait un rival dangereux. S'il ne s'en tenait qu'à ses propres moyens, pourtant, il ne pèserait pas lourd par rapport à Rostand.

D'autre part, le docteur Léopold Marto, assis de l'autre côté de l'allée centrale, juste à la même hauteur que le siège réservé à Rostand, pouvait se montrer un concurrent beaucoup plus redoutable. Massif, le cheveu rare, le visage fortement hâlé même en janvier, Marto avait franchi le cap des soixante-dix ans mais paraissait beaucoup plus jeune. Il se vantait de parcourir encore chaque jour six kilomètres au trot. Sans doute pour confirmer ses prétentions à la verdeur, il aimait, lui aussi, s'entourer de belles femmes comme le prouvait la jeune beauté suédoise blonde assise auprès de lui. Fuller secoua la tête. Il savait ce que représente le pouvoir et l'attrait qu'il exerce sur certaines femmes. Mais là, c'était trop. Marto lui faisait l'effet d'un vieil athlète délabré aux muscles trop saillants pour quelqu'un de son âge.

En pointant sa liste, Fuller remarqua que Nando Pirelli n'était pas dans la salle. Absence inquiétante. Normalement, il aurait dû assister à cette vente. Ce sémillant Italien raffolait de l'excitation qui règne aux enchères et du spectacle qu'y offre le public. Craignant quelque erreur, Fuller scruta la foule et repéra Pirelli à l'instant même où il entrait. Au seuil de la cinquantaine, cet Italien d'une grande aménité, au visage hâlé, exempt de ride, et à la chevelure noire brillante, paraissait nettement plus jeune.

Fuller regarda Pirelli se glisser vers le fond de la salle et saluer Bertram Bez, courtier iranien attiré seulement par les œuvres d'art du plus haut prix. Les deux hommes bavardèrent un moment puis se séparèrent et chacun prit place d'un côté de la pièce. Fuller trouva bizarre qu'ils restent debout, surtout le corpulent Bez qui fuyait toute fatigue physique. Cependant, cela les plaçait à des points stratégiques leur permettant d'observer les moindres gestes des enchérisseurs.

Fuller haussa les épaules puis feuilleta le catalogue relié de toile rouge que Sotheby avait fait imprimer pour cette vente. De nouveau, il consulta sa montre. Selon la tradition on ne présentait les chefs-d'œuvre qu'à la fin de la séance. Fuller calcula qu'elle se terminerait vers dix heures. Ce serait un des événements mondains les plus saillants de la saison.

Il rouvrit le catalogue et admira la photographie en couleurs du Vermeer qui illustrait la notice suivante :

Jan Vermeer de Delft
Lot 10, PORTRAIT D'UNE SERVANTE D'AUBERGE
Env. 1660. Visage légèrement de profil. En pied, la servante tournée à demi vers la droite, en robe bleue avec fichu blanc. Un drap vert tendu devant une entrée de porte conduisant à une autre pièce.
Huile sur toile : 48 × 45 cm
Provenance : Rostand & Cie, Paris, 1895
Armand Beaumont & Cie, 1895
Auguste Donnet, Paris, 1899
Charles Donnet, Cleveland, Ohio 1947
Littérature : B. Bechtol, *Peinture hollandaise baroque,* Amsterdam 1932, p. 278
Max S. Rebreanu, *Vermeer, un catalogue raisonné,* Londres, 1953.

Quelle œuvre exquise ! pensa Fuller. Ce portrait d'une servante d'auberge, petite toile radieuse, représentait un trésor, non seulement en raison de sa beauté et de sa précision mais aussi de sa rareté. C'était une des toiles les plus convoitées du monde, l'un des trente-cinq chefs-d'œuvre de Jan Vermeer, le maître hollandais, qui peignait voilà trois cents ans. Presque toutes ses œuvres étaient désormais accrochées dans des musées et ne reparaîtraient jamais sur le marché. Les rares Vermeer qui demeuraient des propriétés privées appartenaient à des familles aussi riches que bien des petits Etats. Pendant la durée d'une vie humaine on ne verrait vendre qu'un ou deux Vermeer. Le seul fait d'en posséder un classait le propriétaire dans une caste étroitement fermée et sa vente ne pouvait signifier que le déclin ou la chute d'une dynastie familiale.

La Servante d'auberge représentait une importance particulière pour André car la possession de cette œuvre avait marqué le début de la dynastie des Rostand.

Fuller connaissait bien cette histoire. Le père d'André Rostand, Aaron, jeune courtier parisien, avait acheté une toile grossièrement vernie au cours de l'automne 1895, pour deux cents francs seulement. La première fois qu'il l'avait vue accrochée parmi des centaines d'autres, elle lui avait coupé le souffle, et il avait aussitôt compris qu'il venait de découvrir un Vermeer perdu. Aaron n'avait que vingt-cinq ans. Il accomplit alors son plus grand exploit. Cet achat le rendit célèbre du jour au lendemain. Il finit par revendre la toile à un négociant parisien pour vingt mille francs, grâce auxquels il ouvrit sa galerie Faubourg-Saint-Honoré qui était alors le centre du monde artistique français. C'est à partir de là que Rostand International se développa et devint une des galeries d'art les plus célèbres du monde.

Au cours des ans, ce chef-d'œuvre de Vermeer connut une histoire entrecoupée de maints épisodes. Puis *La Servante d'auberge* vint entre les mains d'un lointain parent du négociant parisien : un certain Charles Donnet, de Cleveland, Ohio. Malade et en mal d'argent Charles Donnet avait confié sa toile à Sotheby pour la vendre.

La lumière s'alluma au-dessus de l'estrade et illumina l'extrémité de la salle comme une scène de théâtre. Fuller referma son catalogue. A cet instant, le silence se fit subitement. Puis les assistants de l'aboyeur prirent place le long des murs, comme des sentinelles. Des employés en uniforme gris passèrent le long de l'allée entre les deux rangées de fauteuils en portant un chevalet. Ils le posèrent sur la scène brillamment éclairée, vérifièrent la position des pieds et s'éloignèrent. La vente allait commencer.

Fuller n'avait pas remarqué un homme au regard masqué par des lunettes noires, vêtu d'un sobre complet de pasteur, assis au fond de la salle principale. Il contrastait avec l'élégance qui l'entourait, d'autant plus qu'il mâchait du chewing-gum en remuant les mâchoires comme une vache qui rumine : seul détail qui attirait l'attention sur cet individu. Son fauteuil avait été réservé par l'envoyé spécial du Vatican auprès des Nations Unies.

5

Hors de la salle des ventes, un calme et un silence étranges régnaient sur la ville de New York. Un léger tapis de neige s'était étendu sur les rues pendant l'après-midi et étouffait les bruits habituels. De gros flocons de neige tombaient encore et on les voyait flotter autour des lampadaires. Entre ses bureaux de Rostand International et les salons de Sotheby Parke Bernet, André Rostand se rendit compte du froid en entendant la neige crisser sous ses pieds. Son léger pardessus de cachemire convenait mieux pour sa limousine climatisée que pour les rues glaciales. En plus, il avait oublié ses gants. Il serrait sous son aisselle une canne de merisier au pommeau d'argent. Au seuil de ses soixante-dix ans, Rostand, solidement bâti, de petite taille, la poitrine aussi large qu'un baril et les épaules d'athlète, n'en paraissait guère plus de soixante. Teint foncé, nez large, cheveux gris, drus, yeux d'agate marron, brillant intensément. La presse du monde entier lui avait donné le surnom de « Baron de l'art ». Cela s'expliquait du fait qu'André Rostand régnait depuis des décennies sur un empire de Galeries sises dans toutes les métropoles de l'Ancien et du Nouveau Monde.

Ce soir-là, même la sensation du froid ne le distrayait pas de son obsession : le Vermeer. Il avait calculé que les enchères monteraient à quatre millions de dollars. Personnellement, il était prêt à engager jusqu'à quatre millions et demi, s'il le fallait, mais espérait ne pas y être obligé. Cela dépendrait évidemment de ses concurrents. Marto enchérirait à coup sûr. Bez et Julian Johns, participeraient aussi au débat. Le bruit courait en outre que quelques outsiders présenteraient une résistance sérieuse. Il se serait agi d'acheteurs japonais. Pourtant

Rostand n'y croyait guère. Non, l'opposition viendrait de Marto et c'est lui qui tiendrait le plus longtemps.

Quoi qu'il en fût, Rostand était résolu à posséder le Vermeer, le soir même, dans une heure ou deux. La seule chose qui le tracassait, c'était l'entretien qu'il avait eu avec Marto quelques semaines auparavant en déjeunant au Metropolitan Club.

Marto, son principal adversaire, lui avait proposé de constituer une entente : une espèce d'organisation secrète de négociants et courtiers pour mettre la main sur le marché international des œuvres d'art. Il ne s'agissait pas de vains propos car Marto avait fondé récemment Art Intrum, société de crédit mutuel destinée à investir dans l'art.

C'était une bonne idée évidemment. Le marché avait évolué. Désormais les galeries achètent du Cézanne, du Degas, du Renoir comme elles auraient spéculé sur n'importe quelle marchandise, telle que des céréales ou, plus exactement, de l'or. Peu d'investissements assurent une plus forte et plus sûre valorisation de capital. Il n'existe qu'un nombre limité de chefs-d'œuvre et les artistes contemporains capables d'en augmenter le stock ne sont pas nombreux. Le prix de certaines œuvres rares augmente de dix à quinze pour cent par an.

André n'avait pourtant pas accepté la proposition de Marto. Par principe un Rostand ne s'associait jamais avec personne. En outre, l'insistance de son interlocuteur l'avait mis en garde. Elle semblait impliquer une menace. Marto était même allé jusqu'à dire que Rostand International risquait gros en se tenant à l'écart. André n'était pas certain de ce qu'il avait sous-entendu ainsi, car Marto s'était exprimé assez subtilement pour ne pas choquer. A la réflexion, Rostand ne craignait rien. Marto avait plus besoin de lui que lui de Marto.

En approchant des lourdes portes de glace donnant accès à Sotheby, André passa le long d'une file de grosses limousines garées en double file. Les chauffeurs formaient de petits groupes de-ci, de-là ; ils fumaient, bavardaient et gesticulaient dans l'air glacial. Quelques-uns le reconnurent et lui souhaitèrent bonne soirée. Il les remercia, atteignit le seuil de l'hôtel de vente, y pénétra, se débarrassa de son pardessus dans le vestibule en le remettant à un valet. Il conserva la canne dont il se servait à chaque vente aux enchères et qu'il considérait comme un porte-bonheur. Un autre valet lui ouvrit largement les portes de la salle principale où l'accueillit une jeune femme vêtue d'une longue robe de soirée, verte.

« Vous arrivez juste à l'heure, Monsieur Rostand », dit-elle en souriant. Rostand lui rendit son sourire, considéra la foule et hocha la tête. « Il y a du monde ce soir, Marlaina. Ça fera une belle vente.

— En effet, ce sera sans doute passionnant », répondit-elle. Elle lui remit un exemplaire du catalogue et chuchota : « Le code de ce soir est Oscar Wilde. Bonne chance. »

Rostand accepta le catalogue, sourit de nouveau et s'engagea dans l'allée pour prendre sa place habituelle auprès de Fuller.

« Ça va commencer à l'instant même, dit vainement le comptable.

— Il fait un froid de loup dehors », remarqua Rostand qui posa sa canne en travers de ses genoux et se frotta les mains. Puis il ouvrit le catalogue et constata que Marlaina avait indiqué en face de chaque article les enchères soumises confidentiellement à la galerie par les acheteurs qui entendaient ne pas assister à la vente. En outre, elle avait noté le prix le plus bas que le commissaire priseur accepterait pour chaque lot. Ces indications figuraient en langage codé, chacune des lettres d'OSCAR WILDE représentant un chiffre de zéro à neuf. La jeune femme trahissait ainsi un des secrets les mieux gardés des salles de vente. Rostand se demanda distraitement combien de temps elle pourrait continuer à lui rendre ce service sans être démasquée. Soudain il releva la tête et demanda : « Où est Marto ?

— Immédiatement à votre gauche de l'autre côté de l'allée, murmura Fuller.

— Et Bez ?

— En avant, presque au premier rang. Pirelli se trouve de l'autre côté. Duranceau... »

Rostand s'inclina dans son fauteuil pour repérer Pirelli, à l'instant même où le commissaire-priseur, svelte, en queue-de-pie impeccable, passait dans l'allée en arborant un large sourire. Il gravit quelques marches à droite de la scène, puis monta à la vieille chaire d'acajou. Au même instant deux employés de la salle et les suppléants de l'aboyeur principal prirent place sous l'estrade. Sydney Morrow, le greffier à cheveux blancs qui connaissait de vue tous les principaux collectionneurs, se pencha sur son registre.

Le commissaire parcourut la salle d'un coup d'œil professionnel pour s'assurer que ses assistants étaient placés aux points stratégiques. C'étaient pour la plupart des jeunes femmes attrayantes qui ajoutaient de l'éclat à la vente et qui étaient surtout chargées de repérer le signe le plus furtif pour le transmettre immédiatement au commissaire. Dans les autres salles, les aboyeurs auxiliaires vérifièrent le bon fonctionnement de leur poste de télévision à circuit fermé et de leur microphone. Ils assurèrent leur audience que les enchères seraient clairement transmises.

Constatant que tout était au point, le commissaire-priseur de la salle principale frappa trois coups de maillet. La foule se tut.

« Bonne soirée, Mesdames et Messieurs. Quinze tableaux de maîtres anciens et célèbres sont mis en vente ce soir. Nous vous invitons à commencer par l'article numéro un : un magnifique Tiepolo. »

Deux employés en uniforme apportèrent une grande toile sur la scène et la posèrent respectueusement sur le chevalet.

« J'ai une offre de cinquante mille pour commencer », cria l'aboyeur.

Les enchères affluèrent de la salle. Les jeunes femmes chargées de les repérer communiquèrent les moindres signes : une caresse sur un revers de veston, un doigt porté à une monture de lunettes, une main levée.

« Soixante-quinze mille... cent mille... Aurai-je cent vingt-cinq mille ? » Chaque geste — le tapotement d'un crayon sur une main, un froncement de sourcil — représentait une petite fortune.

« Deux cent mille à ma droite. Deux cent cinquante mille ! me les offre-t-on ? Oui. J'ai trois cent mille dans le fond. »

Les bras croisés, comme toujours, lorsqu'il ne participait pas aux enchères, Rostand vit Marto entrer en lice. La manière d'enchérir le renseignait sur la personnalité du participant. L'ostentation pouvait signifier aussi bien la bravade que le manque de résolution. Souvent l'hésitation était une ruse dont il avait usé lui-même, mais pouvait aussi signifier la confusion. Rostand attribuait l'excès d'enthousiasme au manque d'expérience ou à la mauvaise humeur. Quant à l'humour, il aurait été déplacé.

« Trois cent cinquante. J'ai trois cent cinquante. Aurai-je quatre cent mille ? »

Marto était complètement détendu. Rostand ne décelait chez lui ni hésitation ni enthousiasme. Ce vieil homme fonctionnait comme une machine. Son crayon décrivait un arc de cercle pour surpasser immédiatement chaque enchère d'un concurrent.

Rostand tourna son attention vers Pirelli et constata une apparence de gaieté nullement convaincante. Pirelli avait commencé à enchérir immédiatement après Marto au prix de deux cent cinquante mille. Le prix atteignant trois cent cinquante mille, il avait secoué la tête pour indiquer qu'il capitulait. Bizarre ! Ce jeune homme était à la fois trop expérimenté et trop astucieux pour espérer acquérir un Tiepolo à aussi bas prix. Peut-être était-il de mèche avec quelqu'un pour qui il aurait commencé fougueusement puis feint de céder. Faute d'expérience, bien des membres de l'assistance pouvaient se laisser prendre à cette ruse, ce qui ralentirait l'élan de la vente. Cependant, Pirelli se serait secrètement entendu avec quelqu'un qui continuerait les enchères pour lui.

« J'ai quatre cent mille. Quatre cent cinquante ! A vous, Monsieur ! »

Encore une bizarrerie. Ce Tiepolo convenait parfaitement à Bez qui s'intéressait aux tableaux de ce genre. Pourtant, l'Iranien restait hors de la compétition. Pourquoi ? Attendait-il le Vermeer ?

Au niveau de cinq cent mille dollars il n'y eut plus en compétition que deux enchérisseurs : Duranceau, le Français venu de Paris et Léopold Marto.

« A vous Monsieur », chantonna le commissaire-priseur en fixant Duranceau de son regard. Le Français hésita un instant puis son regard le trahit. Rostand ne comprit pas immédiatement de quoi il s'agissait mais il avait vu le regard de Duranceau s'écarter un instant de la chaire. Cela indiquait qu'il était prêt à se retirer. Il relança pourtant, comme l'avait prévu Rostand mais pour la dernière fois. D'un geste de son crayon Marto ajouta vingt-cinq mille à l'enchère. Le Français croisa les bras et ne répondit plus aux appels du commissaire-priseur. Léopold Marto acquit donc le Tiepolo pour cinq cent vingt-cinq mille dollars.

La vente commençait sous d'heureux augures. L'assistance applaudit vigoureusement. Même Rostand battit des mains, moins pour approuver ce qui venait de se passer que pour se détendre. Pas un muscle de son visage ni de son corps n'avait frémi depuis que le Tiepolo était apparu sur le chevalet. Afin de dénouer ses nerfs, il frictionna le pommeau de sa canne tout en regardant à droite et à gauche, comme pour déchiffrer l'atmosphère de la salle. Il était expert en la matière. Même dans son enfance, lorsqu'il assistait avec son père à des ventes à l'Hôtel Drouot, à Paris, un sixième sens lui permettait de sonder l'humeur des pontes, les risques qu'ils accepteraient. Ce soir-là, à New York, il percevait une ambiance d'ivresse : ivresse de l'art et de l'argent. Cela lui rappelait plus ou moins le Paris qu'il avait connu entre 1930 et la guerre. Le rituel, le scintillement lui paraissaient identiques.

La foule poussa un long soupir d'admiration quand les porteurs posèrent sur le chevalet l'article numéro deux : un splendide Guercino. Le jeu des lumières et des ombres avait quelque chose de miraculeux.

Sans quitter la toile des yeux Fuller se pencha vers Rostand. « Marto doit être fortement soutenu pour enchérir aussi lourdement dès le début », chuchota-t-il.

Rostand haussa les épaules en croisant de nouveau les bras. « Peut-être, souffla-t-il.

— Ça ne me plaît pas, reprit Fuller.

— Je crois qu'il avait un client pour le Tiepolo. De toute façon, peu importe : il est ici pour *La Servante d'auberge.* Comme nous. »

6

A Rome, Cubitt Keeble se faisait d'ordinaire réveiller par sa bonne à deux ou trois heures de l'après-midi. Elle pratiquait quelques mouvements de gymnastique suédoise, prenait un bain et sortait pour déjeuner ou pour faire des emplettes, puis retournait chez elle et s'apprêtait en vue de sa soirée chez Mme Gérard.

Cubitt adorait la nuit qui l'attirait comme un puissant aimant. Elle préférait en particulier les heures du petit matin, après minuit, quand son monde se mettait à vivre. Beauté éthérée, dénotant une ascendance anglaise, aussi souple que le vent, elle était née pour voyager et pour entôler.

Depuis qu'à l'âge de sept ans elle s'était déguisée avec les vêtements de sa mère, elle avait rêvé d'être modèle ou actrice. Elle avait débuté à Londres à dix-sept ans en posant nue pour un photographe. En cinq ans, elle avait atteint le sommet de sa carrière : son visage avait figuré le même mois en couverture de *Harper's Bazaar* et de *Vogue.* Mais même le modèle le mieux payé n'a pas une vie facile. Elle travaillait dur, rentrait tard chez elle et s'effondrait après une journée de poses.

Puis quand elle eut vingt-cinq ans, ce fut fini.

Jeune aujourd'hui, vieille le lendemain : elle était périmée. De nouvelles frimousses, plus fraîches, la remplacèrent en vagues successives, fournies par les agences spécialisées. Néanmoins la chance lui avait souri car elle avait duré plus longtemps que la plupart de ses rivales.

C'est alors que Mme Gérard la découvrit. Elles firent connaissance à Londres, un après-midi, dans le studio d'un photographe. Dès le lendemain, Cubitt boucla ses bagages, se débarrassa de son petit appartement à Chelsea et partit pour Rome. Il y avait deux ans de cela.

Désormais elle vivait dans un appartement richement meublé, dont les fenêtres ouvraient sur les jardins Borghèse. Chaque jour, elle s'allongeait dans un bain fumant empli par trente petits jets, habilement placés pour lui masser la colonne vertébrale, la taille, les fesses et les cuisses. Elle adorait flotter ainsi en jouant avec les robinets pour modifier la température et la pression de l'eau qui la caressait. Il lui arrivait de passer des heures à lire, boire du Campari à l'eau de Seltz et à étudier son visage dans le miroir du plafond. Il lui indiquait qu'elle se présentait mieux de profil que de face. Son profil avait en effet la finesse d'un diamant taillé par un maître joaillier. Néanmoins sa face offrait une douceur qui invitait. Elle cultivait cette double personnalité et s'entraînait à rendre son regard irrésistible.

Elle se leva dans sa baignoire, saisit une grande serviette éponge sur le radiateur et sécha lentement son long corps aux chairs fermes, tout en pensant à l'aspect qu'elle voulait se donner ce soir-là.

Mme Gérard lui avait fait la leçon. Cubitt devait se présenter vers dix heures du soir. Les messieurs appartiendraient à la catégorie habituelle, acceptables au point de vue mondain mais en quête de plaisirs exceptionnels. Cubitt décida de leur offrir de grands yeux écarquillés, au regard innocent. C'était le plus efficace.

En se représentant mentalement l'image qu'elle souhaitait offrir, elle passa une demi-heure à coiffer sa longue chevelure blonde, en essayant d'abord la nouvelle mode asymétrique, l'embellit en y piquant quelques fleurs fraîches, puis y ajouta un ruban et enfin quelques bijoux. Ça n'allait pas.

Elle assembla sa chevelure en un chignon point trop sévère. Elle dénoua ses cheveux, se pencha en avant, les fit glisser par-dessus sa tête et se redressa en les tenant d'une main. Elle les mit en place avec des épingles et tressa délicatement une natte. Elle consulta son miroir. Parfait. Cette coiffure suggérait l'idée d'une élégante d'autrefois et mettait en valeur la grâce de son long cou.

Le maquillage prit plus longtemps. Elle appliqua une légère couche de khôl, puis épaissit la courbe de ses cils, à la pointe d'un fin crayon. Elle préféra le rose pâle au rouge éclatant dont elle usait d'ordinaire pour ses lèvres. Elle les souligna d'un mince trait marron. Enfin, elle ajouta une touche de rouge à ses joues, s'écarta du miroir, tourna la tête d'un côté puis de l'autre. Elle fut satisfaite.

Encore nue, elle alla à son armoire dont elle tira plusieurs robes de soirée avec les accessoires convenant à chacune. Il y a une sorte de symbiose entre la robe et le corps de la femme, pensait-elle. La robe n'était qu'une signature. Elle n'ignorait pas que les gestes comptent autant : la manière de se déplacer, d'abaisser ou lever les paupières en regardant ses interlocuteurs, de croiser les jambes en s'asseyant.

Après avoir essayé toutes les robes, elle s'en tint à un fourreau vert amande des plus clairs, de Chloe. Cette tenue constituerait un complément parfait pour les reflets dorés de sa chevelure. Une simple rangée de perles baroques ferait peut-être bon effet... Finalement, elle s'en passa. Une paire de boucles d'oreilles en émeraude et une goutte d'Opium de Saint Laurent suffiraient.

Il était près de dix heures quand Cubitt fut enfin prête. Elle ignorait qui Mme Gérard avait choisi pour elle ce soir-là mais ne s'en inquiétait guère car elle avait rarement été déçue.

Ce client serait plus que riche : opulent et, par conséquent, influent. Chez Mme Gérard, tous l'étaient. Cubitt espéra seulement qu'il serait bel homme mais sans y attacher trop d'importance. La plupart de ces messieurs avaient à peu près l'âge de son père, grisonnaient et prenaient du ventre. Mais il y avait une différence entre eux et le père. Ce dernier n'avait jamais eu les moyens de s'habiller aussi élégamment et de sentir aussi bon. L'équation se présentait avec une parfaite simplicité dans l'esprit de Cubitt : la fortune et le pouvoir étaient les nerfs de l'amour.

Elle quitta sa coiffeuse, vida son verre de Campari à l'eau de Seltz, le posa sur un plateau d'argent et sortit de sa chambre. En traversant le vestibule, elle prit le manteau de fourrure que lui tendait sa servante, et le posa en travers de son bras. Enfin elle entra dans la cabine de l'ascenseur pour atteindre la cour intérieure au rez-de-chaussée. Son Alpha Roméo noire y était garée. Elle se glissa derrière le volant, franchit la porte cochère et fila vers la Piazza Navona où l'attendaient les clients de Mme Gérard.

7

Niché sur le siège avant de la Citroën, Alex Drach s'abandonnait avec plus ou moins de confiance à Minta. Bercé par les cahots bien amortis et le ronronnement du moteur, il prenait ses aises et regardait approcher les phares des voitures roulant en sens inverse. Une brume froide s'était étalée sur la région parisienne ; quand la route plongeait entre deux collines, l'auto roulait dans le brouillard. Ailleurs, les rayons de la pleine lune éclairaient le paysage. Cet astre semblait faire la course avec la Citroën en se dissimulant de temps en temps derrière le feuillage des arbres plantés au bord de l'autoroute. La voiture redescendit vers une nappe de brouillard. Le reflet des phares sur la brume éclaira le visage de Minta.

Alex se tourna vers elle et s'étonna de l'épanouissement qui s'était produit en quatre ans. Il se rappelait une fille dégingandée et gauche. Certes Minta s'était toujours montrée précoce et câline. Chaque fois qu'Alex rendait visite aux Corvo, elle s'attachait à ses pas, sans le tracasser le moins du monde mais avec beaucoup d'assurance. Il l'avait tellement vue dans sa famille qu'il n'avait pu manquer de remarquer ses rares absences. « Cette gamine pourrait devenir bien attachante, pensa-t-il, surtout maintenant qu'elle se fait femme. » Sa longue et épaisse chevelure tombant sur ses épaules d'un arrondi parfait, sa taille mince, la fermeté de son buste, l'arc malicieux de ses lèvres et la grâce de ses longues jambes la rendaient remarquablement attrayante. C'était aussi simple que cela. Pourtant pas si simple. Tout à coup, Alex eut conscience de son âge.

Minta rompit le silence. « Tout le monde a hâte de te voir arriver, Alex. Surtout Madeleine. Elle était tellement ravissante en mariée ! La cérémonie fut splendide.

— Je suis désolé d'arriver aussi tard. Je n'ai pas pu me libérer plus tôt. Et son mari ? Quel genre d'homme ? »

Minta sourit. « Il s'appelle Pascal, mais pour nous c'est Manetta : Petite-Main. Jocko voit en lui un descendant des Sarrasins. Tu vois : teint foncé, grande souplesse, un vrai Maure.

— Il me paraît redoutable, dit Alex en regardant la brume tourbillonner devant les phares.

— Il l'est, dit Minta. Je ne voudrais pas m'en faire un ennemi. » Elle appuya sur un bouton et les essuie-glaces se mirent en mouvement avec efficacité. Puis elle conduisit sans rien dire pendant un moment et demanda enfin : « Comment se fait-il que tu ne sois pas encore marié ? »

Alex répondit joyeusement : « Qui voudrait de moi ? »

Minta lui jeta un coup d'œil en biais. « Moi », dit-elle tranquillement.

Alex éclata de rire. Une succession d'idées défila dans son esprit. D'abord il fut flatté. Peut-être n'était-il pas si vieux, après tout. Mais Minta était la nièce de Jocko et appartenait au clan. Alors, prudence ! « Je parie que tu parles ainsi à tous les gars.

— Certainement pas, répondit-elle. Ce serait plutôt ton genre. » Elle fronça les sourcils l'air moqueur. « J'en sais long au sujet de tes femmes.

— Quelles femmes ? demanda Alex.

— Tu le sais très bien. On te voit toujours en compagnie de créatures superbes. »

Une stupéfaction sincère apparut sur le visage d'Alex. « Qui t'a raconté des histoires pareilles ?

— Tu connais les Corvo. Chez nous les nouvelles voyagent vite, surtout celles qui te concernent. Alors, parle-moi de ces merveilles.

— Je n'ai rien à en dire.

— Tant de cœurs brisés ne te laissent même pas un souvenir ? »

Cette taquinerie amusa Drach. La franchise de Minta lui plaisait. « Sincèrement, je n'ai aucune liaison sérieuse », dit-il. Quelques secondes plus tard il demanda : « Et toi, tu n'as pas d'amoureux ?

— Beaucoup mais aucun ne me retient vraiment.

— Je te comprends. »

Ils étaient arrivés à mi-chemin de Paris et le brouillard, devenu plus épais, réduisait la visibilité à quelques centaines de mètres. Les voitures se faisaient plus rares sur la route. Soudain, Alex fut ébloui par deux faisceaux de phares reflétés par le rétroviseur. Une voiture les rattrapait à grande vitesse. Il s'en étonna, pas à cause de la vitesse sur cette autoroute mais parce qu'aucun véhicule ne les avait encore rattrapés.

Minta roulait sur la piste de gauche. Se sentant suivie, elle obliqua vers la droite pour livrer passage. Au lieu de doubler, l'autre voiture ralentit et roula de front avec la Citroën. Alex se tourna vers elle. La lumière des phares lui permit de reconnaître une BMW. Au même instant il repéra un tube d'acier qui pointait à la portière arrière. Il plongea vers le plancher.

Un chapelet d'explosions fit éclater les vitres en paillettes de cristal autour de lui. Il entendit Minta pousser un cri et sentit qu'elle braquait sur la gauche en écrasant la pédale du frein. « Ne t'arrête pas ! File ! » hurla-t-il. Une autre rafale traversa le flanc de la Citroën. Deux balles percèrent le dossier de cuir auquel il s'adossait quelques secondes avant.

La Citroën donna dans la glissière au milieu de l'autoroute, rebondit vers la droite puis fonça en dépassant la BMW. Minta passa en seconde vitesse, redressa sa voiture et roula sur la piste de droite. Moins de cinq secondes plus tard elle était en troisième et filait vers Paris à plus de cent à l'heure.

Alex dressa la tête pour regarder en arrière. Les feux de la BMW grossissaient dans le brouillard. L'espace entre les deux voitures diminuait. Il observa Minta et lui demanda : « Ça va ?

— A peu près » bredouilla-t-elle. Elle passa en quatrième vitesse et continua à accélérer.

« C'est bien. Tu t'en tires à merveille. Considère cet incident comme une épreuve. »

Elle sourit sans joie et demanda : « Qui sont ces gens-là ? Qu'est-ce qu'ils nous veulent ?

— Ne t'en soucie pas. Fonce, c'est tout. »

Deux paires de feux arrière apparurent devant eux sur l'autoroute. Sur la piste de droite les lumières luisaient, vertes, jaunes et rouges. Sur la gauche, apparaissaient deux petits points rouges. Quand la Citroën approcha de ces deux véhicules, Alex vit une deux chevaux doubler un camion frigorifique. Les deux pistes étaient bloquées.

Minta ralentit. Puis, sans hésiter, écrasa l'accélérateur au plancher en obliquant sur la droite. La Citroën roula sur le gravier bordant la chaussée. Elle doubla ainsi le camion et rejoignit l'autoroute en guère plus d'une seconde.

Alex prit une profonde inspiration, souffla et regarda en arrière. Retenue derrière le camion, la BMW devait se trouver à une centaine de mètres. L'audacieuse manœuvre de Minta leur avait fait gagner de précieuses secondes. Elles ne suffisaient pas. La BMW ne tarderait pas à les rattraper. Alex jeta un coup d'œil au compteur de vitesse. Cent trente. « Tu pourrais gagner ta vie en courant sur piste. »

Minta freina, passa vivement en troisième, puis en seconde. Les deux paires de pneus hurlèrent. La Citroën dévala dans une bretelle sur la droite. « Je préfère les autos tamponneuses et la barbe à papa, dit-elle.

— Je t'emmènerai à la foire du Trône si nous nous en tirons », dit Drach, tourné vers l'arrière. La BMW n'était plus qu'à une longueur derrière eux et dévalait au long de la même bretelle. Ils doublèrent une Renault délabrée dont le chauffeur les regarda avec un tel ahurissement qu'il les crut sans doute fous. Puis ils passèrent en trombe devant un panneau phosphorescent indiquant SORTIE 3 : 1 KM.

Drach prit de nouveau une profonde inspiration en considérant Minta. Elle avait les traits tendus et les lèvres serrées. « Nous allons essayer de les semer, dit-il. Fais exactement ce que je te dis. »

Minta hocha la tête. Alex consulta de nouveau le compteur. Entre cent trente et cent quarante. Il évalua la distance : trois quarts de kilomètre. La moindre erreur provoquerait une catastrophe.

« Que veux-tu que je fasse ? demanda Minta en regardant furtivement le rétroviseur.

— Passe sur la piste de droite. Quand je te le dirai, oblique à fond sur la droite. Opère aussi vite que possible. En même temps, lève le pied de l'accélérateur passe en seconde vitesse. Compris ?

— A fond sur la droite. En deuxième... C'est ça ?

— Tout juste ! » Drach regarda le compteur kilométrique. Il ne restait plus que cinq cents mètres. Arriveraient-ils à temps ? Quand Minta obliqua vers la piste de droite, la BMW déboîta et accéléra pour les doubler sur la gauche. A la lumière des phares Alex aperçut la silhouette du chauffeur et des deux passagers. Conscient de mettre en danger la vie de Minta, il étendit la main entre les deux sièges et saisit la poignée du frein à main. Ce geste suffit à apaiser la crispation de son estomac.

Quand la Citroën plongea à travers un nuage d'épais brouillard, le chiffre neuf apparut derrière la vitre du compteur. Ils traversèrent le nuage. Sur leur gauche, les feux de la BMW traçaient des lignes presque parallèles aux leurs. Alex repéra sur la droite la rampe de sortie à quelque trente mètres. « Prête ? demanda-t-il.

— Prête ! » répondit Minta en se penchant en avant.

Drach regarda à travers la vitre arrière. Il vit nettement un tube de métal noir pointé dans leur direction. A cet instant, la Citroën dépassa la rampe de sortie. « Vas-y, cria Drach en tirant sur le frein à main qui bloqua les roues arrière. Minta tourna son volant brutalement vers la droite et débraya. La Citroën fit demi-tour à angle droit, au moment où une rafale crevait son pare-chocs avant et pulvérisait un phare. Elle dérapa furieusement en continuant à tourner sur elle-même. Ses pneus torturés hurlèrent à l'unisson de la boîte de vitesses quand Minta rétrograda en seconde. Enfin elle s'arrêta net dans la direction opposée à celle qu'elle suivait quelques secondes auparavant. Le rayon de braquage n'avait guère dépassé la longueur de la voiture et la largeur de la bretelle.

Drach leva les yeux vers l'auroroute. La BMW avait déjà disparu dans le brouillard. « Remonte la rampe, dit-il en repoussant le frein à main. Fais vite. Nous risquons une collision. »

Minta frissonna, passa en première vitesse, refit demi-tour et s'arrêta à la SORTIE 3.

« Tout va bien maintenant. Ils ne reviendront pas en arrière. Ils ont raté leur coup et ils le savent. Ils ne vont pas se risquer à rouler à contre-sens sur l'autoroute à une aussi grande distance de nous. »

Minta appuya son visage contre l'épaule de Drach. Il la prit dans ses bras et regarda filer les lumières dans la brume au-dessus d'eux. Il l'étreignit ainsi un moment, puis il descendit de la voiture, en fit rapidement le tour, ouvrit la portière de gauche et poussa doucement le bras de la jeune fille qui glissa sur la banquette pour lui céder sa place. Il s'assit au volant, engagea la Citroën sur le boulevard périphérique et, une demi-heure plus tard, la voiture borgne, les vitres brisées et le pare-chocs tordu, penétra dans Paris par la porte de Saint-Ouen. Elle descendit vers la place Clichy. Les lumières des cafés, des restaurants et des magasins étincelaient derrière la foule des passants se rendant où les appelaient leur plaisir, leurs affaires ou les deux.

8

Philip Rostand se laissa aller confortablement sur la banquette arrière de sa Bristol carrossée spécialement selon ses désirs. Pris dans la circulation intense de Rome, il tambourina avec impatience du bout des doigts en regardant le défilé des femmes chics et des hommes élégants sur le trottoir de la Via Veneto. Bel homme n'ayant guère dépassé la quarantaine, Rostand portait un complet bleu foncé à minces rayures grises. Il ne mettait jamais de pardessus. Ce soir-là, il se contentait d'un foulard de cachemire autour du bord relevé de son col.

Il consulta son bracelet-montre et constata qu'il arriverait en retard chez Mme Gérard. Cela lui déplut car il était à cheval sur la ponctualité. Son corps musclé se mit à suer, comme toujours en cas de contrariété.

Il plongea deux doigts dans la pochette de son veston et en tira un petit drageoir d'argent. Sa main trembla quand il l'ouvrit pour y prendre une pilule blanche qu'il avala. De nouveau, il se laissa aller contre le dossier et attendit l'effet du calmant.

Dix minutes plus tard, l'épanchement de sueur arrêté, Philip regardait au-delà de la vitre, le méandre des rues sinuant autour du Corso. Quand son chauffeur stoppa près de la Plazza Navona, il admira l'église Sainte-Agnès-Martyre. Chaque fois qu'il voyait ce vénérable monument, il se rappelait l'histoire de la jeune chrétienne de treize ans, dénudée en public et lapidée à l'endroit même où se dressait son église. Cette idée l'excitait. Il lui arrivait même parfois d'en rêver. Il voyait la foule hideuse se repaître de sa nudité et il assistait aussi au miracle : les cheveux qui poussaient assez longs pour couvrir le corps de l'enfant. Ce soir-là il se promit d'interroger son astrologue sur la signification de ce rêve.

La Bristol démarra de nouveau pour aller s'arrêter près du Palazzo Pambisti. Le chauffeur sauta vivement de son siège pour ouvrir la portière arrière.

« Soyez de retour dans une heure », lui ordonna Rostand en débarquant. Le chauffeur, un jeune Français, s'inclina en une courbette raide. Philip franchit le seuil de la lourde porte cochère en acajou et gagna la cour intérieure du palais.

Quand les portes de l'ascenseur s'ouvrirent, un homme entre deux âges, en pantalon collant de cuir, traversa le vestibule, traîné par deux molosses noirs qu'il tenait en laisse. Rostand ricana. Le liftier tint la porte de l'ascenseur d'une main gantée de blanc. Philip y monta. « Madame Gérard, s'il vous plaît », dit-il.

L'opérateur acquiesça d'un signe de tête et allait fermer la porte quand une voix éveilla des échos dans la cour. « *Spetta! Per piacere.* »

Un instant plus tard, une jeune femme portant sous son bras un manteau de loutre entra dans l'ascenseur. Le liftier demanda en souriant : « Madame Gérard, *si?*

— *Si!* » La belle jeta un coup d'œil à Rostand et sourit. Les portes de l'ascenseur se fermèrent et ses trois occupants s'élevèrent en silence.

Rostand admira les pommettes de la jeune femme, rougies par la fraîcheur du vent, son opulente chevelure blonde et la courbe de la poitrine que masquait à peine l'élégante robe de soie. Il ne l'avait encore jamais vue. Sans doute quelque merveilleuse découverte de Mme Gérard.

« Vous êtes seule ce soir? demanda-t-il sans se soucier du liftier.

— Non. J'ai rendez-vous avec un ami.

— Un *fils* de Madame Gérard, n'est-ce pas? »

Elle le regarda droit dans les yeux mais ne répondit pas.

Rostand enfonça ses deux poings serrés dans ses poches. L'ascension se poursuivit en silence.

Les portes de la cabine s'ouvrirent au dernier étage du *palazzo.* Un tintement de verres et un murmure étouffé de voix diverses émanaient de la pièce principale. Une gouvernante, bien en chair, à l'air maternel vêtue de noir, accueillit les deux nouveaux venus lorsqu'ils entrèrent dans le vaste vestibule dallé de marbre. Sans un mot, la jeune femme lui remit son manteau et plongea dans un corridor.

Rostand resta un moment dans l'entrée en se demandant s'il devait la suivre. Il décida de ne pas le faire et remit son foulard à la gouvernante en lui demandant le nom de la blonde.

« Si, si. Elle est belle, convint cette femme en hochant vigoureusement la tête.

— *No, no signora. Como chiama la...* » insista Rostand agacé en montrant du doigt le corridor par lequel s'était enfuie Cubitt.

Les yeux de la vieille dame étincelèrent. « *Ah! Signorina Keeble, una ragazza gentile, molto gentile...* »

Rostand sourit en hochant la tête. « *Si, si. Grazie signora* » dit-il en pensant : Keeble... ce doit être une Anglaise. Il pénétra dans le salon de réception. Son toit de verre situé à cinq mètres de haut, illuminé par un éclairage indirect, semblait ouvert au ciel et rappelait l'atrium des Romains. La tapisserie dorée des murs, le sol de marbre, la répartition de l'éclairage abondant créaient une ambiance de luxe.

Philip avança entre des petits groupes de deux ou trois personnes, hommes et femmes en tenue de soirée, qui buvaient du champagne.

Chacun de ces hommes qu'il connaissait, se distinguait soit par son ascendance, soit par sa puissance, soit encore par sa richesse. Les âges variaient entre vingt-cinq et soixante ans. Ils appartenaient à diverses nationalités. Philip se sentait plus ou moins apparenté à eux. Comme lui, ils devaient leur fortune à leurs parents. Ce n'étaient pas des nouveaux riches.

Un autre lien les unissait. Ils étaient tous « fils de Madame

Gérard ». Du seul fait de leur présence chez elle, ils avaient le droit de faire connaissance avec les femmes les plus talentueuses, intelligentes, désirables et coûteuses qu'il fût possible de trouver en Europe. Chacun des *fils* payait évidemment très cher ce privilège.

Quant aux femmes présentes, une soirée chez Mme Gérard pouvait les conduire n'importe où ou nulle part. Rien ne les obligeait à accompagner les messieurs jusqu'à leur lit. Souvent elles ne le faisaient pas. Surtout à la première rencontre.

Mme Gérard adaptait aux mœurs européennes la tradition des geishas japonaises et insistait sur le fait que chacune de ses filles était absolument libre. Celles qui nouaient des relations sexuelles les maintenaient en général pendant des années. Quelques-unes de ces liaisons se terminaient par un mariage. Mais la plupart des femmes se contentaient de mener une existence très confortable et luxueuse en se montrant assez discrètes. Dans l'ensemble, une soirée au Palazzo Pambisti offrait de très agréables avantages à tous et surtout à Mme Gérard.

Philip accepta un verre de champagne que lui présenta sur un plateau un des valets en chemise noire et veston blanc. Il repéra Mme Gérard seule au milieu du salon. Dépassant toute l'assistance de plusieurs centimètres, c'était une femme remarquable : forte mais pas lourde, aux proportions parfaites. A quelque cinquante-cinq ans, elle portait une robe longue bleu de nuit. Ses yeux brillaient d'intelligence au-dessus d'un fort nez droit ; sa mâchoire dénotait vigueur et résolution. En sillonnant le salon, elle présentait les invités les uns aux autres. A ce moment, elle semblait entourée d'une espèce de halo. C'était visiblement une personne qui ne craignait pas de se faire remarquer dans une foule. Son port, presque royal, plein de confiance, attirait les gens comme un aimant.

Personne ne savait grand-chose au sujet de Mme Gérard. On disait qu'elle était arrivée à Rome pendant la guerre, d'un quelconque pays de l'est où elle aurait échappé aux nazis. Elle avait alors ouvert une petite maison de rendez-vous à l'usage des seuls Italiens. Puis elle avait paru se spécialiser dans les personnalités politiques. On la soupçonnait donc d'avoir ses petites entrées dans les cercles les plus élevés du gouvernement... et de la police. En tout cas, ses filles n'avaient jamais d'ennui avec les autorités. Certains pensaient qu'elle avait travaillé plus ou moins longtemps pour un service de renseignements. Où révèle-t-on mieux ses secrets que dans un bordel ? Mais tout cela n'était que suppositions, comme tout ce qui la concernait.

Philip Rostand la connaissait depuis vingt ans : depuis que son père, André Rostand, l'avait amené au *palazzo,* pour son initiation sexuelle, encore un des cas où son père avait cherché le gouverner.

André s'était plus intéressé que Philip à l'affaire et avait même choisi une fille à l'usage de son fils. Philip n'oublia jamais cette expérience et en garda rancune. Ce fut un fiasco. Avant de quitter la demoiselle, il lui fit promettre d'en garder le secret. Si elle confia la vérité à Mme Gérard, cette dernière n'en laissa jamais rien paraître. Tout le monde pouvait toujours compter sur sa discrétion.

Philip traversa la pièce et se joignit au groupe qui entourait la patronne.

Elle le vit arriver. « Philip ! Vous voilà enfin ! Vous n'êtes pas venu depuis si longtemps.

— Trop longtemps, en effet », dit-il. Il lui prit fermement l'avant-bras pour l'attirer à l'écart « Est-il ici ? demanda-t-il.

— Qui ?

— Maurice.

— Evidemment. Venez avec moi... Il est tellement californien ! »

Elle se dirigea vers le vestibule mais Philip la retint. « Encore autre chose, Madame. Pouvez-vous m'accorder une faveur ? » Philip éleva sa lèvre supérieure en un mince sourire. « Un très petit service. Je voudrais rencontrer une de vos filles. Une certaine Miss Keeble.

— Cubitt ! Comment la connaissez-vous ?

— Je ne la connais pas. C'est précisément cela qui m'ennuie. »

Mme Gérard fronça les sourcils avec une horreur feinte. « Mais sa soirée est déjà réservée... Pas avec vous. Elle est avec Miles Cattell ce soir.

— Ce galopin ! s'exclama-t-il.

— Un jeune homme attrayant et charmant, dit-elle en souriant. Ils se conviennent parfaitement l'un à l'autre.

— Mais Madame...

— Je suis vraiment désolée. »

Philip prit les deux mains de Mme Gérard entre les siennes et affecta un air de conspirateur. « Vous vous rappelez le Degas qui vous a tellement plu l'an dernier à notre galerie ? »

Mme Gérard sourit. « Les deux danseuses ?

— Tout juste. Il n'y a pas à s'y tromper. Ce tableau est vendu mais n'a pas encore été livré. Il suffirait d'une erreur pour que vous puissiez l'avoir. Au prix minimum, évidemment. Qu'en dites-vous ?

— Ce serait malhonnête, aussi bien de votre part que de la mienne.

— Mais pensez-y. Cette toile ne serait-elle pas ravissante dans votre chambre à coucher ? Il suffirait...

— Assez Philip ! Je ne promets rien. Vous me comprenez, j'espère. Mais j'aurai un petit entretien avec Cubitt. Comprenons-nous bien. Je ne m'engage pas.

— Parfaitement », dit Philip.

Ils quittèrent ensemble le salon de réception et se retrouvèrent dans un studio décoré de verre et de chromes, aux meubles de laque foncée et dont les canapés couverts de satin brun contrastaient avec l'étendue blanche d'un tapis de laine berbère. Etendu sur l'un de ces sofas trop rembourrés, un jeune homme svelte assez débraillé, la chemise largement déboutonnée sur un collier d'or, Maurice Tucker, conservateur du musée cantonal de San Francisco, offrait le type parfait du Californien bronzé par le soleil de son pays.

Il redressa la tête, reconnut Rostand et le salua joyeusement de la main. « Enfin ! Phil. Je vous attendais. » Tucker abaissa son regard vers une femme en robe verte profondément décolletée dans le dos. Philip ne vit qu'une colonne vertébrale saillante sur une peau livide et une touffe de cheveux roux dont les boucles rappelaient les serpents de la Méduse. Assise par terre, elle aspirait par le nez de la poudre de cocaïne répandue sur la surface d'une table basse. Tucker reprit : « Je m'amusais avec Olivia. »

En entendant son nom, la jeune femme dressa la tête à une douzaine de centimètres au-dessus du torse car elle avait le cou très long. Ses lèvres fardées de violet esquissèrent un sourire niais. Apparemment, elle ne se rendait pas compte de la présence de trois personnes autour d'elle. Elle se pencha de nouveau pour renifler la poudre blanche.

« Olivia, lui cria Tucker. Mon ami est arrivé. Tu n'aurais pas envie de faire pipi ! »

De nouveau Olivia redressa la tête. Cette fois, elle fronça les sourcils et gémit : « Dois-je vraiment m'en aller, Maurice ? Je suis si bien ici. »

Mme Gérard la prit par le bras, visiblement agacée. « Viens avec moi, chérie. J'ai quelque chose à te dire. » Comme Olivia semblait ne pas comprendre, la dame de céans lui tira violemment le bras pour la forcer à se lever et la conduisit à la porte. Les deux messieurs attendirent qu'elles aient quitté la pièce. Puis Philip se dirigea vers un meuble scellé au mur comportant poste de télévision, magnétophone, chaîne hi-fi et bar. Il posa un verre sur une petite table, se prépara un Pernod et mit en route le tourne-disque. « La musique ne vous dérange pas ? demanda-t-il.

— Pas du tout, répondit Tucker en allumant une cigarette. Mais, où diable suis-je ici ?

— Vous m'étonnez Maurice ! Vous ne connaissez donc pas Mme Gérard ? Comment pourrais-je qualifier sa profession ?... Elle se plaît à former des couples. Disons que nous sommes dans un salon plutôt que dans un bordel. En tout cas, c'est un très bon endroit pour traiter des affaires.

— Puisqu'il s'agit d'affaires, mon ami... »

Tucker plongea la main dans la poche intérieure de son veston. « J'ai des nouvelles intéressantes pour vous. Notre conseil de gestion s'est réuni la semaine dernière. Nous avons dressé le programme de six rétrospectives durant les trois prochaines années. J'ai la liste des artistes qui seront présentés. » Il tira la main de sa poche et tendit un feuillet à Rostand. « Ces gens-là sont peu connus. Il y a de l'argent à gagner. »

Philip sourit pour la première fois depuis le début de la conversation. Il avait en main un des secrets les plus soigneusement gardés du musée de San Francisco. Comme le disait Tucker, ces renseignements lui permettraient de faire une petite fortune. A partir du moment, en effet, où un musée consacre une exposition à un artiste, ses œuvres prennent de la valeur. Rostand enjoindrait donc à ses courtiers d'acheter les tableaux des peintres en question... au plus bas prix évidemment : peut-être quelques milliers de dollars chacun. Puis il attendrait la canonisation par le musée et revendrait les toiles dix fois plus cher. « Et le musée, en achète-t-il ?

— Nous avons inscrit trois millions au budget de cette année. Nous sommes à peu près certains de pouvoir acheter le Mexa, un ou deux Rauch et une série de dessins d'Ernest Kapalow.

— Vous voilà bien prudents. Je prenais la Californie pour un pays d'avant-garde.

— Ce sont des placements sûrs. Le conseil n'aime guère les contemporains. Leurs sujets mettent ces messieurs mal à l'aise. Ils ne les comprennent pas.

— Moi non plus, dit Rostand qui ricana. Mais je sais comment gagner de l'argent en manipulant le marché. » Rostand s'approcha du canapé, lécha son index et le passa sur la poudre qui restait sur la table. Il se frotta les gencives et sirota une gorgée de Pernod. « Mélange agréable, Maurice.

— C'est moi qui procède aux achats, dit Tucker.

— Pour le musée, évidemment, précisa Rostand.

— Evidemment. Vous ferez vos propres achats vous-même. Mais une question reste en suspens : celle de l'argent.

— Vous recevrez votre part habituelle comptant, comme convenu, dit Philip. Je reprendrai contact avec vous dans quelques semaines. Où voulez-vous que j'envoie votre commission ?

— A Zurich. Je n'introduirais jamais cet argent aux Etats-Unis.

— Très bien. Rien d'autre ? demanda Philip.

— Une seule chose. Il s'agit de votre père. Est-ce que nous traitons à son insu ? »

Philip serra les lèvres. « Ne vous en inquiétez pas. Ce n'est pas votre affaire. »

Tucker ricana à son tour. « Quand prendra-t-il sa retraite ? Il doit approcher de soixante-dix ans ? »

Philip secoua la tête. « Voilà la grande inconnue. Il ne la prendra jamais tant qu'il pourra faire prévaloir sa volonté. »

La porte du studio s'ouvrit brusquement. Olivia oscilla sur le seuil l'air boudeur. « Maurice j'ai assez attendu, dit-elle. Tu viens ou pas ?

— J'y vais, bien sûr, ma chérie. » Tucker se leva, alla vers elle et l'étreignit. Il adressa un clin d'œil à Philip et dit : « Nous avons terminé, n'est-ce pas ? »

Philip lui prit la main et la secoua. « Comme je l'ai dit, nous reprendrons contact bientôt. » En passant auprès du couple il considéra Olivia et eut pitié de Maurice. « Elle doit le crever pensa-t-il. C'est une fille qui ne doit jamais en avoir assez. » Sur le seuil de la porte, il se retourna et dit : « Enchanté d'avoir fait votre connaissance, Olivia. Peut-être nous reverrons-nous tous les trois un de ces jours. »

Les deux hommes échangèrent un hochement de tête entendu et Philip sortit.

9

La vente se poursuivant, André Rostand constata qu'il ne s'était pas trompé dans ses prévisions. Marto garda son crayon dans sa poche et le Guercino fut attribué à un négociant suisse pour $ 375 000. Marto n'enchérit pas non plus sur *La Malheureuse* de Fragonard que la National Gallery de Washington acquit pour $ 875 000. Nando Pirelli et Bertram Bez enchérirent vivement pour un petit Frans Hals mais tous deux s'arrêtèrent à $ 120 000. Finalement le Carnegie Institute l'obtint pour $ 25 000 de plus. La soirée fut fâcheuse pour Rembrandt. Son *Portrait d'un vieillard* fut « racheté » par Sotheby parce qu'il n'atteignit pas le prix réservé $ 2,5 millions. Le catalogue faisait d'ailleurs des réserves sur sa provenance. Rostand fut très troublé. La galerie Bez était fortement engagée dans les Rembrandt qu'elle possédait déjà ou qui lui étaient accessibles. Que l'Iranien n'eût pas enchéri et qu'il eût permis à la petite toile d'être remportée ignominieusement vers la réserve n'était guère concevable. André remua dans son fauteuil et toussa. Les signes étaient évidents. Ce soir-là, à cette vente, ce n'étaient pas des individus mais un groupe qui achetait.

Du haut de son estrade, le commissaire-priseur parcourut l'assistance d'un regard impassible. Il avait répété chaque enchère du ton neutre de l'homme qui annonce le beau et le mauvais temps à la BBC. Cette soirée représentait un succès éclatant pour lui. En une heure, neuf œuvres d'art avaient été vendues. Deux d'entre elles avaient battu des records internationaux. Sauf le Rembrandt, tous les tableaux s'étaient vendus plus cher qu'ils n'étaient estimés dans le catalogue.

C'est alors qu'apparut le Vermeer, apporté des coffres de Sotheby par un seul employé, visiblement nerveux, et escorté par deux gardiens en uniforme. Dans son modeste cadre doré, le portrait flotta vers l'estrade dans un tonnerre d'applaudissements. De nouveau Rostand s'agita dans son fauteuil et retint sa respiration. Il n'avait vu le Vermeer qu'une seule fois auparavant et il se rappelait la description qu'en faisait son père d'une voix nasillarde où tintait l'admiration. *La Servante d'auberge* offrait un spécimen typique des œuvres de Vermeer : décor parfaitement équilibré, représentant un monde tellement paisible qu'il paraît échapper à l'écoulement du temps. Une lumière douce, argentée, baignait la jeune femme qu'on sentait isolée dans le silence.

Rostand pensa qu'avant la fin de la soirée, *La Servante d'auberge* retournerait chez elle après une fugue de longues années. En réalité Auguste Donnet ne l'avait jamais appréciée à sa juste valeur. Charles Donnet non plus. Désormais on prendrait soin de ce chef-d'œuvre comme il le méritait. Il aurait l'honneur d'une exposition spéciale à la galerie. Puis il gagnerait la sécurité des coffres de Rostand International à Iron Mountain.

« Lot numéro dix : *Portrait d'une Servante d'auberge* par Jan Vermeer. J'ai un prix d'ouverture à un million de dollars.

Aussitôt plusieurs enchères s'élevèrent de l'assistance. Les microphones sifflèrent en transmettant les offres des salles voisines. En moins d'une minute le prix atteignit trois millions de dollars.

Fuller observa Marto qui tenait son crayon à la main mais n'avait pas encore participé aux enchères. Rostand aussi s'était abstenu d'ailleurs. Quelques membres de l'assistance avaient poussé le prix dès le début pour pouvoir se vanter ensuite d'avoir raté l'achat d'un Vermeer. Quant à Marto et Rostand, ils attendaient leur heure.

Elle advint, lorsque le prix atteignit quatre millions cinq cent mille dollars. Les enchères avaient beaucoup ralenti. Seuls Christopher Ashton du Metropolitan et Julian Johns restaient en compétition quand Léopold Marto fit décrire à son crayon un arc de quarante-cinq degrés. Rostand resta immobile. Plus il attendrait, plus sa résolution s'imposerait à l'esprit des concurrents. Quand il entrerait en action, Marto saurait qu'il était là pour *acheter*. C'était une tactique d'intimidation.

« J'ai quatre millions huit cent mille, énonça le commissaire-priseur. Quatre millions huit cent mille ! »

Le crayon de Marto décrivit son petit arc de cercle.

« Quatre millions neuf cent mille à ma droite ! Quatre millions neuf cent mille. » Ashton et Johns croisèrent les bras. Alors André Rostand se redressa et toucha du bout du doigt la perle piquée au revers de son veston.

« Cinq millions ! s'écria le commissaire en réponse à ce signe. J'ai enchère à cinq millions de dollars ! Cinq millions à ma gauche ! »

Les têtes se tournèrent dans toutes les directions. On cherchait le dernier enchérisseur. Le geste de Rostand était tellement discret qu'il passa inaperçu dans une foule aussi excitée. Néanmoins les professionnels avertis avaient deviné. Ils connaissaient l'histoire d'Aaron Rostand. Elle était devenue légendaire. C'était donc bien André Rostand qui enchérissait.

Le crayon de Marto s'agita.

« Cinq millions cent mille ! »

Rostand toucha sa perle.

« Cinq millions deux cent mille ! Cinq millions deux cent mille. Aurais-je ?... »

Rostand s'inquiéta. Quelque chose commençait à lui ronger l'estomac. Il n'avait pas éprouvé cette sensation depuis la guerre. Bez, Duranceau et Pirelli n'avaient pas lancé d'enchère. Leur attitude exprimait clairement qu'ils ne le feraient pas. Ils étaient venus chez Sotheby pour assister au spectacle. Le visage du jeune Italien reflétait un grand intérêt mais pas de tension. Le nœud se resserra dans l'estomac de Rostand. Il se mit à faire tourner sa canne entre ses mains.

Marto brandit son crayon. « Cinq millions trois cent mille ! » Tout se passait comme si les enchères étaient des pierres tombant à la surface d'un étang. L'agitation rayonnait du centre de la salle jusqu'aux murs.

« Ai-je cinq millions quatre ? L'offre est à cinq millions trois. » En chantonnant ainsi, le commissaire-priseur regardait Rostand. « Cinq millions trois », répéta-t-il. Tranquillement le *Baron* toucha sa perle.

« Cinq millions quatre cent mille ! »

Un record mondial venait d'être établi et les enchères continuaient. L'aboyeur se tourna vivement vers Léopold Marto qui resta impassible pendant plusieurs secondes. Fuller se pencha en avant. L'assistance retint son souffle. Le crayon fit un mouvement tranchant.

« Cinq millions cinq cent mille dollars ! » Fuller se tourna vers Rostand qui malmenait sa canne de merisier. Cette manie agaçait Fuller. Elle révélait trop de nervosité. Puis il comprit : Rostand International se heurtait à une conspiration. Bez, Pirelli, Marto et Dieu-sait-combien-d'autres, étaient de mèche. Ils cherchaient à éliminer Rostand. Fuller récapitula ce qui s'était passé jusqu'alors et l'évidence lui sauta aux yeux. Bez et Pirelli s'étaient inclinés devant Marto pour le Tiepolo. Puis Marto avait laissé Bez emporter les lots 6 et 7. Pirelli s'était tenu à l'écart jusqu'alors. Puis il avait rivalisé seul avec Johns sur le lot 8.

Rostand éleva lentement la main vers son revers et toucha la perle du bout du doigt.

« Cinq millions six ! Cinq millions six cent mille. Telle est la dernière enchère ! »

Le moment fatidique était arrivé. Rostand attendit patiemment que le commissaire annonce le dernier prix de Marto. Le silence de la foule lui pesa. On entendait à peine le bourdonnement des microphones.

« Cinq millions six cent mille ! » L'assistance à l'unisson reprit son souffle et l'on crut entendre un hoquet. Comme un automate, Marto agita de nouveau son crayon.

« Cinq millions sept ! Cinq millions sept cent mille. Telle est la dernière enchère.

D'une voix à peine plus élevée qu'un murmure, André Rostand brisa le silence : « Six millions de dollars ! » De nouveau un hoquet s'éleva de l'assistance.

Surpris, le commissaire-priseur fixa Rostand du regard et demanda : « Six millions ? »

Rostand acquiesça d'un hochement de tête. De sa vie entière, il n'avait jamais rien désiré aussi intensément que ce Vermeer.

« Six millions de dollars ! » tonna l'aboyeur soulevant un tonnerre d'ovation. Les lustres oscillèrent et tintèrent. Sentant la victoire Rostand rayonna. Non, il ne conserverait pas *La Servante d'auberge* à Iron Mountain. Il l'accrocherait dans son bureau, à sa galerie. Il ne la vendrait jamais.

« Six millions, répéta le commissaire-priseur. Six millions de dollars. » On entendit à peine sa voix couverte par les applaudissements. Il se tourna vers sa droite.

Ne voyant aucune raison de rester, André se leva, jeta un coup d'œil à Marto et se dirigea vers la porte en acceptant les bravos qui le suivirent jusqu'à la sortie.

Seul le commissaire-priseur vit Marto donner un coup de crayon dans l'air.

« Six millions cent mille chantonna-t-il. J'ai six millions cent ! »

Cette annonce déclencha un spasme dans la colonne vertébrale d'André. Il s'arrêta net. D'abord la foule incrédule cessa d'applaudir puis battit de nouveau des mains. Cette fois pour Marto. André se tourna lentement vers l'estrade.

« Aurai-je six millions deux ? » demanda l'aboyeur avec autorité.

Debout près de la sortie, André soutint le regard du commissaire. Ses épaules s'affaissèrent en un geste de résignation. Il attendit un instant, en se livrant à un rapide exercice de calcul mental. Puis il secoua la tête, fit demi-tour et sortit de la salle des ventes.

Du vestibule, il entendit le verdict définitif. « Six millions cent... J'ai six millions cent mille... Une fois... deux fois... vendu !... » Le maillet frappa trois fois. André Rostand se ratatina dans son pardessus et plongea dans le froid de la rue.

10

Le tableau que considérait Cubitt Keeble représentait un groupe de nymphes couleur chair folâtrant dans une forêt vert foncé. En compagnie de cinq hommes et de deux femmes elle était attablée dans un coin du salon de réception. On buvait du champagne frappé. Chacun à son tour racontait une histoire, en italien, en français, en anglais. Certes, elle s'amusait mais tous les hommes assis autour de la table ovale, sauf un seul, lui paraissaient saumâtres.

L'Anglais, à sa droite, descendant d'un duc, était tellement ennuyeux et molasson qu'elle craignait de le voir se figer en une espèce de totem.

A sa gauche, le corpulent éditeur allemand en veston noir à doublure rouge était encore pire. Il lui racontait, sans omettre les détails les plus oiseux, son dernier exploit professionnel. Il venait, disait-il, de découvrir un talent animé du feu sacré. Son débit pompeux exaspérait Cubitt. Elle l'avait déjà rencontré l'année précédente à Saint-Moritz ; il portait alors une combinaison de ski noir et rouge sang.

L'homme assis en face d'elle, Miles Cattell, ne la décevait pas. Jeune, encore plus beau garçon qu'elle ne l'avait prévu, il était ancien écuyer du prince de Liechtenstein. Plus intéressant encore : c'était le fils de Dominic Cattell, maître d'un des plus vieux établissements bancaires d'Europe.

Après plusieurs verres de champagne Miles était d'humeur hilare et Cubitt le taquinait. Client habitué de Mme Gérard, il recevait une invitation de sa part chaque fois qu'il se trouvait à Rome. Cubitt étudiait attentivement chaque détail de sa personnalité. Elle le trouvait physiquement excitant ; il lui plaisait d'autant plus que cinq millions de dollars s'associaient à son nom.

Cubitt vit Philip Rostand approcher de la table et feignit de ne pas le remarquer. Mme Gérard lui avait dit qu'il s'intéressait à elle mais elle ne savait pas grand-chose à son sujet, sauf qu'il était courtier en œuvres d'art. Elle se proposait d'attendre et voir venir.

Philip salua les autres. Puis avec un sourire possesseur il se présenta lui-même à la jeune femme.

« Rostand... répéta-t-elle. Rostand le négociant en objets d'art. »

Le gros Allemand fit d'une voix pâteuse un jeu de mots que personne ne comprit et dont il se réjouit bruyamment lui-même.

Rostand ne s'en soucia pas. Il regarda fixement la jeune femme. « Et vous, vous êtes Cubitt Keeble, experte en...

— Ça dépend, Monsieur Rostand.

— Appelez-moi Philip, s'il vous plaît.

— Alors, Philip, puisqu'il vous plaît. »

Rostand s'empara d'une chaise et la glissa entre Cubitt et l'Allemand. En s'asseyant, il chercha du regard le garçon et lui commanda du champagne. La bouteille arriva presque instantanément et Rostand consacra quelques minutes à échanger de banales politesses avec tous ceux qui entouraient la table. Enfin il se tourna vers Cubitt et lui dit : « Tout le monde vous le demande sans doute, mais dites-moi où vous avez trouvé votre nom ?

— Tout le monde me le demande, en effet. Ma réponse est toujours la même : je l'ai choisi. On m'a baptisée Elisabeth, prénom qui me semble assez joli. Mais je préfère quelque chose de plus énigmatique.

— Je m'en doutais.

— Qu'est-ce qui vous permet de parler ainsi ? »

Rostand l'observa pendant un moment. « J'aime à croire que je devine assez bien le caractère des gens, dit-il. En outre, mon métier consiste à apprécier la qualité. » Il marqua un temps d'arrêt, puis reprit : « Et à l'acquérir. »

Cubitt rit par politesse mais avec une certaine réserve. Selon toute évidence, cet homme savait ce qu'il voulait et l'exprimait clairement. Cela la mettait un peu mal à l'aise.

Philip se pencha vers elle. « Pourrai-je vous reconduire chez vous ce soir ? demanda-t-il. »

Cubitt prit son temps avant de répondre : « Peut-être. » Elle s'adossa plus confortablement sur son siège et but quelques gorgées de champagne.

Rostand insista : « Je crois que vous ne perdriez pas votre temps. »

Cubitt se demanda s'il disait vrai. Cattell s'intéressait visiblement à elle et il lui plaisait. Mais elle se rappela qu'elle fréquentait le salon de Mme Gérard dans un but intéressé. Or cette dernière lui avait dit que le fils Rostand pouvait la mener loin.

Vers minuit, la plupart des invités étaient partis par couples. Quand Miles Cattell se leva pour s'en aller, il ne restait plus que Cubitt et Rostand avec lui. « Etes-vous prête ? demanda-t-il en tendant la main au-dessus de la table.

— Une autre fois peut-être, dit-elle. Je suis un peu fatiguée ce soir. » Cattell parut ahuri, fit un pas en arrière, salua d'un bref hochement de tête, bredouilla quelque chose de confus au sujet de « la prochaine fois » et fit demi-tour. Cubitt constata que Rostand était aux anges. Elle tira de son sac sa trousse de maquillage, passa un peu de rose sur ses joues et ajouta un rien de rouge à ses lèvres. Inutile de jouer l'innocence désormais. « Etes-vous heureux maintenant ? demanda-t-elle en faisant claquer le fermoir de sa trousse.

— Ravi.

— Alors partons-nous ? »

Mme Gérard les conduisit à l'ascenseur en les tenant tous les deux par la taille. « Ne soyez pas trop dure avec lui, dit-elle à la jeune femme. Même s'il est un peu pressant il n'a pas de mauvaises intentions. »

Philip éclata de rire et remarqua : « Vous me connaissez trop bien, Madame. »

Pendant que l'ascenseur les descendait au rez-de-chaussée Cubitt pensa à Rostand. Au cours des quelques derniers mois, elle était devenue très perspicace au sujet des hommes qu'elle rencontrait chez Mme Gérard. Il y avait parmi eux bon nombre de négociants, courtiers et amateurs d'art qui se présentaient évidemment sous des formes, tailles et caractères divers. Cubitt avait repéré quelques érudits mais peu nombreux. Les autres étaient plutôt des artistes ratés ou des maniaques de la collection qui négociaient des œuvres d'art pour avoir l'occasion d'en voir, d'en toucher, d'en garder chez eux pendant quelque temps. Mais le plus grand nombre s'intéressait surtout aux revenus de ce commerce. Elle soupçonna Philip d'être un de ces derniers. Pourtant quelque chose à son sujet la tracassait : peut-être le rien de narcissisme malveillant qu'elle soupçonnait en lui.

Lorsqu'ils arrivèrent, sur le trottoir, Philip prit Cubitt par le bras et la conduisit vers sa Bristol. « Chez vous ou chez moi ? » demanda-t-il.

Cubitt s'arrêta devant l'entrée du *palazzo*. « Ni l'un ni l'autre, répondit-elle en se drapant plus étroitement dans son manteau de fourrure. Au moins, pas ce soir. Allons plutôt prendre un verre au Hassler. »

Rostand lui tapota l'épaule et hocha la tête à deux reprises. Puis il lui reprit le bras et l'amena jusqu'à sa voiture. Le chauffeur qui attendait, debout devant la calandre, se précipita vers l'arrière pour ouvrir la portière. Cubitt et Philip s'installèrent sur la somptueuse banquette couverte de cuir. Il lui prit la main. La Bristol démarra. Ils restèrent un moment sans rien dire. Puis la voix du chauffeur retentit dans un petit haut parleur : « Où dois-je conduire Monsieur ? »

Rostand appuya sur un bouton incrusté dans l'accoudoir et ordonna sèchement : « Au Hassler. »

Le bar de l'hôtel d'où le regard donnait sur l'escalier d'Espagne, était petit mais luxueux. Il ne comportait qu'une seule pièce étroite aux murs garnis de miroirs entourés de cadres baroques dorés. Ce décor rappelait à Cubitt une salle de bal plutôt qu'un café. Ils y entrèrent peu après minuit. Le maître d'hôtel les conduisit au-delà de quelques couples alignés devant le comptoir jusqu'à une table dans un coin proche d'une fenêtre donnant une vue parfaite de l'escalier monumental. Il tira les chaises à leur intention et s'inclina cérémonieusement.

Cubitt parcourut du regard la rangée de clients pour voir si elle y reconnaissait quelqu'un. C'étaient tous des étrangers. Les Romains ne fréquentent guère le Hassler.

Cependant Philip lui parlait de Mme Gérard. « C'est une femme remarquable. Que savez-vous à son sujet ?

— Qu'elle est très discrète et elle a été très bonne pour moi.

— Où avez-vous fait connaissance avec elle ? »

Cubitt raconta la vérité : un photographe les avait présentées l'une à l'autre dans son studio à Londres. Tout en parlant, elle sentit que Philip cherchait à sonder son passé et ses origines plutôt qu'à entretenir une conversation. Elle remarqua aussi qu'à chaque question il manifestait plus de nervosité.

Philip porta son verre vers ses lèvres mais constata à temps qu'il était vide. Un garçon apparut comme par magie. « Une autre consommation, Monsieur ? » Philip hocha la tête, jeta un coup d'œil à Cubitt et commanda un cognac pour elle aussi.

Philip prit ses aises sur la banquette capitonnée de cuir vert. « Vous m'intéressez, dit-il. La plupart des femmes que je rencontre sont des putains qui ne savent pas se tenir à leur place. »

Pour ne pas révéler sa réaction, Cubitt regarda fixement le fond de son verre. Encore une bouffée de colère intense et déraisonnable. Elle releva la tête et observa étroitement son cavalier en s'efforçant à son tour de l'évaluer. En réalité il ne l'intimidait pas. Elle vit en lui un mécontent, étonnamment inquiet, qui affectait diverses attitudes pour masquer un sentiment aigu d'insécurité. L'expression de son visage, en effet, changeait d'un instant à l'autre, passant de la bouderie à l'air furibond. Elle se demanda ce qui le troublait ainsi. En tout cas, elle se garda de relever la malveillance de ce qu'il venait de dire et murmura presque distraitement : « Je n'ai aucune envie de rivaliser avec un homme. »

Le visage de Philip refléta l'approbation. « Vous y connaissez-vous en fait d'art ? demanda-t-il.

— Très peu.

— Mais vous savez bien des choses au sujet de beaucoup de gens. »

Cubitt eut l'impression d'être traquée petit à petit. « Peu de chose au sujet de pas grand monde », dit-elle.

Philip leva le bras d'un geste théâtral, claqua des doigts pour attirer l'attention du serveur et clama : « Encore un cognac. » Il parut prendre plaisir à voir le garçon s'empresser vers le bar. Puis il se tourna de nouveau vers Cubitt et lui dit : « Je me demande si vous pourriez envisager de travailler pour moi. »

Cubitt s'adossa à la banquette, regarda longtemps Rostand et souffla enfin : « Vous plaisantez. »

Philip arbora un large sourire. « Cubitt », dit-il, puis il laissa ce nom flotter dans l'espace un moment entre eux. « Je parle très sérieusement. Une personne comme vous pourrait m'être utile.

— Comment ? » demanda-t-elle l'air soupçonneux.

Philip se pencha au-dessus de la table. « C'est très simple, dit-il. Vous sortez, vous voyez du monde. Vous connaissez des gens aisés et influents. Vous avez accès à leur foyer. Quand un ménage se désunit, vous en avez vent.

— Quel rapport cela a-t-il avec l'art ? »

Le garçon revint à la table, prit sur un plateau d'argent un ballon de cognac couleur d'ambre et le plaça devant Philip.

« Un rapport très étroit, répondit Rostand. Quand une union se dénoue, une collection passe souvent sur le marché. J'aimerais le savoir à l'avance. Quand quelqu'un est gêné au point de vue financier, il se refait des liquidités en vendant des œuvres d'art.

— Ce que vous m'offrez m'a l'air d'un travail d'espion.

— Dans une certaine mesure, mais les gens du métier emploient le mot rabatteur. Tous les négociants qui comptent en emploient. Il y en a partout au monde. »

Cubitt sourit. Elle commençait enfin à discerner la véritable personnalité de son interlocuteur. « Je veux bien admettre que vous parlez sérieusement. »

Philip leva la main, les doigts écartés et l'appliqua sur son cœur.

SPECIALISTE DE LA BEAUTE NOIRE

---oOo---

"Mally Belle Coiffure"

est heureuse de vous annoncer l'ouverture
prochaine de son salon à partir
du 1er Octobre 1982

VENTE DE TOUS PRODUITS AFRO-AMERICAINS

150, Rue LAMARCK (75018) PARIS - Tél. : 627.39.56

Métro : Guy MOQUET

Fourche

Avenue de Clichy

Avenue St-OUEN

Guy Moquet

Rue Etex

Rue LAMARCK

150

Cubitt remarqua les ongles parfaitement manucurés, les cuticules enfoncées, les extrémités limées en arcs parfaits. Leur lustre ne pouvait être qu'artificiel. Elle avait rarement vu des Américains aux mains aussi soignées. « Vous devez l'admettre parce que c'est vrai ! dit-il. Vous travailleriez à la commission sur les affaires que vous me signaleriez. »

Cubitt se demanda combien de rabatteurs Philip avait recrutés ainsi. Elle sourit.

« Je sais exactement ce que vous pensez, dit-il. Je tiens à préciser qu'il s'agirait de travailler pour moi personnellement, pas pour la galerie familiale. Pour commencer, vous me donnez la liste de tous les gens qui, à votre connaissance, s'intéressent aux arts, quiconque a jamais acheté ou vendu un tableau, en collectionne ou a parlé d'en collectionner. Pour chacune de ces personnes vous me fournissez le maximum d'informations : adresse, profession, état de leur compte en banque dans la mesure du possible. Marié, divorcé, heureux, malheureux. »

Cubitt éleva son verre et but une longue gorgée. Puis, sans le reposer, elle observa longuement Philip. « Je vois que le niveau moral du monde des arts n'est guère qu'à un cran au-dessus de celui de la prostitution. »

Philip éclata de rire. De nouveau son corps musclé se mit à transpirer. « C'est un bizness comme n'importe quel autre.

— Je vois », dit Cubitt. Elle regarda au-delà de la fenêtre en réfléchissant. Petit à petit elle sentit une bouffée d'excitation sourdre en elle. Elle se retourna vers Rostand et lui demanda : « Je commence quand ?

— Demain. Vous partez pour New York avec moi le matin.

— Vous perdez la tête.

— Si vous travaillez pour moi, vous devez voir comment je m'y prends. Ensuite vous ferez connaissance avec mon père. Respectons le protocole.

— Vous avez déjà tout prévu. »

Philip hocha vivement la tête. « Tout, sauf la prochaine étape », dit-il. Il s'adossa de nouveau contre la banquette et tira de sa pochette son petit drageoir d'argent.

« Qu'est-ce que c'est ? demanda Cubitt en le voyant porter une petite pilule blanche à ses lèvres.

— De quoi parlez-vous ? » Il fit claquer le fermoir de la petite boîte. « De la pilule ou de la prochaine étape ?

— La pilule. »

Philip haussa les épaules. « Quelques centigrammes de phénobarbital pour les nerfs. »

Barbiturique et cognac, quel mélange ! pensa Cubitt. Il a les nerfs dans un drôle d'état. Puis elle demanda à haute voix : « Et la prochaine étape ?

— Bien peu de chose, en réalité, dit Philip dont les traits

s'affaissèrent. Nous devons décider où nous irons en partant d'ici. Chez vous ou chez moi. »

Cubitt vit son triomphe se refléter dans les yeux de Philip. Le phénobarbital leur donnait un aspect vitreux. Pourtant il l'observait avec une attention passionnée. Elle hocha la tête et sourit, à elle-même plus qu'à Philip. « Chez vous me convient parfaitement. »

11

Profondément ébranlé par la perte du Vermeer, André Rostand prit un taxi pour regagner son appartement sur la Cinquième Avenue, juste en face du Metropolitan Museum. Il se rendit directement à sa bibliothèque, posa sa canne sur son bureau et se versa une bonne rasade de son cognac préféré : un vieil alcool millésimé 1939.

Verre en main, il traversa la pièce et écarta les rideaux. Dédaignant les lumières de la ville qui scintillaient au-dessous de lui, il éleva son regard vers le ciel et s'efforça de récapituler les événements de l'heure qui venait de s'écouler. Mais il n'était pas en état de penser clairement et s'en rendit compte. Le maillet du commissaire-priseur éveillait dans son esprit des échos aussi sonores que le choc d'une masse sur une enclume. Il n'oublierait jamais l'humiliation ressentie à ce dernier instant. Il ne se pardonnerait pas non plus d'avoir sous-estimé Marto. Une stupidité invraisemblable! Elle lui coûtait cher. Une seule fois auparavant dans son existence, il s'était senti aussi vulnérable; c'était en France, sous l'Occupation. Mais en ce temps-là il était plus jeune et avait plus de ressort.

Même cinq années auparavant, une conspiration contre lui n'aurait pas présenté une telle menace. Il se serait fait constituer un dossier sur chacun de ses adversaires, aurait évalué leurs disponibilités et les aurait achetés ou éliminés. D'autre part, la bande noire constituée par Marto était plus puissante que toutes celles qu'il avait affrontées auparavant.

Il lui apparut clairement que Marto devait avoir introduit un indicateur à Rostand International. Seule cette hypothèse expliquait tout. Durant les six derniers mois, André avait essayé d'acquérir un certain nombre de toiles importantes et il avait échoué à chaque fois. Juste au moment où il allait s'assurer la propriété du chef-d'œuvre, l'affaire avait foiré de manière inexplicable. A chacune de ces occasions le tableau était passé entre les mains d'un rival en liaison avec Marto. Il ne pouvait s'agir de coïncidences. L'entente qui se dissimulait derrière la raison sociale Art Intrum opérait aussi bien à l'intérieur des salles de vente qu'à l'extérieur. Ces gens avaient organisé un réseau international de négociants et de courtiers qui apprenaient à temps avec qui négociait Rostand et le prix qu'il offrait. De tels renseignements leur suffisaient pour renchérir et décrocher l'affaire.

Rostand se mit à parcourir d'un pas nerveux la pièce lambrissée de noyer. Il lui fallait du temps pour réfléchir. A coup sûr, il y avait une fuite. Le traître ne pouvait être qu'un de ses plus proches. Il secoua la tête. Quelle précaution avait-il omis de prendre, lui qui s'était toujours montré si prudent, qui avait dressé des cloisons entre les membres de son personnel pour qu'aucun, pas même Philip, ne pût se faire une idée d'ensemble du fonctionnement de la galerie ? Seule une personne étrangère à Rostand International pourrait démasquer le félon. Il lui fallait quelqu'un d'assez habile pour surveiller Marto et d'assez honnête, en même temps, pour qu'on lui confie les secrets de la galerie. Bref, une personne à qui il pût se fier complètement.

La situation était critique. Si Marto parvenait à l'éliminer des salles de vente, Rostand International ne serait plus qu'une maison de deuxième catégorie. Ses rabatteurs, hommes et femmes qu'il avait recrutés à longueur d'années pour circuler parmi les riches et les puissants afin d'y recueillir le tuyau capital permettant l'achat d'un rare trésor d'art, travailleraient pour leur propre compte ou bien, pis encore, se mettraient au service de ses adversaires. Alors ses sources se tariraient. Rostand International ne vendrait plus de chefs-d'œuvre et en serait réduit aux objets d'art banals. Il n'y a rien à gagner dans un tel commerce. Souvent un tableau de cinquante mille dollars reste à la galerie pendant des années, alors qu'un chef-d'œuvre d'un million de dollars se vend facilement du jour au lendemain. La qualité trouve toujours preneur sans difficulté. Le problème consiste à la découvrir.

André alla à son bureau, dans un coin de la pièce, fit jouer la clé du premier tiroir et y prit un carnet noir dans lequel il tenait à jour la liste de ses rabatteurs les plus sûrs. Il y souligna trois noms.

Ensuite il déplia l'édition matinale du *New York Times* et l'ouvrit à la page financière. Il nota le prix hors cote d'Art Intrum : trente et un dollars et cinquante *cents*. En partant de cette donnée, il fit plusieurs calculs, puis il se sentit mieux.

Rostand sirota son cognac et consulta la petite horloge dorée posée sur la tablette de la cheminée. Onze heures et quelques minutes. Il lui faudrait se presser. Philip serait sans doute au lit mais ce n'était jamais sûr, même à cinq heures du matin.

André appela l'hôtel Excelsior à Rome. La communication fut établie en un clin d'œil mais l'appartement de Philip ne répondit pas. André indiqua à la téléphoniste de l'hôtel qu'il rappelerait plus tard et raccrocha. Il allait composer un autre numéro quand la porte de la bibliothèque s'ouvrit. Sa femme, Jane apparut sur le seuil, méticuleusement pomponnée. A l'approche de la soixantaine, elle grisonnait mais portait les cheveux courts, rejetés en arrière, ce qui lui donnait un aspect plutôt gamin, accentué par ses pommettes hautes et son nez délicat légèrement retroussé. Elle était grande et svelte, belle et bien conservée. Pas par hasard mais très volontairement. Elle se fiait aux onguents, aux huiles, aux masques qui humectent la peau du visage, aux rayons ultra-violets. Elle avait aussi recouru récemment à la chirurgie esthétique. Elle mangeait sobrement, ne manquait pas de prendre de l'exercice chaque jour, se couchait tôt et se levait tard. Elle rentrait à peine de La Costa, ville d'eau élégante du sud de la Californie. Le visage hâlé, elle paraissait avoir le corps d'une femme de trente ans.

« Entre donc », lui dit Rostand. Il reposa le combiné sur son berceau, se leva et fit le tour de son bureau pour aller au-devant d'elle. « Je m'étonne de te voir debout aussi tard.

— Il m'a semblé t'entendre rentrer. Comment cela s'est-il passé ? »

Pour toute réponse André esquissa un mince sourire, presque amer Jane fronça les sourcils. « Quatre millions n'ont pas suffi ?

— Aucune somme n'aurait suffi... J'étais cerné...

— Par qui ?

— Rien n'est certain mais je suis au moins sûr d'une chose : Marto est le maître de cette bande.

— Jusqu'à quel prix sont-ils allés ?

— Six millions un.

— Mon Dieu ! Six millions, c'est incroyable ! » Pendant un moment, elle resta médusée devant lui. Puis elle reprit. « Je suis désolée. Je sais ce que représentait ce tableau pour toi. »

Il haussa les épaules.

Jane pivota sur elle-même et traversa la pièce jusqu'à la grande baie vitrée dominant Central Park. Elle s'affaira sur les rideaux, les referma, s'assura que chaque pli tombait parfaitement. « Ils te plaisent, André ? Je viens de les faire poser. J'en ai adopté de même style pour ma chambre à coucher. Le rose convient parfaitement à cette pièce.

— Parfaitement, en effet », dit-il distraitement.

En la regardant jouer avec les rideaux, Rostand eut l'impression d'avoir remarqué un instant plus tôt quelque chose de nouveau à son visage. Il se demanda de quoi il s'agissait. La forme de ses yeux avait changé. Enfin il comprit : en faisant redresser récemment ses deux paupières supérieures, elle avait augmenté l'espace entre ses yeux et son front était devenu plus ferme et plus large, plus harmonieux. Lorsqu'elle lui avait parlé de cette opération, il avait cherché à l'en dissuader. Il trouvait grotesque qu'elle se préoccupât autant de son aspect extérieur. Elle n'en n'avait pas tenu compte, arguant que le moyen de présenter un meilleur aspect compte moins que cet aspect lui-même. Il n'avait pas insisté, pensant qu'elle avait peut-être raison si cela lui faisait plaisir

« Que vas-tu faire maintenant ? demanda Jane à voix basse.

— Je n'ai encore rien décidé.

— Peux-tu vaincre ces rivaux ?

— Je le saurai dans une quinzaine de jours, quand la collection Essler sera mise en vente à Londres.

— Tu iras là-bas en personne ?

— Oui.

— Et Philip ? Tu ne pourrais pas l'en charger ?

— Non, pas cette fois, répondit durement André. Je n'ai pas confiance en lui. » A peine eut-il dit cela qu'André sentit qu'il commettait une erreur et le regretta.

Jane rétorqua instantanément : « La méfiance doit être un trait de famille. » Elle serra plus étroitement sa robe de chambre en velours rouge autour de sa taille comme pour se préparer à la bataille.

Rostand recula jusqu'au coin de son bureau. « Ecoute, Jane, le Vermeer est perdu et j'ai d'autres soucis à la galerie. J'aimerais mieux ne pas parler de Philip à cet instant.

— Pourquoi pas ? C'est ton fils.

— La génétique n'a rien à y voir.

— Tu ne l'as jamais encouragé, parce que tu n'as pas confiance en lui. Tu...

Rostand l'interrompit d'un geste. « Et toi ? rétorqua-t-il.

— Toujours. »

Rostand s'approcha d'elle. « Je ne veux pas en discuter, Jane. J'ai plusieurs coups de téléphone à donner. Alors si... » Il la prit par la main doucement et la conduisit vers la porte.

« Un instant encore, je te prie.

— De quoi s'agit-il ?

— A quelle heure veux-tu qu'on te porte ton petit déjeuner dans ta chambre ? »

Rostand sourit émerveillé par l'astucieux sang-froid de sa femme. « Ne t'en soucie pas, dit-il gentiment. Je déjeunerai à la galerie. » Il ouvrit la porte, lui baisa la joue, la regarda s'éloigner au long du corridor vers sa chambre à coucher, puis referma la porte.

De retour à son bureau, il décrocha le téléphone et composa un numéro. Après plusieurs sonneries, une voix grave répondit. Il l'a reconnut aussitôt.

« Allô... Ray ?

— Bonjour Monsieur Rostand. Je suis désolé par ce qui c'est passé ce soir. Nous étions...

— Je le sais, Ray. Ecoutez-moi. Où est le jeune Drach ?

— Aux dernières nouvelles, il se trouvait à Paris.

— Je veux le voir. Prenez contact avec son bureau dès la première heure demain matin. J'ai quelque chose à lui confier.

— D'accord, Monsieur. Mais... vous connaissez Alex ; la dernière fois il a refusé.

— Je ne l'ai pas oublié. Je crois pourtant que cette fois ça l'intéressera. Faites-lui savoir que je veux lui parler. C'est tout. »

André raccrocha puis, comme il n'y manquait jamais, nota

succinctement l'objet de cet appel ainsi que l'heure, dans un calepin qu'il portait toujours sur lui. Pour des petites choses comme celles-là, il était extrêmement méticuleux. Il veillait aussi à ne rien laisser traîner sur sa table de travail, pas même le flacon et le ballon de cognac qu'il remit dans le bar fermé à clé. Il payait largement son personnel qui aurait dû se charger de vétilles comme celles-là. Toutefois il jugeait inutile et peu sage de laisser autrui effacer les traces de ce qu'il avait fait. Il ne s'agissait pas d'une intuition mais d'une conviction : de très petits détails en disent long ; moins son personnel en saurait à son sujet, mieux cela vaudrait. Il s'assit de nouveau dans son fauteuil et réfléchit. Jane avait raison, se dit-il. Son fils lui inspirait peu d'affection et encore moins de respect. Certes, Philip était astucieux et compétent, capable de diriger la galerie. Adroit en affaires, ambitieux, rusé, il était assez dur pour tenir tête aux concurrents. Mais c'était un jeune homme mécontent et même dépravé. Son père le regrettait mais s'interdisait de nier l'évidence : Philip ne comprendrait jamais l'utilité de la bienveillance.

Il éteignit la lumière dans la bibliothèque, la quitta, se rendit au vestibule et y prit dans un placard son lourd pardessus doublé de fourrure. Il ouvrit sans bruit la porte de la rue et s'éclipsa.

Il ne neigeait plus dehors mais le froid restait vif. André Rostand s'éloigna à pied, franchit cinq carrefours pour atteindre la Soixante-Quinzième Rue Est où il bifurqua sur la gauche et continua son chemin jusqu'à un imposant hôtel particulier de deux étages, construit en retrait du trottoir. Il tira une clé de la poche de son gilet, gravit les marches du perron et ouvrit la porte.

La chaleur de la maison et la douce odeur d'encens qui y régnait le mirent immédiatement de bonne humeur. Il retira son pardessus et le plia sur le dossier d'un fauteuil de lamé jaune d'or. Puis il s'approcha du miroir pour ajuster sa cravate.

L'image qu'il vit dans cette glace lui parut plus vieille qu'il ne se sentait lui-même. Les années avaient pris leur butin. La chair s'affaissait. Sa chevelure, jadis noire et touffue se clairsemait et grisonnait. Néanmoins il se sentait plus jeune qu'il n'en avait l'air. Il lui semblait avoir moins besoin de dormir qu'autrefois et se sentait encore très vert. Lui importait surtout la qualité de sa vue. Tout dans sa vie dépendait de ses yeux. C'est grâce à eux qu'il appréciait les œuvres d'art, en évaluait le prix et jouissait aussi de la beauté des femmes.

« André ! » Il leva la tête vers le palier du premier étage. Une petite tête, presque puérile, entourée de cheveux blonds, se penchait au-dessus de la rampe. C'était Marlaina. « Bonsoir, qu'est-ce que tu fais là ? demanda-t-il.

— Je viens de prendre un bain, répondit-elle d'une voix aiguë mais chaleureuse et cordiale. Sers-toi à boire au salon. Je te rejoins dans un instant... »

12

En décrivant un dernier cercle à travers la pluie qui tombait sur Rome, le jet d'Alitalia perdit de l'altitude. Alors que l'appareil tonnait en descendant vers l'aéroport Leonardo da Vinci, Baruch regardait distraitement à travers le hublot de son compartiment de première classe. Ses yeux bleus parcoururent le paysage urbain, illuminé, au-dessous de lui : Vatican, Colisée, Piazza Venezia et le Tibre qui traversait la ville, pareil à un ruban noir.

Ce spectacle l'ennuya. Il l'avait vu trop souvent au cours des cinq dernières années.

Sa main reposait sur un attaché-case de cuir placé sur le siège voisin du sien. Un œillet rouge piqué au revers de son veston de prêtre s'harmonisait avec les rubis des boutons de manchettes qui brillaient au-dessus du cuir. Agacé, il tambourina du bout des doigts.

Dans le hall d'arrivée, Baruch traversa le secteur de la douane sans être interpellé par personne. Il n'alla pas à la consigne où l'on débarquait les bagages du vol 217 en provenance de Londres et se rendit tout droit vers les portes automatiques donnant accès à l'extérieur. Aussitôt sorti, il repéra l'Alpha Romeo garée à la place habituelle. Il salua le chauffeur et s'installa sur la banquette, derrière la portière de verre teinté.

Une heure plus tard, il roulait au long des rues étroites proches du Vatican. L'Alpha Romeo ralentit pour s'arrêter lentement devant une double porte massive en bois séché et craquelé par l'âge. Baruch descendit de l'auto, saisit le heurtoir et frappa un seul coup, éveillant un écho caverneux à l'intérieur. Au-dessous de l'anneau qui servait à frapper, une petite plaque de laiton grande comme une enveloppe indiquait : SOCIÉTÉ DE PRÉSERVATION DES MONUMENTS ET SANCTUAIRES RELIGIEUX. Baruch sourit discrètement, frappé par le caractère ironique de cette inscription.

La porte s'ouvrit. Un homme blond, lourd, vêtu d'une soutane, s'exclama courtoisement : « Ah ! bienvenue, Baruch... Monsignore Weiller vous attend avec impatience. »

Ce jeune prêtre tendit la main pour se charger de l'attaché-case. Mais Baruch ne le lâcha pas. Les deux hommes échangèrent un sourire entendu puis traversèrent l'atrium où une fontaine s'écoulait doucement dans un bassin couvert d'une croûte de mousse.

Ils pénétrèrent à l'intérieur du palais et atteignirent un vestibule où le curé demanda à Baruch d'attendre. Ce dernier s'assit dans un lourd fauteuil de cuir datant du pape Jules II. A ce moment-là Baruch se sentit épuisé par les efforts de la journée. Il ramassa deux brochures posées sur une table basse en face du fauteuil. Œuvres de Monsignore Hans Weiller, c'étaient toutes les deux des études ésotériques sur certains aspects des catacombes. Baruch parcourut celle qui s'intitulait *Die Römischen Katakomben.* Se rappelant qu'il était incapable de lire l'allemand, il la rejeta sur la table.

Baruch allait se saisir de la seconde quand Hans Weiller entra d'un pas alerte dans le vestibule. Le bruit de ses pas sur le sol de marbre éveilla des échos dans la vaste pièce. Baruch se leva, la main tendue. « Je ne savais pas que vous étiez aussi écrivain » dit-il. Bien que ravi, Weiller prit un air modeste et murmura : « Des brochures... Quelques petites choses que j'ai apprises ici... Aucun rapport avec la littérature, Baruch. » Quand il avisa la petite valise de cuir, Weiller cessa de sourire. « Occupons-nous des choses sérieuses. »

Il prit fermement dans sa main le bagage de Baruch et le conduisit deux étages au-dessus dans une succession de pièces vides pour arriver enfin à un studio.

Il posa l'attaché-case sur une longue table de bois et se retourna vers Baruch qu'il interrogea du regard. « Tout s'est bien passé, Monsignore », dit Baruch qui avança vers la table une petite clé à la main pour ouvrir l'attaché-case. « Le Watteau est là. »

Weiller hocha la tête et fixa son regard sur la table. La serrure s'ouvrit. Baruch exhiba un tableau de trente-six centimètres par vingt-cinq : *Le Joueur de Luth.*

« Vous avez bien réussi, Baruch », dit Weiller qui éleva la toile vers la lumière et l'examina attentivement. Il la posa sur la table et reprit : « En parfait état. » Il alla prendre auprès d'un chevalet quelques tubes de peinture et une palette sur laquelle il mélangea diverses couleurs du bout d'un pinceau. Brusquement il se tourna vers Baruch et lui dit : « Trahir, c'est commettre le pire des péchés.

— Je le sais.

— J'ai reçu un coup de téléphone navrant cet après-midi de Paris. Rolf a échoué. Drach échappe à son châtiment. »

Baruch retira l'œillet du revers de son veston, fit tourner la tige entre ses doigts en humant la fleur. « Puis-je me rendre utile ? demanda-t-il.

— Merci, mon fils. J'ai accordé à Rolf une dernière occasion de se racheter. Mais s'il revient sans avoir accompli sa tâche, nous le traiterons comme un serviteur infidèle. Il sera précipité dans les obscurités où l'on n'entend que gémissements et grincements de dents. »

Baruch sourit. « Comme le frère Sébastian, dit-il.

— Vous l'avez trouvé ? »

Baruch hocha la tête. « A marée descendante, la Tamise emporta sa dépouille mortelle vers la mer.

— Et le négociant Ford ?

— Châtié, lui aussi

— Comme il le méritait... » Weiller retroussa les manches de sa soutane. « Maintenant, j'espère que vous voudrez bien disposer, frère Baruch... »

Ce dernier s'en alla et Weiller retourna au Watteau. Il passa quelques minutes à mélanger des couleurs puis inclina la tête en admirant la toile. Pendant quelques minutes, il resta figé sur place, étranger à tout ce qui l'entourait sauf au Watteau. Ce n'était pas une des plus belles œuvres de ce peintre, mais elle valait quand même une petite fortune. En outre, elle présentait une grande valeur sentimentale pour Weiller. Le Reichsmarschall lui en avait fait cadeau en témoignage de gratitude pour la tâche qu'il avait accomplie pendant la guerre. C'était la seule œuvre d'art que Weiller conservait depuis ce temps-là. Elle ne l'avait pas quitté, sauf pendant les quelques semaines où le traître Sébastian l'avait détenue.

Le monsignore éleva sa main jusqu'à sa joue droite et se frotta le visage. La colère bouillonnait en lui au souvenir de Sébastian : autrefois une de ses premières recrues, l'assistant en qui il avait le plus confiance mais qui s'était enfui en emportant le Watteau. Quel imbécile que ce Sébastian ! Comment pouvait-il espérer s'en tirer indemne. Il aurait dû savoir que personne n'échappe à Baruch.

Weiller reporta son attention sur le Watteau. Il avait déjà conçu le thème de son camouflage : une église nichée parmi des arbres. Il se rappelait ce monument qu'il avait souvent visité lorsqu'il était à Paris. Il prit un pinceau, mélangea un peu de noir de blanc et de bleu et obtint ainsi exactement la teinte de gris qu'il désirait. Il recula d'un pas, considéra une dernière fois le tableau avec regret, puis se mit à couvrir systématiquement le chef-d'œuvre de gris.

13

C'était un événement capital. Jocko Corvo et sa femme Louisa se tenaient à l'entrée du Fantasio : une boîte de nuit des plus populaires de Pigalle. Ils y accueillaient les invités à la réception qui avait lieu ce soir-là, après le mariage de leur fille. Rares furent les parents et amis qui échappèrent à l'accolade de Jocko, aussi vigoureuse que l'étreinte d'un ours grizzli. Louisa, petite femme dodue aux yeux d'anthracite et au visage en forme de poire, caquetait d'une voix aiguë en conduisant les nouveaux venus vers la salle où s'alignaient des tables couvertes de rôtis de porc farcis à la noix ; de *figatelli,* saucisses de porc épicées ; *broccia,* fromage de chèvre très parfumé ; enfin des cruches couvertes de pailles contenant le capiteux vin rouge de Corse.

Gaillard au front bas et plat, au nez brisé comme celui de bien des boxeurs, au menton pointu et aux cheveux drus, Jocko commençait à grisonner. Ce soir-là il aimait tous ceux qui l'entouraient, même les cuisiniers, les garçons, les barmen qui, comme toute l'assistance, appartenaient à son clan. Il évaluait sa puissance non en fonction de son courage ni de ses muscles mais au nombre de cousins sur lesquels il pouvait compter.

Le clan des Corvo comptait parmi les quinze principales familles corses, étroitement unies, qui avaient immigré en France au cours des deux derniers siècles, c'est-à-dire depuis le règne de Napoléon. Chef incontesté de ce clan, Jocko ne vexait jamais personne. Bien qu'il se comportât toujours modestement, tout le monde à Pigalle reconnaissait sa puissance. Les enveloppes blanches, farcies de billets de banque et les cadeaux de mariage en témoignaient. Mieux encore, personne ne manquait de remarquer le médaillon d'émail accroché à la chaîne de montre en or, tendue entre les deux poches de son gilet. Ce bijou représentait une tête de maure au front bandé. Personne n'en soufflait mot, évidemment, mais tout le monde savait ce que représentait cette effigie : Jocko était membre de l'Union corse, organisation dont l'existence a toujours été niée mais dont les tentacules s'étendent depuis les collines desséchées de l'Ile de beauté jusqu'aux villages les plus lointains de France. Beaucoup plus puissante et redoutable que la maffia sicilienne l'Union dominait toutes les activités illicites du pays, depuis le chantage à la protection et la contrebande jusqu'aux jeux clandestins et la prostitution.

Il ne tarda pas à y avoir plusieurs centaines de convives autour des tables dans la salle de danse du Fantasio. Quelques-uns se trémoussaient autour d'une estrade enguirlandée de fleurs et d'ampoules électriques. D'autres, assis autour des tables, buvaient leur riche vin rouge. Madeleine Corvo, la jeune mariée passait joyeusement d'un groupe à l'autre, tenant par la main le jeune marié : Manetta, homme tranquille, à l'air digne. Ses demoiselles d'honneur et ses frères — Marco, Franco et Domenico — l'escortaient. A chaque table, les invités épinglaient les billets de banque à sa robe de mariée. Elle ne se pliait à cette vieille coutume corse que par complaisance envers son père.

La musique et les rires du Fantasio retentissaient dans les rues avoisinant la place Pigalle. En garant la Citroën rouge, à deux pâtés de maison de là, Alex et Minta les entendirent. Cette ambiance de joie apaisa la tension dont ils souffraient l'un et l'autre après l'avoir échappé belle sur l'autoroute.

Alex avait l'impression de retourner chez lui, au milieu familier et rassurant de son enfance. Dans ses souvenirs le quartier de Pigalle n'était pas vaste. Il allait à pied d'un bout à l'autre en vingt minutes. Bien qu'il y eût dans ses quarante pâtés de maisons plus de dancings discothèques, sex-shops, bars et bordels par arpent que n'importe où au monde, pour lui le secteur délimité par la rue des Abbesses et le boulevard de Clichy était le plus sûr qu'il eût jamais connu. L'expérience lui avait enseigné que le code de moralité des habitants de Pigalle est beaucoup plus rigoureux que celui de Upper East Side de New York.

Madeleine Corvo fut la première qui vit Alex et Minta entrer dans la salle. Elle s'écria joyeusement : « Alex ! » Le visage radieux, elle se précipita vers lui et lui passa les bras autour du cou. Alex l'étreignit et la baisa trois fois sur chaque joue, cependant que d'autres membres de la famille se rassemblaient autour d'eux. Madeleine embrassa Minta, puis se tourna vers Manetta et le présenta à Alex.

Le jeune Corse considéra le nouveau venu d'un regard franc et ferme. Il ne sourit pas. Alex devina qu'il s'agissait d'un homme estimable. Marco, fils aîné de Jocko, tendit à Alex un verre de vin que ce dernier éleva à la santé des jeunes mariés.

Ensuite Alex traversa la salle pour rejoindre Jocko et Louisa qui se tenaient alors près de l'estrade. Un frémissement d'intérêt parcourut l'assistance pendant que Drach passait parmi les danseurs pour atteindre les deux personnes qu'il considérait comme ses parents. Il reconnut au passage quelques-uns des invités les plus âgés et les salua d'un regard ou d'un hochement de tête. Il constatait avec plaisir le chaleureux accueil de tous ces gens. Nulle part ailleurs cela ne se serait passé de la même façon.

Alex se pencha pour embrasser Mama Louisa. Elle était devenue plus large mais, à part cela, restait exactement comme il l'avait connue. Ses yeux brillaient encore, humides de bonheur et d'affection. « Bienvenue chez toi », dit Jocko de sa voix familière au jeune homme. Alex se tourna vers lui et l'embrassa. Le seul fait de le voir sourire avec la même assurance et la même gaieté que toujours le réconforta. Il fallait lui parler immédiatement. Alex posa la main sur l'épaule de Jocko et lui chuchota quelques mots à l'oreille. Seul Manetta qui se trouvait à quelques pas d'eux, remarqua le changement de physionomie de Jocko.

Souriant toujours avec la même bonne humeur et s'appliquant à ne rien laisser paraître de ses sentiments, Jocko cria à la cantonnade : « Alex a parcouru six mille kilomètres pour être avec nous ce soir. Avant qu'il ait pris trop de pastis, j'ai besoin de m'entretenir avec lui. Avec toi aussi, Araminta. » Il les prit tous les deux par la taille et les conduisit dans une autre pièce. De là, ils passèrent dans une cage d'escalier pour monter à l'étage où Jocko avait aménagé une chambre sans fenêtre mais à huit issues selon la tradition corse. Huit est en effet le nombre fatidique qui assure l'évasion en cas de désordre. On baptise de telles pièces *Chambres de la vendetta.* C'est là aussi que l'on discute des choses importantes. Jocko versa du pastis dans trois verres. « Racontez-moi ça ! Qui a osé s'attaquer à ma famille ? » Il s'approcha de Minta, lui remit un des trois verres et lui posa la main sur l'épaule, les yeux brûlants d'indignation.

Alex but une gorgée de l'apéritif de feu et de sirop puis raconta brièvement ce qui s'était passé sur l'autoroute. Quand il eut terminé,

Jocko se mit à faire les cent pas, les pouces enfoncés dans les poches de son gilet. « Une BMW... As-tu relevé son numéro ? »

Drach secoua la tête. « C'était impossible.

— Aucune importance. De toute façon ces gens-là peuvent avoir changé la plaque d'immatriculation. » Jocko se remit à arpenter le plancher puis s'arrêta devant Alex. « Il ne s'agit pas d'une vendetta. J'en suis certain. Nous n'avons aucun différend sérieux avec un autre clan. Dans le cas contraire, je le saurais. » Il marqua un temps d'arrêt puis demanda : « Est-ce quelqu'un de New York ? T'es-tu fait des ennemis ? »

Alex haussa les épaules. « Pas à ma connaissance », dit-il.

Jocko fronça les sourcils. « Ne me cache rien. Si tu as des ennuis je peux t'être utile.

— Si j'avais des ennuis, je te le dirais, Jocko, répondit Alex en souriant. Je n'ai confiance en personne autant qu'en toi. Je n'imagine aucune raison pour laquelle quelqu'un voudrait me tuer.

— Il doit pourtant y en avoir une, lui dit Jocko. Il faut la trouver. On tue pour différents mobiles : la passion, l'amour d'une femme, l'argent, la vengeance, l'aspiration à la puissance. Réfléchis. Lequel s'applique à ton cas ? »

Alex jeta un coup d'œil à Minta. « Pour autant que je le sache, il ne peut pas s'agir d'une femme. Toutefois il m'est arrivé quelque chose d'extraordinaire la semaine dernière. J'ai reçu un coup de téléphone bizarre d'un certain Jenner qui m'a dit travailler au ministère de l'Intérieur, à Londres. Il posséderait un tableau qui, selon lui, aurait appartenu à ma famille autrefois : un Watteau. Cette peinture aurait été perdue pendant la guerre.

— Elle aurait fait partie de la collection Drach ?

— C'est ça. *Le Joueur de luth.* Je dois l'examiner sur le chemin du retour à New York. »

Jocko prit le verre vide des mains d'Alex, l'emplit de nouveau, le lui rendit et se versa aussi à boire. Il interrogea Minta du regard. « Non, merci », dit-elle. Jocko siffla son verre d'un trait et se remit à faire les cent pas. « Où ce Jenner aurait-il trouvé le tableau ? demanda-t-il.

— Dans une galerie d'art de Motcomb Street. Il tenait à me mettre au courant pour le cas où il y en aurait d'autres dans les parages. »

Jocko s'approcha de Minta et lui dit gentiment : « Voudrais-tu nous laisser seuls un moment. Je dois confier quelque chose à Alex. »

Minta hocha gracieusement la tête et baisa son oncle sur la joue. Arrivée à la porte elle se retourna et dit à Alex : « Promets-moi une danse quand tu auras fini. »

Alex sourit. « C'est plutôt moi qui t'en prie », dit-il.

Quand elle fut sortie, Jocko invita d'un geste Alex à s'asseoir devant la grande table ronde au milieu de la pièce. « Je ne t'ai pas tout révélé au sujet de tes parents, dit-il. Maintenant je crois que tu dois savoir la vérité, surtout si les tableaux de ton père existent encore. Ce

qui s'est passé cette nuit pourrait avoir quelque rapport avec eux. »
Jocko plongea la main dans la poche intérieure de son veston et en tira un long étui noir. Il l'ouvrit et y prit deux cigares. Alex secoua la tête pour montrer qu'il n'en voulait pas. Une allumette flamba et Jocko aspira à plusieurs reprises jusqu'à ce que la pointe du cigare rougît entièrement.

Alex attendit avec patience. Après deux nuits sans sommeil il aurait pu être épuisé mais son aventure sur l'autoroute effaçait sa fatigue.

Jocko fixa le jeune homme à travers la fumée de son cigare. « Cet homme qui t'a téléphoné s'appelle bien Jenner?

— C'est ça.

— Pas Hugh Jenner?

— Mais si. Tu le connais? »

Jocko hocha lentement la tête. « Il est venu ici après la guerre. Il appartenait aux Services de renseignements alliés. Il a posé bien des questions. » Jocko tira une bouffée de son cigare et murmura comme s'il s'adressait à lui-même : « Après tant d'années...

— Sur quoi enquêtait-il, cet agent de renseignements? demanda Alex.

— Sur la mort de ton père. » Jocko marqua un temps d'arrêt puis ajouta : « Je t'ai caché certaines choses, Alex, mais tu dois les savoir avant de parler à ce Jenner. Ton père a collaboré. Je n'irai pas jusqu'à dire que ce fut un traître, mais les Allemands se sont servis de lui. »

Drach battit des paupières mais l'expression de son visage ne changea pas. Pour lui Paul Drach n'était qu'un nom. Ce qu'il avait fait ne lui importait pas. Pourtant il se trouvait que la mort de son père pouvait avoir un rapport avec l'attentat contre sa vie. « Pourquoi ne m'as-tu pas révélé cela plus tôt? demanda-t-il.

— Je n'en voyais pas l'utilité. Mieux vaut laisser de tels souvenirs disparaître dans le passé. » Le Corse se leva et se mit à marcher dans la pièce. « Mais les circonstances m'obligent à parler aujourd'hui. C'est une histoire pénible que je me suis efforcé d'oublier. Le drame gravite autour des œuvres d'art que possédait ton père. Ça te paraîtra peut-être bizarre, mais il m'a toujours semblé que cette collection était maudite. Ta mère et ton père sont morts à cause d'elle. Toi aussi tu aurais disparu si je n'étais pas intervenu. »

Jocko se dirigea vers le bar, s'emplit un verre de pastis et revint s'asseoir devant la table sur laquelle il posa la bouteille. Tout en sirotant son anis et en tirant sur son cigare, il raconta l'histoire.

DEUXIÈME PARTIE

1940

Assis dans la cuisine de l'hôtel particulier aux murs épais de son patron, Paul Drach, Jocko écoutait la radio, passée entre les mains des Allemands, énumérer les nouvelles lois qui s'appliqueraient aux juifs vivant en France occupée.

Quatre jours plus tôt, au matin du 14 juin 1940, l'avant-garde de la Wehrmacht était entrée dans Paris. Arrivèrent d'abord quelques fantassins, casqués, baïonnette au canon, l'œil aux aguets et dont l'arme étincelait au soleil. Vinrent ensuite les chars d'assaut, suivis par des camions transportant des troupes. Les colonnes se succédèrent rapidement. En quelques heures, les soldats allemands se mirent à grouiller dans toutes les rues même les plus étroites. Certains pénétrèrent dans les immeubles, les magasins, les bureaux. Peut-être espéraient-ils rencontrer quelque résistance. Il n'y en eut aucune. Privés de tout moyen de se défendre, les Français se soumettaient aux Übermenschen : les Aryens tout-puissants, destinés à conquérir et gouverner le monde.

Jocko cracha par terre. « Enfants du Reich ! bougonna-t-il. Merde ! » Il se réjouit en pensant que Noémie Drach se trouvait en sécurité à Monte-Carlo. La Principauté de Monaco n'était pas en guerre. Les Allemands ne l'y atteindraient donc pas. Elle était partie juste à temps : le 6 juin, huit jours avant l'occupation de la ville par les nazis. Son mari, Paul Drach, l'avait envoyée là-bas parce qu'elle était juive.

Avant son mariage, Noémie de Montrose avait été une des jeunes filles les plus convoitées d'Europe. Belle, spontanée, intelligente, elle avait attiré les soupirants par douzaines. Qu'elle fût la fille du baron Jacques de Montrose, directeur d'une des plus importantes maisons d'éditions françaises, la rendait encore plus désirable. Bien des hommes l'avaient courtisée mais aucun ne l'avait conquise, ni même retenu son attention. Puis elle avait connu Paul Drach.

Jocko secoua la tête et entreprit de passer une serpillière sur le dallage de la cuisine en pensant combien il avait dû être pénible à Paul d'envoyer sa femme à l'abri. Pourquoi Monsieur Paul était-il resté à Paris ? Jocko n'en était pas sûr mais il soupçonnait que c'était à cause de sa collection d'œuvres d'art et de celles que des amis juifs avaient placées sous sa protection.

Après le départ de Noémie pour Monte-Carlo, Paul avait fermé la plupart des pièces de son hôtel particulier et donné congé aux domestiques en ne gardant à son service que le seul Jocko Corvo. C'était une grande responsabilité pour un garçon de vingt ans et il la prenait très au sérieux.

Jocko était tout jeune enfant lorsqu'il avait connu Paul Drach, membre d'une famille de protestants français immensément riches qui avaient créé une entreprise groupant septs aciéries s'étendant sur toute la longueur de la France. Théodore Drach, le père de Paul, n'avait jamais plu à Jocko qui voyait en lui un tyran dominé par un besoin impérieux de soumettre tout le monde autour de lui. Paul ne lui ressemblait en rien. Bienveillant, plein de considération, c'était un bon patron qui traitait son entourage avec respect.

Le téléphone sonna. Jocko alla décrocher dans le studio. A l'autre bout du fil, une voix étouffée l'avertit que le nom de Paul Drach figurait sur une liste de suspects constituée par la Gestapo. Qui parlait ainsi ? Jocko n'en sut rien mais il aurait juré que c'était une voix d'homme. Il demanda des précisions mais n'entendit qu'un déclic en guise de réponse. Communication coupée.

Le jeune Corse reposa le combiné sur son berceau et alla immédiatement prévenir son patron.

Paul l'écouta sans rien dire, puis alla à sa chambre où il se changea et prépara une valise. Il avait prévu le danger. Ensuite Jocko et lui quittèrent l'hôtel particulier pour aller à un entrepôt situé à proximité du boulevard Diderot. Drach y avait dissimulé une camionnette Citroën de 1935, truquée de telle sorte qu'une cloison permettait de dissimuler une partie de la cargaison immédiatement derrière la cabine. Peint en gris, le véhicule ne portait aucune indication visible de l'extérieur et le compartiment secret était assez vaste pour contenir les biens les plus précieux de la famille : une collection d'impressionnistes ainsi que quelques œuvres de maîtres anciens notamment *Le Joueur de luth* de Watteau.

Avec l'aide de Jocko, Paul enferma chaque œuvre dans sa caissette, capitonnée et en remplit l'avant du véhicule. Les deux hommes installèrent ensuite la cloison puis chargèrent la camionnette de barriques contenant de vieux vêtements et de la quincaillerie. Paul Drach plaça dans la boîte à gants un jeu de documents le faisant passer pour un chauffeur se rendant à Tours. Sa véritable destination était Tulle, soit quelque six cent cinquante kilomètres au sud de Paris. Là-bas, dans la France de Vichy, il serait en sécurité.

Paul Drach enfila un bleu de travail et chaussa des bottes de caoutchouc. De haute taille, svelte, il s'installa au volant, salua Jocko d'un geste de la main, tira vers l'arrière la casquette dont il s'était coiffé pour couvrir ses cheveux blonds et appuya sur le démarreur.

Jocko fit glisser les portes de l'entrepôt sur leurs rails grinçants. Les rayons du soleil pénétrèrent dans l'obscurité. Le moteur toussota puis tourna. Une buée bleue s'éleva dans le fond resté obscur du hangar.

Jocko s'engagea sur la chaussée, regarda de droite et de gauche et fit signe que la route était libre. Paul embraya, vira aussitôt, sortit et ralentit au bord du trottoir. Jocko referma les portes coulissantes et grimpa dans la cabine auprès de son patron. Ils roulèrent lentement sur le boulevard Saint-Marcel jusqu'à la place Denfert-Rochereau où ils bifurquèrent droit au sud vers la porte d'Orléans.

C'était par un matin d'une chaleur humide dont raffolent les Parisiens. Hommes, femmes, enfants circulaient dans les rues. Pourtant une tension sinistre étreignait la ville. Partout, des étendards noir, blanc et rouge, marqués de la swastika, flottaient sur les bâtiments publics, des immeubles et des hôtels réquisitionnés par l'armée allemande. Tous les deux ou trois carrefours une guérite de sentinelle striée des mêmes couleurs abritait un soldat ; un croissant de lune métallique accroché à la poitrine, un *Feldgendarme* dirigeait la circulation des Parisiens dans leur propre capitale. Les nazis grouillaient partout comme des sauterelles. Il y avait des barrages disséminés dans la ville.

Paul et Jocko calculaient que, si tout se passait selon leurs prévisions, ils atteindraient le premier point de contrôle en un quart d'heure. Ils avaient étudié le parcours et écarté l'hypothèse d'un voyage nocturne parce que les véhicules étaient trop rares après le coucher du soleil. L'heure la plus favorable se situait entre dix heures du matin et deux heures de l'après-midi, quand la circulation atteignait son maximum. Plus il y aurait de voitures et de camions en mouvement plus ils passeraient aisément.

Six portes permettaient de sortir de Paris par le sud. Ils les avaient toutes étudiées. Des terrasses de café, des abris d'autobus ils avaient repéré les moins bien gardées, celles où les sentinelles examinaient les papiers le plus négligemment. Cette étude leur avait permis de choisir la solution la plus simple : la porte d'Orléans. Le chef de poste, un sergent blond et bedonnant, ne savait pas le français et paraissait dénué de malveillance. Il suffisait de le regarder d'un air ahuri, de hausser les épaules pour indiquer qu'on ne savait pas l'allemand et le sergent expédiait le véhicule d'un geste agacé. Evidemment il s'intéressait plus aux camions et aux camionnettes, mais nos deux fugitifs avaient compté qu'il n'en fouillait qu'environ un sur huit.

D'ailleurs un examen succinct ne révélerait que la présence de chiffons et ferraille. Il aurait fallu déplacer toute la cargaison pour atteindre la cloison secrète et l'arracher afin de découvrir le trésor.

Arrivé à la porte d'Orléans, Paul prit la file des véhicules qui attendaient de passer. Devant eux, un lourd camion toussotait faiblement au ralenti. On voyait déjà apparaître les premiers vélos taxis : siège monté sur deux roues, attelé à une bicyclette.

La file diminuant de longueur, Jocko remarqua que, ce jour-là, il y avait deux Allemands au poste de garde. L'un portait un fusil sur l'épaule et l'autre interrogeait chaque chauffeur. Jocko plongea la main dans la boîte à gants et en tira l'*Ausweis* de Paul : document permettant d'entrer et sortir librement de Paris. Il le passa à son patron. Le sergent ventru n'était pas de service. Un lieutenant SS le remplaçait. Paul et

Jocko se demandèrent s'il ne vaudrait pas mieux quitter la file et retourner à l'entrepôt. Mais ils étaient déjà trop près du poste de contrôle. Leur manœuvre attirerait l'attention. Ce serait le plus sûr moyen d'être arrêtés et de provoquer une inspection complète du véhicule.

Paul poursuivit donc jusqu'au poste de garde. La camionnette pétarada lorsqu'elle ralentit et s'arrêta. Le lieutenant SS s'approcha de la portière de Paul et lui demanda poliment ses papiers.

Trop poli pour être honnête, pensa Jocko.

Paul présenta son *Ausweis* et dit nonchalamment : « J'emporte de vieux vêtements et de la quincaillerie à Tours. »

L'Allemand prit le feuillet et l'examina attentivement en plissant les paupières sous le soleil de juin. Arrivé en bas de la page, il fit demi-tour et se dirigea vers un autre officier allemand, un capitaine SS, auquel il remit l'*Ausweis.*

Paul se tourna vers Jocko, le regard anxieux. Jocko essuya la paume de ses mains sur son pantalon en surveillant du regard les deux Allemands. En examinant les papiers, le capitaine frottait distraitement une tache de vin sur sa joue.

Le lieutenant SS revint auprès de la cabine de la Citroën, tendit sa main gantée à travers la portière et demanda sèchement : « Vos pièces d'identité personnelles, *bitte.* »

Pendant que Paul tirait ses papiers de sa poche, Jocko vit cinq ou six soldats en uniforme noir, baïonnette au canon entourer la camionnette. Les deux portières de la voiture s'ouvrirent en même temps. Le Corse sentit le froid d'un pistolet à la base de son crâne. « Descendez doucement », ordonna un Allemand.

Quand il se remit de sa surprise, Jocko avait déjà quitté la camionnette et on le conduisit à une conduite intérieure noire dont la portière arrière était ouverte. On le poussa à l'intérieur où un gros sergent SS lui réunit les deux mains derrière le dos et lui passa les menottes aux poignets. Piétons, automobilistes, cyclistes français passaient à distance de la voiture et détournaient les yeux.

Jocko avisa Paul Drach, assis dans une autre conduite intérieure et qui le regardait. Pendant un instant, il y eut entre eux une communication tacite de solidarité. Puis une cagoule puante leur couvrit la tête. Des mains brusques parcoururent leurs vêtements en quête d'armes qu'ils ne possédaient d'ailleurs pas. Pas d'héroïsme, se répétait Jocko.

La cagoule l'étouffait presque. Il se demandait comment les Allemands avaient pu les repérer. Etait-ce l'*Ausweis?* ou bien la camionnette ? Les portières des voitures claquèrent. Qui les avait trahis ? La conduite intérieure démarra, décrivit un cercle complet et redescendit dans Paris en accélérant.

Jocko s'efforça de deviner l'itinéraire qu'il suivait mais les virages trop nombreux l'étourdirent. C'est seulement lorsqu'il entendit une musique militaire qu'il sut dans quels parages il se trouvait. Chaque jour, en effet, sur le coup de midi, une compagnie de soldats allemands descendait l'avenue des Champs-Elysées jusqu'à la place de la Concorde, en suivant une fanfare qui jouait *Gloire à la Prusse.*

Tout à coup le chauffeur ralentit, changea de vitesse et obliqua brusquement sur la droite pour s'arrêter presque aussitôt. On tira Jocko de la banquette, on lui fit faire quelques pas puis monter une volée d'escalier. On lui retira la cagoule. Il se trouva dans une vaste salle. Paul était déjà là.

De nombreux gardiens en uniforme noir les entouraient. Sur le revers de leur tunique ils portaient deux S en galons d'argent. Assis derrière un bureau qui leur arrivait à peu près à hauteur de la poitrine, un homme au visage en lame de couteau les regardait fixement. Il leur ordonna de vider leurs poches. « Ça aussi », dit-il en désignant le bracelet-montre de Paul.

« Pourquoi sommes-nous ici ? » demanda Paul en colère.

Jocko vit une matraque noire en caoutchouc s'abattre. Paul s'inclina sur la droite mais pas assez. Le choc l'atteignit au sommet de la colonne vertébrale. « Pas de questions ! » brailla le gardien qui avait frappé.

Deux autres SS, beaucoup plus jeunes, leur montrèrent une porte située sur leur gauche et leur firent signe d'avancer. Paul passa le premier. Ils traversèrent une autre pièce puis arrivèrent dans un couloir brillamment éclairé. Une trentaine de mètres plus loin, à l'extrémité de ce passage, ils se trouvèrent en face d'une grille de fer. Un des gardiens cogna sur les barreaux. De l'autre côté, un soldat descendit quelques marches et manœuvra une serrure. On leur fit descendre un escalier pour atteindre un autre couloir, obscur celui-là, bordé de chaque côté par des portes de cellules. Il y faisait frais et il y régnait une odeur qui rappela à Jocko celle des fruits pourris et du formol.

Le Corse compta les portes de cellules devant lesquelles il passait. A peu près au milieu du couloir, ils atteignirent la trente-troisième. Les gardiens leur intimèrent de s'arrêter et les poussèrent contre le mur. Un autre Allemand arriva de l'autre extrémité du couloir. Chaque fois que sa botte gauche frappait le sol, un trousseau de clés tintait à sa ceinture. Quand il arriva auprès d'eux, il décrocha ce trousseau et y choisit une clé. Tous ces bruits se répercutaient d'un bout à l'autre du couloir. Une porte de fer s'ouvrit vers l'extérieur. On les précipita tous les deux dans la cellule obscure, la porte claqua, le pène glissa dans la serrure et le tintement des clés s'éloigna dans le couloir.

Dans la nuit de leur prison, Paul et Jocko passèrent leur temps à s'encourager réciproquement. Il n'y avait plus un patron et un domestique mais deux hommes égaux l'un à l'autre à tous points de vue. On les laissa enfermés là pendant deux jours puis ils firent connaissance avec le sergent Horst Schlenker.

Cet homme était connu au quartier général de la Gestapo pour ses « interrogatoires rigoureux ». Travail des plus simples . on lui confiait les détenus qui répugnaient à dire aux SS ce que ces derniers désiraient savoir. Il les soumettait à des tortures graduées jusqu'à ce qu'ils parlent ou meurent. Peu lui importait. Cependant, il avait un caprice bizarre : il n'aimait pas torturer un sujet à l'estomac plein, ce qui pouvait donner des résultats dégoûtants.

Paul et Jocko s'habituèrent à vivre allongés sur le dallage couvert de paille et surtout à écouter le passage du chariot qui apportait les repas aux détenus. Si le chariot s'arrêtait à leur cellule, ils étaient rassurés pour la journée. S'il passait au-delà, ils devaient s'attendre à voir Schlenker dans la journée.

Dans l'obscurité, ils entendaient s'ouvrir la grille à l'extrémité du couloir et le chariot rouler devant les cellules. Ils suivaient sa progression, calculaient devant quelle porte il se trouvait, savaient s'il s'arrêtait ou continuait vers la cellule suivante.

Lorsque le chariot dépassa la cellule trente-trois, Jocko souffla : « Ah ! mon Dieu ! Non, pas maintenant. »

Un spasme douloureux crispa l'estomac du jeune homme. Son visage et son cou se couvrirent de sueur. Il se leva et se rendit en tâtonnant vers le coin le plus proche de la porte où un trou percé dans le sol de ciment servait de cabinets.

Il s'efforça de vomir, mais en vain. Des larmes lui montèrent aux yeux et coulèrent sur son visage. Il s'efforça encore de vomir, sans plus de résultat puis regagna sa place sur la paille où il attendit.

« Courage, mon ami. N'aie pas peur. Ils veulent savoir où sont les tableaux et tu ne peux pas le leur dire. »

L'attente ne dura pas longtemps. Les gardiens arrivèrent quelques minutes plus tard. La porte s'ouvrit. Plusieurs faisceaux de lampes électriques pénétrèrent dans la cellule. « Debout ! » glapit un des gardiens.

Tous deux se levèrent mais les gardiens ne s'occupèrent que de Paul. Ils le saisirent par les bras et le traînèrent hors de la cellule. Paul se retourna et cria par-dessus son épaule : « Prends soin de Noémie, mon ami.

— Dieu vous garde, Monsieur Paul, répondit Jocko. Dieu vous garde. »

Jocko ne sut pas ce que Paul Drach endura cette nuit-là. Plus tard il se rappela seulement les cris qui parvenaient jusqu'au couloir des cellules. Il s'efforçait de ne pas les entendre. Mais ce fut encore pire quand ils cessèrent.

Deux semaines s'écoulèrent puis on vint chercher Jocko. Aveuglé par les lumières, il passa par plusieurs couloirs de suite pour arriver à une salle d'interrogatoire où le capitaine SS qu'il se rappelait avoir vu à la porte d'Orléans était assis derrière un vaste bureau. L'Allemand sourit poliment, invita Jocko à s'asseoir en face de lui et, à son grand étonnement, lui présenta des excuses pour le temps qu'il avait passé en cellule.

L'Allemand se présenta : « Capitaine Hans Montag de la SS. » Il expliqua ensuite que, Paul Drach ayant collaboré sans réserve, il devenait inutile de détenir Monsieur Corvo plus longtemps.

Stupéfait, Jocko suivit Montag jusqu'au vestibule de la prison. On lui remit ses affaires personnelles, un SS tapa à la machine une levée d'écrou et lui demanda de la signer. C'est ainsi que Jocko quitta le siège de la Gestapo. Il se sentait mal à l'aise mais aspirait avec avidité l'air frais de la rue. Si bizarre que cela paraisse, il éprouvait presque de la reconnaissance envers les nazis.

Il prit un autobus pour retourner à l'hôtel particulier des Drach. Assis du côté de la vitre, il s'émerveilla de tout ce qu'il voyait et ressentait. La sensation de vitesse se confondit avec les scènes de la rue pour constituer une sorte de collage manifestant l'énergie humaine : rire des enfants s'enfuyant de l'école pour retourner chez eux, mouvement de jambes des jeunes filles, flottement de leur jupe, passage des bicyclettes sur la chaussée, caquetage des commères sur le marché. Tout était superbe, magnifique.

Il descendit de l'autobus et dévala la rue de Bellechasse jusqu'au perron de l'hôtel particulier dans le dernier pâté de maisons avant d'arriver à la Seine. Il ouvrit la grande porte et entra. Le silence l'impressionna. Puis il perçut presque aussitôt une forte odeur de mort. Il entra dans le salon de devant et trouva Paul pendu au lustre, au milieu de la pièce.

Plus tard Jocko apprit que, pendant son incarcération, les nazis avaient fait des descentes dans tous les lieux où se trouvaient cachées les « collections juives ». Ils avaient tout saisi. Partout la scène s'était déroulée de la même manière. Le visage contusionné mais traité avec déférence, Paul Drach se conduisait comme s'il collaborait avec les Allemands. Puis, aussitôt relâché par la Gestapo, il était retourné chez lui et s'était suicidé le jour même.

Faire enterrer Paul fut une des tâches les plus pénibles que Jocko eût à accomplir. Aucun membre de la famille Drach n'était présent à Paris. Il n'y eut pas de service funèbre mais rien qu'un enterrement auquel il assista seul, au cimetière de Passy. Ensuite, Jocko téléphona à Noémie à Monte-Carlo pour lui annoncer l'atroce nouvelle. Il eut beau s'efforcer de l'en dissuader, elle lui annonça qu'elle retournait à Paris. Elle y arriva avant la fin du mois et s'installa dans son hôtel particulier.

Au printemps suivant, elle donna naissance à un fils. Elle n'alla pas en clinique. C'eût été trop dangereux. Annoncer la naissance de l'enfant au bureau de l'état civil aurait renseigné les SS sur son existence. Pour un juif, c'était risquer la mort.

Louisa, la jeune épouse de Jocko, joua le rôle de sage-femme. Ensuite les Corvo offrirent à Noémie de l'héberger chez eux avec le nourrisson. Mais elle refusa, préférant rester chez elle. La vie ne lui était pourtant pas facile, dans cette vaste demeure dont les deux tiers des pièces étaient bouclées, leur mobilier couvert de housses. Elle y menait une existence affreusement solitaire, bien qu'une espèce de paix l'enveloppât. Pourtant rien ne lui permettait d'oublier la mort de Paul.

Au printemps 1942, elle sema des haricots et planta des choux dans le jardin derrière l'hôtel, et vécut claustrée. Elle faisait le ménage, tricotait et veillait sur son petit garçon. Outre le peu de légumes que produisait le jardin, elle vivait de topinambours et de navets qu'on trouvait alors avec une facilité relative à Paris. La poule qu'elle élevait dans sa cour lui fournissait de temps en temps un œuf. Les rations de viande étaient si minimes qu'elle disait en plaisantant à Jocko qu'on aurait pu les envelopper dans un ticket de métro. Pour aggraver les choses, les Allemands condamnaient les juifs à ne faire leurs achats qu'entre trois et quatre heures de l'après-midi. Noémie ne pouvait donc rien se procurer qui ne se trouvât en abondance. Quand elle arrivait chez le commerçant, les produits les plus recherchés avaient disparu.

Les Corvo s'efforcèrent d'assister Noémie de leur mieux. Jocko continua à jouer gratuitement le rôle d'homme de confiance. Tous les matins, il traversait fidèlement Paris à bicyclette pour se mettre au service de sa patronne. Sa première tâche consistait à allumer le feu. Il ratissait soigneusement les cendres du soir précédent pour y récolter les débris de charbon. Il réduisait en boule des pages de journaux, les imprégnait d'eau et les glissait sous les charbons. Ce combustible à feu lent permettait de faire bouillir un litre d'eau en un quart d'heure.

Dès que le feu prenait, il tendait une page de journal devant la cheminée afin d'augmenter le tirage. Quand il la retirait les boules de papier brûlaient et les charbons rougeoyaient. Il pliait soigneusement le reste du journal et le glissait sous le seau à charbon pour l'utiliser le lendemain matin.

Quand la cheminée chauffait le salon, il se rendait à la cuisine, pour allumer « le fourneau ». Noémie était privée de gaz et d'électricité comme tous les juifs. Jocko avait ingénieusement façonné une cuisinière en soudant les uns aux autres les bidons de pétrole. En fait de combustible, il se servait de papier mouillé comme pour la cheminée.

Puis la catastrophe se produisit par un jour glacial de décembre 1942. Le bébé n'avait alors que dix-neuf mois. Jocko s'éveilla quelques minutes après sept heures du matin. Le ciel gris commençait à peine à s'éclairer dehors. Il tâta le plancher pour repérer l'emplacement de ses chaussures et se leva en prenant bien garde de ne pas déranger Louisa.

Il faisait froid dans la chambre. Jocko s'habilla en grelottant puis enfila un lourd chandail de laine, laissa Louisa dormir et descendit sans bruit au rez-de-chaussée. Il retroussa ses manches, fit chauffer du café et s'en servit une tasse. Il but lentement en grimaçant. Ce breuvage avait un goût affreux. Mais que pouvait-on espérer d'un jus de glands grillés ?

Enfin, il prit sa bicyclette dans le couloir et plongea dans le froid de la rue pour aller à son travail.

Comme chaque matin, en approchant de la place de la Concorde, il se pencha en avant et pédala à toutes jambes jusqu'au quai des Tuileries. Ses jambes courtes s'élevaient et s'abaissaient régulièrement comme les bielles d'une locomotive. Il traversa la Seine, fila devant la maison de la Légion d'honneur en s'imaginant qu'il menait le peloton de tête du tour de France. Sa respiration se transformait en buée devant son visage et il transpirait. Enfin, il tourna à gauche et plongea dans la rue de Bellechasse.

Il lui sembla aussitôt qu'un mur s'élevait entre l'hôtel particulier et lui. Les Allemands avaient dressé un barrage au-delà duquel s'alignaient les autocars dans lesquels on embarquait certains habitants de la rue. Jocko s'arrêta, hissa sa bicyclette sur le trottoir et passa le long des autocars devant chez Drach. Sous l'œil réprobateur des Allemands il regarda dans ces véhicules. Il vit des hommes et des femmes sur les vêtements desquels était cousue l'étoile jaune.

Au lieu d'entrer et de contourner l'hôtel pour aller au jardin derrière la maison, Jocko poursuivit son chemin jusqu'au carrefour suivant où il s'arrêta. Un instant plus tard il *la* vit. « Mon Dieu ! soufflat-il. Madame Drach ! » Bouche bée, il vit Noémie poussée vers un autocar, tête basse, ses minces épaules voutées serrant son enfant contre sa poitrine.

Noémie tendit le bébé à une jeune femme debout à l'arrière de l'autocar et s'apprêtait à monter quand un gardien la saisit par le bras. Il lui épingla un morceau de papier à son manteau. Ensuite elle grimpa dans le véhicule, reprit son enfant dans ses bras et regarda enfin ce qu'on avait épinglé sur elle. Son nom y figurait en lettres d'imprimerie et au-dessous, un seul mot : AUSCHWITZ.

Les mains de Jocko se crispèrent sur le guidon de sa bicyclette. Il se demandait, désolé, ce qu'il pourrait faire.

Le moteur de l'autocar se mit à tourner et la prison roulante avança vers lui. Quand elle passa, il vit Noémie lever la main en signe d'adieu. Sans savoir pourquoi, Jocko fit pivoter sa bicyclette et se lança à sa poursuite.

Pour les millions de parisiens encore au lit, un jour comme tous les autres commençait. Les plus tôt levés assistaient à la messe car c'était la fête de l'Immaculée Conception. Il leur faudrait ensuite se précipiter à leur travail car ce n'était pas un jour férié. Pour Noémie et les sept cents autres prisonniers entassés dans des wagons à bestiaux, gare de l'Est, ce n'était pas un jour comme les autres. Une longue et atroce agonie commençait dans la grisaille brumeuse.

L'affaire avait duré peu de temps. Aussitôt débarqués devant la gare, hommes et femmes avaient été séparés. On avait inscrit leur nom sur une liste puis on les avait conduits au train. Noémie se trouva dans un wagon à bestiaux avec soixante-quinze autres femmes. Il n'y avait qu'une seule étroite ouverture garnie de barreaux de fer. Bien qu'il fît très froid, en quelques secondes, l'atmosphère devint étouffante.

L'épaule appuyée à une cabine de téléphone, Jocko assista à tout cela. Au sommet du clocher de style gothique, l'horloge indiquait onze heures et demie. Il était là depuis plus de quatre heures et il ne savait pas ce qu'il attendait. Selon toute évidence, il ne pouvait rien faire pour Mme Drach. Pourtant il était incapable de se résoudre à l'abandonner. Auprès de lui, un vieux bonhomme bredouilla : « Auschwitz ».

Jocko n'avait encore jamais entendu ce nom. Il toucha le coude de cet homme et lui demanda : « Auschwitz, qu'est-ce que c'est ? »

Le vieillard sourit tristement. « Un camp de concentration, jeune homme. Les nazis vont installer ces malheureux dans les territoires qu'ils ont conquis à l'est.

— Les installer ? mais ils sont français !

— Pas pour les Allemands, ni pour Vichy. Ce sont des Juifs. »

Tout à coup les attelages des wagons tintèrent comme les anneaux d'une chaîne. Les wagons de bois se mirent à rouler le long de la gare. Jocko attendit quelques secondes puis, les larmes aux yeux, il enfourcha sa bicyclette et repartit vers chez lui. Après avoir franchi un ou deux carrefours, il secoua la tête et, entraîné par une force à laquelle il ne comprenait rien, il fit demi-tour et pédala furieusement pour rattraper le train. Sans raison, sans projet intelligible, il était résolu à suivre Noémie partout où l'emmènerait ce convoi, si loin que ce fût.

Trois heures et quarante kilomètres plus loin, il pédalait toujours à la poursuite de la prison roulante. Il savait que le train devrait passer par Meaux et s'y arrêter pour emplir le tender avant de poursuivre vers Nancy et la frontière allemande. Cela représentait un trajet de deux cents kilomètres. Jocko se savait capable de parcourir cette distance. Pourtant, à force de pédaler, il sentit faiblir ses jambes et désespéra de rattraper le train. A chaque passage à niveau, il demandait quelle distance l'en séparait encore. Partout il recevait la même réponse : le train était passé depuis plus d'une heure. Il avait beau peiner, pédaler au-delà de ses forces, époumoné, l'intervalle restait le même. Pourtant il refusait de s'arrêter, pas même pour s'accorder un bref instant de repos. Il fonçait, obsédé comme s'il était voué à poursuivre un train fantôme d'un bout à l'autre de la France.

Ce matin-là, à l'insu de Jocko, la Résistance avait fait sauter le principal transformateur d'une centrale électrique près de Saint-Jean-les-deux-Jumeaux. Les aiguillages avaient cessé de fonctionner et le train s'était arrêté.

En attendant que les lignes soient de nouveau utilisables, les Allemands avaient conduit leur prison roulante sous un tunnel pour éviter le risque d'une attaque aérienne. Dans les wagons à bestiaux, ignorant ce qui se passait sur la voie, les prisonniers pensaient que les Allemands cherchaient à les asphyxier. Une âcre fumée noire jaillissait de la locomotive, se répandait dans le tunnel et suffoquait presque les prisonniers.

Dix minutes plus tard, Jocko dévala en pédalant la route sinueuse qui conduisait au raccordement de Saint-Jean. Ce qu'il vit lui fit pousser un rugissement rauque. L'avant de la locomotive pointait du tunnel à quatre cents mètres de lui. Il accéléra et, en quelques minutes, arriva à la halte. Il appuya sa bicyclette au mur du bâtiment et examina les environs.

A quelque distance, sur la voie, des cheminots discutaient avec les gardiens du convoi. L'un d'eux désigna l'extrémité de la voie. Les gardiens partirent tous ensemble dans cette direction. Jocko les suivit à bonne distance jusqu'à ce qu'ils atteignent un aiguillage, bien au-delà de la halte. Les Allemands y trouvèrent un autre train; celui-là transportait des moutons. Ils chassèrent ces bêtes des wagons et poussèrent le convoi jusqu'à l'aiguillage. Peu après, le nez de l'autre train pointa du tunnel et en sortit.

Les prisonniers en descendirent et on les conduisit le long de la voie. Parmi les femmes qui toussaient, le visage noirci par la fumée, Jocko reconnut Noémie qui titubait sur le ballast en portant toujours son petit garçon serré contre sa poitrine. Sans réfléchir, il courut en avant, tira son mouchoir et essuya le visage de sa patronne. Les gardiens parurent étonnés mais n'intervinrent pas.

D'abord elle ne comprit pas ce qu'il lui arrivait. Puis elle se mit à pleurer. Les larmes coulèrent à travers la suie sur son visage. Par un coup de chance ou par un sentiment de bonté — Jocko ne le sut jamais — on lui permit d'accompagner Noémie jusqu'aux wagons qui attendaient de l'autre côté de la halte. Les gardiens haussèrent les épaules, indifférents et les laissèrent marcher côte à côte. Echevelée, le visage couvert de larmes, elle saisit la main de Jocko et bredouilla une phrase qu'il ne comprit pas.

« Oui Madame, c'est bien moi. Que voulez-vous ?

— Prenez mon bébé. Emportez-le. Prenez soin de lui. » Elle lui tendit le nourrisson.

Jocko jeta un coup d'œil aux gardiens. Aucun ne les regardait. Il prit l'enfant. « Je veillerai sur lui, Madame. Ne vous inquiétez pas. A votre retour vous le trouverez sain et sauf. »

Néomie lui serra le bras et dit : « Si jamais vous avez besoin d'aide, adressez-vous à André Rostand, l'ami de Paul. Dites-lui que c'est moi qui vous envoie. Il fera tout ce qu'il faudra. »

Un gardien la poussa en avant. Jocko resta sur place. Il avait atteint la limite du possible.

Plus tard, il oublia pendant combien de temps il resta hébété au bord de la voie pendant que les gardiens, courant le long des wagons en fermaient les portes à grand bruit. Le train de misère était prêt à repartir.

De nouveau les attelages sonnèrent, les wagons se heurtèrent. Après quelques sursauts le train roula, s'éloigna lentement de la gare. Il prit de la vitesse. Jocko resta les yeux fixés sur le wagon dans lequel il avait vu pousser Noémie. Enfin, quand le convoi contourna une colline grisâtre, il pleura. C'est seulement lorsque le dernier wagon eut disparu et qu'il n'entendit plus souffler la locomotive, qu'il se mit en mouvement. Il regagna la halte, prit sa bicyclette le long du mur, la fit pivoter, glissa son chandail dans son pantalon, serra le petit Alexandre Drach contre sa poitrine, retenu entre le chandail et la ceinture. Enfin il enfourcha son vélo et repartit vers Paris.

TROISIÈME PARTIE

1979

1

Alex se réveilla tard le lendemain matin et calcula, d'après l'angle sous lequel les rayons du soleil traversaient les persiennes, qu'il devait être onze heures. Il resta allongé et inventoria du regard la chambre dans laquelle il avait dormi lorsqu'il vivait à Paris. Il reconnut la petite bibliothèque, le long miroir accroché à la porte dérobée conduisant au grenier et la commode en bois de pin.

La veille au soir il s'était entretenu avec Jocko jusque vers minuit. A ce moment-là, en bas, on allait découper et servir le gâteau de noces. Ils descendirent donc rejoindre les invités, en convenant de reprendre leur entretien le lendemain matin.

Quand ils arrivèrent dans la salle de bal, le gâteau était déjà partagé et on avait bu plusieurs toasts. Après une dernière danse, Madeleine et Manetta s'éclipsèrent pour leur lune de miel.

Moins exubérant qu'au début de la soirée mais toujours aussi courtois, Jocko se mêla à ses invités et hâta discrètement leur départ. Enfin on ferma les portes, on renversa les chaises sur les tables et on ne laissa plus allumées que les veilleuses. Il ne restait alors au Fantasio, que Minta, Louisa, Alex, Jocko et deux gaillards aux larges épaules assis dans la pénombre au coin de la salle. Dès qu'il avait appris leur mésaventure sur l'autoroute, Jocko avait fait venir d'urgence ces deux membres de l'Union corse pour assurer la protection d'Alex et de Minta.

Après avoir échangé quelques remarques sur la manière dont s'était déroulée la réception, on se souhaita bonne nuit. Alex monta dans la chambre où il avait couché jusqu'à l'âge de quatorze ans. Aussitôt allongé dans son lit, il plongea dans un sommeil récupérateur.

Remis d'aplomb le lendemain matin, il récapitula les événements que lui avait révélés Jocko la veille au soir, notamment la mort de l'homme blond de haute taille dont il portait le nom. Quelle histoire atroce et invraisemblable ! Comment interpréter ce qui s'était passé près de quarante ans auparavant. Dans son enfance, il s'était souvent demandé quel genre d'homme était son père. Il avait vu quelques photographies de Paul Drach, notamment un instantané noir et blanc qui se trouvait dans un cadre sur la tablette de la cheminée, chez les

Corvo. On y voyait son père et sa mère, debout, bras dessus, bras dessous, devant un café parisien autrefois célèbre. En souriant vers l'objectif de l'appareil photographique, ils paraissaient heureux et pleins d'optimisme quant à leur avenir. Alex s'était toujours représenté son père sous les traits d'un homme ouvert, franc, prompt à se lier ; il attribuait à sa mère un charme et une vitalité propres à captiver tout le monde. Après avoir entendu les confidences de Jocko, il lui était difficile de croire que son père avait trahi. Mais, s'il avait cédé à la contrainte, pouvait-on l'accuser de collaboration. Qu'avait-il enduré pendant la semaine qu'il avait passée entre les mains de la Gestapo ? A coup sûr une épreuve épouvantable. Et puis qui était ce capitaine de SS Hans Montag ? Où était-il désormais ? Alex se le représenta vaguement, vivant retiré dans une fermette en Bavière, entouré d'un décor de collines arrondies, de champs et de bois paisibles.

Mais la question essentielle lui revint à l'esprit. Qui donc avait essayé de le tuer la veille au soir et pourquoi ? Cet attentat était-il lié au passé ? Quoi qu'il en fût, Alex devait découvrir la vérité. Un élément lui parut certain : la clé de l'énigme était liée au tableau qui avait inopinément reparu à Londres. En rejetant draps et couvertures, Alex décida de commencer son enquête le jour même.

Il se leva, prit rapidement un bain, changea de linge et de complet, refit sa valise et descendit à la cuisine où il trouva Jocko, Louisa et Minta qui prenaient leur petit déjeuner. Vêtu d'une chemise de flanelle rouge et d'un pantalon en velours froissé, Jocko se leva pour approcher une chaise de la table à l'usage d'Alex et lui demanda : « T'es-tu reposé ?

— Après ce qui m'était arrivé, j'ai dormi étonnamment bien », lui assura Alex.

Louisa prit sur le buffet un grand bol qu'elle emplit de lait et de café, le posa devant Alex à qui elle offrit aussi un croissant encore chaud. Alex l'ouvrit pour le beurrer et y ajouta une bonne cuillerée de confiture de cassis. Tout en mangeant, il remarqua que Minta l'observait. Il lui adressa un clin d'œil en souriant.

« A quoi penses-tu ? demanda-t-il.

— A toi, répondit-elle. Que vas-tu faire ?

— Pour commencer, je vais finir mon petit déjeuner.

— Sois donc sérieux, dit Minta. Où vas-tu en partant d'ici ?

— A Londres, comme prévu.

— Ce n'est pas dangereux ? »

Alex haussa les épaules. « Tout ira bien.

— Pas du tout ! s'exclama-t-elle la mine désolée. On te tuera et je ne te verrai plus jamais. En outre, tu m'avais promis de me conduire à une fête foraine.

— Tais-toi donc, gamine ! s'écria Jocko. Il s'agit d'affaires sérieuses. »

Minta ne répondit pas. Elle fronça les sourcils, croisa les bras et s'affaissa sur sa chaise, indignée.

Jocko se tourna vers Alex. « Tu connais sans doute cette vieille histoire corse. A la naissance d'un garçon, le père lance une pièce d'un franc au-dessus du berceau. Face, l'enfant sera un malfaiteur. Pile, il sera policier. Enfin, si elle tombe sur la tranche, peut-être travaillera-t-il pour gagner sa vie. Cela signifie que, partout où tu te trouveras, je pourrai te protéger, officiellement ou non. »

Alex sourit. « Je le sais, Jocko, et je t'en suis reconnaissant. Mais ne t'inquiète pas. Notre clan ne chantera pas de *lamentù* pour moi.

— Tant mieux, mais n'hésite quand même pas à faire appel à moi et à mes amis.

— Merci. Je m'en passerai. »

Le petit déjeuner terminé, Alex reprit sa valise et toute la famille l'accompagna jusqu'à l'entrée du Fantasio.

Les yeux humides d'émotion Jocko embrassa Alex et lui dit : « Tu n'es pas un Corvo mais tu sais que je t'ai toujours considéré comme mon fils. » Il tira de sa poche un lourd médaillon d'or. « Ne t'en sépare pas, dit-il. Il pourrait t'être utile un jour. »

Alex prit le médaillon, le retourna sur la paume de sa main et appuya sur un petit bouton qui pointait de la tranche. Un stylet à la lame aussi aiguë que celle d'un rasoir, longue de trois centimètres, en jaillit. Alex sourit. « Je t'ai compris, dit-il.

— Il me vient de mon grand-père, dit Jocko, qui l'a fait faire dans une situation comparable à la tienne. Il lui a fort efficacement servi, m'a-t-on dit. »

Alex se tourna vers Louisa et l'étreignit. « Sois prudent », lui dit-elle en le baisant sur chaque joue.

Minta se précipita sur Alex et lui passa les bras autour du cou. Ils restèrent ainsi embrassés pendant un moment et elle murmura : « Ne tarde pas à revenir. »

Il hocha la tête. « Je n'oublierai pas la fête foraine ni la barbe à papa. » Ayant ainsi pris congé, il s'en alla.

2

Le siège social de Rostand International était situé dans un superbe immeuble du XIXe siècle, au centre d'un quartier élégant entre les avenues Madison et Cinquième. Le consulat général de France à New York avait occupé auparavant cet immeuble dont la façade en pierre taillée de couleur crème et les imposantes fenêtres à la mode georgienne proclamaient tradition et opulence. C'est ce qui intéressait André Rostand lorsqu'il l'avait acheté peu après la Seconde Guerre mondiale.

Quand sa limousine noire ralentit pour s'arrêter devant la galerie, deux hommes vêtus d'uniformes gris en sortirent. L'un d'eux se précipita pour ouvrir la portière de la limousine et l'autre retint l'énorme porte d'entrée.

André Rostand débarqua de sa voiture, constata avec satisfaction qu'on avait nettoyé le trottoir de la neige qui était tombée la nuit précédente, et pénétra d'un pas alerte dans le vestibule. Il remit son pardessus de cachemire bleu et son taupé gris à un troisième homme qui portait le même uniforme que les deux autres. Tous trois servaient à la fois d'employés d'accueil et de gardiens.

Rostand les avait choisis avec soin après avoir étudié leur passé. C'étaient d'anciens policiers dont la carrière n'avait pas présenté la moindre fêlure.

Avant de prendre l'ascenseur, Rostand alla jeter un coup d'œil dans la salle principale, afin de voir où en étaient les préparatifs des quelques journées d'exposition au bénéfice de l'université de Jérusalem : une des nombreuses activités philantropiques auxquelles il s'intéressait. Trente œuvres des impressionnistes les plus célèbres — Renoir, Degas, Monet — y figureraient. André Rostand les faisait venir de son dépôt à l'Iron Mountain. Déjà on en accrochait quelques-unes aux murs. Dans d'autres salles de la galerie figuraient déjà des œuvres prêtées à cette occasion par quelques-uns de ses principaux clients. Il se promit de leur télégraphier ses remerciements le matin même.

Il se dirigea vers l'ascenseur. Un des gardiens s'inclina avec respect et appuya sur un bouton. Les portes s'ouvrirent. Rostand pénétra dans la cabine. D'abord la grille dorée puis la porte d'acajou massif se refermèrent lentement. Seul dans la cabine, André Rostand appuya du bout de l'index sur le bouton numéro trois d'un panneau de laiton poli.

Au troisième étage, les portes s'ouvrirent un peu plus vite qu'elles ne s'étaient fermées. Rostand tourna à gauche, suivit un large couloir garni de moquette et éclairé par des ampoules dissimulées dans des boîtes plates de verre opalisé. Il passa devant plusieurs portes espacées les unes des autres et atteignit celle de la bibliothèque à l'extrémité du corridor. Cette porte n'était pas comme les autres. L'acajou en était blindé par des plaques d'acier. L'entrée de la pièce n'était autorisée qu'à quelques rares membres du personnel : les bibliothécaires évidemment, Ray Fuller et un ou deux autres hommes de confiance, enfin Philip Rostand et André lui-même.

Rostand appuya du doigt sur un bouton. La lourde porte roula sur ses rails. Il entra dans une pièce sans fenêtre. Le long de deux des murs, de lourds classeurs en bois s'élevaient jusqu'à quatre mètres de haut. Les deux autres étaient recouverts par des rayonnages sur lesquels reposaient toutes les publications périodiques du monde concernant les arts. La collection de livres sur le même sujet était conservée dans les pièces contiguës. Seuls la Frick Art Reference Library et le Fogg Art Museum auraient pu rivaliser avec Rostand International, en fait de documentation.

Livres, revues, catalogues de ventes n'étaient pas les trésors les plus précieux de cette pièce. Ce qui comptait se trouvait dans les longues batteries de classeurs. Rangés par artiste, titre et collectionneur, un catalogue photographique tenait à la disposition de Rostand l'état et la situation de tous les chefs-d'œuvre d'art capitaux ainsi qu'un bon nombre de tableaux de moindre intérêt dispersés à travers le monde entier. Chaque artiste, depuis Giotto jusqu'à Pollock, y figurait. Leurs œuvres avaient été photographiées, indexées, passées à l'ordinateur. Il suffisait à Rostand d'appuyer sur un bouton pour savoir immédiatement où se trouvaient ces tableaux, qui les possédait, d'où le propriétaire actuel les tenait, et dans quel état ils étaient. Grâce à de tels renseignements, il avait toujours une foulée d'avance sur ses concurrents, lesquels devaient se fier à des on-dit ou à leur mémoire pour situer les œuvres d'art qu'ils désiraient. La bibliothèque comportait aussi un système détaillé de dossiers sur les plus importants collectionneurs, directeurs de musée, critiques d'art et négociants. Ces documents révélaient l'évolution de leurs affaires ainsi que bien des choses sur leur vie privée.

Accumuler tant d'informations avait coûté des millions et les tenir à jour était aussi onéreux. Mais elles rapportaient dix fois plus. Cette bibliothèque représentait la clé des succès de Rostand et le cœur de sa puissance.

Un petit bonhomme rabougri, aux yeux à peine visibles derrière ses épaisses lunettes à double foyer, apparut devant un énorme bureau jonché de diapositives et de cartes indexées. « A votre service, Monsieur Rostand », dit ce bibliothécaire en chef, qui s'appelait Pirrone.

Rostand lui remit un morceau de papier. « Donnez-moi les rapports sur ces trois personnes, s'il vous plaît. Envoyez-les à mon bureau aussitôt que possible. »

Rostand retourna à l'ascenseur qui l'emporta jusqu'au sixième étage. Là aussi, il alla jusqu'à l'extrémité du couloir couvert de moquette. Des tableaux représentant des paysages anglais étaient accrochés aux murs. Il salua d'un signe de tête son bras droit, Harper, poussa une porte blanche et entra dans son bureau.

Selon lui, le cabinet de travail de chacun doit, comme un tableau, comporter la meilleure association possible de milliers de nuances. Ce bureau était petit, meublé modestement de bois foncé, comme les murs de chêne ciré. Une moquette beige s'étalait d'un mur à l'autre. Des bûches flambaient dans la cheminée de marbre blanc. Bref, cette pièce était essentiellement utilitaire. On n'y voyait guère que quelques rares œuvres d'art et, en fait d'objets personnels, des souvenirs : le bureau démodé, couvert de cuir vert dont s'était jadis servi son père, à Paris ; un portrait photographique de ce dernier, dans un cadre rond accroché au-dessus de la cheminée. Il y avait en outre sur la tablette de celle-ci, un paon de porcelaine rouge et blanc ; une canne en bois de merisier à pommeau d'argent ; une horloge de Daniel Quare, en ébène cerclé d'argent, avec un timbre au sommet.

Autre touche de couleur dans ce cabinet de travail : un vase de fleurs fraîches sur une sellette, dans un coin. Un fleuriste les livrait chaque matin. Ce jour-là, il s'agissait de gardénias blancs. A proximité, se trouvaient quelques livres et des numéros récents de revues d'art, ainsi qu'un coffret à cigarettes en argent.

Seuls quelques rares clients avaient accès à ce bureau. Rostand en recevait la plupart dans les salles d'exposition aux étages inférieurs. Ceux qui étaient admis dans ce cabinet particulier s'étonnaient en général de ne pas y trouver de tableaux. Rostand répondait ironiquement qu'il en possédait trop pour choisir ses préférés. Il se serait bien gardé de dire la vérité par crainte de choquer son interlocuteur : l'art ne lui donnait aucun plaisir. Il avait l'œil exercé à reconnaître la qualité, talent qu'il avait hérité de son père. Ce qui l'intéressait foncièrement, c'étaient les remous du marché. Il se considérait avant tout comme un négociant et jouissait des risques qu'implique toujours l'acquisition d'un trésor, mais pas de l'objet lui-même.

Le souvenir du Vermeer lui revint à l'esprit. C'était le seul tableau qu'il avait désiré acheter pour son propre usage. Il éleva son regard vers l'espace vacant au-dessus de la cheminée, où il avait voulu accrocher *La Servante d'auberge.* Paradoxalement ce vide ne le peina pas. Loin de l'abattre, sa défaite de la veille au soir stimulait son énergie. Il se sentait même rafraîchi, sûr de lui, tout à fait prêt à relever le défi de la bande à Marto.

Il s'assit à son bureau presque nu, appuya sur le levier de l'interphone et demanda à Harper de convoquer Ray Fuller. Puis il s'empara des rares feuillets soigneusement placés à l'écart sur un coin de la table. Il y avait des lettres, en moyenne quotidienne, pas moins de vingt, triées parmi les quatre cents que la galerie recevait chaque jour. Presque toutes concernaient des offres de vente. Le personnel les épluchait et ne communiquait au patron que celles qui paraissaient les plus prometteuses. A son tour, il faisait un dernier tri et n'en renvoyait que quelques-unes à la bibliothèque, à fin de recherches. Plus tard, ces lettres lui revenaient avec un dossier complet sur l'œuvre offerte. Il examinait ce dossier et, si tout allait bien, il consentait à voir l'œuvre elle-même. A peine une sur mille se révélait de grande valeur.

Ray Fuller frappa discrètement à la porte ouverte et entra. Chevelure argentée, complet marron, voix douce, il tenait un calepin relié de cuir et trois dossiers couleur de parchemin. André et lui avaient à peu près le même âge mais Fuller paraissait beaucoup plus vieux. Emacié par des années d'intoxication à la nicotine, discret, Fuller avait l'air d'un cadavre ambulant. Pourtant André espérait qu'il continuerait à fonctionner éternellement. Maniaque du détail, méticuleux, n'omettant jamais rien, c'était un collaborateur efficace.

« Voici les dossiers que vous avez demandés sur les rabatteurs », dit Fuller en les tendant à Rostand. Puis, sans avoir été interrogé à ce sujet, il ajouta : « Je n'ai pas réussi à joindre Alex Drach. J'ai laissé un message pour lui à son bureau où l'on suppose qu'il est encore à Londres. »

Rostand hocha la tête et fit signe à son comptable de s'asseoir sur l'un des deux fauteuils exceptionnellement beaux placés devant son bureau. Il se fiait à Fuller pour la comptabilité de l'entreprise et ne lui cachait aucun de ses secrets, parce que le comptable savait tout. Néanmoins son bras droit ne pouvait lui être utile en rien au sujet de ce qu'il allait faire à ce moment-là. Le risque était trop immense. Si jamais Fuller le trahissait...

André chassa cette idée de son esprit et dit : « J'entends vous charger de plusieurs missions. D'abord je veux un dossier sur chaque membre de la conspiration. Notre service de recherches pourra vous fournir la plupart des détails.

— Seulement Marto, Bez et Duranceau ?

— Non. Ajoutez-y donc John Thompson, Ira Kellerman, Nando Pirelli et Jules Feigan. Ils sont tous liés à Marto. Je tiens surtout à connaître l'actif de chacun, en particulier ses liquidités. »

Le squelette vivant hocha la tête. « Vous aurez tout ça sur votre bureau, dès demain matin.

— Procurez-moi aussi une évaluation *exacte* de chaque article qui sera mis aux enchères à la vente Essler. » Rostand insista sur le mot *exacte*. « Ne soyez pas trop prudent. Je ne veux pas être pris de court cette fois. » Fuller jeta quelques notes sur son calepin, pendant que Rostand continuait : « Prêtez une attention particulière au Rembrandt. Je ne peux pas me permettre de le rater. »

Fuller leva les yeux de son calepin en toussotant pour se dégager la gorge. « Le Rembrandt ? demanda-t-il étonné. Il a été brûlé, acheté et vendu si souvent que personne ne croit plus à son authenticité.

— Inutile de me dire ce que je sais déjà, rétorqua Rostand avec humeur. Essler achetait beaucoup de rossignols. Les gravures, même celles de Vinci, ne sont que des bricoles esquissées sur des albums d'autographes. Bien des choses sont bonnes pour le rebut.

— Oui Monsieur, je comprends...

— Je n'en suis pas sûr. Je ne m'occupe pas de cette collection à cause de sa qualité mais parce que je ne peux me permettre de laisser Marto et sa bande me chasser des salles de vente. Ma galerie ne survivrait pas et nous le savons.

— Qui enchérira ? » demanda Fuller.

Rostand se leva, alla à la cheminée, y prit sa canne de merisier et en frotta le pommeau d'argent. « Moi, dit-il.

— Vous allez donc à Londres ? »

Rostand acquiesça d'un signe de tête et énuméra d'autres instructions à l'usage de Fuller. Il fallait dire aux vendeurs que Rostand entendait vendre le plus d'œuvres possible durant la quinzaine suivante. Il s'agissait de revoir les offres en suspens et de conclure les transactions, pourvu que les prix soient raisonnables. Rostand insista sur la nécessité d'accumuler de l'argent comptant au cours des prochains mois. Fuller devait aussi contracter un emprunt hypothécaire sur le vignoble et le château que Rostand possédait en France. En outre les travaux sur le yacht de douze mètres que Philip se faisait construire devraient être suspendus. M. Rostand junior patienterait avant d'être admis en qualité de membre à part entière au New York Yacht Club.

Il consentirait des sacrifices personnels équivalents à celui qu'il imposait à son fils : son écurie de chevaux de courses notamment passerait entre les mains d'une société. A cela, une seule condition : il pourrait racheter ses bêtes au bout d'un an en payant, évidemment, une pénalité de dix pour cent. Enfin, il enjoignit à Fuller de faire préparer son Lear-jet pour son voyage en Europe. L'appareil devait être prêt la veille de la vente. Rostand prévoyait une absence de trois jours et entendait être tenu au courant par télex de l'éxécution de ses ordres.

Quand il eut terminé, il reporta la canne de merisier sur la cheminée et retourna s'asseoir à son bureau.

Fuller se leva et demanda : « Est-ce tout ?

— Pas tout à fait. Veillez à ce que la lithographie de Chagall, que j'ai choisie, soit envoyée à notre critique du *Times*. A la réflexion, faites-la plutôt livrer chez lui. Ce sera plus discret. Ne manquez pas d'y joindre un reçu de quinze mille dollars. » Fuller hocha la tête. « N'oubliez pas de l'antidater, ajouta Rostand. Notre homme sera heureux pendant quelque temps. »

A peine Fuller l'eut-il quitté qu'André tira de sa poche un petit calepin, décrocha le téléphone et demanda à sa secrétaire d'appeler pour lui Georges Asher à Zurich, Edouard Villot à Paris, Michael Koenig à Londres. En attendant les communications, il examina les trois dossiers que Fuller avait préparés pour lui.

Le premier concernait Georges Asher, citoyen helvétique, domicilié 2 Bahnhofstrasse, Zurich, âgé de quarante-trois ans, avocat, licencié en droit de l'université de Genève. Parlant couramment allemand, anglais et français, il était marié et père de deux enfants. Descendant d'Alfred Asher, le négociant banquier, il jouissait d'une réputation impeccable, entretenait d'excellentes relations avec l'élite de la société suisse et, ce qui comptait le plus pour Rostand, il était discret.

Tel était l'actif du bilan Asher. Au passif, on devait noter qu'il était difficile de traiter avec lui ; manquant de sensibilité, il se montrait agressif de temps à autre. André savait que ces caractéristiques fâcheuses étaient dues à des ennuis financiers. Asher n'avait pas réussi dans le commerce des œuvres d'art et en restait frustré. Victime de la récession de 1974, il n'avait pu s'assurer une clientèle suffisante, ce qui l'avait obligé à fermer sa galerie. Rostand avait eu vent des difficultés d'Asher et lui avait offert d'acheter son actif au meilleur prix. Le Suisse y avait consenti et, peu après, s'était mis au service de Rostand International. Depuis lors c'était un rabatteur absolument loyal.

Edouard Villot était l'objet du second dossier. Français de quarante-sept ans, il était passé par l'ENA et exerçait la profession d'expert-comptable. Il avait eu trois enfants de son épouse dont il avait divorcé. Fils aîné d'un amiral de la Marine française, en relation avec le gratin de son pays, il avait noué des liens étroits avec les éléments conservateurs du gouvernement de la Cinquième République. D'autre part, Villot était antisémite, mais cela ne gênait pas André. Si paradoxal que cela puisse paraître, ce comptable aimait le risque comme l'indiquait son dernier exploit : pour obtenir un dégrèvement fiscal il avait fait vendre par Rostand International *Le Joueur de guitare* de Picasso à son contrôleur des contributions. Le tableau valait $ 250 000. L'agent du fisc ne l'avait payé que $ 50 000. Villot avait réglé la différence mais ses impôts avaient été réduits du double de ce montant.

En dépit de son antisémitisme, il plaisait à André par sa cordialité, sa malhonnêteté de bon aloi et surtout par l'excellence de sa table.

Le troisième homme choisi par Rostand, Michael Koenig, né en Hollande, domicilié à Londres, âgé de trente-six ans, était producteur de théâtre. Koenig avait fini ses études à l'Académie royale d'art dramatique, parlait couramment hollandais, anglais et allemand. Il ne s'était jamais marié.

Koenig avait quitté son pays pour Londres à vingt-trois ans, entretenait d'excellents rapports avec les milieux de théâtre londoniens et était membre d'une société possédant la discothèque la plus populaire du West End. A force de fréquenter les milieux d'artistes il en avait adopté les caractéristiques. Ce sémillant producteur de théâtre ne nourrissait aucun préjugé à l'encontre de ce qui passe pour des péchés aux yeux du commun des mortels. Lui non plus ne respectait pas trop lois ni usages. André avait entendu parler de lui pour la première fois quand Koenig s'efforçait de vendre de faux Léger. Les documents justifiant la provenance avaient été falsifiés par des amateurs et Rostand, qui se trouvait alors à Londres, les avait immédiatement repérés. Quand il avait menacé de dénoncer Koenig, ce dernier lui avait offert ses services en échange de son silence. Depuis lors, ils n'avaient tous les deux qu'à se féliciter de leurs relations.

La première communication fut établie à midi moins vingt. Michael Koenig était à l'autre bout du fil. Il s'exclama aussitôt avec la plus grande jovialité : « Monsieur Rostand ! Quel ravissement que de vous entendre de nouveau. Que puis-je faire pour vous ? »

André s'exprima de manière concise pendant deux minutes. Quand il eut terminé, Koenig était enchanté d'avoir une occasion de lui rendre service.

« Je vous comprends parfaitement, dit le Hollandais, mais il me faudra des instructions plus détaillées...

— Je vous les donnerai personnellement, lui répondit André. Soyez dans le vestibule du Claridge mardi, à neuf heures et demie du matin.

— Je n'y manquerai pas. »

André raccrocha. Trois minutes plus tard Georges Asher répondait de Zurich. Après un bref échange de politesses, Rostand expliqua à ce juriste ce qu'il désirait. Asher exprima son accord par un grognement. Ils prirent rendez-vous pour le mercredi, à deux heures de l'après-midi, à l'hôtel Baur-au-Lac. Sans autres aménités Asher confirma le rendez-vous et raccrocha.

C'est seulement une heure plus tard qu'André joignit Edouard Villot à Paris. Il s'enquit en français de la famille de son ami. Villot lui raconta la dernière frasque de son fils et lui demanda ce qu'il pourrait faire pour son cher ami Rostand. André lui donna des instructions semblables à celles qu'avaient reçues ses deux premiers correspondants et lui demanda de se trouver à huit heures du soir, précises, le mardi à l'hôtel Crillon.

Villot se déclara enchanté de revoir son vieil ami, lui souhaita bon voyage et raccrocha.

André jeta une dernière note sur son carnet de rendez-vous : déjeuner avec Blandford Donahue, le commissaire-priseur qui dirigerait la vente Essler à Londres, la semaine suivante. Après y avoir réfléchi un instant, il choisit le Claridge pour ce repas parce que c'était l'hôtel préféré de Donahue.

Sa tâche du matin terminée, André eut conscience d'avoir faim. Il téléphona à la cuisine de la galerie, où les repas étaient préparés par un chef autrefois attaché au service du général De Gaulle. Il commanda une omelette au fromage, de la salade et une demi-bouteille de chablis. Puis il quitta son bureau et, satisfait de lui-même, monta l'escalier à pied, pour manger tout seul.

3

Ce jour-là Nando Pirelli déjeunait tout seul, lui aussi, Evénement exceptionnel pour un homme qui aimait la compagnie, surtout celle des jolies femmes. Mais il aurait à faire l'après-midi. D'abord rendez-vous avec Marto qui n'aimait pas attendre. Pirelli consulta sa montre-bracelet en or, plate, tenue à son poignet par une lanière noire en peau de crocodile. Il vida sa tasse d'*espresso* et fit signe au maître d'hôtel.

En attendant sa note, il considéra la cohue assemblée à midi aux Pléiades : le restaurant préféré pour le repas de midi des artistes new-yorkais et de leurs satellites. Pirelli les revoyait à peu près chaque jour : négociants, commissaires-priseurs, directeurs de musée, critiques d'art. Ces puissances du monde artistique échangeaient tuyaux connus d'eux seuls et cancans. Le visage lisse et hâlé de Pirelli s'éclaira de plaisir en répondant au salut du directeur du Whitney Museum, qui prenait le même repas tous les jours — steak tartare, salade d'endives, crème glacée aux raisins arrosés de rhum — à sa table habituelle, placée contre la seconde colonne à partir de la porte. L'estomac de Pirelli se crispa d'horreur. Le steak tartare ne lui répugnait pas... mais tous les jours ! Une telle monotonie l'écœura.

A l'autre extrémité de la salle, Christopher Ashton, directeur du Metropolitan Museum tenait sa cour à une table de six personnes. Il débitait un monologue impressionnant sur l'atmosphère culturelle et sociale en Europe au XVIe siècle.

A la table voisine, Neal Johnston, critique d'art du *Times* tendait l'oreille pour écouter la conversation que l'éditeur d'une revue artistique entretenait avec un peintre fort connu qui exposait, à ce moment-là, au musée d'Art Moderne. Pirelli trouvait cet artiste surévalué.

Il tira de sa poche son étui à cigarettes en or, appuya sur un discret bouton de turquoise et choisit une cigarette qu'il alluma avec un briquet d'or fort usagé. Quels progrès il avait réalisés ! Comme le monde dans lequel il vivait désormais différait de celui où il avait vécu en son enfance. Quel était donc le vers de la chanson ?... « Si mes amis me voyaient maintenant ! »

Nando Pirelli avait été élevé dans une agglomération d'ouvriers pauvres de la banlieue de Naples où sévissaient des bandes de malfaiteurs. Dès son plus jeune âge, il avait appris que la différence entre le bien et le mal dépend de la vigueur musculaire. Puis, un jour, à quatorze ans, il avait vu trois nervis rouer de coups et mutiler son père qu'il idolâtrait. Jusqu'alors, ce père était l'homme le plus vigoureux du quartier. C'est lui qui statuait sans appel dans tous les cas de dispute. Ce jour-là pourtant Nando Pirelli apprit que la force physique n'assure qu'une suprématie limitée. Que fallait-il d'autre ? Le gamin l'ignorait. Il savait, en tout cas, qu'il ne l'apprendrait pas sur les quais de Naples.

Pirelli quitta sa famille et se rendit à Rome. En mentant sur son âge, il passa un permis de conduire, ce qui lui permit d'être embauché comme chauffeur de camion. Travaillant la nuit, il errait pendant la journée dans les quartiers chics de la capitale italienne, particulièrement Via Veneto. Il absorbait avec avidité tout ce qu'il voyait et entendait. Comme des étoiles de cinéma, les femmes y circulaient, toujours au bras d'hommes élégants, visiblement riches. Le jeune Napolitain résolut de devenir comme ceux-là.

A quinze ans, il trouva une place de livreur d'une maison de couture. Ses courses l'amenaient pour la plupart chez des dames âgées vivant dans des *palazzi*. Il leur plut d'emblée. Jeune homme d'une beauté impressionnante, de haute taille pour un Italien du Sud, Nando avait les yeux clairs d'un ovale parfait et un visage aux traits réguliers. Il cherchait à imiter les messieurs qu'il voyait Via Veneto et à oublier les habitudes qu'il avait contractées parmi les gamins des quais de Naples. Il ne tarda pas à perfectionner son aspect. Le modèle qui l'inspirait était un jeune homme bien vêtu, rasé de frais et qui jouait au tennis de pont sur un paquebot de luxe en première page d'une revue de mode.

Un jour, il livra une robe à la signorina Marina Ferrara, dans un appartement spacieux et somptueux sur les quais du Tibre. Elle l'invita à prendre un verre de limonade pendant qu'elle essayait la robe dans sa chambre à coucher. Nando parcourut les aîtres. Il n'avait jamais imaginé une telle opulence. Puis il remarqua que la porte de la chambre à coucher était restée entrouverte. Il s'en approcha et entendit un froufrou de tissu. Il éprouva alors un besoin furieux de savoir comment était faite une femme comme Marina Ferrara. Dès qu'elle parut sur le seuil vêtue de la robe neuve, il battit en retraite. Elle le considéra en souriant.

« Quel dommage que vous soyez si jeune, dit-elle. Mais peut-être ne l'êtes-vous pas tellement. » Elle lui fit signe d'approcher. « Vois comme ma peau est douce », ajouta-t-elle en lui tendant le bras. Affolé, Nando fit un pas en arrière mais sans quitter des yeux la femme svelte, vêtue de satin rouge. « Eh ! bien, vous *êtes* jeune, reprit-elle en souriant. Mais n'ayez pas peur. Je vous expliquerai ce qu'il faut faire. » Lentement mais avec assurance, Marina Ferrara passa la main derrière son dos, fit coulisser le curseur de la fermeture à glissière et laissa tomber sa robe sur le plancher.

Ce fut plus qu'une aventure charmante pour Nando Pirelli. Marina Ferrara l'éduqua. A partir de ce jour-là, il comprit que la femme pouvait faire plus pour lui qu'apaiser son désir. Traitée convenablement, elle s'ingéniait volontiers à lui apprendre à parler, à se présenter et surtout comment acquérir une nouvelle identité. Au cours des années qui suivirent, les femmes qui bénéficièrent de sa formidable habileté en amour, lui en apprirent beaucoup. Elles l'introduisirent aussi dans le monde évolué de l'opéra, du théâtre, des bons restaurants et, ce qui finalement se révéla beaucoup plus important, dans les arcanes de l'art.

Il changea de métier pendant les quelques années suivantes et travailla successivement comme maître d'hôtel, modèle, employé de réception d'un palace. Disposant de revenus plus substantiels, il investit son avoir dans des complets, des chemises et les accessoires qui, ajoutés à son bel aspect et à son charme naturel, lui permirent de passer des expositions d'art et des ouvertures de galeries à des dîners chics où personne ne se posait de questions sur ses origines, son instruction et son éducation.

Pourtant quelque chose manquait à Pirelli. Il n'était pas encore devenu celui qu'il voulait être. De même que le muscle ne suffisait pas dans la banlieue de Naples, beauté et charme ne peuvent conduire un individu que jusqu'à un certain point. Mais désormais il savait ce qui lui manquait : l'argent.

Il avait vingt-cinq ans quand on lui offrit une situation dans une petite galerie d'art sans grande importance, proche de la Via Nazionale. Le propriétaire de ce magasin comprenait que l'attrait de Nando sur les femmes pourrait figurer avantageusement à l'actif de son affaire. Pirelli s'en rendit compte lui aussi, évidemment, et exploita ses talents. Parallèlement, il en apprit beaucoup sur l'art qu'il considérait comme un moyen mais pas comme une fin.

Un jour, quand Nando eut vendu le tableau le plus cher de la galerie, son patron le félicita et lui déclara que, s'il persévérait, il ne serait plus payé au mois dans quelques années mais toucherait une part du chiffre d'affaires. « Vous avez de l'avenir ici, Pirelli », dit-il.

Nando Pirelli hocha la tête en souriant. Il considérait cet homme comme un imbécile. Notre jeune Napolitain n'avait pas de temps à perdre et ne désirait pas non plus partager la propriété de quoi que ce fût. Il entendait posséder sa propre galerie... pas à Rome où l'art sert à décorer les murs, mais à New York où c'est une grosse affaire très rémunératrice.

Pirelli travailla trois ans de plus au magasin de la Via Nazionale et acquit petit à petit une modeste collection de tableaux. Puis il partit pour New York où il ouvrit une galerie dans un immeuble d'affaires, au coin de la Cinquante-Cinquième Rue et de l'avenue Madison. Contrairement aux négoces ayant pignon et surtout vitrine sur rue, où il suffit de pousser la porte pour entrer et sortir, le petit local de Pirelli, au sixième étage, ne devait servir qu'aux affaires. Sol d'ardoises d'un gris discret, cloisons mobiles en matière plastique, un seul bureau de style constituaient une ambiance austère comparable à celle d'un musée contemporain. Nando ne recevait que sur rendez-vous.

Il s'orienta sur les contemporains, acheta à bon marché et à bas bruit, juste au début de la hausse vertigineuse du cours des œuvres d'art pendant la décennie 1960. Il n'aurait pu s'installer à New York à un moment plus favorable. Les écluses de la fortune s'ouvraient largement pour quiconque négociait des œuvres d'art américaines modestes : peinture d'action, expressionnisme abstrait, champ de couleur et pop art. La houle américaine balayait le monde et Pirelli avançait sur sa crête.

Les prix montèrent comme des fusées spatiales. Pirelli embaucha une équipe de jeunes vendeurs. Chacun s'occupait d'un certain nombre d'artistes et de quelques clients triés sur le volet. Il leur déconseillait d'aller à la découverte de nouveaux peintres et leur recommandait de concentrer leur attention sur les artistes connus dont les œuvres rapportaient de l'argent. Il leur enseigna aussi la pratique et les risques de la vente à crédit et des paiements dans des banques suisses, leur conseilla de suivre les expositions qui avaient lieu dans d'autres pays et leur montra l'intérêt des catalogues en couleur. Pirelli passa maître dans l'art de manipuler le marché. Plus tard ses méthodes devinrent célèbres. Il exploita une idée simple : si l'on paie cher une œuvre d'un certain artiste, tout ce que produit ensuite ce dernier se vend à peu près au même prix. Il soutint les cours exorbitants demandés par « ses » artistes en enchérissant lors des ventes publiques tout en traitant discrètement avec des collectionneurs. Il aurait fait n'importe quoi pour maintenir la valeur de ses investissements. Quand il le fallait, il achetait pour son propre compte afin de maintenir le niveau de valeur qu'il avait établi avec l'argent de ses clients.

Il lui restait un pas à franchir. Il avait fait des placements sages. Son actif valait des millions. Il était donc riche. Mais, à longueur d'années, il avait appris autre chose. Pas plus que le muscle ni le charme, l'argent ne suffit à tout. Il voulait quelque chose de plus : de l'influence. Aspirant à la puissance, il entendait que son nom fût reconnu. Il savait aussi qu'à ce sujet, Marto devait entrer dans son jeu.

Nando écrasa sa cigarette dans le cendrier, tira trois billets neufs de dix dollars d'un clip d'argent et paya sa note.

En quittant Les Pléiades, il tint à s'arrêter auprès d'une table où il bavarda amicalement pendant quelques minutes avec une conservatrice adjointe du musée Guggenheim. Les habitués du restaurant la surnommaient le Dragon féministe. Néanmoins Pirelli l'invita à dîner. Elle hésita en parcourant du regard la salle puis accepta. Il lui baisa la main. Elle en rougit et, quand il s'en alla, elle le regarda s'éloigner. Cela se passait toujours ainsi avec Nando Pirelli.

4

Après être passé par la douane et le service d'immigration à l'aéroport de Heathrow, Alex changea mille dollars en livres sterling puis s'enferma dans une cabine téléphonique près de la sortie de la gare aérienne. Il composa le numéro de Hugh Jenner au ministère de l'Intérieur.

Pendant que la sonnerie retentissait à l'autre extrémité de la ligne, il scruta la foule des passagers qui se précipitaient vers les arrêts d'autobus et de taxis. Un gaillard vêtu d'un manteau en tissu de clan écossais, un appareil photographique en sautoir, entra dans la cabine voisine de la sienne. Drach l'observa. Il entendit un déclic et un bourdonnement sur sa ligne et inséra dix deniers dans la fente de l'appareil automatique. La téléphoniste du ministère répondit et Alex lui demanda la communication avec M. Hugh Jenner. Un instant plus tard, il entendit sonner l'appareil de son correspondant. Il attendit douze sonneries et n'obtint pas de réponse.

L'opératrice revint en ligne et lui demanda poliment s'il se contenterait de parler à M. Deakin, assistant de M. Jenner. Alex accepta. Le téléphone sonna de nouveau. Puis une voix profonde de baryton retentit. Avec une diction nette en prononçant des voyelles parfaitement arrondies, ce M. Deakin demanda s'il pourrait se rendre utile.

Alex se présenta et exposa qu'il avait rendez-vous avec Hugh Jenner l'après-midi même. Pouvait-on le lui confirmer ? Deakin lui demanda d'attendre un instant et consulta l'agenda de son supérieur. Ayant vérifié l'exactitude du rendez-vous, il invita Alex à venir directement au ministère.

Drach raccrocha et constata alors que l'homme au manteau écossais avait disparu. Il se dirigea vers la sortie de la gare en se rappelant la dernière fois où il était passé par ces portes coulissantes. N'importe lequel des milliers d'individus qui grouillaient autour de lui pouvait représenter une menace. Il est vraiment trop facile de tuer quelqu'un dans une cohue, pensa-t-il. Ignorant tout de ceux qui l'avaient attaqué sur l'autoroute lors de son arrivée à Paris, il était au moins certain d'une chose : c'étaient des professionnels. Constatation peu encourageante. La chance lui avait souri la première fois mais rien n'indiquait qu'il s'en tirerait aussi facilement la suivante.

En prenant la file pour attendre un taxi, il haussa les épaules et se conseilla à lui-même de ne pas penser au danger, ce qui pourrait le priver de sa liberté d'esprit. Néanmoins, il ne se détendit que lorsqu'il fut assis dans un taxi roulant vers Londres. Il écouta le crissement des pneus sur la chaussée humide et fixa son regard sur les flaques d'eau qui reflétaient les lumières des bureaux. Il n'était que trois heures de l'après-midi et pourtant le ciel commençait à s'obscurcir. Les lampes s'allumaient derrière toutes les fenêtres. Le chauffeur sacra à voix basse et écrasa du pied la pédale du frein. Ils se trouvaient pris dans un bouchon au Bird Cage Walk. Alex décida de faire le reste du chemin à pied. Il paya de son siège pour ne pas s'exposer debout à l'extérieur en réglant le trajet à travers la fenêtre du chauffeur. Il débarqua, plongea parmi les véhicules et franchit l'entrée principale de Queen Anne's Gate.

On l'attendait au ministère de l'Intérieur. Il monta à pied trois étages et on l'introduisit dans le bureau d'un quinquagénaire au visage bouffi et aux cheveux gris qui lui déclara s'appeler George Deakin. Il sembla à Alex que cet homme ne manquerait pas d'embauche à Hollywood pour jouer le rôle du gentleman anglais typique.

Deakin examina Drach par-dessus ses lunettes cerclées d'or, l'invita à s'asseoir devant lui et reprit place derrière son grand bureau d'acajou jonché de paperasse.

« Vous êtes arrivé drôlement vite de l'aéroport, dit-il avec jovialité.

— J'ai pris un taxi, répondit Alex en s'asseyant.

— Je comprends. Les transports publics étant ce qu'ils sont... »

Deakin passa la tête de l'autre côté de la cloison qui le séparait du bureau voisin où une jeune blonde lisait un ouvrage historique publié dans une édition à bon marché. « Pas de nouvelles du vieux gars, Gladys ?

— Un tout petit moment, Monsieur. Je l'appelle encore. » Elle décrocha son appareil téléphonique et forma un numéro.

En attendant, Drach parcourut la pièce du regard. Murs peints en vert foncé, plancher nu, meubles strictement fonctionnels : vaste bureau, classeur, quelques chaises. Bref, un décor austère. Aucun tableau au mur, aucune touche personnelle, rien de vivant, sauf quelques tasses sales sur le classeur.

« Aucune trace de lui nulle part », brailla Gladys.

Deakin grogna : « L'avez-vous appelé chez lui ?

— A plusieurs reprises, répondit-elle.

— Très étonnant de sa part », dit Deakin en secouant la tête. Il adressa à Drach un sourire gêné. « Je sais que le vieux gars voulait vous voir. Il m'en a touché quelques mots. Il s'agissait bien d'un tableau n'est-ce pas ?

— En effet. Un Watteau qui appartint autrefois à mon père.

— Je l'ai vu aussitôt après que Hugh l'a trouvé. Il l'a acheté pour presque rien.

— Savez-vous chez qui ?

— Non mais je pourrai sans doute le trouver. D'ailleurs Hugh vous le dira quand vous le verrez. »

Drach hocha la tête. « Croyez-vous que ça le dérangerait beaucoup si je lui rendais visite chez lui ce soir ? »

Deakin frotta un stylo-bille en or entre ses deux mains puis se mit à griffonner sur une feuille de papier. « Du moment qu'il entendait vous recevoir ici, c'est assez embarrassant.

— Je suis assez embarrassé moi-même, Monsieur Deakin. »

Deakin cessa de gribouiller et releva la tête pour demander : « Aussi embarrassé que ça, Monsieur Drach ?

— Je n'en suis pas tellement certain mais je crois quand même que je devrais parler à Monsieur Jenner dès ce soir. »

La dame du thé entra en poussant devant elle une table roulante. Elle emplit deux tasses pour ces messieurs et leur offrit des biscuits d'une marque connue.

« J'ai une idée, reprit Deakin. Si Jenner ne donne pas signe de vie avant la fin de la journée, je vous enverrai à son pub, à huit heures. Il ne manque jamais d'y passer le soir.

— Très bien, j'irai », dit Drach qui but quelques gorgées de thé puis demanda : « Jenner est-il à ce ministère depuis longtemps ?

— Depuis 1946. Il nous est arrivé du ministère de la Guerre où il était plus ou moins en rapport avec les Services de renseignements alliés. Ce sont des questions qu'on n'aborde jamais, vous savez. »

Alex sourit ironiquement. « Bien sûr », dit-il.

Ils vidèrent leur tasse de thé et restèrent sans rien dire. Deakin parut s'affairer. Drach se tint discrètement assis dans son fauteuil. A cinq heures et demie, Jenner restait introuvable. Deakin indiqua alors à Alex l'adresse du pub et conclut en souriant : « Le vieux gars a peut-être fait la noce, la nuit dernière. »

5

La limousine de Rostand franchit le pont de Queensboro puis tressauta sur les nids-de-poule des rues de la dizaine soixante-est, couvertes de neige. De la banquette arrière où elle était assise auprès de Philip, Cubitt regarda la foule du milieu de l'après-midi qui se hâtait sur les trottoirs bourbeux de la Troisième Avenue, en quête d'occasions pendant les soldes suivant la Noël. La limousine s'écarta de la lumière, bifurqua vers la Soixante-septième Rue ouest, puis piqua au nord et passa devant des boutiques plus petites mais plus élégantes le long de l'avenue Madison. Au cours des brefs séjours qu'elle avait faits auparavant à New York, Cubitt avait parcouru cette avenue de haut en bas pour y faire des emplettes. Elle reconnut au passage le petit magasin de mode Kamali et se promit d'y retourner au plus tôt.

Quelques pâtés de maisons plus loin, ils se trouvèrent en face de Rostand International.

Philip sauta sur le trottoir avant que le gardien ait eu le temps de lui ouvrir la portière. Il aida Cubitt à descendre et passa entre les préposés à la réception dans le vestibule du bel immeuble en pierre de taille.

L'attitude du personnel indiquait qu'il était accoutumé à Philip et prévoyait chacun de ses gestes. Le jeune Rostand remit son foulard à un gardien. Un autre lui prit sa valise. Trente secondes plus tard, une secrétaire dévala une volée d'escaliers et lui remit une liasse de feuillets. « Les messages à votre intention, Monsieur Rostand », dit-elle.

Philip la remercia. Pendant qu'il pourcourait du regard lettres et notes, Cubitt s'éloigna en faisant claquer ses talons aiguille sur le dallage de marbre et pénétra dans une salle d'exposition. Le sol gris foncé, la hauteur du plafond et le silence, tout avait la solennité d'une chapelle. C'était bien une salle faite pour susciter l'envie de contempler les œuvres d'art et de chercher à en comprendre le génie. Cubitt trouva les tableaux « exquis ». Elle s'y connaissait d'ailleurs suffisamment pour calculer que la couleur et la toile qui l'entouraient valaient au moins dix millions de dollars. Perdue dans ses réflexions, elle n'entendit pas Philip s'approcher d'elle. « Des impressionnistes et post-impressionnistes chuchota-t-il. Mon père ne s'intéresse à rien de ce qui fut peint après la Seconde Guerre mondiale.

— Je sais ce que sont ces œuvres. Je n'ai pas un œil d'illettrée. Je n'ignore pas non plus que les tableaux peints entre les deux guerres mondiales sont désignés sous le nom de modernes et qu'on appelle contemporain tout ce qui vint après. » Elle adressa un regard railleur à Philip.

Il sourit. « Excusez-moi si je vous ai paru prétentieux. Vous n'imaginez pas combien de gens sont incapables de distinguer un impressionniste d'un maître de jadis. »

Cubitt éleva les yeux vers le plafond. « Une chose m'intrigue pourtant. Que sont ces machins rectangulaires suspendus au-dessus de nous. On les prendrait pour des thermostats. »

A son tour Philip leva la tête et dit fièrement : « Ces objets font partie de notre système de sécurité. C'est moi qui suis responsable dans ce domaine. Ceux que vous voyez là sont des engins très sophistiqués : des détecteurs de sons, capables de percevoir le moindre bruit sur une surface de huit mille pieds carrés.

— N'importe quel bruit ?

— Absolument : la chute d'une goutte d'eau, une respiration trop puissante. Encore règle-t-on leur sensibilité. Ici, actuellement, ils perçoivent tout ce qui pourrait être inquiétant et transmettent leurs messages au centre d'alerte. Ce que vous voyez là n'est qu'une partie des systèmes de sécurité que j'ai fait installer. Il prit Cubitt par le bras. « Venez. Je vais vous montrer des choses intéressantes. »

Il la conduisit dans une pièce contiguë où deux gardiens étaient assis devant une batterie d'écrans de télévision et de panneaux sur lesquels scintillaient des lumières de toutes les couleurs. Quand ils entrèrent, les gardiens se levèrent d'un bond.

« Repos, messieurs », dit Philip dont la voix tomba d'une octave.

Cubitt sourit intérieurement. Par moments, Philip se conduisait comme un gamin. Elle écouta distraitement ce qu'il lui expliqua sur la coûteuse « quincaillerie » de sécurité. « Nous avons ici tous les engins habituels permettant de déceler toute intrusion physique : détecteur de vibrations aux fenêtres, interrupteurs microscopiques aux portes, plus toute une succession de plusieurs couches de protection interconnectées les unes aux autres et contrôlées par ce panneau d'ordinateur. » Il désigna du doigt les lumières qui scintillaient devant les gardiens. « J'ai aussi installé des appareils à infrarouge et des sonars qui repèrent le mouvement. Tout cela protège les tableaux dans les salles d'exposition. » Il désigna les écrans de télévision à circuits fermés. « Ceux-ci permettent de surveiller toute la galerie.

— C'est comme une forteresse.

— Inexpugnable.

— Très impressionnant ! » dit Cubitt en glissant son bras sous celui de Philip. Ils quittèrent la salle d'exposition et retournèrent au vestibule. Le marbre blanc y reflétait la lumière dorée de projecteurs incrustés dans le plafond, à six mètres de haut.

Cubitt admira ce plafond. Les lustres de cristal garnis d'ampoules en forme de bougie qui brillaient comme des étoiles la ravirent plus que les projecteurs. Elle ne baissa les yeux qu'en arrivant aux portes de l'ascenseur devant lesquelles veillait un homme d'allure sévère, qu'on aurait facilement pris pour le censeur d'un pensionnat de garçons, à ceci près qu'une arme gonflait sa poche revolver droite, sous son veston gris.

Les deux jeunes gens entrèrent dans la cabine qui les amena lentement deux étages plus bas. « Air, lumière et humidité sont soigneusement contrôlés ici ; vous verrez pourquoi dans un instant », expliqua-t-il.

Ils se dirigèrent vers une lourde porte de fer munie de plusieurs serrures à combinaisons. Elle attendit patiemment pendant qu'il manipulait les boutons. Tout ça lui paraissait assez mélodramatique. Il lui sembla qu'elle devinait la mentalité de ceux qui avaient conçu ce sous-sol sépulcral : sans doute des hommes effrayés par la grande vague de criminalité qui avait balayé le pays lors de la dépression économique entre 1930 et 1933.

Puis, lorsqu'elle pénétra dans la chambre forte voûtée, aux murs et au plafond blindés, brillamment éclairée, elle comprit. Des tableaux sur châssis s'alignaient, de toutes les tailles, sur des étagères garnissant les murs. On sentait l'odeur caractéristique évoquant la moisissure que produisent ensemble la peinture à l'huile, le vernis qui vieillit, la toile de jute et le bois. On entendait le bourdonnement constant d'un générateur.

« Voici notre dépôt new-yorkais, dit solennellement Philip. Nous en avons d'autres dans un abri antiaérien sur l'Iron Mountain dans le nord de l'Etat de New York et quelques-uns encore en Europe.

— Combien de tableaux possédez-vous ?

— Ça, ma chère, c'est un secret d'Etat. Je peux pourtant vous dire qu'il y en a plus de deux mille dans cette seule pièce. »

Cubitt calcula vivement. Cela représentait un mininum de $ 300 millions. « Incroyable, dit-elle. Ce n'est pas un dépôt d'objets d'art mais la chambre forte d'une banque. »

Philip la ramena vers l'ascenseur. En passant, il ferma la lourde porte de fer et brouilla les combinaisons des serrures.

L'ascenseur les hissa au quatrième étage. Ils traversèrent plusieurs galeries d'exposition aux épaisses moquettes. Tapissées de velours gris clair, elles ne contenaient que deux ou trois chevalets devant chacun desquels se trouvaient de profonds fauteuils. Il y régnait une ambiance de confessionnal. Le client pouvait, s'il le désirait, s'asseoir là pour contempler un tableau pendant des heures. On parlait de certains d'entre eux qui étaient restés des journées entières fascinés par le trésor d'art qu'on avait placé devant eux.

« Nos affaires sont strictement compartimentées, dit Philip en traversant ces salles de présentations. Nos acheteurs, par exemple, ceux qui procèdent effectivement aux achats, ne s'occupent jamais de vente. Ainsi seuls mon père et moi avons une vue d'ensemble de chaque opération.

— Vous êtes vraiment très prudents.

— Il faut l'être. Sachez qu'une galerie négocie deux choses : les objets d'art et la discrétion. Cela me rappelle que vous devrez signer un contrat vous engageant à conserver le secret sur tout ce que vous faites, voyez et entendez dans nos affaires. »

Cubitt plissa les paupières. « J'y suis sans doute obligée, dit-elle.

— N'en soyez pas vexée, répondit Philip en la prenant par la taille. Vous y êtes obligée, en effet, comme tout le monde en entrant dans notre entreprise et en la quittant. C'est seulement un moyen de rappeler au personnel qu'il doit s'imposer plus de discrétion qu'il n'en manifesterait autrement. »

Ils arrivèrent au dernier salon d'exposition qui leur parut vide. N'y figurait qu'un effarant portrait à l'huile de Julien de Médicis duc de Nemours.

« Nous l'offrons à un industriel allemand, dit Philip en allant jusqu'au chevalet sur lequel était posé le tableau. C'est un Raphaël qui vaut largement plus de six millions. »

Cubitt écarquilla les paupières. Elle se laissa tomber dans un fauteuil capitonné et resta muette.

Philip prit sur la table séparant les deux fauteuils un dossier de parchemin gris, noué d'un ruban bleu.

« Ces documents indiquent la provenance du tableau. Nous mettons les dossiers de ce genre à la disposition des clients qui s'intéressent à une œuvre d'art. »

Cubitt l'ouvrit et feuilleta rapidement ce qu'il contenait. Une courte biographie de Raphaël Sanzio, précédée d'une description méticuleuse du portrait. Venait ensuite l'énumération des collectionneurs et négociants entre les mains desquels il était passé. La dernière page énumérait les ouvrages d'histoire de l'art contenant des références à ce tableau depuis 1854.

« Plus que de l'art, vous vendez de l'immortalité, dit-elle.

— C'est exact, répondit Philip en riant. Ça fait partie des arguments de vente. Le client présomptif s'assoit ici, admire le tableau, apprend sa provenance et comprend qu'il n'achète pas seulement une peinture mais un statut mondain. Mon père aime à répéter qu'en acquérant un Raphaël ou un Rembrandt on devient un descendant direct de l'aristocratie européenne.

— Vous parlez sérieusement ?

— Bien sûr. C'est même exactement ce que vendent les galeries : des pedigrees. Cela représente un peu de psychologie et beaucoup de fric. Revenons à notre industriel allemand, par exemple. Il est obsédé maintenant par le Raphaël. Il n'en dort plus, il ne mange plus et il n'est plus capable de travailler. Ça durera jusqu'à ce qu'il possède son duc de Nemours. Les femmes ne retiennent même plus son attention. Il a fait livrer à la boucherie dix mille moutons de ses domaines pour augmenter ses liquidités. »

Cubitt considéra le Raphaël qui trônait majestueusement sur le chevalet. « Pourquoi cet homme met-il si longtemps à se décider? demanda-t-elle.

— Il est tout à fait décidé, répondit Philip plein d'assurance. C'est nous qui faisons traîner les choses. Mon père a dit à cet Allemand qu'il ne le trouve pas encore tout à fait à point pour posséder un Raphaël, parce qu'il n'en a pas encore suffisamment envie. Quand nous consentirons à le lui céder, il l'appréciera encore plus. » Philip marqua un temps d'arrêt et ajouta avec un sourire en biais : « Nous aussi, parce que ça lui coûtera un demi-million de plus. »

Il prit la main de Cubitt pour l'aider à se lever de son fauteuil. « Venez, dit-il. Je veux vous montrer le laboratoire. »

L'ascenseur les conduisit au cinquième étage où ses grilles s'ouvrirent directement dans une pièce où se trouvait une quantité impressionnante d'appareils scientifiques. Plusieurs employés en blouse blanche se penchaient sur des microscopes entourés de flacons contenant des produits chimiques, des tubes à essai, des éprouvettes. D'autres grattaient prudemment des toiles posées sur des chevalets où étalées sur des tables.

A l'entrée des deux jeunes gens, tout le monde dressa la tête et se tourna vers eux. Puis, comme s'ils se remettaient de leur surprise, les techniciens reprirent le travail.

Cubitt remarqua qu'il n'y avait pas de femme parmi eux. Elle n'en avait d'ailleurs pas encore vu une seule dans la galerie. Elle se pencha vers Philip et lui demanda à voix basse : « Suis-je donc la seule femme au service de Rostand International?

— Mon père estime qu'il serait mauvais d'introduire le sexe faible dans le domaine de l'art, chuchota-t-il. Un préjugé l'empêche d'embaucher des femmes. Moi aussi. » Il adressa un clin d'œil à Cubitt.

Puis il la conduisit vers une table où un jeune homme expertisait un Rembrandt. « Ça marche? demanda-t-il.

— Très bien, Monsieur Rostand. Je suis en train d'effacer le vernis de surface. Il faut procéder lentement. Ça me prendra probablement plus d'un an.

— Je le sais », dit Philip en repoussant du coude le jeune homme et en attirant Cubitt à sa place. « Rembrandt usait d'une technique particulière. Il mélangeait du vernis à ses couleurs. Les deux matières se confondaient et s'étalaient ensemble sur la toile. Supprimer le vieux vernis sans endommager les couleurs est un art. Cela explique pourquoi les œuvres de ce peintre ont un éclat particulier. Au cours des siècles, vernis et couleurs agissent chimiquement l'un sur les autres et il semble qu'une lumière dorée jaillit de la toile elle-même. »

Philip passa le bout des doigts sur la surface du tableau. « Touchez-le », dit-il.

Cubitt s'exécuta. « C'est extrêmement lisse, comme du marbre poli... »

Philip sourit. « Très juste. Les pigments d'un tableau de cet âge se sont littéralement pétrifiés. Un dissolvant ordinaire, comme la térébenthine, par exemple, ne les endommagerait pas le moins du monde. »

Cubitt considéra à la dérobée le jeune technicien qui s'efforçait de retenir un sourire. Puis elle suivit Philip dans un coin de la salle où un homme plus âgé examinait un Lancret sur lequel il projetait un faisceau de lumière. Des ouvrages sur Nicolas Lancret et ses œuvres jonchaient la table devant lui. Il tourna la tête quand les deux jeunes gens approchèrent, reconnut Philip et descendit aussitôt de son tabouret. « Bonjour, Monsieur Rostand », dit-il avec déférence.

La tête ronde aux cheveux noirs de Philip s'inclina légèrement de côté. Cubitt n'avait jamais vu une représentation aussi parfaite des relations entre maître et serviteur. Personne n'avait sans doute appris à ces hommes qu'ils devaient se conduire ainsi, mais depuis son entrée dans l'immeuble, elle avait constaté une servilité générale du personnel. Elle s'interrogea sur le père : André Rostand.

Philip fit les présentations : « Marco Grimaldi, Mademoiselle Keeble. Marco est un de nos restaurateurs les plus éminents. Personne n'a un œil aussi précis que le sien pour repérer le faux. Un tableau lui en révèle beaucoup plus que des empreintes digitales n'en apprennent à un agent du F.B.I. »

L'Italien au regard de biche révéla en un large sourire deux rangées de dents blanches. Son épaisse chevelure noire ondulée, striée de gris, mettait en valeur les traits de son visage olivâtre. « Monsieur Rostand exagère », dit-il en exécutant une légère courbette. Son regard pourtant suggérait qu'il se sentait digne de tant d'éloges.

« Sur quoi travaillez-vous là ? demanda Philip en considérant le Lancret.

— Il fait partie d'un lot de cet artiste, apporté il y a une semaine, répondit Marco. Tous des faux. Aucun doute. » Il projeta un rayon ultraviolet sur la toile et reprit : « C'est facile à expliquer. La présence de plusieurs couches de couleur est un bon signe. L'artiste se reprend presque toujours au cours de son travail. Le faussaire, au contraire, copie d'un seul trait, attentivement bien sûr, mais sans revenir sur ce qu'il a fait. Ici je ne trouve pas de trace de couleur sous celle qui apparaît en surface : pas de repentirs. »

Grimaldi s'empara d'une autre lampe. « C'est une lentille de Fresnel, expliqua-t-il. Elle sert précisément à déceler les retouches. Mais cet instrument n'est pas infaillible. Certains faussaires utilisent maintenant une substance merveilleuse : la peinture luminescente qu'aucune lampe ne révèle. Ils la mélangent avec leur couleur pour camoufler les repentirs. L'Etat devrait contrôler la vente de cette peinture luminescente. Mais on peut s'en procurer, ne serait-ce qu'auprès de ceux qui en volent. » Grimaldi se tourna vers Cubitt et porta son index vers son œil. « Les instruments ne disent pas tout. Je me fie surtout à mes yeux. Dans mon métier on a l'œil ou on ne l'a pas. Je tiens compte des coups de pinceau, du type de couleur utilisé, du style particulier de l'artiste. Voilà ce qui dénonce le faussaire. »

L'expert poursuivit ses explications. Il remarqua que si ses instruments dénonçaient la falsification, ils ne révélaient rien quant à l'identité du faussaire. A ce sujet, il se fiait à son intuition. Il démontra comment il décelait le caractère et la qualité des tableaux. Selon lui le caractère équivalait au sceau de l'auteur c'est-à-dire à son style, son coup de pinceau, son humeur lorsqu'il peignait et le message qu'il entendait transmettre. Quant à la qualité, elle indiquait simplement si le tableau était assez bon, si les couleurs se fondaient à souhait les unes dans les autres, si l'artiste traçait bien ses lignes et utilisait intelligemment l'espace sur la toile. Au point de vue technique, les faux qu'il étudiait à ce moment-là étaient assez bons mais ils présentaient un style trop mécanique, trop rigide.

Grimaldi parla ensuite d'un nouveau système permettant de vérifier la signature d'un artiste grâce à un ordinateur : un engin d'enregistrement à laser qui reflétait l'accélération particulière de l'artiste et l'angle de son pinceau au moment où il signait son œuvre.

Il s'écarta du Lancret et réfléchit un moment. « Il est bon, évidemment, de jouir d'une bonne mémoire visuelle. Votre grand-père était exceptionnellement doué à ce sujet, dit-il en regardant Philip.

— C'est vrai. Je voudrais avoir ses yeux. Mon père me dit qu'il reconnaissait la patte d'un artiste aussi aisément que l'écriture d'un vieil ami. »

Cubitt qui considérait le Lancret demanda : « Circule-t-il donc tant de faux ?

— Beaucoup trop, répondit Marco. En moyenne on nous en soumet une vingtaine par mois. Bien des gens nous envoient des photos, des descriptions en nous demandant d'authentifier l'œuvre qu'ils possèdent. La photo me suffit en général pour découvrir le faux. Très rarement il me faut voir l'œuvre elle-même pour me prononcer.

— Voilà pourquoi nous devons être très prudents, dit Philip. Le marché des œuvres d'art pourrait s'effondrer sous le poids des faux vendus par des négociants, parfois à leur insu, mais parfois aussi en connaissance de cause. Les collectionneurs d'œuvres contemporaines sont particulièrement vulnérables. On peut, par exemple, falsifier très aisément un Lichtenstein, un Warhol ou un Jasper Johns. Or les œuvres de ces artistes valent des petites fortunes, bien qu'elles puissent être reproduites par les moyens les plus simples. Nombre de contemporains n'ont pas la prudence de tenir à jour leurs archives, si bien que n'importe qui peut offrir un faux présentant bien et en tirer une bonne somme.

Cubitt demanda : « Est-ce pour cela que Rostand International ne négocie pas les œuvres des contemporains ?

— C'est une des raisons, répondit Philip. Il y en a une autre : selon mon père, la peinture contemporaine ne vaut rien.

— Et vous, qu'en pensez-vous ? » demanda-t-elle.

Philip échangea un coup d'œil entendu avec Marco et sourit. « Franchement, j'avoue que je n'en collectionnerais pas personnellement. Pourtant ils offrent un marché sur lequel on peut gagner de l'argent.

— On peut en dire autant de Picasso, ajouta Marco. Ses dessins et ses estampes peuvent être imités avec une facilité inouïe, à tel point que, peu avant sa mort, il authentifiait n'importe quoi, même des faux, pour empêcher l'effondrement du prix de ses œuvres.

— Marco a raison, dit Philip. Il y a dix ans nous possédions trois cents Picasso. Nous n'en avons plus un seul. Mon père s'en est débarrassé précisément pour cette raison. » Philip jeta un coup d'œil à sa montre, puis marcha jusqu'à la fenêtre et regarda la rue au-dessous de lui. La nuit tombait. « Puisqu'il est question de mon père, il est temps d'aller le voir avant qu'il ne s'en aille. »

6

« Attention nom de Dieu ! Vous m'esquintez le trapèze. »

Le masseur rubicond et aux chairs molles diminua la pression sur le cou de Léopold Marto en bougonnant : « Excusez-moi, Monsieur. »

Allongé à plat ventre sur la table de massage capitonnée, la joue droite posée sur le revers de la main, Marto poussa un grognement, ferma les yeux et s'abandonna au rythme du massage.

Tous les jours de la semaine, à une heure précise, Marto franchissait la porte à double battant des bains pour hommes du Métropolitan Club de New York. Après un massage de vingt minutes et un bain de vapeur, il déjeunait de deux œufs crus saupoudrés de levure et arrosés de lait de chèvre mélangé à du jus d'orange. Selon lui, ce régime empêchait la peau de rider, de s'affaisser et de se ternir.

Il avait horreur de vieillir et prétendait qu'il est possible de dompter la vieillesse comme tout le reste. Epris de jeunesse, il raffolait aussi des chiens, des belles femmes, du lapis lazuli, de l'argent et des œuvres d'art, surtout celles qui valent cher. Il détestait les chats, les verrues, la viande, les homosexuels, la couleur jaune, le seul nom de la mort et, par-dessus tout, André Rostand.

Son pouls battit plus vite lorsqu'il se souvint de la vente aux enchères qui avait eu lieu la veille au soir. L'image de Rostand humilié par la défaite reparaissait sans cesse dans son esprit. Les enchères s'étaient déroulées exactement comme il l'avait prédit, pour aboutir à un dénouement magnifique. Il avait permis à Rostand de savourer pendant un instant le goût de la victoire puis la lui avait ravie par une botte superbe. Dans l'enchantement qui s'en était suivi, il s'était permis de siroter quelques gorgées de champagne : toxique qu'il méprisait bien qu'il appréciât l'art de sa fabrication.

Le masseur posa une boule épaisse de lanoline parfumée à la rose entre les omoplates saillantes de Marto, puis se mit à l'écraser en la poussant vers les muscles du cou noueux de son client septuagénaire. Ses mains fonctionnaient comme des machines automatiques et il les appuyait de tout son poids. Marto grogna de nouveau, mais cette fois de plaisir. Les doigts s'élevèrent à travers une frange de cheveux blancs, jusqu'à la base du crâne puis redescendirent vers les épaules où ils s'arrêtèrent brusquement. Les mains se portèrent sur les jambes. Les paumes du masseur pressèrent et tirèrent les muscles fessiers derrière la cuisse.

Quand le masseur tâta du bout des doigts le nerf sciatique, puis passa doucement au sommet de la cuisse, les idées de son client changèrent du tout au tout. Le souvenir de la vente aux enchères fit place au fantasme d'une jeune fille en chemise de coton blanc et culotte courte. Elle se trouvait à quelques pas de lui. Et voilà qu'elle déboutonne sa chemise, la plie et la pose aux pieds de son admirateur. Marto sourit. Elle ne portait rien sous sa chemise. Ses beaux seins nus, fermes et généreux étaient agréablement hâlés.

Le pouce du masseur appuya sur chacune de ses vertèbres et la vision s'évanouit. Marto vit alors les bleus et les fins contours du Vermeer. Il jouit de leur perfection extraordinaire. Son acquisition surclassait tous les exploits qu'il avait accomplis jusqu'alors. Nombre d'entre eux avaient impliqué la dépense de sommes énormes.

Il avait gagné son premier million au temps où il préparait un diplôme d'études supérieures d'économie politique à Harvard. Ses études lui avaient au moins enseigné qu'il n'était pas fait pour l'université mais pour les affaires. Avant d'avoir passé son examen de sortie, il avait déjà acheté une société pour en prendre la direction, en liquider l'actif à trois fois le prix qu'il avait payé l'ensemble.

Il entreprit la conquête de son second million lors d'un voyage en Chine. Il ne s'agissait pas de tourisme : Marto cherchait des occasions de gagner de l'argent dans le chaos de la guerre civile qui ravageait l'Empire du Milieu. Il avait appris qu'une épidémie de typhus ravageait le pays. Pour s'assurer les faveurs du Kuomintang, il avait offert à la Chine le matériel complet d'un hôpital de campagne dont l'armée des Etats-Unis n'avait plus besoin. Tel fut le premier et le dernier acte de générosité de sa vie entière. Il lui gagna la gratitude personnelle de

Tchang Kaï-chek et en outre un contrat lui assurant le monopole pour l'importation de céréales et de machinerie provenant des Etats-Unis.

A cette époque la monnaie chinoise ne valait pratiquement rien. Marto accepta donc en paiement de ce qu'il fournissait des tableaux rares et d'autres trésors d'art. Les Chinois n'en avaient pas besoin. Notre aventurier en tira bon parti. Il retourna à New York avec une fortune de merveilles exotiques grâce auxquelles il ouvrit sa première galerie. Plus tard il en posséda d'autres dans toutes les grandes villes des Etats-Unis.

Pendant plus de cinquante ans, Marto fit des affaires dans le domaine des arts. Son influence et sa puissance y crûrent énormément. On le considérait comme une des personnalités qui lancent la mode, un baron de la culture. Son stock d'art oriental, de vieux maîtres et d'artistes modernes rivalisait aisément avec tout ce que possédaient les autres entreprises du même genre. Toutes, sauf Rostand International.

Marto était grand ; Rostand, encore plus éminent. Ils s'étaient concurrencés pendant des années et André Rostand avait su conserver l'avantage. Il suffisait que Marto entende le nom de son rival ou même qu'il y pense pour éprouver un choc d'exaspération. La haine qu'il nourrissait envers Rostand provoqua même à une certaine époque de graves ennuis digestifs. Mais ces temps étaient passés. A force de manœuvrer, il avait conduit André Rostand où il voulait et ce dernier ne pourrait plus remonter la pente.

Marto ressentit une tape sur son épaule, ouvrit les yeux, battit des paupières et se retourna. La lumière d'une batterie de six ampoules à rayons ultraviolets l'obligea à fermer les paupières. Il claqua les doigts de sa main droite. Le masseur lui posa une rondelle de toile noire sur chaque œil et une serviette sur le bas-ventre. Marto grogna puis bâilla à grand bruit. Le mécanisme de son horloge mentale revint à la question essentielle : l'écrasement définitif de Rostand.

7

Situé Wardour Street, l'Ark se trouvait assez près du ministère de l'Intérieur. Alex Drach décida donc de s'y rendre à pied. Il passa devant l'immeuble du Trésor puis devant l'Amirauté pour atteindre le Mall où il eut l'impression d'être suivi. Il bifurqua sur la droite, s'arrêta à un carrefour et attendit que changent les feux de circulation. Quelqu'un s'était arrêté auprès de lui, qui respirait lourdement. Cette personne haletait même, comme si elle venait de courir. Alex resta parfaitement immobile et écouta ce souffle pénible. Quand il se tourna enfin vers l'inconnu, il vit un solide gaillard, au visage rond, vêtu d'un pardessus de loden gris. Ce n'est pas lui, pensa Drach : trop près, trop gras, trop massif. Le feu passa au vert. Alex se précipita sur la chaussée, sinua entre les voitures pour gagner le trottoir d'en face, tourna sur la gauche et marcha jusqu'aux Spring Gardens, en guettant du coin de l'œil les piétons qui avaient enfreint en même temps que lui le règlement de la circulation. D'abord il ne repéra personne et se demanda s'il ne s'était pas effrayé en vain. Puis il tourna un peu plus la tête et avisa une silhouette de haute taille. Cet individu portait un manteau de cuir noir arrivant à la hauteur des genoux. Alex se rappela l'avoir vu au bord du trottoir avant de traverser. Il reconnut le visage, les cheveux gris coupés ras. Bien que son poursuivant fût trop loin, Alex devina que le lobe de son oreille gauche s'ornait d'un bouton d'argent. Le prêtre qui avait fait le trajet dans le même avion que lui de New York à Paris, puis qui était resté à bavarder avec deux de ses collègues à la sortie de l'aéroport Charles de Gaulle, avait changé de tenue. C'était sûrement aussi la silhouette noire et vague qu'il avait vue dans la BMW.

Alex poursuivit son chemin par Cockspur Street vers Trafalgar Square. L'homme au manteau de cuir noir le pista à dix mètres de distance.

A cette heure de pointe, Alex se sentait avantagé. Il s'arrêta de nouveau à un carrefour. Comme il l'avait prévu, Bouton-d'Argent le rattrapa et s'arrêta derrière lui. Alex se dit qu'il n'était pas seul : un autre pisteur devait se trouver dans les parages, sans doute de l'autre côté de la rue. Dans le cas contraire, Bouton-d'Argent ne se serait pas risqué en même temps que lui à traverser au feu vert.

Alex usa du même subterfuge pour traverser Whitcomb Street. Puis, d'un pas lent et régulier, il sinua parmi les voitures qui tournaient lentement autour de Trafalgar Square. Il hâta le pas et trotta même le long de la façade ouest de la Maison du Canada et en face de la colonne de Nelson. Arrivé là, il se retourna. Un sourire de satisfaction fendit son visage.

Eclairé par les phares d'un autobus à deux étages, un petit bonhomme trapu, en imperméable, esquivait les véhicules pour rejoindre Bouton-d'Argent. Débusqués comme un vol de faisans ! Alex ne leur aurait pas donné une bonne note pour leur travail de filature en équipe.

Il parcourut du regard Trafalgar Square. Ses yeux s'arrêtèrent sur la façade de la National Gallery. Il fonça vers l'extrémité de la place, coupa de nouveau la circulation, d'ailleurs très ralentie sur Pall Mall. Il gravit le perron de la National Gallery, franchit les portes de glace et grimpa l'escalier en face du comptoir où l'on vend livres d'art et reproductions format carte postale. Il prit la volée de gauche et monta en sautant une marche à chaque pas. Arrivé au vestibule ouest, il se retourna vers la rampe pour plonger son regard dans la rotonde du rez-de-chaussée. Ces deux messieurs étaient là immobiles entre les deux volées d'escalier. Enfin Bouton-d'Argent gravit les marches conduisant au vestibule est et son compagnon trapu prit la direction inverse vers la volée qu'Alex venait de gravir.

Drach salua d'un hochement de tête appuyé un gardien en uniforme bleu. Puis, les mains réunies dans le dos, il passa vivement devant l'exposition permanente des primitifs italiens. Le musée n'allait pas tarder à fermer. La plupart des visiteurs se rendaient dans le sens inverse vers la cage d'escalier. Alex avisa une ouverture et tourna à droite où un personnage élégant, arborant une barbe à l'impériale, admirait *Vénus et Mars* de Botticelli. Drach préféra le panneau circulaire pendu au mur d'en face : *L'Adoration des rois mages* du même Botticelli, qu'il jugea mieux réussi. Il passa alors dans la salle onze, celle des ornements religieux du XVe siècle italien. Il se promit de consacrer un jour plus de temps à ces œuvres d'art mais fila vivement dans un couloir étroit où s'alignaient des saints émaciés (venant à coup sûr de Milan) et s'arrêta soudain en constatant qu'un gardien à l'air pincé le surveillait attentivement.

« Dans quelle direction trouverai-je les commodités ? » demanda Alex d'un air hautain. Il détestait ce mot mais en certaines occasions il faut bien l'employer.

« Près de la sortie principale », répondit le gardien agacé en consultant ostensiblement sa montre.

Drach le remercia et partit presque au pas de course dans la direction inverse et atteignit une salle consacrée aux peintres hollandais du XVIIe siècle. Au lieu de tourner à droite, ce qui l'aurait ramené à l'escalier principal, il obliqua à gauche et de nouveau à gauche pour traverser une salle de Rembrandt. Le temps pressait. L'homme trop gras et trop lourd ne l'inquiétait guère. Mais Bouton-d'Argent ne tarderait pas à arriver de ce côté du musée. Il atteindrait en un rien de temps la salle des Rembrandt.

Alex se trouva dans la dernière salle d'exposition. Il reconnut au passage *Le Portrait d'une femme à chapeau de paille* puis avisa une porte marquée : RÉSERVÉ AU PERSONNEL. Il jeta un coup d'œil autour de lui et essaya de faire jouer la poignée de cette porte. Comme prévu elle n'était pas fermée à clé. L'inscription suffisait pour tenir à l'écart le public anglais, si discipliné.

Il franchit le seuil, referma la porte, descendit un étroit escalier de bois, dépassa le rez-de-chaussée et arriva au sous-sol. Il poussa une porte blindée et aperçut trois ouvriers qui transportaient une grande et lourde caisse sur un plateau roulant. Il les salua sèchement d'un hochement de tête et suivit l'indication donnée par une flèche peinte en jaune sur le mur. A l'extrémité de cet itinéraire il arriva devant une porte coulissante, la fit glisser et se trouva sur le quai d'embarquement du musée. Un camion de livraison y était garé, les deux portes grandes ouvertes. Le chauffeur avait quitté sa cabine. Alex marcha le long du quai, sauta dans une allée et atteignit une rue étroite qui longe l'arrière du musée. Il aspira une bouffée d'air humide et froid du mois de janvier, et regarda derrière lui. ENTRÉE INTERDITE, tel était l'avis peint sur le mur du quai. Alex se promit d'offrir un jour à la National Gallery ses services de conseiller en matière de sécurité.

8

L'ascenseur s'éleva jusqu'au sixième étage. Cependant, Cubitt réfléchissait à ce qu'elle venait de voir. A coup sûr, le siège new-yorkais de Rostand International n'était pas une galerie d'art banale. Elle y voyait plutôt un palais, un musée et une banque soudés l'un à l'autre. Les investissements impliqués dans cette organisation lui donnaient le vertige. Jusqu'alors elle avait considéré l'art comme une chose rare et belle réservée à l'élite. Sa visite de la galerie ne modifiait pas son opinion mais y ajoutait de nouvelles dimensions. Elle venait d'apprendre, en effet, que l'art est aussi la splendeur, le prestige, la vérité et même l'immortalité. L'art s'associe étroitement à la culture. Il représente la classe, la puissance et la réussite. Mais elle comprenait en outre désormais que c'est, par-dessus tout, une affaire de grosse galette.

Tout à coup Cubitt fut enchantée par les perspectives qu'elle entrevoyait dans la proposition de Philip Rostand. Mme Gérard avait dit vrai. Sa protégée ne s'ennuierait pas et serait certainement bien payée. Elle était encore aux anges quand les portes de l'ascenseur s'ouvrirent et qu'elle posa le pied sur l'épais tapis du sixième étage.

« Ne vous laissez pas trop impressionner par le vieux, chuchota Philip en la conduisant vers l'extrémité du palier.

— Que peut-on lui reprocher?

— Il est un peu rugueux, c'est tout », répondit Philip.

A l'extrémité du couloir ils se trouvèrent devant un homme chauve qui, en se levant à leur approche, se révéla plus grand d'une bonne tête que Philip. Cubitt lui attribua à peu près quarante ans mais sans certitude. La récession des cheveux à droite et à gauche du crâne le faisait peut-être paraître plus vieux qu'il ne l'était. En tout cas, c'était un personnage intimidant. Il sourit d'un air glacial et souffla avec un accent anglais : « Bon après-midi. » Puis il se dirigea vers une porte blanche dont il saisit la poignée de porcelaine en ajoutant : « Je vais lui dire que vous êtes ici. » La porte se referma derrière lui.

Cubitt avala sa salive et se prépara mentalement à ce qui l'attendait. Elle se demanda pourquoi elle était aussi inquiète. Peut-être était-ce simplement dû à la fatigue d'un vol de six longues heures. Elle fit porter le poids de son corps sur une seule jambe et observa Philip. Une moiteur apparaissait au-dessus de sa lèvre supérieure. Les minutes s'écoulant, la jeune femme fut gênée d'être obligée d'attendre si longtemps.

« C'est un homme très affairé », dit Philip, mal à l'aise lui aussi. Il tira son drageoir de sa poche et avala une pilule. Au même instant, la porte s'ouvrit, l'homme chauve reparut. « Veuillez entrer », dit-il tout en maintenant le battant ouvert.

Cubitt passa devant Philip. Elle prit une profonde inspiration et sentit au passage l'eau de Cologne exotique de celui qui les introduisait dans le saint des saints. Ce parfum rappelait la cannelle et le trèfle. Elle regarda d'abord les flammes danser dans la cheminée puis le bouquet de gardénias blancs et enfin vit pour la première fois l'imposant personnage assis sur une chaise à dossier droit derrière le bureau. Elle remarqua les yeux foncés qui, devina-t-elle, devaient à ce moment-là être en train de la juger. Elle réagit spontanément par un sourire mais s'arrêta d'instinct au milieu de la pièce pour attendre que le père de Philip contourne son bureau afin de venir à sa rencontre.

André Rostand sourit comme si cette espèce de défi l'amusait et s'exécuta immédiatement. A peine debout, il jeta un coup d'œil à Philip, le salua sèchement par un hochement de tête et s'approcha de Cubitt. « Acceptez mes excuses pour vous avoir fait attendre, dit-il en prenant la main tendue de la jeune femme. Je suis André Rostand.

— Et moi, Cubitt Keeble. » La poignée de main fut plus cordiale qu'elle ne l'avait prévu. Mais elle perçut dans le regard une froideur qui lui avait échappé à distance. Elle considéra l'épaisse chevelure grise et remarqua le hâle du visage. Où diable, se demanda-t-elle, a-t-il pu brunir ainsi au mois de janvier?

Les présentations faites, Philip s'écarta pour aller s'asseoir sur le rebord d'une fenêtre, à droite de la cheminée. « J'ai fait connaissance de Miss Keeble à Rome, dit-il. Il m'a semblé qu'elle travaillerait volontiers pour nous. » Cubitt perçut dans sa voix un frémissement qu'elle n'avait encore jamais entendu. Il ne dénotait pas la crainte mais suggérait plutôt une idée de colère paradoxalement associée au désir d'être approuvé. Philip se tut, attendant sans doute une réponse de son père qui resta muet. Alors il se leva. « Permets-moi de t'en dire un peu plus à son sujet.

— Philip... » dit André. Rien de plus. Ce nom flotta dans la pièce comme une note de musique qui n'en finit pas. André pivota sur lui-même, retourna lentement à son bureau, s'assit, rajusta le pli de son pantalon en le soulevant légèrement à la hauteur du genou, puis croisa les jambes.

Cubitt observait le père et Philip, fascinée par le duel psychologique qu'elle devinait entre eux. Les causes, elle les ignorait, mais l'hostilité s'imposait à l'évidence. André s'appliquait à humilier et minimiser son fils, comme pour le punir de quelque méfait. Philip acceptait cela d'un air impassible.

« Philip, répéta enfin André en faisant signe à Cubitt de s'asseoir, dans un fauteuil en face de son bureau. Je suis sûr que Miss Keeble peut nous parler elle-même. »

Cubitt se tourna vivement vers Philip, lui adressa un sourire rassurant et s'assit. « J'en serais enchantée », dit-elle tranquillement. Elle remarqua le complet bleu foncé, admirablement coupé, d'André Rostand. Elle n'en avait encore jamais vu du même style. Elle nota aussi la chemise blanche et la cravate de soie foncée puis son regard se fixa sur le visage carré et énergique. Comme si elle jouait devant une assistance à laquelle elle aurait présenté une nouvelle actrice, elle parla d'elle à la troisième personne.

« Cubitt Keeble, vingt-huit ans, sujet britannique est née à Londres de parents appartenant à la classe laborieuse. Père : docker n'aspirant qu'à boire de la bière et courir après les femmes. Mère : Saxonne en bonne santé, privée d'amour et frustrée. Deux frères, deux sœurs. Miss Keeble ne s'est jamais mariée et n'en a pas l'intention pour le moment. Autrefois modèle de photographe, elle était ces temps derniers au service de madame Gérard en qualité de courtisane belle, intelligente et habile. Miss Keeble est...

— ... Une employée de Rostand International extrêmement belle, intelligente et astucieuse » dit André Rostand en interrompant la jeune femme. Il souriait, mais Cubitt comprit qu'elle l'avait impressionné par sa franchise.

« Vous ne voulez pas en apprendre plus ? », demanda-t-elle en levant ses sourcils blonds en signe d'interrogation.

— En temps voulu, j'en saurai beaucoup plus. En outre, vous ne pourriez avoir de meilleure recommandation que celle de Madame Gérard. Je sais que j'ai... »

On entendit un coup sec frappé à la porte. L'assistant chauve fit un pas dans la pièce. « Vous avez une autre visite Monsieur. Un certain Monsignore Weiller.

— Je ne connais pas cet homme, rétorqua Rostand. Dites-lui que je suis très occupé, Harper.

— Très bien, Monsieur, mais auparavant il m'a dit de vous remettre ceci », chantonna Harper.

Rostand prit le petit carton que lui tendit son bras droit, y jeta un coup d'œil puis parut sur le point de le rendre mais le considéra de nouveau. Son visage blêmit. Il se leva brusquement et dit : « Je suis désolé, mais il faut que je reçoive cet homme. J'espère que vous voudrez bien m'excuser. » Puis il ajouta à l'intention de Philip : « Je te parlerai plus tard. » Il les congédia. Harper ouvrit la porte et s'écarta pour laisser passer Cubitt et Philip devant lui.

En quittant le bureau d'André Rostand, Cubitt vit l'homme qui attendait d'être reçu. Il paraissait avoir à peu près soixante-cinq ans. Ses cheveux coupés assez ras avaient la couleur des barbes de maïs : celle que prennent les blonds en grisonnant. Une mince couche de graisse capitonnait son visage rond qui aurait suggéré une idée de bienveillance démentie par la dureté des lèvres minces et des yeux d'un bleu délavé. Cubitt estima que ce n'était pas un visage agréable à regarder. Il portait un ample complet noir à col de clergyman. A part cela, aucune caratéristique particulière hormis un galon rouge au-dessous du col blanc. C'était le signe distinctif d'un monsignore de l'Eglise catholique romaine.

Ce prélat de second rang lui sourit puis s'inclina légèrement en direction de Philip. Harper maintenait la porte ouverte. Le monsignore avança dans la direction d'André Rostand. Avant que la porte ne se referme Cubitt vit, pendant un instant fugace, deux hommes qui se regardaient fixement l'un l'autre sans rien dire. Ils lui firent l'effet d'esprits désincarnés resurgis du royaume des morts.

9

Nando Pirelli passa devant l'hôtel Pierre et entra par le portail de fer, forgé des dizaines d'années auparavant, donnant accès au somptueux hôtel particulier du Metropolitan Club. Un portier prit note de son nom, téléphona à la piscine puis conduisit Pirelli au-delà du salon ouest et de la bibliothèque, le long d'un couloir lambrissé de chêne. Aux murs, les portraits vernis des anciens membres du club les regardèrent passer, l'air sévère. Pirelli ne reconnut pas les visages mais il connaissait les noms : Phipps, Carnergie, Frick, Ford, Vanderbilt et le fondateur du club, le grand brigand J. P. Morgan.

Il trouva Léopold Marto dans la salle d'exercice. Le bonhomme grognait en s'appliquant à poser les mains au sol devant ses pieds, sans plier les genoux. Il y parvenait d'ailleurs assez bien et son front arrivait aux genoux. « Salut... vous... Ravi... Vous... êtes... à l'heure », souffla-t-il entre chaque exercice. Puis il se redressa un instant. « Je crois en avoir accompli soixante-quinze, Nando. Aimez-vous la gymnastique ?

— Au lit, seulement, répondit l'Italien basané.

— Vous devriez en faire, vous savez. Beaucoup d'exercice, un régime alimentaire sain et la modération en toute chose, voilà ce qui me permet de rester en bonne forme mentale et physique. Quel âge me donnez-vous ?

— Au jugé, pas plus de soixante ans et bien conservé, répondit Pirelli flatteur.

— Ne vous moquez pas de moi, jeune homme ; vous savez que j'en ai soixante-dix-neuf.

— C'est exact. Né en 1900, avec le siècle. Père médecin. Premier million avant la fin des études. Ami de Tchang Kaï-chek et ainsi de suite. Bref un homme de votre temps. »

Marto ne sourit pas. Il ne souriait jamais parce que le sourire ride le visage. « Vous êtes bien renseigné, jeune homme, dit-il. Je vous ai toujours admiré pour ça, surtout pour les informations que vous possédez sur Rostand International. »

Pirelli sourit et se débarrassa de son veston. Il régnait à la piscine une atmosphère chaude et lourde. « J'essaie de me rendre utile, dit-il.

— Et vous l'êtes, mon garçon, vous l'êtes », dit Marto qui exécuta plusieurs sauts de côté, puis s'accorda de nouveau un temps de repos. Il consulta l'horloge murale. « Alors, Nando, êtes-vous prêt ?

— A quoi faire ?

— Prendre un bain de vapeur. »

Le visage de Pirelli, aussi foncé d'ordinaire que celui d'un romanichel, blêmit. « Franchement, je préfère traiter mes affaires attablé devant des boissons.

— Je ne bois jamais, dit Marto. En outre, il est bon de négocier dans un bain de vapeur. Premièrement on s'y détend et on est donc plus optimiste. Deuxièmement, nous pouvons être certains l'un et l'autre que notre conversation n'est pas épiée ni enregistrée. Pensez-y, mon ami, ce que nous faisons est assez illégal...

— Je préférerais dire immoral, répliqua Pirelli.

— Je ne chamaillerai pas sur les mots, en tout cas nous devons être prudents. »

Pirelli haussa les épaules avec résignation et accompagna Marto jusqu'à une salle de déshabillage. Il abandonna tous ses vêtements et noua une serviette autour de sa ceinture.

Au bain, les robinets étaient grands ouverts. Un nuage tourbillonnant de vapeur s'en élevait. Pirelli consulta le thermomètre mural : trente-cinq degrés centigrades. Il secoua la tête et se laissa tomber assis sur le banc de bois, adossé au carrelage blanc du mur. Marto s'allongea le long du mur opposé. Comme celle d'un esprit désincarné sa voix flotta à travers la brume. « Maintenant, mettons-nous aux affaires. Combien cote Art Intrum à la bourse ?

— Après la vente d'hier soir, le cours s'est élevé d'un point entier à trente et un, trois quarts.

— Merveilleux ! couina Marto. Maintenant, considérons les statistiques. Nous savons que le chiffre d'affaires mondial en œuvres d'art s'élève à trois cents millions de dollars par an. La moitié passe entre les mains de quelque cinq mille négociants répartis tout autour de la planète. D'après nos renseignements, la part de Rostand est nettement la plus grande : approximativement vingt-cinq millions par an. Cette année, Art Intrum n'en fera que la moitié. Quoi qu'il en soit, si nous parvenons à saper l'empire de Rostand nous doublerons facilement notre chiffre d'affaires. Seuls deux éléments pourraient nous en empêcher : primo la mésentente entre nous ; secundo, Rostand lui-même.

— Nous avons constaté hier soir qu'il n'est pas tellement puissant. Vous l'avez magnifiquement manipulé, Léopold. »

Le rire suraigu de Marto traversa la vapeur. « Vous avez vu sa tête quand il est sorti ? Elle avait l'air d'une mamelle de vache qu'on vient de traire. » Il se leva et se propagea à travers le brouillard jusqu'à un grand seau plein d'eau froide. Il s'en aspergea la tête et les épaules. « C'est bon pour le cœur, dit-il en grelottant. Ne vous en privez pas, jeune homme. »

Pirelli s'était allongé aussi le long du mur et respirait à peine. « Non, merci. Parlons plutôt de la vente Essler. »

Marto retourna au banc de bois. « J'allais justement y venir. Il nous faut absolument connaître les projets de Rostand. A-t-il vraiment l'intention de nous affronter ? Jusqu'à quelle hauteur est-il prêt à enchérir ? Nous ne pourrons organiser notre financement que lorsque nous serons au courant. » Marto se frotta vigoureusement bras et jambes pour en essuyer la sueur. « Votre agent de renseignements pourra-t-il nous donner des informations précises à ce sujet ?

— N'en doutez pas, répondit Pirelli, plein d'assurance.

— Qu'est-ce qui vous permet d'en être aussi sûr ? Pouvons-nous vraiment nous fier à lui ? Il s'agit de millions de dollars. Financer une affaire pareille ne sera pas facile.

— Avons-nous jamais été trompés ? Chaque fois que nous avons eu besoin d'un tuyau sur les affaires de Rostand — les noms de ses meilleurs clients, les œuvres d'art qu'il cherche à acheter — nous l'avons eu.

— Quand même, je me sentirais mieux si je savais qui vous renseigne. »

La vapeur était trop opaque pour que Marto vît le sourire moqueur de Pirelli. « C'est mon arme secrète, Léopold, comme mon organisation et mon savoir-faire. » Le jeune homme marqua un temps d'arrêt et reprit : « En outre, je ne voudrais pas mettre mon informateur en danger.

— Vous êtes rusé, Pirelli. C'est d'ailleurs pour ça que nous vous avons mis dans le coup. » Marto se leva. « Nous avons assez sué dans cette vapeur, dit-il. Qu'en pensez-vous ? »

Sans attendre la réponse, il quitta le bain, saisit une grande serviette chaude sur une tige d'un mètre de haut et passa dans la salle d'habillage. Pirelli le suivit, revêtit sa chemise blanche, ses chaussettes noires, son complet bleu et ses souliers bas. Marto se pressa moins : il mit d'abord des sous-vêtements de papier marron et s'enveloppa d'une sortie de bain en toile de jute.

En passant le peigne dans ses cheveux mouillés, Pirelli constata qu'il n'avait pas posé la question capitale. « Comment organisons-nous les enchères à la vente Essler ? demanda-t-il.

— J'y ai pensé, répondit Marto. Bez nous représentera. C'est lui qui enchérira. Duranceau sera aussi présent. Il feindra d'enchérir mais en réalité il communiquera avec Bez et n'interviendra qu'en cas d'incident imprévu.

— Bien. Nous ne pouvons pas faire mieux. Si nous partions tous pour Londres, nous serions trop repérables. Pourtant, aucun règlement ne s'opposerait à notre présence collective. Dieu merci !

— Comment pourrait-on réglementer les ventes aux enchères? Qui saurait la valeur d'une œuvre d'art avant le troisième coup de maillet? Nous ne faisons que prendre notre honnête part de ce que rapportent ces affaires. »

Pirelli émit un petit rire satisfait. Un garçon en veston blanc amidonné apparut sur le seuil de la porte, avec un plateau sur lequel étaient posés une soupière argentée et deux grands verres. Marto se tourna vers Pirelli. « Voulez-vous partager mon déjeuner? » demanda-t-il.

Le garçon posa le plateau sur une table de verre auprès de la piscine. Marto se versa à la louche du liquide couleur crème. « Ça augmente la longévité, dit-il. C'est garanti. » Il en but une bonne gorgée.

Pirelli plissa le nez, plein de répugnance et fonça vers la porte. « Vous savez, Léopold, dit-il, les Italiens se fient à un vieux dicton : la vie est pareille à l'amour que nous éprouvons pour une femme; ne l'aimons pas trop si nous craignons de la perdre. »

10

Alex Drach se rendit à pied de la National Gallery jusqu'à Haymarket en passant par la rue d'Orange. Puis il se perdit dans la foule de Piccadilly Circus. La pluie s'était transformée en une lourde brume stagnante qui feutrait le tintamarre et réduisait l'éclat des néons. Le pub de Jenner n'était qu'à quelques minutes de distance et, tout en hâtant le pas, Alex se disait qu'il avait sûrement semé ses deux pisteurs dans la compagnie des maîtres anciens. Quant à lui, il se trouvait plongé dans un décor beaucoup plus contemporain. L'opulent modèle de Rubens n'appartenait certainement pas à la même espèce que les femmes de classe moyenne trottant dans les rues de Londres ce soir-là. Alex se demanda comment cet artiste aurait réagi en les voyant, le visage masqué de fard, chaussées de bottes montant jusqu'aux genoux, vêtues de costumes tailleur aux épaules rembourrées, à la taille étroite et à la jupe n'atteignant pas le niveau des bottes. Personnellement Drach ne s'intéressait pas non plus à celles qui préféraient paraître naturelles, dédaignaient les fards, portaient des jeans et exigeaient d'être désirées telles qu'elles étaient. Lui déplaisaient autant les cheveux crépus, les talons de quinze centimètres, les seins tombants sous des chemisiers transparents. Quant aux élégantes squelettiques elles l'attiraient encore moins.

Il marchait tout près des façades de bâtiments où la pluie est moins dense et où il n'avait à surveiller qu'un seul côté. Il s'engagea dans l'avenue Shaftesbury, passa devant l'Apollo pour arriver à la façade discrète de l'Ark. Il jeta un coup d'œil à l'intérieur du pub à travers les vitres. La salle présentait l'aspect d'un club où les Anglais aiment à déjeuner, prendre un verre ensemble et lire les journaux de l'après-midi. Alex gravit les marches conduisant à l'étage que préférait Jenner, d'après ce que lui avait dit Deakin. Sur le palier il poussa une porte de verre gravé et d'acajou, portant une indication de l'ère victorienne : SALON BAR. Derrière le comptoir, un barman peu chevelu essuyait les verres.

Alex s'approcha et lui demanda poliment : « Excusez-moi, connaîtriez-vous Monsieur Hugh Jenner ?

— Monsieur Jenner ? répondit le barman avec un fort accent irlandais. Certainement, je le connais. Il n'est pas encore arrivé ce soir.

— Je vois, dit Alex en parcourant du regard la vaste salle. Peut-être pourriez-vous me servir un grand whisky de malt. » Alex choisit un fauteuil confortable dans un coin et s'amusa à observer les vieux bonshommes qui chuchotaient entre eux.

L'art des tailleurs anglais l'avait toujours émerveillé. Il ne portait que des complets taillés par eux. Pourtant, en observant les silhouettes éparpillées dans la salle, il se demanda pourquoi les Anglais croyaient élégant d'exhiber tant de peau blanche entre leurs courtes chaussettes et le bas de leur pantalon. Une heure plus tard, après avoir bu un second whisky, il se dit que Jenner, où qu'il fût, ne passerait pas à son pub ce soir. Il retourna donc au bar sur lequel il posa deux billets d'une livre. « Pourrais-je laisser un message pour Monsieur Jenner ? demanda-t-il.

— Assurément. Je m'étonne que Monsieur Jenner manque à ses habitudes.

— On me l'a déjà dit. Est-il venu hier soir ?

— Certainement et il paraissait de bonne humeur.

— Avec des amis ? »

Le barman hésita, la tête penchée en avant, comme s'il cherchait à lire la réponse sur le plancher. Puis il se redressa, fit face à son client et lui adressa un clin d'œil. « Oui, je me le rappelle. Il était avec un autre monsieur hier soir.

— Pourriez-vous me décrire cet homme ? »

Le visage rubicond du barman prit une expression soupçonneuse. « Qui me pose cette question ? »

Drach jeta furtivement un coup d'œil circulaire dans la salle. « Je viens d'arriver de Washington, dit-il. Monsieur Jenner et moi collaborons à une affaire importante. C'est plutôt urgent. Vous me comprenez ? »

Le barman se pencha au-dessus du comptoir. « Je comprends parfaitement », répondit-il. Il se tut un moment comme s'il faisait appel à une mémoire défaillante. « Maintenant, je me souviens, dit-il. Le compagnon de Monsieur Jenner était blond, plutôt bien bâti et bien vêtu aussi, mais d'une manière un peu voyante. J'espère que vous me comprenez. Il portait une espèce de mouchoir autour du cou, un truc de Français.

— Une cravate, peut-être ?

— Je ne sais pas comment ça s'appelle. Toujours est-il que ces deux messieurs sont partis ensemble hier soir, vers sept heures et demie.

— Sauriez-vous où ils sont allés ?

— Désolé, mais je n'en sais rien. Pourtant, je me rappelle maintenant que l'autre homme portait une valise. Un sac de voyage d'assez belle allure. » Le barman se gratta la tête. « Il paraissait vraiment cordial... Peut-être même trop cordial. »

Alex demanda la permission de téléphoner, chercha le numéro personnel de Jenner dans l'annuaire, le composa et laissa la sonnerie retentir plusieurs minutes de suite. Pas de réponse. Il quitta l'Ark et héla un taxi pour se faire conduire place Wilton à Knightsbridge où il s'inscrivit à l'hôtel Berkeley. Ce n'était pas un de ces établissements où le touriste peut se présenter et obtenir une chambre sur-le-champ. On n'y recevait que sur présentation. Le veilleur de nuit reconnut Drach, nota son nom et perçut le prix d'une nuitée. Alex n'alla pourtant pas à sa chambre. Son passage n'était qu'une diversion. Aussitôt inscrit, il ressortit, prit un autre taxi pour Dover Street, à proximité de Piccadilly, où il se présenta à l'hôtel Brown's sous le nom de Minolta par admiration pour les appareils photographiques japonais.

Le Brown's était un de ses hôtels préférés pour son calme, son confort et la qualité de son service. L'immeuble datait, les chambres y étaient vastes et hautes de plafond. Il commanda par téléphone un turbot florentine avec du muscadet choisi sur la carte des vins. Il appela son bureau de New York et eut presque instantanément la communication. Son adjoint, Harry Powalski — Po pour les amis — lui lut une succession de messages, notamment une demande de rendez-vous d'André Rostand, au siège de Rostand International.

Alex trouva curieuse cette coïncidence : il avait lui-même envie de voir Rostand dès son arrivée à New York. Il donna à Po les renseignements nécessaires pour préciser le rendez-vous. « Les autres pourront attendre jusqu'à lundi. »

Avant de dîner, Alex prit un long bain très chaud. La pièce carrelée de blanc s'emplit rapidement de vapeur. Il resta allongé jusqu'au ras du nez dans la baignoire en laissant couler assez d'eau chaude pour maintenir la température aussi élevée qu'il la pouvait supporter. Lentement, très lentement, la fatigue et la tension de la journée se dissipèrent. Une demi-heure plus tard, la peau luisante, il endossa une longue sortie de bain en tissu éponge. On lui monta alors son dîner. Il mangea puis se glissa nu entre les draps frais. Il lui fallait dormir autant qu'il le pourrait entre cet instant et son rendez-vous de bonne heure le lendemain matin au ministère de l'Intérieur. Il libéra son esprit des idées suscitant l'inquiétude, respira plus lentement et fixa son imagination sur l'image qu'il créa : une plage ensoleillée sur laquelle déferlaient des vagues. Chaque fois qu'une idée cuisante lui passait par l'esprit, il la chassait. Tout à coup, Minta apparut sur la plage. Telle fut sa dernière pensée consciente lorsqu'il plongea dans un sommeil réparateur. Minta reparut dans son premier rêve, assise sur un rocher plat au bord de la plage déserte où les vagues lui léchaient doucement les jambes.

11

Le visage d'un gris cendré, André se tenait dos à la cheminée, les mains unies derrière lui. Il se surprit à faire tourner son alliance sur son doigt en se demandant si l'individu qui se dressait à quelques pieds de lui était une apparition, un imposteur ou celui qu'il disait être. D'abord l'entrée de Weiller dans son bureau l'avait étourdi. Il avait envisagé ces trois hypothèses. Il avait immédiatement rejeté la première, puis jugé la seconde invraisemblable. S'arrêtant à la troisième il demanda prudemment : « Que pourrais-je faire pour vous, Monsignore Weiller ? »

Le prêtre sourit poliment. « Excusez mon intrusion, Herr Rostand. Je sais que vous êtes très occupé. Toutefois il m'a paru préférable de me présenter ainsi, plutôt que de vous écrire, de vous téléphoner ou de recourir à n'importe quel autre moyen de communication dont la discrétion n'est pas assurée. »

Ce Montag se paie ma tête, pensa André. En tout cas, c'est bien lui. « Excusez-moi de me répéter, Monsignore Weiller, mais que puis-je faire pour vous ?

— Je suis ici tout simplement pour vous offrir des tableaux. De très beaux tableaux. » Montag en resta là, recula d'un pas et s'assit dans un des fauteuils qui faisaient face au bureau. « J'ajouterai que ce sont des œuvres de grande valeur », reprit-il. Puis du bout de l'index il caressa sa joue droite.

André retourna à son bureau et s'assit, le regard fixé sur son interlocuteur. Il avait changé. Ce n'était pas seulement la vieillesse qui avait marqué ses traits. Il y avait quelque chose d'autre. Soudain

Rostand se rappela la nævus sur la joue droite. Cette tache de vin avait disparu. « Pourquoi vous adressez-vous à moi, Montag ? demanda André tout de go d'une voix dure.

— Weiller. Monsignore Weiller. »

André esquissa un mince sourire. « Ma question reste posée. »

Montag baissa la tête et chassa un point de poussière blanche du poignet de son veston. « Je n'ai que des moyens modestes, dit-il. En qualité de prêtre je vis très simplement. J'ai peu de biens terrestres. Je n'ai que faire de ce que je possède. J'ai trouvé tout ce qu'il me faut dans le sein de notre Sainte Mère l'Eglise.

— Votre foi me touche profondément. Quelle métamorphose passionnante ! »

Le Monsignore ne répondit au sarcasme que par un sourire. « Je puis à coup sûr me fier à vous, Herr Rostand. Nous avons déjà fait des affaires ensemble. Il se trouve précisément que je vous offre les tableaux dont nous avons discuté lors de notre précédente rencontre. »

André se rappela une nuit à Monte-Carlo, quarante ans auparavant. C'était en juin et le sirocco soufflait d'Afrique à travers la Méditerranée. Le plexus solaire crispé, Rostand s'arracha au passé pour revenir au présent. Selon toute évidence, Montag avait préparé de longue main son exploit de ce jour. Inutile de perdre du temps. « Entrons dans le vif du sujet, Montag. Vous possédez des œuvres d'art que vous tenez à l'abri depuis la guerre. »

Montag s'adossa dans le fauteuil et parcourut la pièce d'un regard vide. « Vous voyez et dites les choses aussi pertinemment qu'autrefois. Je serai précis, moi aussi. Je possède la collection Drach. Les autres aussi. Je veux qu'elles vous appartiennent. » Montag laissa passer une seconde. « Pas gratuitement, bien sûr.

— Pour rester aussi clair et pertinent, je vous dis que cela ne m'intéresse pas.

— Sous n'importe quelle condition ?

— Inutile de chercher à me faire chanter ou à me menacer. Vous êtes un criminel de guerre, Montag. Malgré la chirurgie esthétique et la métamorphose spirituelle, vous ne pouvez effacer votre passé. »

Montag leva les deux mains en un geste de feinte horreur. « Dieu m'en est témoin, Herr Rostand, je ne suis pas ici pour vous faire chanter. Ma situation ne me le permettrait pas, de même que la vôtre vous interdit de me dénoncer. » Il sourit benoîtement. « Si vous me permettiez une expression familière, je dirais que nous sommes hors jeu l'un et l'autre.

— Alors, la discussion est terminée. Je vous ai donné ma réponse. Cette fois nous ne traitons pas. J'ai commis une erreur dans ma vie, je n'en ferai pas une seconde.

— L'erreur est humaine ; le pardon, divin. »

Rostand se leva. « Excusez-moi si je vous dis *au revoir.* »

Montag poussa un profond soupir. « Quel dommage ! J'étais

convaincu que nous pourrions nous entendre. » Il haussa les épaules et se leva, lui aussi. « Léopold Marto n'a rien d'agréable, mais je suis sûr de m'arranger avec lui », dit-il.

André retomba dans son fauteuil. Au cours du silence qui s'ensuivit, il comprit qu'il n'avait pas le choix. Le destin l'avait privé une première fois du luxe de l'honneur. Si Marto entrait en possession des tableaux que Montag offrait, la bande noire démolirait ce que son père et lui avaient bâti. Force lui était de traiter avec Montag et ce diable d'Allemand le savait. « Où sont les tableaux ? » demanda-t-il.

Montag reprit lentement place dans le fauteuil, les traits parfaitement détendus et les mains jointes comme s'il priait. « Peu importe pour le moment, dit-il. Soyez certain que je les possède.

— Vous refusez de répondre.

— Un magicien révèle-t-il ses tours de passe-passe ?

— Mon métier ne consiste pas à négocier les illusions.

— Je le sais très bien. Alors je vais tirer de mon chapeau de magicien et vous présenter sous trois jours un tableau qui vous convaincra. *Le Joueur de luth* de Watteau vous suffira-t-il ? »

Montag n'aurait pu faire un choix plus astucieux. Rostand s'émerveilla malgré lui d'une telle habileté. *Le Joueur de luth* était naguère le bien le plus précieux de Noémie Drach. Elle l'idolâtrait. Abasourdi, le plexus solaire crispé, André revit le tableau aussi clairement que la première fois où Noémie le lui avait montré. Il représentait des dames et des gentilshommes du XVIIIe siècle, au cours d'une partie de campagne. Auprès des paniers portant leurs provisions, ils écoutaient un joueur de luth en collant rose. Rostand entendit presque le ténor — c'était sûrement un ténor — mêler sa voix au chant plus doux des dames qui l'entouraient. Apparemment exempts de tout souci, ces gens paraissaient tristes pourtant...

« Je vous ai demandé si cela suffira, reprit Montag.

— La collection Drach est-elle intacte ? rétorqua André.

— Tout à fait.

— Et les autres ?

— Aussi intactes.

— Lesquelles ? »

Montag chantonna les noms : « Rothman, Lévi, Stendhal.

— Et leurs héritiers ?

— Hélas il n'en reste aucun. Ils n'ont pas survécu à la guerre.

— Si. Un seul. »

Montag dressa un sourcil. « Vous voulez parler d'Alexandre Drach, sans doute ? » demanda-t-il tranquillement.

André acquiesça d'un hochement de tête. « La collection de son père lui revient.

— Je peux m'occuper de lui.

— Comme de millions d'autres pendant la guerre ! dit André sarcastique.

— Herr Rostand, je vous en prie. Ne déterrons pas les péchés passés. Si nous le faisions vous n'auriez pas très bonne mine, vous non plus. »

André considéra durement l'Allemand. Ses yeux marron s'assombrirent. « J'accepte les tableaux à une condition. Si vous la refusez vous pouvez porter votre marchandise où il vous plaira et je ne ferai rien pour vous en empêcher.

— Je suis un homme raisonnable. Quelle est votre condition? »

André se pencha au-dessus de son bureau, les lèvres serrées pendant un moment comme s'il envisageait de rejeter une idée. Puis il se décida. « Qu'il n'arrive pas malheur à Alex Drach, par accident ou d'autre manière. Je vous tiendrai pour personnellement responsable, quoi qu'il lui advienne de fâcheux. Dans ce cas-là, même au risque de perdre ma réputation, je vous dénoncerai.»

Les narines de Montag se plissèrent comme si une mauvaise odeur s'était infiltrée dans le bureau. Il réfléchit un moment puis demanda : « Qu'est-il pour vous, ce Drach? »

André éluda la question. « Une fois suffit. J'ai enduré quarante ans de remords. Je ne céderai plus. Vous acceptez ma condition ou nous en restons là.

— Nous avons besoin l'un de l'autre. C'est évident, mon ami. Vous me tenez à la gorge et moi de même. Si l'un de nous chavire l'autre se noie aussi.

— Alors vous acceptez?

— D'accord! »

Montag prit l'expression ravie d'un porcelet tétant une truie. « D'accord! répéta-t-il. Il n'arrivera aucun malheur à Drach... Pourtant, Herr Rostand, je tiens à vous mettre en garde. Sa seule existence nous menace l'un et l'autre.

— Laissez-moi m'en soucier, dit Rostand avec assurance.

— Mais comment retirerons-nous les tableaux de leur... leur cachette? Il en entendra sûrement parler.

— Rostand International assure une discrétion absolue. Les collections de certains clients sont si bien cachées que personne ne sait où elles sont, pas même leur propre famille. L'anonymat peut donc être assuré.

— Il ne reste donc plus rien à régler sauf le système de livraison et les prix. Entre nous deux, ces détails n'ont guère d'importance. »

Rostand laissa percer son mépris dans sa voix. « Je vous donnerai cinquante pour cent de leur valeur marchande, tableau par tableau. Quant aux questions de livraison, je me fie à vous... C'est vous que ça regarde. »

Montag s'exclama, bouillonnant de joie : « Je ne m'attendais pas à tant de générosité de votre part, Herr Rostand. J'accepte! » Il se leva brusquement. « Vous aurez votre Watteau sous trois jours. Un courrier, le frère Baruch, vous l'apportera. Quand vous le verrez, vous conviendrez que je ne vous offre pas des illusions. » L'Allemand se dirigea vers la porte et l'ouvrit. Avant de s'en aller, il se retourna pour dire : « Vous êtes un homme sensé, Herr Rostand. Vous l'avez toujours été. » Puis il s'en alla.

Pendant un moment, André resta hébété derrière son bureau. Puis l'horloge Quare sonna cinq heures. Il redressa la tête pour la regarder : un cadeau de bar mitzvah que sa mère lui avait fait pour son treizième anniversaire, jour où selon la tradition il devenait homme. Puis il alla vers la table proche de la cheminée, y prit une cigarette dans un coffret d'argent et l'alluma. Voilà des années qu'il ne fumait plus — trente-cinq ans, pour être exact — mais à ce moment il lui fallait quelque chose pour emplir le vide de sa poitrine. Il aspira profondément, expira et regarda la fumée s'élever vers le plafond. Enfin, il alla à la fenêtre à laquelle il se pencha pour regarder les passants enveloppés de lourds pardessus et chaussés de bottes.

Il vit aussi Montag sortir de l'immeuble, traverser la rue et disparaître à un carrefour de Madison Avenue.

Il exécrait cet homme ! Il sentit la haine monter en lui comme une vague d'air chaud, envahir sa tête et presque lui faire éclater les tempes.

André prit une autre bouffée de cigarette. « Du sang-froid », se dit-il. Impossible d'agir autrement.

Ou bien n'avait-il pas une autre solution. Il pouvait abandonner la partie au risque de laisser la bande à Marto acheter les tableaux et en supporter les conséquences. Il pouvait aussi s'adresser à Interpol, révéler tout ce qu'il savait au sujet de Montag et... tant pis si le nazi mangeait le morceau. Mais la galerie n'y survivrait pas. Or c'était l'essentiel pour lui. Finalement, il était coincé. Montag le tenait à la gorge, exactement comme la première fois, à Monte-Carlo, quarante ans auparavant.

QUATRIÈME PARTIE

1940

Ça commença le vendredi 10 mai 1940, quand les sirènes de Paris retentirent pour une raison sérieuse. Ce jour-là, une armée sans précédent dans l'histoire des guerres, par son nombre, sa concentration et sa puissance de feu, franchit le Rhin. En sept jours l'invasion atteignit la côte de la Manche, isolant les armées alliées dans le nord de la France et la Belgique. La Wehrmacht obliqua alors au sud pour lancer un assaut puissant vers la Somme. Sur un front de six cents kilomètres, de la Manche au cours supérieur du Rhin, cent quarante-trois divisions allemandes écrasèrent les forces françaises affaiblies et démoralisées. Alors il ne resta plus rien devant l'envahisseur pour défendre Paris.

L'armée allemande approchant de la capitale, André Rostand, qui n'avait alors que vingt-huit ans mais dirigeait l'entreprise familiale, siégeait dans la salle de conférence de Rostand et Fils. Il attendait les membres du Conseil juif des Arts. La réunion avait été convoquée à la hâte pour discuter de la menace allemande.

André entendait rouler dans les rues des colonnes de camions transportant vers le front les derniers vestiges de l'armée française. Effort désespéré. Les réserves consistaient surtout en jeunes gars peu entraînés qu'on assemblait dans les gares de la capitale pour les embarquer à destination de l'abattoir. Jane et le petit Philip se trouvaient alors en Amérique. André leur avait télégraphié d'y rester.

Inquiet et triste, il considéra l'exquis Fragonard accroché au mur en face de lui dans son cadre doré finement ouvragé. Cela lui rappela que trente autres tableaux du même artiste et des milliers d'autres chefs-d'œuvre valant des millions étaient entreposés dans les coffres du sous-sol, pareil à une voûte de cathédrale. Au cours de quarante années, depuis que son père avait fondé Rostand et Fils, ce nom était devenu synonyme du négoce des plus belles œuvres d'art du monde.

Avec audace et en se fiant à son œil infaillible, Aaron Rostand avait acheté pour deux cents francs un Vermeer : *La Servante d'auberge.* Ce chef-d'œuvre lui avait rapporté de quoi fonder une petite galerie près de l'hôtel des ventes, rue Drouot.

Les parents d'André avaient débuté ainsi, modestement, en travaillant coude à coude, chacun à son bureau. Sur celui d'Aaron il n'y avait rien d'autre qu'une loupe. Tout le reste se trouvait dans sa tête. Il ne lisait jamais de livres d'art. Son œil lui suffisait. A sa table, plus petite, Anna compilait noms, provenances, propriétaires et situation de tous les tableaux qu'il leur arrivait de voir.

Ils se mirent à acheter en prenant des risques qui auraient effrayé d'autres négociants. Ils dépassaient souvent leurs moyens. Le prix d'un objet d'art ne leur importait pas. Ils ne s'intéressaient qu'à la qualité. Les Rostand savaient qu'elle se vend toujours à son prix, pourvu qu'on patiente.

Quand André eut l'âge d'aller à l'école, son père comptait parmi ses clients nombre de collectionneurs les plus avisés d'Europe et d'Amérique : David-Weill, le comte Démidoff, Rothschild, Rockefeller, Palmer, Gardner, Havemever, Morgan, Frick, Rothman, Levi, Schloss, Mellon et — en ce temps-là — le tsar et la tsarine de Russie.

André grandit dans le monde des arts, le respira, s'en imprégna. Alors que la plupart des gamins de son âge s'amusaient avec des soldats de plomb, il accompagnait son père dans les musées, les galeries d'art, chez les collectionneurs. Dès son enfance, il entraîna ainsi ses yeux à discerner qualité, beauté, bon goût, ce qui importe le plus en fait d'art. Un peu plus âgé, il travailla à la galerie. Ses parents lui donnèrent un bureau contigu au leur. Ils le consultèrent sur les tableaux qu'ils achetaient et vendaient. Toutefois, il n'avait pas hérité les dons innés de son père. Alors qu'Aaron était paisible et sensible, doué d'un tempérament d'artiste, André présentait des qualités diamétralement opposées : dureté, entêtement, esprit pratique.

Quand on montrait un tableau à Aaron et qu'on l'interrogeait à son sujet, il l'examinait en érudit, étudiait sa provenance, la biographie de son auteur, l'époque où il avait été peint, sa qualité artistique, les idées qu'il suggérait.

André se servait de ses yeux dans un autre but. Il hantait les salles de vente et les galeries pour se faire une idée du marché, se renseignait sur les grands collectionneurs, leurs habitudes et ce qu'ils préféraient acheter. Il ne cessait de rechercher le vieux maître sous-estimé dont on peut acheter l'œuvre très bon marché pour la revendre beaucoup plus cher à une génération suivante d'amateurs.

Ses parents le comprenaient mal. La famille Rostand avait toujours été très unie jusqu'alors. André s'en tenait à l'écart et vivait en solitaire dans son propre monde. Même son épouse Jane n'était pas parvenue à fermer la faille.

En 1940, il comprenait avec chagrin combien lui manquaient ses défunts parents et combien ils lui avaient enseigné. Il se rappela le jour où il avait conquis sa liberté. C'était en 1927 lors d'une vente à l'hôtel Drouot, vétuste, dès ce temps-là. André s'était tenu assis auprès de son père, élégant aux moustaches cirées. Le rituel de la vente aux enchères l'ensorcela dès le début. Il en perçut l'excitation, le sens de la rivalité et en même temps le caractère plus ou moins ludique. Ce jour-là, le commissaire-priseur offrait quelques tableaux cubistes de Georges Braque. Son père n'achetait que ce qui lui plaisait, n'avait guère d'estime pour les œuvres de Braque, aussi répugnait-il à enchérir.

A ce point de vue, André était d'accord avec son père. Le cubisme ne l'intéressait pas non plus. Mais il devinait, dès cette époque, qu'il y aurait un marché pour ces œuvres et que celles de Braque offraient un investissement profitable. Le père et le fils en discutèrent. Aaron ne céda pas. Enfin, exaspéré, André se mit à enchérir pour son propre compte contre quelques négociants bien connus. Il l'emporta. Quand le maillet frappa trois coups, un tableau de Braque lui revenait pour deux mille francs. Treize ans plus tard, Rostand International possédait toujours cette peinture et bien d'autres tableaux du même artiste. Ils valaient leur poids d'or.

Après la vente, le père et le fils s'en retournèrent à pied ensemble. Après un long silence, Aaron dit d'une voix grave : « Maintenant que tu as acheté avec intrépidité, voyons si tu sauras vendre avec patience. » André n'avait jamais oublié ce conseil.

A six heures la salle de conférence commença à s'emplir. On avait pris les plus grandes précautions pour assurer le secret de cette rencontre. Rostand avait demandé à chaque participant d'y venir seul et à pied. Une file de voitures luxueuses devant la galerie aurait trop attiré l'attention. Les espions allemands pullulaient déjà partout à Paris.

Ceux qui se réunissaient ce soir-là étaient des hommes distingués, disposant de grandes fortunes et de grands pouvoirs. Ils représentaient certaines des familles juives les plus estimées de France. Chargés de lourdes responsabilités, ils s'étaient assuré une forte influence dans à peu près tous les domaines de la société française, à force de travail et grâce à leur génie. Comme celle des Rostand, en quelques générations, ces familles s'étaient élevées de la misère des ghettos jusqu'au sommet de la fortune.

Marcel Levi, directeur général de la Société industrielle Levi, principale entreprise de textiles française, arriva le premier. Bel homme aux cheveux gris, il était vêtu et pomponné avec le plus grand soin. A peine entré dans la salle, il alla droit vers André, l'embrassa et lui dit : « Tu occupes mon garçon la place qui serait revenue à ton père. »

La même scène se répéta à chaque nouvel arrivant qui rendit solennellement hommage au fils d'Aaron Rostand, debout devant une table en bois de rose servant de buffet. Ensuite ces messieurs se dispersèrent dans la salle pour discuter par petits groupes des dernières nouvelles du front en attendant l'ouverture de l'assemblée.

André les connaissait tous fort bien mais il restait seul. Certes ils respectaient la vivacité de son intelligence mais n'éprouvaient pas pour lui la même confiance ni la même affection qu'autrefois pour son père. Aaron avait été leur ami pendant des années. Ils ne le considéraient pas seulement comme un négociant, mais comme le maître qui les avait guidés à travers les mystères merveilleux de l'art. En outre, André était beaucoup plus jeune qu'eux.

Paul Drach arriva le dernier. André remarqua l'expression de curiosité qui apparut sur le visage des autres. Il l'avait prévu et en avait averti Paul. Ces vieillards sévères se méfiaient spontanément de tout individu n'appartenant pas à leur milieu. Néanmoins le projet d'André ne pouvait être exécuté qu'à l'aide d'un homme auquel ne s'attaqueraient pas les Allemands. En existait-il un seul en France ? Dieu seul le savait.

Les présentations terminées, Paul rejoignit André auprès du buffet. « Excuse-moi d'être en retard, dit-il. Je ne sais pas ce qu'elle a, mais Noémie s'inquiète énormément à l'idée de partir pour Monte-Carlo.

— Elle doit pourtant se rendre compte de ce qui se passe : l'invasion, le danger.

— Bien sûr », dit Paul. Il parcourut la salle du regard puis demanda : « Ton bateau est prêt ? »

André hocha la tête. « J'ai nolisé *La Camargue* qui prendra la mer à peu près dans un mois. Ça nous laisse tout juste le temps. » Un valet qui présentait des verres sur un plateau les interrompit. André lui indiqua que son service était terminé et qu'il devait quitter la salle. Puis il se tourna vers Paul. « La réunion doit commencer tout de suite, lui chuchota-t-il. Garde ton sang-froid. Ce ne sera pas facile. »

Arborant un sourire rassurant, André alla s'asseoir à l'extrémité d'une longue table qui occupait un des côtés de la pièce. Tous les autres comprirent et s'attablèrent d'eux-mêmes.

« Je ne vous ferai pas perdre votre temps, messieurs. Nous savons tous pourquoi nous sommes réunis ici. Les Allemands seront à Paris avant peu. Ne nourrissez à ce point de vue aucune illusion : les Français ne pourront pas nous protéger. Notre sort dépendra de nous-mêmes. » André marqua un temps d'arrêt. Personne d'autre ne prit la parole mais tous hochèrent la tête pour signifier leur accord.

André allait reprendre quand Eugène Stendhal intervint : « Avant d'aller plus loin, je voudrais savoir ce que Paul Drach fait ici. Il n'est pas des nôtres. »

Drach laissa échapper un petit gémissement et interrogea du regard André qui se leva.

« Il m'incombe de répondre à cette question, dit-il. C'est moi qui ai invité Paul. A mon avis nous devons envisager une alternative : cacher nos collections en France ou les expédier à l'étranger. Cela dépend de chacun de nous. Je vous dirai franchement que j'ai déjà pris des dispositions pour expédier mes tableaux en Amérique. J'ai nolisé un cargo à Marseille. Si vous le désirez, je peux le mettre à votre disposition. D'autre part, si vous décidez de conserver vos collections ici, vous aurez besoin de quelqu'un, un gentil à qui vous pouvez vous fier et qui pourra veiller sur vos trésors si vous êtes obligés de quitter la France. Précisément parce qu'il n'est pas des nôtres, Paul courra moins de risques que nous si les nazis occupent la France, comme nous devons le craindre. »

Un bourdonnement de conversations à voix basse parcourut la table. Puis Marcel Levi répondit : « Je prévois que, si les Allemands occupent la France, il sera difficile aux juifs de se déplacer. Pourtant... comment pourrai-je m'exprimer. Qu'est-ce qui nous assure que Drach protégera nos biens mieux que nous ? »

Drach se tourna vers Levi assis à l'autre extrémité de la table. Il se leva avec un sourire mélancolique pour s'adresser à toute l'assistance. « Je comprends vos inquiétudes, messieurs. Nous sommes tous assez intelligents pour ne pas considérer de telles remarques comme des injures personnelles.

« Dans la situation actuelle nous ne pouvons être sûrs de rien. Ma famille aussi serait vulnérable en cas d'occupation par les nazis. J'ai déjà dissimulé mes tableaux. Mon épouse Noémie de Montrose est juive. Elle quittera Paris sous peu. J'ai décidé de rester pour vous être utile. Il faut que quelqu'un s'en charge. »

André scruta rapidement les visages autour de la table. Il constata l'effet favorable du nom Montrose.

Paul poursuivit : « La plupart d'entre vous seront finalement obligés de partir. Si je comprends bien ce qui se passe en Europe actuellement, vous serez en grand danger. Vous aurez besoin de quelqu'un pour veiller sur vos biens et je serai heureux de faire tout ce qu'on pourra me demander.

— Evidemment, messieurs, vous pouvez choisir l'autre solution, dit André. Vos œuvres d'art peuvent partir avec la collection Rostand. Je suis négociant plus que collectionneur. J'envisage donc d'acheter au besoin vos biens à un prix raisonnable. » L'expression d'un ou deux vieillards lui indiqua qu'il n'aurait pas de vendeur, aussi poursuivit-il sans tarder : « Si vous décidez de garder vos collections en France, je tiens à vous dire que je connais Paul Drach depuis notre enfance. Je le considère comme un frère et j'ai confiance en lui sans réserve. »

Mince et alerte, René Cardozo se leva brusquement et parcourut l'assistance de ses yeux perçants. « Si le fils d'Aaron parle ainsi, je suis satisfait. Je conserverai mes tableaux ici. Je ne les vendrai pas et je ne les livrerai pas non plus aux caprices de la mer. »

Braci et Schloss murmurèrent leur approbation.

« Comment allez-vous arranger tout cela ? » demanda Rothman ?

Après avoir échangé un coup d'œil avec Paul, André parla avec autorité. « Chacun doit décider où il entend cacher sa collection. Vous le direz à Paul et à moi. Nous serons seuls à connaître ce secret que nous ne révélerons à personne. Dans un mois, un homme en Europe et un homme en Amérique connaîtront la situation d'ensemble et chacun d'entre vous ne saura que ce qui le concerne personnellement. » André se tut. Plusieurs membres de l'assistance hochèrent la tête. « A vous de décider. Je ne vois pas de meilleure solution. »

Restés seuls après la réunion, André et Paul fermèrent la galerie et s'en allèrent à pied au long des rues obscures de Paris vers l'hôtel particulier des Rostand. Il faisait un temps délicieusement frais : une agréable nuit de printemps, si l'on pouvait oublier le danger qui pesait sur la ville.

« Tu t'en es bien tiré, dit Paul.

— Ils auraient dû accepter ma proposition, répondit André en secouant la tête. Leurs collections seraient moins en danger sur mer qu'ici, si bien qu'ils puissent les cacher.

— L'expédition est une mesure trop désespérée pour eux. Ils ne conçoivent même pas qu'ils seront vraiment obligés de partir Ils s'accrochent à l'espoir insensé que les nazis les ménageront.

— Alors ce sont des sots. J'ai envoyé Jane et Philip à New York. Ta femme part pour Monte-Carlo. Il suffit d'un rien de bon sens pour savoir que l'heure de la fuite a déjà sonné. »

André qui avait hérité la canne en merisier de son père, la serrait dans son poing en descendant la rue de Rivoli vers la place de la Concorde. « Crois-tu prudent de rester sur place? demanda-t-il à son ami. Peut-être ferais-tu mieux de partir avec Noémie. »

Paul sourit. « Les Allemands ne se soucieront vraisemblablement pas de moi, dit-il. Mais toi, il pourraient t'anéantir. Alors tu fais bien de t'en remettre à moi. »

André roula les yeux en feignant l'exaspération. « Tu t'es toujours occupé de tout, Paul, depuis que je te connais. Rapelle-toi, à l'école, les matches de football. Tu as toujours protégé mon aile quand ma défense flanchait.

— C'est vrai, mais tu jouais plus intelligemment que moi. »

André éclata de rire. Paul s'en tirait toujours avec des gentillesses de ce genre. Ils avaient fait connaissance à l'automne 1926 au lycée Henri-IV. André avait quatorze ans et Paul, seize. Tous deux débutaient dans l'équipe de football de leur école. Vêtu d'un maillot rouge vif et d'une culotte blanche, pour la première partie d'essai, André était arrivé sur le terrain au moment précis où chaque jeune homme choisissait son camp. Il se mêla à ceux qui restaient sur la touche et attendit.

L'un après l'autre, ces garçons furent appelés sur le terrain. André resta seul. Il pensa d'abord qu'il était trop petit, trop jeune et qu'il manquait d'expérience. A un certain moment, il avait entendu un garçon dire quelque chose au sujet du « juif » mais n'avait pas compris qu'il s'agissait de lui.

Néanmoins, les deux équipes constituées, il resta seul sur la touche. Alors il comprit et éprouva une humiliation intolérable. Il enragea de honte et d'indignation. Pour dissimuler sa gêne et sa colère, il concentra son attention sur la motte de terre qu'il avait déterrée à coups de pied.

Personne ne se souciait de lui. Les équipes en place, celui qui jouait le rôle d'arbitre posa le ballon au milieu du terrain. Rouge de honte, André leur tourna le dos et s'éloigna.

Il arrivait à la clôture du terrain quand il entendit appeler son nom. Un grand garçon aux cheveux blonds le rappelait du geste. Il retourna sur le terrain. Le grand blond lui dit, les sourcils froncés mais la voix amène : « Tu es petit mais tu as l'air costaud. Joue à l'aile droite. »

Au cours de la partie, André comprit qu'en réalité on n'avait pas eu besoin de lui cet après-midi-là. Il s'abandonna quand même au jeu et joua bien. Mieux encore, il se lia d'amitié avec le grand blond qui s'appelait Paul Drach.

A partir de ce jour-là, ils devinrent inséparables. Presque à tout point de vue, à commencer par leur physique, ils différaient l'un de l'autre. Cela ne les empêchait pas de s'entendre à merveille. Le contraste était frappant : André, trapu, cheveux et yeux noirs; Paul, grand, svelte, yeux bleus et cheveux blonds. André portait de préférence des vêtements foncés, Paul préférait treillis et flanelles blanches. Introverti et disons même assez crispé, André n'était pas particulièrement sociable. Au contraire, extraverti, Paul s'entendait facilement avec son prochain. On pourrait presque dire qu'il civilisa son jeune ami en l'invitant à des réunions de jeunes gens et lui fit faire connaissance avec des jeunes filles.

Les années s'écoulant, Paul et André devinrent aussi unis que des frères sans avoir jamais échangé un mot au sujet de leur amitié.

« Inutile d'en parler, dit Paul, devinant ce que pensait son ami. M'as-tu jamais vu faire quelque chose contre mon gré ? » André secoua la tête, sourit et tira sa clé de sa poche. Il était arrivé devant chez lui. « Nous nous reverrons demain pour achever de mettre au point nos projets.

— Nous aurons du pain sur la planche. »

Paul hocha la tête, serra la main de son ami et s'éloigna. En entrant chez lui, André ne vit pas dans l'ombre de la porte cochère, juste en face, le garçon qui avait tenu le buffet à la réunion. Cet homme ne resta pas là longtemps. Un instant plus tard, il remonta la rue jusqu'à une cabine téléphonique publique et appela son supérieur immédiat à l'Abwehr.

La pluie tomba de bonne heure le 6 juin. Elle laissa les rues de Paris noires et luisantes. En fin d'après-midi la Daimler d'André Rostand, rideaux tendus devant les vitres des portières et klaxon retentissant, se frayait une voie à travers la cohue des réfugiés s'enfuyant vers le sud. Sur le siège arrière séparé de son chauffeur par une épaisse cloison de verre, il consulta de nouveau sa montre : huit heures quarante-six. Il lui restait exactement quatorze minutes pour prendre le train de Marseille. Il se surprit à gratter l'accoudoir de velours et croisa les bras, agacé par son propre agacement.

Il écarta le rideau de la vitre droite, alluma une cigarette et observa la foule effarée. Depuis que les Allemands avaient réussi leur percée à Sedan, quatre semaines plus tôt, la fuite des Parisiens était passée du ruisseau à la cataracte. On se servait de tout ce qui avait des roues : vieilles bagnoles délabrées, camions, auto-pompes, nuées de bicyclettes, fiacres et même brouettes et landaus. L'imminence de la chute de Paris s'imposait à l'esprit de tout le monde.

La Daimler s'arrêta devant la gare de Lyon, cinq minutes avant le départ du train. André en sortit précipitamment et entra en trombe dans la salle des pas perdus au toit en voûte de fer. Son chauffeur trottait derrière lui en portant les valises.

André alla tout droit au quai n° 4 où le Paris-Lyon-Marseille crachait déjà de la vapeur. Jouant du coude dans la foule, il longea le convoi jusqu'à l'instant où il aperçut Noémie et Paul qui l'attendaient à la portière du wagon de première classe accroché au tender.

Serrant contre sa poitrine un infime teckel nouveau-né, Noémie Drach salua André de la main et se précipita vers lui. « J'ai eu peur de partir seule, dit-elle. Dieu merci te voilà. »

André sourit, ce qui ne lui était pas arrivé depuis des semaines. Voir la femme de son ami le réjouissait toujours. Elle portait un tailleur vert de chez Chanel avec un chemisier de soie beige largement décolleté. Sa peau lisse, luisant de bonne santé, avait la couleur du vieil ivoire. D'un noir d'ébène, ses cheveux lustrés coiffés en deux tresses, couronnaient sa tête. Une abeille en filigrane d'or sertie de diamants brillait au revers de sa veste. Elle ne portait jamais aucun autre bijou.

« C'est le chaos dans les rues, dit André. Je serais arrivé aussi vite à pied... » Ils se précipitèrent vers le wagon où Paul jetait par la fenêtre la dernière valise de Noémie. Jocko Corvo s'en empara et la rangea avec celles qu'il avait alignées sur le filet au-dessus des six sièges vides.

« Tu dois avoir de bonnes relations dans les chemins de fer pour disposer d'un compartiment à toi tout seul, dit Paul en serrant la main d'André.

— Un client bienveillant et influent, répondit André avec un sourire entendu. Evidemment j'ai payé les six places. » Il enjoignit à son chauffeur, resté sur le quai, de porter ses propres bagages dans le compartiment. Puis il tira une enveloppe de sa poche, la remit à Paul. « La liste des dépôts. »

Paul inclina gravement la tête et glissa l'enveloppe dans la poche intérieure de son veston. Ses yeux verts gonflés par les larmes, Noémie leva la tête vers son mari. « J'ai peur, Paul dit-elle. Sois prudent, je t'en prie. »

Paul l'étreignit. « Ne t'en fais pas, dit-il. Je m'en tirerai. Là-bas, André veillera sur toi. »

Jocko qui s'était jusqu'alors tenu à l'écart, s'approcha de Noémie pour prendre congé. Il lui présenta une rose. « Pour vous, Madame, dit-il avec son fort accent corse.

— Jocko ! Comme c'est ravissant. » Le visage de Noémie s'éclaira.

« Elle vient d'un rosier que je cultive moi-même », dit fièrement Jocko.

Pour André cette scène était pénible. Il se demandait comment Paul avait le courage de se séparer de sa femme. Noémie représentait tout ce qu'un homme peut désirer. Pourtant, si curieux que cela puisse paraître, André ne s'était jamais senti à l'aise auprès d'elle. Apparemment insouciante, presque intrépide, elle n'en était pas moins intelligente, habile et prudente, ce qui constituait une combinaison complexe de caractéristiques.

La cloche annonçant le départ du train retentit. Le chef de train et ses aides coururent le long du quai en braillant : « Les voyageurs en voiture ! » Les passagers qui n'avaient pas encore embarqué se hâtèrent de gravir les quelques marches des portières.

André et Paul s'embrassèrent. « Sois prudent, dit André, pas d'héroïsme. D'accord ? » Puis il se tourna vers Jocko : « Autant pour vous.

— Ce n'est pas mon genre, Monsieur », dit Jocko en souriant.

Paul étreignit Noémie pendant quelques secondes. Le petit teckel se débattit entre leurs poitrines puis allongea le cou et lécha le visage de Paul.

« Tu vois, il voudrait rester avec toi... moi aussi », dit Noémie. Les larmes remontèrent à ses yeux. Elle posa le chiot sur les bras de Paul, fit demi-tour et monta dans le train.

André la suivit jusqu'à leur compartiment où ils se penchèrent tous les deux à la fenêtre, au moment où le chef de quai agitait une lanterne verte autorisant le conducteur à démarrer. « Prenez soin de Monsieur », cria Noémie à Jocko.

Le Corse, dont la tête arrivait à peu près à l'épaule de Paul, hocha tristement la tête. Alors le sifflet de la locomotive couvrit toutes les voix. Le convoi tressauta puis sortit lentement de la gare.

André et Noémie restèrent à la fenêtre d'où ils saluèrent deux silhouettes debout côte à côte dans la foule qui grouillait sur le quai. Jocko tenait le teckel dans ses bras avec un sourire malheureux. Paul qui dominait d'une bonne tête le reste de la foule agitait son panama blanc. André ne devait plus jamais le revoir.

Cette nuit-là, pendant que le train roulait vers Marseille, le compartiment était plongé dans une obscurité totale. André ne voyait pas Noémie allongée sur la banquette capitonnée de l'autre côté du compartiment.

Ils s'étaient installés comme dans un nouvel appartement. Noémie avait fait préparer un grand panier de pique-nique contenant des vivres pour trois jours. Le trajet de Paris à Marseille durait normalement onze heures, mais les voies étaient terriblement encombrées et tous les convois se dirigeant vers le front avaient la priorité.

Plus tôt dans la journée, ils avaient entendu des soldats blessés, évacués vers le sud, chanter en chœur *Sombreros et Mantilles, J'attendrai, Il pleut sur la route,* entrecoupés de temps en temps par un couplet de *la Marseillaise.*

A midi, alors que le train était immobilisé sur une voie de garage, ils avaient relevé la table appliquée à la cloison sous la fenêtre. Noémie avait servi un foie gras, du poulet froid, du fromage et une bouteille de bordeaux, premier grand cru. Si de temps à autre les Messerschmidt n'avaient pas vrombi au-dessus d'eux, ils auraient presque oublié la guerre. Le repas terminé, André avait pris dans sa propre valise une bouteille de cognac. Ce précieux alcool avait atténué leurs regrets de quitter Paris.

André lui avait avoué sa passion pour les grands alcools. Il ne tolérait évidemment que les meilleurs. Chaque année, lorsque Christie mettait aux enchères des vins millésimés, l'agent de Rostand International à Londres achetait une douzaine de Napoléon 1811. André savait que cet alcool n'avait rien de commun ni avec Napoléon ni avec l'année 1811. En réalité il avait vieilli en fût depuis 1903 seulement. Mais ni son agent ni lui n'en disaient rien à personne. André en gardait peu pour lui et en cédait la plus grande partie à ses clients : des collectionneurs triés sur le volet, qui se fiaient à lui pour choisir de belles peintures ainsi que du bon cognac. Dans un cas comme dans l'autre, ils savouraient moins la beauté de l'œuvre et le goût de l'alcool que leur provenance.

Noémie l'écoutait avec un sourire ambigu. « Vous réussissez donc dans la vie en exploitant la vanité des gens ? ».

Il se pencha légèrement vers elle en riant. « C'est utile, dit-il. C'est ainsi qu'on survit.

— Et vous survivez particulièrement bien, André.

— Je ne me plains pas », répondit-il en haussant les épaules. Il eut conscience de s'exprimer avec trop de prétention et s'en voulut.

Les heures s'écoulant, André parla beaucoup de lui-même, exprima des choses plutôt intime. Peut-être était-ce dû à la débâcle ou, plus simplement, au fait qu'ils étaient proches l'un de l'autre, à se toucher. Il refusa d'y réfléchir et constata qu'il avait beaucoup parlé de son négoce, de la mort de ses parents, de ses relations avec son fils Philip et surtout de la crainte de perdre sa collection embarquée sur *La Camargue.*

En prenant garde de ne pas réveiller Noémie, André sortit du compartiment pour passer dans le couloir encombré de valises, de sacs et même de corps allongés. A l'extrémité du wagon, il fit coulisser la vitre pour passer la tête à l'extérieur. La fraîcheur lui fit du bien mais le vacarme du convoi l'abasourdit. Il ramena la tête à l'intérieur, alluma une cigarette avec un briquet d'onyx noir et resta là, la tête contre la cloison, pour profiter de l'air frais sans être trop gêné par le bruit.

A la réflexion, il se reprocha d'en avoir trop révélé sur lui-même à Noémie. Certes il aimait être auprès d'elle. Il eut été vain de continuer à se cacher l'évidence : il la désirait et l'avait même toujours désirée depuis qu'il l'avait rencontrée au mariage de Paul.

C'est pour cela qu'il s'était toujours senti mal à l'aise en sa presence, surtout quand Jane etait auprès d'eux. Bien sûr, ils étaient mariés l'un comme l'autre, mais... Il avait connu bien d'autres femmes depuis son mariage. Du fait de sa profession, il appréciait et achetait la beauté. La possession de quoi que ce soit ni de qui que ce soit n'est jamais absolue. Le lien conjugal ? Une simple convention.

Mais Noémie était la femme de Paul Drach, son ami, presque son frère. Jusqu'alors il s'était donc imposé de taire les sentiments qu'il nourrissait envers elle.

André retourna au compartiment et reprit sans bruit sa place sur la banquette. Il observa le paysage sur lequel filait le train, ne reconnut rien à cause du couvre-feu qui s'étendait sur tout le pays. Mais, d'après le temps durant lequel ils avaient effectivement roulé, il estima que Lyon n'était plus qu'à une cinquantaine de kilomètres.

« Tout va bien ? demanda Noémie d'une voix adoucie par un long sommeil.

— Tout à fait bien. Je suis allé fumer une cigarette et j'ai dû vous réveiller à mon retour. Excusez-moi.

— J'avais dormi assez longtemps. » Après un bref silence Noémie reprit : « Quand on parle dans l'ombre, on a l'impression de s'adresser à soi-même. N'est-ce pas étrange ?

— Etrange mais vrai... Sans doute parce qu'on ne suit pas les réactions de son interlocuteur. On se sent donc plus sûr de soi.

— Vous arrive-t-il de parler à Jane dans l'obscurité ? »

André eut l'impression de déceler plus qu'une curiosité banale dans cette question. Il se demanda quelle pouvait être l'expression du visage de Noémie à ce moment-là. « Pourquoi me posez-vous cette question ?

— Parce que depuis notre départ vous n'avez pas prononcé son nom une seule fois. » Silence. « Vous n'êtes pas heureux en ménage n'est-ce pas ?

— Vous êtes très perspicace.

— Pas tellement. Je constate l'évidence. Je vous ai souvent vus ensemble. Vos regards ne se croisent jamais. Vous ne vous touchez pas l'un l'autre. Vous vous traitez réciproquement comme des...

— Des étrangers ? »

Au lieu de répondre Noémie posa une autre question : « Que pensez-vous de Paul et moi ? »

André hésita. Il devinait que Noémie s'apprêtait à lui faire des confidences et n'avait pas envie de les entendre. « Pas grand-chose, dit-il distraitement. Il me semble que vous êtes heureux ensemble.

— Nous le sommes de certaines manières. »

Rostand entendit ces mots mais ne sut comment les interpréter et demanda : « Cet aveu ne serait-il pas une provocation ?

— Très exactement. »

André laissa s'écouler un moment. Le tintamarre du train emplit le vide. Il se surprit à faire appel à ses souvenirs au sujet de la manière dont Paul et Noémie se comportaient ensemble. Rien n'indiquait un différend. Paul ne lui en avait d'ailleurs jamais rien dit. André se demanda si quelque chose lui avait échappé.

Enfin Noémie répondit d'elle-même à cette question. « Vous êtes le plus vieil ami de Paul. A certains points de vues vous le connaissez peut-être mieux que moi. Mais vous êtes un homme et ne pouvez donc pas savoir ce qu'éprouve une femme.

— Est-ce à dire que Paul n'est pas à la hauteur ?

— Non, il ne s'agit pas de ça. » Elle prit le temps de la réflexion. « C'est difficile à expliquer. Je l'aime et il m'aime. Mais il me traite comme une œuvre d'art plutôt que comme une femme. J'ai l'impression d'être un objet précieux accroché au mur, une chose qu'il apprécie par-dessus tout... Mais quand même une chose. Me comprenez-vous ?

— Non, je n'en suis pas sûr.

— Je ne l'espérais pas, dit-elle d'une voix dure. Excusez-moi de vous importuner.

— Vous ne m'importunez pas du tout. Je n'avais jamais imaginé... » André n'en dit pas plus. Ils étaient déjà allés trop loin tous les deux. Alors, faute de mieux, il suggéra : « Nous ferions peut-être bien de dormir.

— Le prix de la vérité vous semble-t-il trop élevé ? demanda-t-elle d'une voix railleuse.

— Elle coûte parfois plus cher qu'un mensonge, souffla-t-il. Bonne nuit. »

Deux semaines passèrent. Entre-temps les Allemands occupèrent Paris. Un armistice fut signé, l'Assemblée nationale vota les pleins pouvoirs à Pétain qui installa son gouvernement à Vichy... André et Noémie tombèrent amoureux l'un de l'autre.

En fin d'après-midi, des points d'or étincelaient sur les stores de l'appartement d'André au Pavillon, l'hôtel le plus chic de la principauté de Monaco. A mi-chemin entre l'état de veille et de sommeil, il s'étira en travers du grand lit à deux places et perçut petit à petit la voix monotone qui montait du jardin de l'hôtel. C'était celle de Radio Vichy publiant les dernières dépêches qui émanaient des bureaux du chef de l'Etat : le maréchal de France Philippe Pétain.

La balance commerciale du pays continue à s'améliorer malgré...

Hier soir, un dîner en l'honneur du Haut Commandement allemand...

On confirme aujourd'hui que les représentants des gouvernements français et allemands se rencontreront...

« C'est symptomatique, grogna André ; la France invite à dîner ses conquérants. » Quoi qu'il en fût, il n'abandonnerait rien aux nazis. Sa collection voguait vers l'Amérique. Il s'était rendu à Marseille pour veiller en personne au chargement, avait ensuite rejoint Noémie à Monte-Carlo et ne tarderait pas à partir pour New York, via Lisbonne.

Il quittait son pays alors que c'était encore possible et comptait se trouver au port d'arrivée quand on y débarquerait ses trésors.

Il s'étira. Le contact de sa peau avec les draps l'apaisa. Il ouvrit les yeux et battit des paupières, ébloui par le soleil qui entrait plus abondamment dans la chambre. Voilà longtemps qu'il ne s'était pas senti en aussi bonne forme.

Il roula sur lui-même, posa les pieds sur le tapis, se leva, s'enveloppa dans une serviette et alla sur le balcon. Il avisa Noémie dans le jardin. Elle buvait une tasse de thé, le regard fixé sur le port, quelque soixante mètres plus bas.

Il la savoura du regard. Le soleil mettait en valeur la ligne de ses cuisses, de ses jambes, le profil adorable de son torse. Ses cheveux tombaient sur ses épaules nues. André eut envie de l'appeler mais s'en abstint. Au cours de la dernière quinzaine ils étaient allés très loin ensemble et avaient tout partagé... sauf le plaisir exaltant du lit. Chacun s'était joué la comédie à soi-même, en feignant d'oublier leur entretien dans l'obscurité du wagon de chemin de fer. Ils savaient pourtant qu'ils se désiraient réciproquement.

André retourna dans la chambre, prit une cigarette dans le paquet posé sur la table de nuit, l'alluma et jouit de la sensation donnée par la fumée qui emplit ses poumons. Il la rejeta et en regarda les volutes monter à travers les rayons du soleil. Il retourna au balcon. Noémie n'était plus au jardin. Sans doute s'habillait-elle pour le dîner pensa-t-il.

Quelques minutes plus tard on frappa légèrement à sa porte. Croyant que la femme de chambre venait faire la couverture, il cria que tout était en ordre dans la pièce. On frappa de nouveau. Il enfila une robe de chambre et ouvrit la porte. Noémie attendait dans le couloir.

« J'ai cru que vous me laisseriez attendre toute la soirée, dit-elle en souriant.

— Quelle idée! » s'exclama André qui écarta le battant de la porte et recula pour lui laisser le passage. Il savait pourquoi elle lui rendait visite mais ignorait encore comment il réagirait. Il s'écarta d'elle, traversa la chambre pour aller écraser sa cigarette dans un cendrier posé sur une commode. « Voulez-vous boire quelque chose? demanda-t-il.

— Non, merci. »

Elle avait revêtu une robe vert clair dont la teinte accentuait la couleur de ses yeux.

« Vous dormiez? demanda-t-elle en regardant le lit défait.

— J'ai dormi jusqu'à ce que la radio braillant dans le jardin me réveille... Ces gens-là pourraient avoir plus de considération...

— Vous ne seriez pas heureux si vous n'aviez pas à vous plaindre. »

Il éclata de rire. « Vous me connaissez trop bien, Noémie.

— Peut-être, dit-elle joyeusement. Et vous, croyez-vous bien me connaître? ajouta-t-elle plus sérieusement.

— Parfois j'en ai l'impression. A d'autres moments... » Il n'en dit pas plus et haussa les épaules.

Noémie resta silencieuse un instant. L'inquiétude apparut sur son visage et elle dit tristement : « Je regrette que vous deviez partir. »

C'est insensé, pensa André furieux, pas contre elle mais contre lui-même. « Vous avez des nouvelles de Paul ? demanda-t-il, presque malgré lui.

— Aucune.

— C'est mauvais signe. J'attendais un mot de lui, qui aurait dû me parvenir maintenant.

— S'il avait des ennuis, Jocko saurait nous prévenir.

— Evidemment, dit André en souriant. Quelque chose d'autre vous inquiète ?

— Rien du tout. Je n'ai jamais été aussi heureuse.

— Vous paraissez pourtant anxieuse.

— La raison n'est-elle pas évidente ? » répliqua-t-elle. La couleur revint à ses joues.

La franchise de sa déclaration bouleversa André qui resta muet. « Voulez-vous que je m'en aille ? »

André se dirigea vers elle. « Non, je crois... Je sais que vous devez rester... »

Il la prit par la main et la conduisit au bord du lit. Lentement mais avec assurance, il déboutonna sa robe. Quand elle tomba de ses épaules, le regard d'André descendit du visage à la poitrine et à toute la ligne du corps. Elle saisit le cordon de la robe de chambre et le tira. Il s'en débarrassa.

Ils se trouvèrent face à face et s'admirèrent réciproquement en laissant la passion monter en eux. Ils sourirent et furent à cet instant plus proches qu'ils ne l'avaient jamais été : comme deux enfants qui se déshabillent ensemble pour la première fois sous une tente de plage.

André la poussa. Elle tomba à la renverse sur le lit. « Tu es admirable, dit-il.

— J'ai peur.

— Tu as tort. »

Elle l'attira sur elle, entrouvrit les lèvres et se détendit en l'embrassant. Il lui caressa les cuisses du bout des doigts en se retenant avec peine. Enfin elle releva les cuisses pour s'offrir. Il la pénétra et leurs rythmes s'accordèrent.

Elle se débattit. Percevant sa panique, André l'étreignit plus fermement et chuchota quelques mots rassurants. De nouveau la passion les emporta dans un tourbillon. Elle accompagna le rythme d'André en frottant ses seins contre la poitrine de l'homme. « Non, non ! s'écria-t-elle. Assez ! » Elle lui saisit les bras et s'efforça de le repousser. Mais la partie était engagée et il n'allait pas l'abandonner.

Il glissa ses mains sous le dos de Noémie et les fit descendre jusqu'aux reins. Un flux d'énergie plus intense passa entre eux. Il perdit la tête. Tout tourna. Le plaisir croissait. Chacun nourrissait l'autre de son bonheur. Puis il sentit un spasme à son bas ventre. Elle gémit : « Donne... donne-moi tout. »

Il se précipita plus furieusement en elle en lui pétrissant les fesses. Elle se démena avec plus de violence, en lui caressant les cheveux sur la nuque. Tout le poids d'André s'appesantit sur elle. Il fit éruption et l'emplit de la semence qui jaillit de lui. Puis revint le paroxysme.

Quand ce fut fini, elle le regarda en souriant, les jambes encore écartées et les cuisses relevées, à tel point que ses genoux lui frôlaient les seins. Il s'était écarté d'elle et s'endormait en souriant.

Une heure plus tard, André s'éveilla, s'arracha aux bras de Noémie, prit une douche et enfila un smoking pour la soirée. Il épingla à l'oreiller un billet indiquant qu'il reviendrait la chercher pour dîner. Avant de sortir, il la regarda longuement. Dans le sommeil son visage n'exprimait que la paix. Sous les draps, son corps avait une forme exquise. Il quitta la chambre, referma la porte sans bruit.

Il était sept heures quand André descendit l'escalier en spirale pour aller à la principale salle de jeux, appelée La Cuisine. Il y avait déjà foule. On y sentait une odeur de bons cigares et de parfums trop lourds.

Quelques mois auparavant, pour accroître ses revenus, la Société des bains de mer avait supprimé le zéro de la roulette pendant une demi-heure chaque soir. Comme il était facile de le prévoir La Cuisine était bondée à ce moment-là. La suppression du zéro appâtait les joueurs.

En s'enfonçant dans la foule, André constata, amusé, que bon nombre d'Allemands et d'Italiens, visiblement des militaires, jouaient en vêtements civils. Ils auraient pu menacer d'occuper Monaco et d'emprisonner le prince mais leur audace n'allait pas jusqu'à enfreindre le règlement du casino qui interdisait les uniformes. Au passage, il commanda un verre de champagne à un garçon et se rendit à la caisse pour acheter cent mille francs de plaques.

Il lui fallut un moment pour trouver une place libre à la roulette, à côté d'un maharajah au visage lunaire qui répartissait quinze plaques vertes sur le tapis de velours. Chacune représentait vingt mille francs.

La boule d'argent roula autour de la roue en acajou dont la surface concave réfléchissait la lumière du lustre. La bille ralentit, sauta plus lentement d'un nombre à l'autre. André se rappela que dix ans auparavant son père avait acheté un petit Cézanne pour moins d'argent que l'Hindou n'en jouait sur un seul tour de boule. L'idée que cet homme pouvait en perdre beaucoup plus dans une soirée et infiniment plus en une semaine l'irrita. Il était riche lui-même. Depuis sa petite enfance, il avait vu des hommes très fortunés, opulents et puissants que son père amenait à la galerie. Mais dilapider ainsi une fortune ? Quelle stupidité !

Rostand misa une plaque de mille francs sur le rouge. Impassible, l'Hindou rassembla toutes les plaques qu'il avait dispersées pour les poser sur le noir. La boule tourbillonna follement.

« Trois... Rouge... » chantonna le croupier.

Rostand sourit. « Heureux présage », pensa-t-il. L'Hindou fronça les sourcils.

Pendant plus d'une heure Rostand continua à miser des petites sommes et à gagner, cependant que le maharajah lui opposait des masses de plaques et perdait. Certes, tous deux jouaient contre le casino, pourtant ils avaient l'impression de rivaliser. André se laissait emporter par le jeu quand un garçon lui présenta une enveloppe sur un plateau d'argent.

Il crut que Noémie lui envoyait un message. A peine eut-il ouvert le pli qu'il fut surpris d'y trouver une coupure de journal. Imprimé en italien l'entrefilet d'un seul paragraphe était daté de deux jours plus tôt. Il annonçait que le cargo français, *La Camargue* avait été arraisonné par une canonnière de la marine italienne, à proximité des Baléares et conduit à Civitavecchia où l'on vérifiait la nature de sa cargaison. Le gouvernement français avait interrogé les autorités italiennes à ce sujet. Ces dernières « prêtaient une attention sérieuse à la démarche » et décideraient ultérieurement du sort de *La Camargue*.

Rostand fut médusé. Sous les yeux du valet et du maharajah, il rougit puis blêmit.

« Tout va bien, mon vieil ami ? » demanda l'Hindou d'une voix rauque où tintait l'accent d'Oxford. Considérant le visage lunaire, Rostand s'étonna d'y lire un sentiment d'inquiétude.

« Oui, merci. Tout va bien.

— Alors, nous continuons ? »

Rostand remarqua que la roulette était restée immobile parce que l'Hindou avait cessé de jouer en même temps que lui.

« Je vous porte chance, dit ce dernier.

— Excusez-moi, répondit Rostand en secouant la tête. Je suis fatigué.

— Alors, ce sera pour une autre fois?

— Certainement. » André se leva et demanda au valet d'où venait l'enveloppe. En guise de réponse le jeune homme indiqua d'un geste discret un individu aux cheveux blonds et ras, assis seul à une table près des portes-fenêtres donnant sur la terrasse.

« Merci », dit André en glissant dans la main du valet une plaque de cinq francs.

Il alla vers la table proche des portes. L'inconnu se leva et s'inclina légèrement. « Hans Montag, dit-il. *Bitte.* Asseyez-vous, Monsieur Rostand. Je devine ce que vous éprouvez. »

André s'exécuta.

« Je me suis permis de commander un cognac à votre intention », reprit Montag en poussant un ballon devant son interlocuteur.

André prit le verre et en huma le bouquet fruité. « Merci », dit-il.

La seule odeur de l'alcool lui éclaircit les idées et il distingua enfin les traits de ce Montag : yeux bleu clair, visage rond, enlaidi par un nævus sur la joue droite.

« Une tragédie personnelle », dit Montag.

Pendant un instant André ne comprit pas. Cet homme parlait-il de son nævus ou de *La Camargue ?* A tout hasard il répondit sottement : « Oui.

— Inutile pourtant de me remercier pour ce renseignement. Vous voyez... » Montag marqua un temps d'arrêt. Il frotta la tache violette du bout des doigts et reprit : « Vous voyez, c'est moi qui ai fait arraisonner le cargo. »

Le verre de cognac resta en suspens devant les lèvres d'André.

« J'en suis personnellement responsable », insista Montag.

André ne répondit pas. Il porta le ballon à ses lèvres, le vida lentement à petites gorgées et le posa sur la nappe d'une blancheur immaculée. De l'autre côté de la salle, la roulette tourbillonnait en cliquetant.

Du temps, il me faut du temps, pensa André. Il lui fallait en effet le temps de comprendre ce qu'il lui arrivait et de réfléchir... Il devinait que l'Allemand ne serait pas venu à Monte-Carlo s'il n'y avait intérêt. Que désirait-il ? Triompher ? Non. Quoi que ce fût, sa seule présence offrait probablement la possibilité de recouvrer le trésor... A n'importe quel prix. Il se rappela un conseil que son père lui avait souvent répété : ne négocie jamais qu'en position de force ; même si tu es faible, fais semblant d'être fort. Ça intimide.

« Que voulez-vous ? demanda-t-il enfin.

— Comment ? Vos tableaux sont à ma disposition. Que pourrai-je vouloir ? »

André soupira, poussa le verre vide au milieu de la table, se leva et laissa tomber une plaque bleue sur la nappe. « Alors réjouissez-vous, dit-il en s'en allant.

— Herr Rostand ! s'écria Montag en se levant d'un bond. Herr Rostand, je vous en prie. »

Le négociant en objets d'art pivota sur lui-même. « Nous sommes dans un pays où l'on parle français, monsieur Montag.

Stupéfait à son tour, l'Allemand parcourut la salle du regard. Quelques Anglais le regardaient sans cacher leur animosité.

« Pourrions-nous aller sur la terrasse ? » demanda le nazi servilement.

André hésita un moment puis franchit le seuil de la porte ouvrant sur un balcon d'où l'on dominait la Méditerranée. Les étoiles scintillaient dans le ciel noir. Du côté de l'orient une forêt brûlait sur la crête d'une montagne, traçant une ligne rouge sur l'horizon. André se pencha sur la balustrade. Un vent d'une chaleur suffocante lui chauffa le visage. C'était le sirocco.

« Je vous ai demandé ce que vous voulez », dit-il sans se tourner vers son interlocuteur.

Bien qu'exaspéré en voyant ce juif maître de la situation, l'Allemand parla du ton raisonnable d'un homme d'affaires. « Je suis ici en qualité de représentant du Reichsmarschall Hermann Göring », dit-il. Ne voyant pas le visage d'André, il se demanda quelle impression lui faisait cette phrase. « Pour répondre à votre question, je vous dirai simplement que nous aimerions traiter avec vous. »

André se retourna pour le regarder : « *Nous ?*

— Le Reichsmarschall et moi désirons négocier. Il ne veut pas de vos tableaux.

— Bon. Rendez-les moi.

— Nous voulons faire une affaire, Herr Rostand. Nous ne sommes pas des philanthropes. Vous savez, j'espère, que notre Führer entend faire construire un musée sans pareil près de Linz, sa ville natale. Il sera plus vaste que le Louvre, plus somptueux que le Prado. Ce sera le monument de notre ère.

— Le monument du Führer, rectifia André.

— Notre Führer est l'homme de son temps, Herr Rostand », dit Montag plein d'assurance. Puis il esquissa un léger sourire. « Mais il s'agit là de politique et nous devons parler d'affaires. Le Reichsmarschall s'intéresse aussi à l'art. C'est même une de ses passions. Evidemment, il doit tenir compte des ambitions personnelles du Führer. Nous avons là une situation délicate. En tout cas, mon patron est à même d'acquérir de temps en temps quelques œuvres d'art importantes.

— Par cargo entier ? »

Montag se raidit malgré lui. « Oui, c'est exact. Cela me ramène au nœud du problème. Si vous pouviez nous aider... m'aider à trouver... quelques collections... oui, avant que Rosenberg ne mette la main dessus...

— Rosenberg ?

— Le Reichsleiter Rosenberg est l'homme de confiance du Führer dans ce domaine. Comme vous le comprenez, j'espère, une certaine rivalité existe entre le Führer et le Reichsmarschall.

— Et vous êtes le Rosenberg de Göring.

— Assez bien exprimé.

— Vous avez parlé de quelques collections...

— Oui, je pense à celles de certains Parisiens. » Montag continua précipitamment : « De vieux maîtres dans la mesure du possible, mais des œuvres de l'art décadent aussi : impressionnistes, post-impressionnistes. Ils ont une valeur marchande qui permet d'acquérir des devises étrangères.

— Vous parlez de collections appartenant à des juifs

— Oui.

— Vous savez que je suis juif ?

— Oui

— Je vois. » Rostand se tourna vers le feu qui dévorait au loin une forêt sur la crête d'une colline. Après un long silence, il reprit, la gorge serrée. « Vous avez parlé d'art décadent ?

— En effet, dit Montag d'un ton de conspirateur. Vous me comprenez ?

— Je ne suis pas idiot, monsieur Montag. Je sais ce que vous considérez comme la décadence de l'art. J'ai assisté à la vente organisée par Rosenberg, il y a deux ans, à Zurich. J'y ai acheté un Picasso et un Lautrec pour presque rien. J'étais aussi à Stuttgart quand les membres de votre parti ont livré aux flammes sur la place publique des tableaux d'impressionnistes. Je sais ce qui vous plaît, croyez-moi.

— J'espérais que nous pourrions parler en hommes raisonnables et que vous ne vous mettriez pas en colère.

— Je ne suis pas en colère.

— Mais ma proposition ne vous intéresse pas ? »

Rostand ne put s'empêcher de rire. « Vous êtes bien circonspect, Herr Montag. La conscience de votre culpabilité vous égare. Vous ne m'avez pas fait de proposition. »

Exaspéré par l'ironie du juif, Montag parla d'un ton glacial. « Nous libérerons votre collection...

— Le bateau ?

— Nous relâcherons le cargo si vous nous aidez. Nous voulons savoir où sont cachées ces collections juives. » Montag tira un feuillet de sa poche et lut les noms à voix basse : « Schloss, Salomon... Arnhold... Braun... Levi... Bacri Frères... Stendhal.

— Je ne sais absolument pas où sont les tableaux de Salomon.

— La Société du Groupe Parisien.

— Aucune idée.

— Kalmann. Georges Persiloff.

— Je crois que Kalmann et Persiloff ont évacué leurs tableaux et j'ignore dans quel pays ils se trouvent.

— Mais les autres ? demanda Montag.

— Je sais où sont certaines d'entre elles.

— J'en ai une longue liste.

— Je m'en aperçois.

— Réfléchissez, monsieur Rostand. De toute façon ces œuvres d'art seront saisies, que vous nous aidiez ou non. Mais vous pouvez me faciliter les choses. Peu vous importe que ce soit le Reichsmarschall ou Rosenberg qui s'en empare le premier. Vous, vous êtes en sécurité. Vous partez pour l'étranger. Alors pourquoi favoriser Hitler ou Göring.

— Je ne fais aucune différence entre eux, en effet.

— Alors nous pouvons nous entendre, n'est-ce pas ? Il vous suffit de m'indiquer où sont cachées les collections.

— Vous me proposez de trahir en quelque sorte, dit André avec une moue de dégoût.

— Le mot trahison sonne mal, Herr Rostand. Parlons plutôt d'un arrangement.

— Monsieur Montag, tel que je suis, à cet instant, devant vous, je suis ruiné et je pars en exil. Dans de telles circonstances l'euphémisme est un luxe que je ne peux pas me permettre. Il importe donc de parler clairement. Si nous ne parvenons pas à nous mettre d'accord d'une manière qui nous profite à l'un et à l'autre, ni l'un ni l'autre n'obtiendra rien. J'aurai perdu ma collection et vous raterez sans doute votre avancement. » Montag ricana mais Rostand poursuivit, de plus en plus en colère : « Vous n'espérez pas que je vais trahir les miens dans l'espoir qu'un nazi respectera l'accord qu'il passerait avec un juif ? Qu'est-ce qui vous empêcherait d'arraisonner *La Camargue* une seconde fois ?

— Ma parole d'officier SS.

— Il me faut mieux que ça. »

Montag resta silencieux.

« Vous avez parlé d'art décadent, reprit Rostand. Comment vendrez-vous de telles œuvres ? Par l'intermédiaire de quels négociants, de quelles galeries ? »

Cette question rendit l'Allemand perplexe. Après y avoir réfléchi un instant il répondit : « Nous n'avons encore rien décidé à ce sujet. D'ailleurs les confiscations ne sont pas encore effectuées.

— Consentiriez-vous à passer par l'intermédiaire de Rostand et Fils ? A tarif convenu évidemment. Il vous reviendrait trente centimes du franc, pas plus. Quant au bénéfice net, nous le partagerions entre nous deux. Cela vous rapporterait à peu près cinq pour cent sur le prix de chaque tableau.

— C'est tentant... Mais hélas ! impossible. Il faudrait aryaniser votre galerie. Or, par un décret de 1939, le Führer interdit expressément une telle opération.

— Ça, c'est une affaire allemande. D'une manière ou d'une autre, Göring peut accorder une exemption à ce décret, surtout en France. »

Montag réfléchit les lèvres pincées. « Peut-être pourrai-je persuader le Reichsmarschall d'accorder une exemption, à condition que tout le reste se passe comme convenu. Il faudrait simplement confier la galerie à un propriétaire fictif. On remplacerait des juifs compétents par un directeur et des vendeurs agréés. »

André scruta le visage de Montag. « Comme c'est commode, dit-il amèrement. Bon, je ne suis pas libre. Si je ne cède pas, je perds tout. Enfin, si Rostand et Fils fournissent un débouché aux tableaux dont vous ne voulez pas, vous aurez une raison de me rendre ceux que je veux conserver. »

Montag sourit. « Ainsi chacun s'assure son bénéfice, n'est-ce pas, Herr Rostand ?

— Tout juste. Restent deux points à régler. Avez-vous accès à un compte dans une banque suisse ?

— Je peux arranger ça.

— Bien. Il vous en faudra un. Deuxièmement, chaque tableau présenté à Rostand et Fils devra être couvert par des documents indiscutables. Leur provenance ne doit susciter aucun soupçon. Absolument aucun! »

Montag parut stupéfait.

Rostand lui demanda : « Qu'est-ce qui vous étonne ?... Etes-vous tellement certain de l'issue de la guerre que vous ne vous souciiez pas de ce qui se produira par la suite ? Qu'est-ce que vous espérez donc faire ?... Dépouiller les juifs et me remettre leurs trésors ? Il me faudra des factures certifiées par des témoins. Je ne me contenterai pas des témoignages d'agents de la Gestapo. Vous trouverez d'ailleurs sans difficulté des témoins de bon aloi. Les ambitieux prêts à toutes les compromissions pullulent à Paris.

— Mais si... Après la guerre...

— Les propriétaires affirment qu'ils ont été forcés de vendre? » Rostand haussa les épaules. « Si les papiers sont en ordre, nous n'aurons pas de difficulté.

— Vous avez raison. Je pourrai me débrouiller de tout ça. » Montag se laissait emporter par l'enthousiasme : ce juif était formidable ; aucun doute.

« Comme je l'ai dit, cet accord vaut pour nous deux seulement, reprit André. Quant à Göring, Rosenberg et les autres, je ne veux pas m'en soucier, sauf dans la mesure où ils doivent nous fournir les moyens d'exécuter notre projet commun. Maintenant, quand je quitterai mon pays, je ne veux plus vous revoir. Jamais. Vous me ferez parvenir à New York le numéro de votre compte en Suisse. Nous ne communiquerons, si nécessaire, que par l'intermédiaire de votre banque. Compris ? »

Montag hocha la tête. André poursuivit : « J'espère que vous pouvez assurer la traversée de *La Camargue.*

— Evidemment. Dès que vous m'aurez indiqué où sont cachées les collections des juifs parisiens, le Reischsmarschall me conférera toute l'autorité nécessaire.

— Subsiste une difficulté, dit Rostand. Quand vous saisirez les collections des juifs parisiens, le Reichsmarschall me conférera toute puisse me le reprocher. Rares sont ceux qui connaissent ces secrets.

Montag sourit. « Paul Drach ? »

André s'efforça de rester impassible mais comprit que Montag était déjà au courant.

« Pouvez-vous me garantir que personne ne souffrira dans cette affaire ? demanda Rostand.

— Je ne m'intéresse qu'à l'art, et à rien d'autre! dit Montag en feignant d'être offensé. Je vous donne ma parole d'officier SS qu'il n'arrivera rien de fâcheux à personne. »

Ils se turent. Chacun réfléchit à l'accord qu'ils venaient de conclure. André assurait son avenir et celui de sa famille. Il n'allait pas repartir de zéro, réfugié sans le sou, dans les ruisseaux d'un pays lointain.

Quant à Montag il prévoyait la jubilation de Göring. L'accord profitait au Reichsmarschall et il apparaissait clairement que le juif était avant tout un homme d'affaires.

Cependant que Montag se réjouissait ainsi, Rostand écrivait. Enfin, il remit à l'Allemand trois feuillets arrachés à son calepin. « Voici les cachettes », dit-il.

Montag hocha joyeusement la tête. « Je savais que nous pourrions nous entendre. Votre cargo reprendra la mer dès demain matin. »

Les deux interlocuteurs se considérèrent réciproquement pendant un long moment. Chacun se demandait s'il y avait quelque chose à ajouter. Enfin, André haussa les épaules, dit « adieu » et s'en alla.

En quittant la terrasse sans regarder derrière lui, le négociant en objets d'art traversa La Cuisine pour gagner le vestibule de l'hôtel. Il gravit le somptueux escalier lentement, car il se sentait las. En s'appuyant à la rampe d'acajou poli, il se demanda quand on peut considérer la faiblesse comme une force et la force comme une faiblesse. Après tout, chacun fait ce qu'il doit faire. André suivit le long couloir conduisant à son appartement. Il s'arrêta devant un miroir proche de sa porte, s'y regarda et passa la main dans ses cheveux que le vent du large avait ébouriffés sur la terrasse. Puis il entra.

Drapée dans une serviette de bain, Noémie alla à sa rencontre. « Comment t'en es-tu tiré ? demanda-t-elle en souriant.

— J'ai tout perdu », dit-il d'une voix grave.

Le visage de Noémie exprima l'inquiétude.

« Mais j'ai tout regagné, reprit-il et même largement plus.

— Tu as de la chance, je l'ai toujours su », répondit-elle en laissant la serviette tomber sur le tapis.

CINQUIÈME PARTIE

1979

1

Pour son petit déjeuner, Alex prit un pamplemousse et du café noir. Puis il lut à loisir l'*International Herald Tribune,* en attendant onze heures pour téléphoner au ministère de l'Intérieur. Quand il eut la communication, ni George Deakin ni Jenner n'étaient là, mais on lui fit part d'un message de Deakin qui lui demandait de le rejoindre chez Jenner aux Exeter Mansions.

Drach comprit aussitôt qu'il s'était passé quelque chose de grave. Son rendez-vous avec Jenner était une affaire strictement personnelle qui ne concernait en rien Deakin et encore moins le ministère de l'Intérieur. En outre, Alex se demandait depuis le début comment Jenner avait appris que le Watteau appartenait jadis à la célèbre collection Drach.

Les Exeter Mansions n'étaient qu'à un quart d'heure à pied de l'hôtel Brown. Drach arriva à l'appartement de Jenner en dix minutes. Dès qu'il s'approcha du bâtiment de cinq étages, il remarqua un car de police et une ambulance, garés devant l'entrée. Fort inquiet, il s'adressa au portier qui bavardait avec un agent de police entre deux âges. Ce dernier prit immédiatement la parole. « Pourriez-vous m'indiquer votre nom, s'il vous plaît ? » demanda-t-il.

Dès cet instant, Alex comprit qu'il ne verrait jamais Jenner vivant. « Drach, répondit-il.

— Nous vous attendions. Monsieur Deakin est en haut. » L'agent conduisit Alex jusqu'à l'appartement de Jenner au deuxième étage.

Deakin se trouvait au salon avec plusieurs hommes de Scotland Yard. « Ah ! bienvenue Monsieur Drach », s'exclama Deakin. Puis il s'adressa au détective le plus âgé. « Voici l'homme dont je vous parlais. »

L'inspecteur de police scruta le visage d'Alex. « Je me présente : Inspecteur chef Christopher Stokes. Je voudrais vous poser quelques questions. »

Ce Stokes était un homme de petite taille, fluet, au teint gris, aux cheveux roussâtres, clairsemés et aux traits fins. Alex estima qu'il était jeune pour son grade. Mais, en observant mieux, il le vit plus âgé qu'il ne le paraissait. La ligne fine de ses sourcils et ses cils clairs lui donnaient un air de jeunesse, celui des hommes qui peuvent ne se raser que tous les deux jours. « Vous êtes, hélas ! en retard pour votre rendez-vous avec monsieur Jenner », dit l'inspecteur qui désigna d'un hochement de tête un long sac de toile noire sur une civière d'ambulance.

Alex resta pétrifié un instant puis demanda à Deakin : « Que s'est-il passé ? »

Ce fut Stokes qui répondit : « Nous espérions que vous pourriez nous le dire. Quelles étaient vos relations avec monsieur Jenner ?

— Deakin est au courant, répondit sèchement Alex. Il ne vous l'a pas dit ? »

Stokes tira un calepin de sa poche. « J'aimerais l'entendre de votre propre voix. »

Alex rapporta la conversation téléphonique qu'il avait eue avec Hugh Jenner et expliqua qu'il était venu à Londres pour voir un tableau de Watteau, *Le Joueur de luth,* autrefois propriété de son père.

« Voyez-vous ce tableau, ici ? » demanda Stokes.

Alex parcourut le salon du regard. Il s'arrêta un instant sur un tableau représentant une main humaine écrasée par une chaussure. « Non, il n'est pas là, dit-il en désignant du doigt un cadre vide.

— Il était ici la semaine dernière, dit Deakin.

— Nous avons alerté les douanes et la brigade des arts à Scotland Yard, dit Stokes. Elle possède une description du Watteau. Nous le retrouverons...

— ... S'il n'a pas déjà quitté l'Angleterre », dit Drach sans laisser Stokes terminer sa phrase. Il regarda le sac sur la civière. « Mort naturelle ? demanda-t-il.

— Suicide », répondit Stokes en notant quelque chose sur son calepin. Puis, comme s'il lui venait soudain une idée, il regarda fixement Drach et ajouta : « Ou bien mise en scène pour faire croire au suicide.

— Comment cela se présentait-il ? demanda Alex en examinant une trompe d'ivoire qui pointait de la cheminée.

— Qu'est-ce que ça peut faire ? demanda Stokes.

— Ça ne concerne plus que Jenner, évidemment », dit Alex en haussant les épaules.

Stokes consulta son calepin et dit : « Un travail bien fait. Jenner a su s'y prendre. Il a tranché la base des deux pouces avec un rasoir. » L'inspecteur chef releva la tête et ajouta : « J'ai vu bien des suicides ratés parce que les pauvres nigauds se coupent les veines sous le poignet. Ça ne marche pas. Ils n'atteignent pas d'artère à gros débit. »

Stokes ne pouvait être un sot. Alex se demanda s'il croyait vraiment au suicide. « Qui l'a découvert ? » demanda-t-il.

Deakin interrogea du regard Stokes qui lui dit : « Allez-y. Nous avons interrogé le service d'immigration ce matin. Drach n'était pas en Angleterre à ce moment-là. »

Deakin soupira. « Quand Jenner ne s'est pas présenté ce matin, au ministère, je l'ai appelé au téléphone, dit-il. Le vieux gars n'a pas répondu. Alors je me suis adressé à Stokes. »

Un détective entra dans la pièce et demanda : « Qu'est-ce que je fais des dents, patron ? »

Stokes traversa la pièce et examina le verre contenant les dentiers de Jenner. « Le coroner tiendra à les voir », dit-il.

Deakin secoua la tête. « C'est bizarre, dit-il. Hugh se souciait tellement de son apparence. Je m'étonne qu'il ait pris congé sans ses dents. »

« Entrez et asseyez-vous ! » dit Mme Ford.

C'était une grosse femme aux chairs molles, dans les cinquante-cinq ans, assise sur un divan, les jambes croisées, un coude à fossettes appuyé sur le dosseret. Elle portait une jupe courte ; on voyait ses jambes nues et grasses au-dessus de ses chaussettes blanches et ses souliers bas. Sa chevelure orangée s'harmonisait avec la couleur du fard qui couvrait largement sa bouche.

Alex Drach et George Deakin tirèrent chacun une chaise devant la cheminée de style victorien où un feu de charbon rougeoyait sur une grille. Un lustre éclairait à peine la pièce. Une demi-douzaine de tableaux étaient accrochés aux murs tout autour de la pièce. Au-dessus de chacun, un abat-jour d'acier rabattait la lumière d'une ampoule oblongue.

« Je suis tout à fait désolé d'apprendre l'attaque qu'a eue votre mari, dit Alex d'un ton sincère. Je tenais beaucoup à lui parler d'un tableau qu'il a vendu à un de nos amis. »

Les yeux verts, exagérément fardés, de Mme Ford prirent une expression d'égarement. « Ça ne pouvait arriver à un pire moment.

— Est-ce très grave ? demanda Deakin.

— On ne peut imaginer pire. Il est réduit à un état végétal et notre commerce commençait justement à démarrer. » Elle tira une cigarette d'un paquet de Woodbines et l'introduisit dans un mince porte-cigarettes. Elle aspira profondément la fumée en considérant Alex. « Ce qui me fait le plus de mal, dit-elle c'est qu'il a vendu ce tableau trop bon marché. Il ne savait même pas que c'était un Watteau. Il le prenait pour l'œuvre d'un de ses disciples : Lancret.

— Pouvez-vous nous dire comment il se l'est procuré ? demanda Alex.

— Ça aussi, c'est incroyable, gémit Mme Ford. Un petit Italien, un gamin des rues, nous l'a offert pour quelques shillings seulement. Il parlait à peine anglais. Mon vieil idiot n'a même pas pris la peine de faire nettoyer le tableau. »

Alex la regarda plus intensément et lui demanda : « Ce Watteau, était-il en mauvais état ?

— Jauni mais sans aucune craquelure.

— Le gamin vous l'a-t-il apporté dans un cadre ?

— Non, la toile était simplement tendue sur un châssis », répondit Mme Ford. Elle plissa les paupières et ajouta : « Pourquoi me posez-vous toutes ces questions ? »

Alex hésita puis répondit : « Ce tableau a été volé. » Il se tourna vers Deakin et lui demanda : « Vous n'avez rien d'autre à dire ? »

L'Anglais secoua la tête. Tous deux se levèrent. Puis Alex parut se reprendre et dit : « Je me demande si je pourrais voir votre mari, rien qu'un instant ?

— Appelez-moi Carotte ! » dit Mme Ford. Puis elle s'excusa en un sourire et expliqua : « C'est mon surnom, à cause de mes cheveux. »

Drach parut stupéfait mais insista : « Alors, pourrions-nous le voir, Carotte ?

— Bien sûr, mon amour. Mais ça ne servira pas à grand-chose. Il ne peut plus parler et je crois qu'il ne comprend pas ce qui se passe autour de lui. Il a tout du zombie. »

Alex et George Deakin suivirent Carotte. Elle ouvrit une porte à l'extrémité de la pièce. Ils pénétrèrent dans une chambre plongée dans l'obscurité. Il y régnait une lourde odeur de moisissure, de sueur, de linge sale. Carotte appuya sur un bouton électrique. Une ampoule jaunâtre s'alluma au plafond, répandant une faible lumière. « Le voilà », dit-elle en montrant un petit bonhomme cadavéreux, mal peigné, qui se balançait sur une chaise à bascule. Il ne leva pas la tête. Rien n'indiqua s'il se rendait compte de leur présence. Son regard était fixé droit devant lui, morne, sans expression.

Il fallut un instant à Alex pour se remettre de son émotion. Puis il fit deux pas vers cette créature pathétique, se pencha et la regarda droit dans les yeux. « Monsieur Ford », dit-il à pleine voix. Aucune réaction.

« Mon Dieu c'est épouvantable », s'exclama Deakin quand ils eurent fait quelques pas après avoir quitté la galerie de Motcomb Street. « Deux en un seul jour ! J'ai besoin de boire un coup.

— J'aimerais mieux être mort que dans cet état », dit Alex.

Deakin frémit. « Horrible », souffla-t-il.

Ils s'en allèrent à pied sous un soleil brillant, vers Belgrave Square. Les mains unies derrière le dos, la tête penchée en avant sous son chapeau melon, Deakin méditait sans rien dire. Tête nue, les mains dans les poches de son trench-coat doublé de laine, Alex réfléchissait aussi. Au bout d'un moment il demanda : « Quel genre d'homme était ce Jenner ? Parlez-moi de lui. »

Deakin laissa échapper un petit ricanement et secoua la tête. « Il vivait dans le passé. Il a vécu les moments les plus passionnants de sa vie pendant la guerre. Il dirigeait une équipe d'enquêteurs alliés, chargés d'étudier le pillage des objets d'art dans les pays occupés par les Allemands.

— Comment a-t-il pu savoir que le Watteau avait appartenu à mon père ?

— Je ne sais pas au juste, mais il avait une mémoire visuelle phénoménale. Sans doute a-t-il remarqué le tableau dans la vitrine de la galerie Ford et l'a immédiatement identifié comme le Watteau des Drach.

— Je vois, dit Alex. A-t-il jamais parlé d'un individu appelé Montag ?

— Pas que je sache. »

Ils avaient presque atteint Belgrave Square. Alex traversa la rue pour aborder un vieillard au long manteau souillé de taches, qui vendait des fleurs entassées dans une brouette. Il choisit une douzaine de roses blanches, les paya, rejoignit Deakin et lui dit : « Excusez-moi d'abuser mais je dois prendre l'avion. Peut-être pourriez-vous faire remettre ce bouquet à Madame Ford. »

2

Le vol 703 de la TWA en provenance de Londres passa au-dessus du Yankee Stadium, perdit brutalement de l'altitude et décrivit un cercle pour aborder l'aéroport Kennedy dans la direction sud-nord. La brusque perte d'altitude souleva désagréablement l'estomac d'Alex. Son visage refléta ce malaise. Il remarqua qu'une hôtesse, blonde, debout à deux rangs de lui, paraissait s'amuser de sa mine. Il esquissa un mince sourire, joua les blasés puis haussa les épaules, gêné, et regarda dans une autre direction.

En parcourant du regard l'intérieur du 747, il se sentit las. Voilà six heures qu'il était en l'air. Il avait poliment refusé le repas peu appétissant qu'une jeune femme lui avait offert. Après avoir vainement cherché à s'endormir, il avait regardé, sans y prêter intérêt, un film aussi peu attrayant. Enfin, il avait feuilleté des revues tout aussi déprimantes.

En partant pour Paris, il avait eu l'impression de s'en aller en vacances. Bigre ! drôles de vacances ! Il n'avait pas encore assimilé le choc des deux dernières journées. La mort semblait planer autour de lui. La tentative d'assassinat sur l'autoroute Roissy-Paris ; l'horrible fin de son père ; la mort de Jenner ; et Ford, le mort vivant.

Le 747 reprit contact avec le sol et oscilla. Alex ressentit un nouveau sursaut de son estomac. Il se leva et prit son trench-coat dans le filet à bagage au-dessus de lui, puis alla vers l'avant de l'avion où il salua d'un hochement de tête la jolie hôtesse blonde.

« Le trajet vous a-t-il plu, monsieur ?

— J'adore m'envoler, mademoiselle, mais pas en avion », répondit-il en souriant.

Elle rougit légèrement. « Bonne journée, monsieur », dit-elle en appuyant sur le levier qui déclenchait l'ouverture de la porte. Alex débarqua juste en face de la gare.

En passant à la douane, il se rappela sa première arrivée à New York à quatorze ans. Jocko avait décidé qu'il devait passer son adolescence en Amérique sous la tutelle d'une autre famille, celle des Rostand.

La perspective de quitter les Corvo lui avait fait horreur. Mais Jocko insistait. Il avait correspondu avec M. Rostand et possédait tous les documents nécessaires : passeport, visa d'immigration, pièces d'identité. Jocko et Louisa se séparaient de lui à regret mais estimaient qu'Alex ne devait pas laisser échapper l'occasion de faire son chemin dans des conditions plus prometteuses qu'auprès d'eux.

D'après Jocko, ce M. Rostand était une grosse légume, c'est-à-dire un homme très puissant. Alex apprendrait là-bas à vivre en Américain, à parler une autre langue. Il y ferait des études plus poussées. S'ils avaient encore vécu M. et Mme Drach l'auraient voulu.

Alors, au jour convenu, vingt-quatre ans plus tôt, Alex Drach quitta Pigalle, muni d'une lettre de Jocko Corvo à André Rostand. Avec son dur accent corse, Jocko avait lu cette missive au jeune homme la veille au soir.

Cher Monsieur,

Merci pour votre lettre et pour le billet destiné à Alex. C'est un très bon garçon, toujours honnête et obéissant envers Louisa et moi.

J'ai le cœur gros en le voyant partir si loin. C'est presque un homme maintenant mais je le vois encore gamin. Comme vous le dites, il n'a pas mieux à faire que d'aller chez vous. Il deviendra Américain, citoyen d'un pays très riche où s'offrent de grandes occasions. Alex est un garçon intelligent et travailleur. Il ne vous décevra pas.

Mme Corvo et moi tenons à remercier votre femme, Mme Rostand, pour la générosité avec laquelle elle contribuera à donner à Alex un nouveau foyer.

Comme je vous l'ai déjà écrit, avant de partir pour la mort, Mme Drach disait le plus grand bien de vous. Elle ne se trompait pas en m'assurant que nous pouvions compter sur vous pour son enfant.

En terminant, je vous tends la main. Que Dieu vous bénisse, vous et votre famille.

Respectueusement,
Jocko Corvo.

Le jour où Alex quitta sa famille adoptive parisienne fut le plus triste et le plus effrayant de sa vie. Jamais il ne se sentit aussi seul. Depuis lors, il avait toujours comparé ses ennuis et ses chagrins à ceux de cette séparation.

Bien des années s'étaient écoulées depuis. Ses relations avec André Rostand restaient distantes et respectueuses. Il n'avait jamais éprouvé pour lui la même affection que pour Corvo.

Cet été-là, un homme au visage mince et aux lunettes cerclées de métal l'accueillit à l'aéroport d'Idlewild. C'était Ray Fuller. Après avoir recouvré les deux valises usagées d'Alex, à la douane, Fuller le conduisit à une longue Cadillac noire devant la gare aérienne.

Alex n'oublia jamais son premier trajet vers Manhattan. La ville lui apparut au-delà de la Harlem River, pareille à une rangée de dents de dragon. Fuller conduisit le gamin au vieil hôtel Plaza, lui fit remarquer la fontaine sur la place devant cet établissement et les fiacres alignés tout autour. Le même après-midi, au coucher du soleil, ils traversèrent Central Park, passèrent près du jardin zoologique et à travers un bosquet, pour atteindre la Soixante-douxième Rue, au-delà du carrefour de Madison Avenue. C'est là que se trouvait le siège social de Rostand International.

Alex n'oublia jamais non plus son entrée dans le vestibule. Plus d'une douzaine d'employés s'alignèrent en deux files, entre lesquelles il passa sur un dallage de marbre pour atteindre l'ascenseur. Bien des étages plus haut, il devait faire connaissance avec André Rostand.

Depuis des semaines, Alex redoutait cette rencontre. Quand elle eut lieu, il n'eut pas peur. Il s'avança tranquillement vers un homme de haute taille, vêtu avec élégance, aux grands yeux foncés et aux cheveux grisonnants. L'étonna d'abord le français impeccable dans lequel s'exprimait cet homme. Faute de réflexion, sans doute, Alex s'était toujours imaginé qu'il aurait affaire à un Américain.

André serra chaleureusement la main d'Alex et l'observa pendant un moment qui parut très long au jeune homme. Cela non plus il ne l'oublia jamais. Il lui sembla alors que Rostand était plus embarrassé que lui. Puis, le *patron* — Alex considéra toujours André comme le *patron* — fit un geste plutôt bizarre : il offrit un cigare au gamin de quatorze ans qui le refusa et répondit tranquillement aux questions que tout le monde pose habituellement à ceux qui arrivent de voyage. Rostand demanda aussi des nouvelles de Jocko et Louisa Corvo et l'interrogea sur ce qu'il espérait personnellement de l'Amérique. Cet entretien se déroula sans accroc. Ensuite, Rostand lui dit qu'il était temps de quitter la galerie pour se rendre chez lui où Alex ferait connaissance avec son épouse.

Ils traversèrent la Cinquième Avenue puis marchèrent vers le nord, passèrent plusieurs carrefours et atteignirent enfin l'appartement de quatorze pièces dont les fenêtres ouvraient sur Central Park.

Alex n'avait jamais imaginé de logement aussi somptueux ni de femme aussi imposante que Jane Rostand. Dès le premier instant, Alex saisit qu'il ne s'entendrait pas avec elle. Cette dame l'accueillit en indésirable et il ne comprit pas pourquoi. Elle énuméra les règlements de la maison, lui indiqua ce qu'on attendait de lui, à quelle heure on servait les repas et comment il devait se conduire avec les domestiques.

De trois ans son aîné, Philip Rostand était un garçon corpulent qu'Alex jugea immédiatement pompeux, insolent et dominateur. C'était un de ces jeunes gens gâtés qui tiennent à avoir toujours raison et à n'en faire qu'à leur guise.

Durant les cinq années qu'il passa sous la tutelle des Rostand, Alex vécut la plupart du temps dans des pensions ou des camps de vacances. Il ne se sentait pas à l'aise dans l'appartement de la Cinquième Avenue. Jane n'exprimait jamais son ressentiment mais Alex était assez perspicace pour le percevoir. Elle l'évitait autant qu'elle le pouvait et paraissait passer le plus clair de son temps à jouer au bridge, bavarder par téléphone ou organiser des soirées qu'elle patronnait.

L'attitude de Philip ne s'améliorait pas non plus. Il avait ses propres amis, rentrait chez lui tard la nuit et passait en général la matinée au lit. Alex ne le voyait qu'aux repas. Quand il ne sortait pas, le jeune Rostand restait enfermé dans sa chambre.

Les relations entre André Rostand et son protégé restèrent empreintes de respect réciproque. Peut-être comportaient-elles quelque chose de plus, mais Alex n'en fut jamais certain. Il se sentait lié au négociant en objets d'art mais rien n'indiquait la nature de leur lien. Ils se voyaient d'ailleurs peu. Très préoccupé par ses affaires, André ne passait guère de temps chez lui. Il arrivait pourtant que le soir, après dîner, Rostand prît deux ballons de cristal et une bouteille de calvados dans un buffet de la salle à manger pour se rendre à son studio. Il était tacitement entendu qu'Alex devait le suivre. Ils passaient la soirée ensemble. Rostand racontait des anecdotes au sujet des siens, parlait de ses affaires et du monde des arts. Tels furent leurs seuls moments d'intimité.

La douane de l'aéroport passée sans encombre, Drach scruta la foule qui grouillait dans la gare aérienne. Rien d'inquiétant. Il y avait surtout des étudiants qui revenaient des vacances de Noël, encombrés de livres, sacoches, brodequins et skis. Il envia la frivolité de leurs occupations. Voilà déjà un certain temps qu'il se sentait rouillé. Il regretta de ne pas prendre des vacances d'hiver, se promit de moins manger et de prendre plus d'exercice. Aussitôt sorti de la gare, il héla un taxi et se fit conduire à Manhattan. Il lui restait tout juste quarante minutes pour son rendez-vous avec André, à Rostand International.

Une heure plus tard, en payant le taxi, Alex consulta sa montre : presque exactement cinq heures. Les énormes portes d'acajou et de verre étaient fermées. Il fronça les sourcils et frappa. Un battant coulissa et le visage d'un gardien apparut dans l'entrebaillement, l'air soupçonneux. Au bout d'un court instant un sourire fit place à la méfiance. La porte s'ouvrit plus largement et le gardien demanda d'une voix cordiale : « Vous êtes bien Monsieur Drach, n'est-ce pas ? »

Alex hocha la tête, agréablement étonné de constater que ce gardien n'avait pas oublié son visage. Il n'avait plus mis les pieds à la galerie depuis cinq ans.

Comme s'il répondait à ce souvenir, le gardien lui dit : « Voilà bien longtemps que nous ne vous avons pas vu, monsieur. » Puis il conduisit Alex à la salle de réception ouvrant sur le vestibule.

Alex salua d'un hochement de tête l'employé qui se leva derrière le comptoir : un petit homme noiraud, trapu, qu'il avait toujours vu à Rostand International. « Quoi de neuf, Jackson? demanda-t-il.

— Pas grand-chose, monsieur. Rien ne change. Vous venez voir Monsieur Rostand?

— Toujours au courant de tout, Jackson. »

Le réceptionniste émit un petit rire qui fut interrompu par une toux de fumeur puis décrocha un combiné et appuya sur un bouton.

Alex étudia distraitement le panneau du standard téléphonique. Chaque manette portait un nom en abrégé. De gauche à droite Drach associa des individus aux lettres qu'il lisait : *Lbry,* Pirrone, le bibliothécaire; *Lab,* Grimaldi et compagnie, au laboratoire; *Acct,* Fuller, sans doute encore penché sur ses livres de comptes. Alex les connaissait tous depuis le temps où il travaillait une partie de l'été à la galerie. Il éprouvait une affection particulière pour le vieux Pirrone à la bibliothèque et se demanda combien de temps il survivrait encore. A l'extrémité du tableau apparaissaient les initiales d'André et Philip Rostand en grosses lettres majuscules.

Jackson posa la main sur le micro de son combiné. « Pouvez-vous attendre un instant? demanda-t-il. M. Rostand a une visite.

— Bien sûr, répondit Alex. Vous permettez que j'aille voir l'exposition? »

Jackson cligna de l'œil. « Allez-y mais ne volez rien. » Il glissa la main sous son bureau pour appuyer sur un commutateur secret. Une porte glissa sur ses rails. Alex accrocha son trench-coat à un portemanteau et passa dans la salle voisine.

Quelqu'un s'y trouvait déjà. C'était une femme. Il la vit de dos. Deux idées lui passèrent immédiatement par la tête. D'abord elle était grande, svelte et sûrement belle. Deuxièmement il espéra que Rostand resterait occupé un bon moment.

Ses cheveux couleur de miel tombant jusqu'aux épaules, l'inconnue admirait, bras croisés, un tableau de Monet, aux couleurs vives mais délicates. Pendant un moment assez long, elle n'eut pas conscience d'une autre présence dans la salle. Alex admira sa silhouette et le corps qu'il devinait sous la robe floue. La couleur de sa tenue et de ses cheveux s'harmonisait de manière amusante avec celle des tableaux qui l'entouraient. Enfin, sa curiosité l'emporta; il pénétra dans le périmètre de vision de la jeune femme en paraissant ne se soucier que des merveilles accrochées aux murs.

Quand il atteignit un Degas représentant des danseuses en tutu, la jeune inconnue se tourna vers lui et esquissa un sourire de politesse. Il ne fut pas déçu : elle était aussi belle qu'il l'avait deviné. Les traits de son visage s'accordaient parfaitement avec ses grands yeux vert clair, sa peau blanche, aussi lisse que de la soie tendue.

Elle avança vers lui et il remarqua les souliers de cuir beige. C'est lui qui rompit le silence. « Qu'en pensez-vous ? demanda-t-il.

— Que pourrais-je dire ? répondit-elle en jetant un coup d'œil circulaire autour d'elle.

— Dites n'importe quoi.

— N'importe quoi. »

Alex éclata de rire. C'était une Anglaise, à coup sûr : voyelles arrondies, voix tintant comme un son de cloche, presque celle d'une soprano.

« Enfin, je sais au moins que vous ne travaillez pas ici », dit-il.

Elle resta immobile, les mains jointes sur sa poitrine. « Pourquoi dites-vous ça ?

— Aucun membre du personnel de la galerie ne prendrait ces tableaux aussi à la légère que vous.

— Ce procédé d'élimination me permet de dire que vous non plus ne travaillez pas ici. »

Il la considéra plus franchement. Vus de près, les yeux verts l'émerveillèrent encore plus. Peut-être, se dit-il, à cause de l'art avec lequel elle les avait entourés de bleu.

Le contact entre leurs regards se rompit. Elle se détourna. Alex remarqua que ses joues étaient devenues plus roses. Il se rendit compte qu'il l'avait regardée avec une intensité dépassant sans doute les limites de la bonne éducation.

Il porta son regard sur un portrait de femme par Matisse. Le visage était peint en vert, la chevelure en bleu et un arbre derrière elle en rose et orangé. « Savez-vous quand ouvre l'exposition ? demanda-t-il.

— Lundi soir.

— Vous y viendrez ?

Elle se tourna vers lui pendant un bref instant, comme si elle craignait d'être de nouveau fascinée par son regard. « Très probablement », répondit-elle.

Une voix retentit de l'autre côté de la pièce. « Ainsi vous êtes là ! » Alex et la jeune femme virent Philip Rostand avancer vers eux. En dépit de sa corpulence, son complet, impeccablement taillé, le rendait élégant. « Je vois que vous avez déjà fait connaissance », dit-il. Cette remarque comportait une insinuation.

« A peine, répondit Alex. Nous étions trop absorbés par les merveilles qui nous entourent. » Il allait tendre la main à Philip quand ce dernier se tourna délibérément vers la jeune femme et lui baisa la joue.

« Alors, permettez-moi de faire les présentations, dit Rostand. Cubitt Keeble... Alex Drach. »

Comme pour s'arracher à l'orbite de Philip, Cubitt fit un pas vers Alex, lui secoua la main et dit en souriant : « Enchantée. »

Alex constata que le sourire rendait la bouche de Cubitt encore plus attrayante. Il se demanda où Philip avait découvert cette beauté et le jalousa pour la première fois de sa vie. Il chassa ce sentiment de son cœur et, pour ne pas vexer le jeune Rostand, il lui sourit amicalement.

« Alors, mon vieux, comment vont ceux qui jouent les détectives ? demanda Philip.

— En ce qui me concerne, ma vie de détective a été assez mouvementée la semaine dernière. » Alex sourit mais sans aménité. En général, cette expression invitait ses interlocuteurs à ne pas pousser la plaisanterie trop loin. A première vue ses yeux exprimaient une menace mais, à y regarder de plus près, on y voyait une lueur de gaieté comme si Alex s'amusait secrètement.

« Vous êtes vraiment détective ? demanda Cubitt dont la voix dénota un doute de bon aloi.

— Pas tout à fait. Je... »

Philip lui coupa la parole. « Alex serait plutôt chasseur de butin. Il ne s'intéresse qu'aux œuvres d'art volées. »

Cubitt évalua Alex du regard avec sympathie et dit : « Ça me paraît passionnant. »

Philip intervint de nouveau. « Je crois que vous avez rendez-vous avec mon père, cet après-midi, dit-il à Alex en prenant Cubitt par le coude.

— Ravie d'avoir fait connaissance avec vous, dit-elle en allant vers la porte au bras de Philip.

— Tout le plaisir est pour moi », répondit Alex qui retourna au comptoir de la réception.

3

Les antennes d'André Rostand lui indiquèrent que quelqu'un était à sa porte. Elle s'ouvrit en effet. C'était Ray Fuller. En vertu de l'usage, Harper n'introduisait pas Fuller dans le bureau. Le chef comptable bénéficiait ainsi d'un privilège unique. André Rostand savait qu'il n'aurait pas survécu sans Fuller. A ce point de vue, le plus essentiel, ils vivaient sur un pied d'égalité.

En voyant entrer son plus proche collaborateur, André remarqua une fois de plus combien cet homme s'habillait mal. Disons même que Fuller s'affublait comme le dernier venu. Ce jour-là, il portait un veston marron tirant sur le rouille, une cravate tricotée plus foncée et une chemise blanche au col de travers.

« Redressez donc votre col, dit le patron qui poussa un profond soupir.

— Comment dites-vous ? »

Rostand soupira de nouveau et dit : « Votre col ! »

Fuller tirailla au hasard sur l'une des deux pointes et aggrava les choses plus qu'il ne les améliora.

André haussa les épaules. « Avez-vous les dossiers ?

— Oui, monsieur Rostand.

— Tous ?

— Oui, monsieur Rostand.

— Bien. Voyons... Alex Drach sera ici dans un instant. »

Le visage de Fuller changea d'expression. Il se redressa et devint plus attentif. « ... Oui, monsieur Rostand.

— Vous lui fournirez toutes les informations que vous connaissez. Je veux aussi accorder une augmentation à Marco Grimaldi.

— Combien, monsieur ?

— Mille dollars par mois. »

Fuller toussotta. Il n'allait jamais au-delà pour exprimer sa réprobation.

« Ça ne vous convient pas, Ray ?

— Mais si, monsieur. Je...

— Dites-moi, Ray, comment va votre fille ces temps derniers ? »

Les paupières rouges de Fuller battirent deux fois. « Ma fille, monsieur ?

— Oui, Maggie.

— Que voulez-vous savoir à son sujet, monsieur Rostand ?

— Je pensais à elle tout simplement. Elle entre à l'Institut des Beaux-Arts cette année, n'est-ce pas ? » Fuller hocha lentement la tête. « Ne l'ai-je pas poussée dans cette voie ? » Fuller acquiesça de nouveau. « La galerie doit donc, me semble-t-il, faire les frais de son éducation et j'espère qu'elle se joindra à nous un jour. »

Fuller plissa les paupières et resta muet un moment. Enfin, il dit : « Votre générosité me va droit au cœur, monsieur. Mais puis-je vous demander ce que vous attendez de moi à cet instant ? »

André s'interdit de sourire, mais une lueur d'amusement passa quand même dans son regard. Ses relations avec Fuller offraient un caractère de symbiose. Chacun avait besoin de l'autre et le savait. L'équilibre de leurs existences en dépendait. Ils vivaient un peu à la manière d'un vieux couple : chacun connaissait les faiblesses de l'autre et les tolérait... par intérêt.

Rostand toisa Fuller, le jaugea, pourrait-on même dire. Cet homme s'était présenté à lui peu après son arrivée à New York. Il ne le menaçait jamais, ne laissait jamais supposer qu'il se méfiait de lui et qu'il aurait pu utiliser contre lui certains renseignements. De son côté André lui accordait ce qui lui revenait en échange de sa loyauté. Au cours des années, Fuller s'était conduit admirablement, en parfait comptable qui arrivait de bonne heure, partait tard, ne laissait échapper aucun détail, faisait preuve d'une franchise totale et tenait ses livres de comptes à la perfection.

Restait tout de même une difficulté. Rostand savait Fuller très attaché à Alex Drach. « J'ai quelque chose à vous dire, Ray. Il va nous arriver des tableaux. Certains pourraient avoir été volés pendant la guerre... » André se tut et observa les réactions de Fuller. Comme prévu le comptable resta impassible. « Il semble même que ces œuvres pourraient avoir fait partie de la collection Drach. »

Les paupières de Fuller battirent à deux reprises mais il ne souffla mot.

« Ce n'est pas tout, reprit Rostand. Ils sont entre les mains de l'ancien officier SS Hans Montag. »

Fuller blêmit. « Montag ? Est-ce possible ?

— C'est ainsi. Une seule chose est sûre : Montag refait surface et je veux acheter ces tableaux pour les retirer de la circulation. En temps voulu, ils seront remis aux autorités compétentes, donnés à un musée ou rendus aux familles qui en étaient les propriétaires légitimes. » André marqua un bref temps d'arrêt. « J'entends savoir, reprit-il, si je peux compter sur votre entière collaboration. »

Fuller inclina la tête de côté, comme il le faisait d'ordinaire en étudiant les données d'un problème. La question de Rostand resta en suspens. Puis le comptable demanda : « Ces tableaux vous importent-ils beaucoup, monsieur Rostand ?

— Beaucoup.

— Qui sera au courant ? »

André se détendit secrètement : la question du comptable équivalait à un consentement. « Personne d'autre que Grimaldi, Philip, vous et moi.

— Vous pouvez compter sur ma discrétion. »

André hocha la tête, décrocha son téléphone. « Introduisez Drach », dit-il.

« Vous avez pu venir, je m'en réjouis », dit André qui se leva et fit le tour de son bureau pour accueillir Alex.

Ils échangèrent une poignée de main. « Je suis content de vous revoir, André », dit Alex sincèrement. Puis il sourit à Fuller qui était resté debout devant le bureau. « Vous aussi, je vous retrouve avec plaisir, Ray. »

Alex étudia les rides gravées profondément sur le visage du comptable qu'il n'avait pas vu depuis des années. Pas de changement apparent. Alex s'était souvent interrogé sur les relations entre Fuller et Rostand. Tous deux étaient extrêmement discrets. En tout cas, si quelqu'un pouvait être considéré à la galerie comme le bras droit du patron, c'était bien Ray Fuller.

Le silence dura entre les trois hommes comme si chacun méditait sur l'écoulement du temps. Le regard d'Alex fit le tour du bureau. Il eut peine à croire que plus de vingt ans étaient passés depuis qu'il avait fait connaissance avec André Rostand dans cette même pièce. Il considéra ce dernier plus attentivement. Peut-être l'épaisse chevelure était-elle devenue plus grise et le dessus des mains, plus ridé. Dans l'ensemble pourtant, Rostand se tenait toujours droit et rayonnait une puissance exceptionnelle pour un homme approchant de soixante-dix ans.

Rostand laissa échapper un soupir à peine audible et espéra que Drach ne le perçut pas. « J'ai un souci, Alex, dit-il.

— J'écoute.

— Une bande noire. »

Drach parut surpris. « Ça m'étonne, dit-il. Le marché des œuvres d'art offre une telle diversité qu'il serait difficile d'organiser une association permanente pour l'influencer.

— Tout dépend des objectifs, dit amèrement Rostand. Dans ce cas-ci, il s'agit de gens décidés à me ruiner.

— Diable ! » cette exclamation n'était pas une question mais un commentaire. Pendant un instant fugace, Alex entendit les rafales de mitrailleuses, le tintement des glaces qui éclataient autour de sa tête. Il se demanda s'il existait un rapport entre le complot dont parlait Rostand et la tentative d'assassinat sur sa propre personne. Quoi qu'il en fût, il préféra n'en rien dire.

Rostand reprit : « Ray vous donnera les données sur les opérations de mes adversaires. »

Alex s'installa dans un fauteuil et leva la tête vers Fuller qui, lorsque André le lui eut enjoint d'un hochement de tête, ouvrit un épais dossier marron. La longue tête mince se pencha sur une liasse de feuillets dactylographiés. « Nous avons affaire à pire qu'une simple bande noire, comme il s'en constitue épisodiquement dans les salles de ventes. Il s'agit même d'une société d'investissement constituée par un certain Léopold Marto et qui place ses fonds en tableaux de prix. C'est une société par actions, cotée sur les principales Bourses internationales sous le nom d'Art Intrum. »

Fuller redressa la tête et ses petits yeux perçants considérèrent Drach par-dessus leurs lunettes. Alex remarqua alors qu'avec l'âge le nez du comptable paraissait s'allonger et s'incurver, si bien que la pointe semblait suspendue au-dessus des lèvres. Les yeux de Fuller retournèrent au texte contenu par son dossier marron.

« Le siège social d'Art Intrum se trouve à Panama mais ses bureaux sont à Genève avec des galeries subsidiaires à Londres, New York et Buenos Aires. Ses bilans sont publiés en dollars et ses actions négociées en francs suisses. L'enregistrement à Panama n'est qu'un subterfuge parce que, dans ce pays, les sociétés d'investissements échappent à l'impôt.

« Le conseil d'administration comporte onze membres : négociants, banquiers, et autres investisseurs, assistés par un groupe d'érudits en matière d'art qui ne nous importent pas. L'an dernier leurs achats ont porté notamment sur des œuvres de Picasso, Léger, Soutine, Pollock, de Kooning et... » Fuller jeta un coup d'œil à Rostand « ... Vermeer. J'ai également dressé la statistique des œuvres qu'ils ont achetées période par période, école par école. » Il tendit à Alex un exemplaire de la liste. « Vous voyez, par exemple, que les réalistes français représentent trois pour cent de leurs biens actuels ; l'école contemporaine, trente-trois virgule huit pour cent ; les maîtres anciens, quarante pour cent... »

Fuller reprit son souffle et enchaîna. « Venons-en maintenant aux statistiques essentielles... Actuellement Art Intrum cote trente et un dollars et demi par action. Il y en a cinq millions sur le marché. On estime approximativement l'actif à cent vingt-cinq millions de dollars. Il...

— Très bien, Ray, dit Rostand en lui coupant la parole. Vous nous avez donné une bonne vue d'ensemble. Maintenant parlez-nous des individus en cause.

— Oui, évidemment, monsieur Rostand... » Pendant une demi-heure, Fuller décrivit en détail les principaux dirigeants d'Art Intrum, pas seulement ceux du conseil d'administration mais aussi les négociants « indépendants » qui collaboraient avec Marto et pouvaient donc compter parmi les membres du complot : Bez, Duranceau, Kellerman, Feigan, et Pirelli qui ne faisait pas partie du conseil d'Art Intrum. Fuller ignorait pourquoi.

Son exposé terminé, Fuller posa le dossier sur le bureau de Rostand. « Merci, Ray. Ça suffit », dit ce dernier.

Quand la porte se referma derrière Fuller, André Rostand se leva, passa derrière son fauteuil et appuya sur un petit bouton à peine visible dans le mur lambrissé. Un panneau s'ouvrit sans bruit sur un bar bien approvisionné : plusieurs bouteilles de liqueur et de vin, une douzaine de verres et un seau de glace. « Vous prendrez quelque chose, Alex ?

— Très volontiers.

— Glenfiddich, n'est-ce pas ?

— Vous avez bonne mémoire, dit Drach en souriant.

— Certains se rappellent les numéros de téléphone, moi, je me souviens de la boisson préférée de chacun, particulièrement de ceux que j'admire. »

Drach accepta verre et compliment sans piper, but une gorgée puis posa le verre sur le bureau. Cependant Rostand se servait à boire et reprenait place dans son fauteuil. Alex remarqua : « Ray nous a fourni un rapport exhaustif.

— Comme toujours », répondit André en mettant son verre de côté. Il se pencha par-dessus le bureau et regarda le dos de ses mains tachetées par l'âge. « Il n'a pourtant pas tout dit.

— Je m'en doutais. Vos moyens vous permettent de régler le compte d'Art Intrum. Si vous faites appel à moi, c'est pour autre chose.

— Exact, dit André en regardant Alex droit dans les yeux. Le complot ne m'inquiète pas tellement. Je peux m'en débrouiller tout seul. J'ai un autre souci... une fuite.

— Marto aurait quelqu'un à sa solde dans la galerie ? »

André hocha la tête avec un sourire amer. « Vous avez toujours eu l'esprit vif, mon cher Alex. C'est à cause de cette fuite que je fais appel à vous. Il me faut une personne étrangère à l'entreprise et à qui je puisse me fier. Je sais que vous n'aimez pas travailler pour moi. Dans des circonstances normales je ne vous le demanderais pas. Mais maintenant je me le permets. J'ai confiance en vous. Vous le savez. Vous savez également que j'ai toujours souhaité votre retour parmi nous ; vous auriez une situation ici et un jour, peut-être, vous pourriez me succéder. »

Alex but une gorgée de whisky en méditant sur la proposition de Rostand. Il avait travaillé autrefois pendant une partie des grandes vacances à la galerie et en gardait un assez bon souvenir. Il lui avait pourtant toujours déplu de figurer sur le livre de paie. En outre, il avait remarqué à longueur d'année des choses qui ne lui plaisaient pas : artifices, intrigues louches, manipulations du marché. Il préférait son indépendance.

Néanmoins, il devait beaucoup à Rostand qui ne s'était jamais adressé à lui de cette façon jusqu'alors. « Je ferai mon possible », dit-il enfin tranquillement.

Rostand poussa le dossier vers lui. « Prenez cela avec une liste de mes employés et leurs diverses fonctions. Vous aurez accès aux dossiers du personnel. »

Alex s'empara du dossier et l'ouvrit. Ses yeux d'un bleu métallique scrutèrent vivement la première page. Puis il le referma avec un claquement sec et l'écarta de lui. « Je préférerais aborder l'affaire par l'autre côté. Je commencerai par les membres de la bande et j'espère ainsi avoir un indice qui me ramènera à la galerie. Les comploteurs sont moins nombreux que vos employés. »

Rostand sourit pour la première fois de la soirée. « Excellente idée.

— Je ferai de mon mieux et reviendrai dans une semaine.

— Parfait », dit Rostand. Il prit son verre en main et son regard parut errer sans but autour de la pièce, comme si quelque chose d'autre le préoccupait. Puis ses yeux se fixèrent sur Alex et il demanda poliment : « Et vous, comment ça va ?

— Dans l'ensemble, très bien. Mais quelle coïncidence !... j'ai envie de vous faire part d'un souci, André. »

Rostand se pencha de nouveau en avant. Le réseau des rides s'adoucit sur son visage. « Vous me faites grand honneur et j'en suis touché », dit-il.

Ne sachant pas exactement comment il devait prendre cette réflexion, Alex y répondit cordialement : « Vous êtes bien aimable. » Silence. « Je voudrais vous interroger au sujet de la collection Drach. »

Les muscles faciaux de Rostand se crispèrent. « A quel point de vue ?

— Un des tableaux appartenant autrefois à mes parents a refait surface. »

Rostand resta parfaitement impassible pendant un instant puis hocha la tête. « Je vois, dit-il.

— Il est apparu récemment à Londres, puis a disparu mystérieusement.

— Vous en êtes sûr ?

— Absolument certain.

— Lequel était-ce ? »

Alex eut nettement l'impression que Rostand savait quelque chose mais n'en fut pas certain. Le vieillard paraissait énumérer les questions comme s'il en connaissait déjà les réponses. « Un Watteau, *Le Joueur de luth* », répondit enfin Alex tout en observant plus attentivement son interlocuteur.

André vida son verre qui ne contenait plus guère que de la glace fondue et se cala dans son fauteuil. Si Alex parvint à déceler une expression quelconque, ce fut celle de l'inquiétude. Peu importait d'ailleurs si André savait quelque chose, il était capable de n'en rien laisser paraître. Ce vieil homme s'était entraîné depuis sa jeunesse, presque son enfance, à masquer le sens réel de ses réponses.

« Je me le rappelle fort bien, dit enfin Rostand. C'était le tableau préféré de votre mère.

— Je l'ignorais. »

Rostand hocha la tête.

« Si vous apprenez quoi que ce soit, tenez-moi au courant, s'il vous plaît.

— Je n'y manquerai pas. »

Alex prit son verre sur le bureau. « J'apprends bien des choses au sujet de mes parents, ces derniers temps, dit-il en portant le whisky près de ses lèvres. Nous n'avons jamais parlé de mon père. Il se trouve que la semaine passée j'ai eu l'occasion d'apprendre diverses histoires à son sujet. » Alex prit le temps de boire une gorgée. « Je me demande ce que vous pensez de lui. » Alex vida son verre de Glenfiddich.

« Qu'avez-vous entendu à son sujet ?

— Qu'il aurait collaboré. »

Rostand considéra les paumes de ses mains comme s'il espérait y lire une réponse à la question d'Alex. « Je n'ai jamais connu meilleur homme que votre père, dit-il lentement. Il m'est très difficile de croire qu'il ait collaboré. Pourtant il faut comprendre que nul n'est responsable de ce qu'il fit et dit entre les mains de la Gestapo. » André but encore une gorgée d'eau glacée. « Parfois, nous faisons sous la contrainte des choses totalement contraires à notre caractère.

— Je vous comprends.

— Vraiment ? » Cette question impliquait une réponse négative. André resta muet. Il but les dernières gouttes de whisky et se leva de son fauteuil.

Rostand quitta le sien pour l'accompagner jusqu'à la porte. « Vous feriez peut-être bien d'assister à l'ouverture de notre exposition lundi soir. Ça vous donnerait l'occasion de rencontrer certains membres du personnel.

— Je viendrai, répondit Alex en souriant. Vous pouvez compter sur moi. » Il pensait à Cubitt. Quand il atteignit la porte, il se retourna vers Rostand et lui demanda tout de go : « Avez-vous jamais entendu parler d'un certain Montag ?

— Qui ?

— Hans Montag. Il était officier dans les SS.

— Montag ? » dit André qui baissa le regard vers ses mains puis l'éleva vers le plafond et enfin regarda Alex droit dans les yeux. « Montag ? Non, ce nom ne me dit rien du tout. »

4

Cubitt était ivre de musique et de chanvre. Le Studio 54, ancien studio de télévision transformé en une des discothèques les plus huppées de Manhattan, était bondé. Le staccato de la musique palpitait dans des haut-parleurs grands comme des écrans de cinéma. Il s'élevait une âcre odeur de la piste. Les airs de danse se mélangeaient à l'arôme douceâtre du nitrate d'amyle. Le parfum musqué de la marijuana suffisait à faire tourner la tête de tout le monde.

Sous le clignotement des lumières multicolores, les danseurs semblaient à Cubitt figés sur place. Elle voyait frémir leurs narines, étinceler leur regard sauvage, aussi brillant dans la folie impulsive de leur danse que celui des chats dans l'ombre. Cette scène la fit penser à un amphithéâtre romain sur l'arène duquel les gladiateurs auraient dansé en s'accouplant et se séparant en un combat de débauche.

Elle prit une gorgée de champagne et se tourna pour regarder d'un bout à l'autre la banquette sur laquelle elle était assise avec Philip et un groupe de ses amis. Chacun braillait à tue-tête pour se faire entendre malgré le tintamarre de l'orchestre. Philip déployait son charme pour séduire Andy Stabler, maître en vogue de l'art hype et pop. Il s'efforçait de lui tirer les vers du nez pour connaître les tendances du monde des arts en cette saison. Cubitt et Philip avaient rencontré Stabler avec quelques autres personnes au Relais où ils dînaient tous. Après minuit, ils avaient embarqué ensemble dans des taxis pour la discothèque de la Cinquante-Quatrième Rue Ouest. Il leur avait fallu jouer du coude dans la foule qui cherchait à entrer dans cette boîte et ils avaient heureusement trouvé une banquette au bord de la piste de danse. Stabler ne dansait jamais ; les bras croisés sur la poitrine, le regard errant sur la piste, le visage livide, il donnait à Cubitt l'impression d'une méduse. De temps en temps, il approuvait d'un hochement de tête les propos de Philip mais la conversation l'ennuyait visiblement.

Quelqu'un donna un joint à Cubitt. Elle aspira une bouffée et passa la cibiche à Philip. « C'est du bon, dit-il en aspirant profondément. De la sinsemilla. »

Retenant la fumée dans ses poumons, Cubitt acquiesça d'un battement de paupières. C'était, en effet, du bon chanvre qui faisait du bien. D'ordinaire, elle ne fumait pas en public mais cette soirée l'ennuyait trop. On ne faisait guère cas d'elle et ça lui déplaisait. Après quelques bouffées son état d'esprit s'améliora nettement. Les lumières scintillantes et la musique prirent une nouvelle dimension. Il lui sembla flotter à distance au-dessus de la frairie.

Tout à coup, elle eut envie de danser et invita Philip d'un coup de coude mais il était trop absorbé par son entretien avec Stabler pour le remarquer. Elle redressa la tête, haussa les épaules et quitta la banquette. Elle traversa la piste pour s'approcher des énormes haut-parleurs et se mit à danser toute seule. Auprès d'elle, un homme à cheveux noirs, vêtu d'une simple culotte de cuir, ondulait voluptueusement avec une jeune fille dont le chemisier fendu en biais révélait un sein dont le mamelon rose se dressait dur et pointu. Un autre individu, aussi parcimonieusement couvert d'un short de soie moulant, tournait en rond avec une dame âgée; le milieu de leurs corps semblait étroitement uni et elle levait des yeux enamourés vers le visage de son partenaire. A proximité, deux jeunes gens sveltes tourbillonnaient en s'étreignant; l'un suçait le col de l'autre. C'était une pratique courante et Cubitt le savait. Même à distance elle perçut l'odeur du chlorure d'éthyle. Les danseurs imprégnaient cols, manchettes et mouchoirs de cet anesthésiant et les mâchaient pendant la soirée pour se donner une secousse instantanée.

Un mulâtre, nu, sauf une serviette rouge autour de la ceinture, se tenait immobile au milieu de la piste; seules ses mains remuaient, s'élevant et retombant au rythme de l'orchestre; il chantait une espèce de litanie inintelligible. Cubitt l'observa un moment, amusée, et le soupçonna de chercher à pratiquer une projection astrale. Puis elle ferma les yeux, s'abandonna à la musique en se laissant emporter par les battements de la grosse caisse.

Quand elle releva les paupières, une grande femme dansait en face d'elle. Très attrayante, les pieds écartés, le torse rejeté en arrière, cette inconnue se trémoussait, les seins retenus par un bustier serré à la taille; sa jupe tombait à peine à mi-cuisse. Elle regardait fixement Cubitt sans rien dire. Toutes deux continuèrent à danser face à face.

Cubitt avait remarqué cette femme auparavant quand elle était passée devant la banquette et lui avait souri sans équivoque. Elle la retrouvait, le sourire cajoleur, dansant admirablement. Son corps légèrement vêtu produisait un effet extraordinaire ; c'était celui d'une femelle clamant toute la puissance et la chaleur de son sexe.

Cubitt fut aussi frappée par leur ressemblance. Elles étaient toutes les deux blondes et longilignes. L'inconnue avait les yeux bleus alors que les siens étaient d'un vert vif. Il y avait aussi une différence dans la teinte du rouge à lèvres et du fard à paupières qui donnait à l'inconnue un regard étrange. Elles s'approchèrent l'une de l'autre et s'appliquèrent à synchroniser le balancement de leurs hanches.

« Vous n'êtes pas américaine, n'est-ce pas ? demanda cette femme avec un fort accent français.

— A quoi le voyez-vous ?

— Les Américains se balancent et sursautent. Vous, vous flottez. »

Cubitt éclata de rire. « Je ne m'en rendais pas compte.

— D'où êtes-vous ?

— De Londres, répondit Cubitt. Et vous ?

— De Paris, dit l'autre en la regardant fixement au fond des yeux. J'aime mieux vivre ici.

— Il n'y a donc pas de discothèques à Paris ?

— Pas comme celle-ci. »

Le rythme de la musique changea. Un air s'estompa pendant que l'autre prenait vie. Cubitt sourit. « Notre conversation m'a plu », dit-elle en faisant demi-tour. Elle s'orienta vers la banquette.

L'autre la retint d'une main posée sur la taille : « Pourquoi retourner là-bas ? »

Cubitt ne répondit pas.

« Vous vous ennuyez avec ces gens-là, c'est visible.

— Que pourrais-je faire d'autre ? demanda Cubitt.

— Pourquoi n'irions-nous pas ailleurs ?

— Pour danser ? »

L'inconnue considéra Cubitt avec une timidité affectée. « Vous n'êtes jamais allée avec une femme ?

— Non », répondit Cubitt. Elle était sincère. Certes, les occasions ne lui avaient pas manqué mais aucune ne l'avait tentée.

« Seule une femme comprend une autre femme », insista la Française.

Sans répondre, Cubitt regarda vers la banquette.

Philip s'était levé et se dirigeait vers elles. Quand elle le vit approcher, l'inconnue prit Cubitt par la main et chuchota : « *Viens ma chérie. Viens avec moi.* »

Mais il était trop tard. Philip prit Cubitt par la taille et lui demanda : « Veux-tu faire les présentations ?

— *Je m'appelle Solange.*

— *Enchanté,* dit Philip en s'inclinant légèrement.

— Solange vient de m'inviter à prendre un verre », dit Cubitt.

Philip passa son autre bras autour de la taille de Solange. « Venez avec nous, dit-il. J'habite en ville. »

Solange interrogea Cubitt du regard. Cette dernière hésita. La proposition de Philip lui plaisait. Physiquement, Solange ne l'attirait pas, au moins au point de vue sexuel, mais elle la trouvait belle et éprouvait une attirance esthétique. Ce n'était pas une femme comme les autres. D'ailleurs, si Philip en avait envie, pourquoi pas ? « Venez donc, dit-elle enfin cordialement. Je suis sûre que nous avons beaucoup à nous dire. »

Situé en plein Manhattan, le duplex de six pièces qu'habitait Philip offrait une vue superbe sur l'East River. Ses baies arrondies comme celles d'une tour donnaient l'impression de vivre dans une capsule spatiale flottant en plein espace. Des bandes d'acier inoxydable en guise de plinthe ainsi qu'à chaque angle et autour du plafond, ceinturaient la tapisserie en imitation de peau de chamois. Sofas et fauteuils capitonnés de velours beige. De gras cactus occupaient des points stratégiques dans des pots en or de chez Cartier.

Trois canapés, plusieurs fauteuils, un bureau, une table de jeux et un bar bien garni meublaient le salon.

Quand Cubitt, Solange et Philip entrèrent, un vieillard aux allures distinguées s'empara des pardessus et manteaux qu'il accrocha dans un placard aux portes de glace dans le vestibule.

« Où sont les chiens, Samuel ? demanda Philip.

— Derrière, Monsieur.

— Vous pouvez leur rendre la liberté maintenant. »

Le petit vieux s'éloigna dans un couloir aux murs couverts d'acier inoxydable. « Qui est ce petit bonhomme ? demanda Cubitt.

— C'est Samuel, répondit Philip en se dirigeant vers le bar. Mon valet. »

Cubitt éclata de rire. « Vous avez besoin d'un valet à votre âge ?

— Il m'est utile pour la lessive et pour des tâches vénielles de ce genre. Il est aussi discret qu'un meuble. Au bout d'un certain temps on ne le voit même plus. »

Solange parcourait la pièce du regard. « C'est rudement chic chez vous, Philip, dit-elle.

— Surtout confortable, répondit-il en haussant les épaules et en se glissant derrière le bar. Que prendrez-vous, Solange ?

— Avez-vous du champagne ?

— Si le Pol Roger vous suffit. » Philip ouvrit la porte d'un compartiment frigorifique incrusté dans le mur. « Et vous Cubitt ? demanda-t-il.

— La même chose, j'en serai ravie. »

Rostand emplit trois coupes de champagne, les posa sur un plateau qu'il porta jusqu'à une table basse en onyx de couleur crème. Il en remit une à chacune des jeunes femmes, prit la sienne et l'éleva. « A l'amitié », dit-il.

Tous de sourire et de boire à l'unisson. « Venez, dit-il. Je vais vous montrer les êtres. Il écarta une grande porte de bronze pour les conduire dans la principale chambre à coucher. Le lit, format de compétition, était enchâssé dans une monture de verre artificiel bronzé. De là ils passèrent dans une vaste salle de bains.

« Mon Dieu ! s'exclama Solange. C'est fantastique. » Un énorme Jacuzzi d'acier et séquoia trônait au milieu de la pièce. Solange grimpa sur le rebord de bois et plongea le doigt dans l'eau chaude.

« Il faut des heures pour le remplir », dit Philip. Il posa son verre et retira son veston, puis alla vers un placard dans lequel il choisit parmi les bouteilles et les tubes alignés sur les étagères, un paquet de couleur orangé. Il contenait de la poudre que le jeune homme versa dans le Jacuzzi. Il ouvrit un robinet et passa la main dans l'eau qui coulait pour en vérifier la température. Il ouvrit une autre vanne et ajusta le mélangeur, tout en continuant à verser la poudre orangée dans l'eau. « Ce Jacuzzi contient près de quatre mille litres d'eau, dit-il en jetant un coup d'œil à Cubitt par-dessus son épaule. Mais rassurez-vous, je le maintiens toujours à moitié plein pour l'utiliser au plus vite dans des circonstances comme celle-ci. »

Cubitt sourit, moins amusée par les propos de Philip que par sa musculature. Bien que gros, il n'était pas gras : tout en muscle. Elle ricana quand il se pencha au-dessus de l'énorme baignoire d'où émanait un nuage de vapeur. L'extrémité de sa cravate se balançait à un pouce au-dessus de l'eau. Il continuait à répandre la poudre.

Cubitt but encore une gorgée de champagne, posa son verre sur le bord du Jacuzzi. D'un geste preste, elle décrocha un curseur derrière ses reins, le fit glisser et se débarrassa de sa robe. Solange lui sourit en l'admirant. Elle jeta son châle sur le porte-serviette, se déchaussa sans se baisser, souleva sa jupe et retira son panty.

Cubitt apprécia la grâce de ses mouvements ; même sous la robe le corps paraissait parfait. Elle lui donna vingt-trois ou vingt-quatre ans.

Philip aussi regarda Solange s'asseoir sur le bord du Jacuzzi en laissant ses jambes plonger dans l'eau où la mousse qui s'élevait vivement ne tarda pas à les envelopper. Alors Solange fit passer sa robe par-dessus sa tête. En voyant ses seins nus, Philip ne put s'empêcher de dire : « Vous êtes vraiment à croquer. »

Cubitt estima qu'il avait raison. Solange était en effet superbe. Les lignes de son corps n'offraient aucun défaut : seins hauts et fermes, ventre légèrement ovale au-dessus d'un triangle couleur de miel qui plongeait entre les jambes, jolies fesses rondes.

« Et toi, qu'en penses-tu ? demanda-t-elle à Cubitt.

— D'accord avec Philip, je te trouve ravissante. »

Le visage de Solange s'éclaira. « Oui, je te plais, je m'en rends compte, dit-elle en caressant lentement la cuisse de Cubitt du bout des doigts. Mais la beauté ne sert à rien si on ne sait pas s'en servir. »

Un instant plus tard Philip fut nu. Ses muscles gonflèrent la peau quand il plongea dans l'eau chaude du Jacuzzi. Cubitt et Solange l'y suivirent. « Pas mal, n'est-ce pas ? dit-il en flottant auprès de Cubitt.

— Plutôt merveilleux », répondit-elle.

Il lui baisa les lèvres.

Elle ne s'éloigna pas. Il s'approcha et lui glissa une main entre les cuisses. Elle se retourna.

« Qu'est-ce qu'il te prend ? demanda-t-il.

— Rien. J'ai envie de me détendre un peu. »

Une lueur de colère passa dans les yeux de Philip qui ne dit rien.

Cubitt regarda Solange qui flottait sur le dos, sa chevelure trempée rayonnant autour d'elle et ses seins pointant au-dessus de la mousse comme des fruits ronds à sommet rouge. Les deux femmes se sourirent. « Tu veux t'amuser ? demanda Cubitt.

— Ça dépend à quel jeu, répondit Solange en riant.

— A tout ce qu'il vous plaira », dit Philip.

Ils grimpèrent hors du Jacuzzi, se séchèrent et passèrent dans la chambre à coucher. Les deux jeunes femmes s'allongèrent sur le couvre-lit. Philip ouvrit un coffret de laque chinoise, y prit un flacon plein de poudre blanche. Une chaînette d'or liait une petite cuillère au bouchon.

Philip l'ouvrit, versa de la poudre dans la cuillère et l'aspira par le nez. Il emplit de nouveau la cuillère et la tendit à Cubitt.

Elle aspira toute la poudre. Presque immédiatement, il lui sembla que la membrane entre ses narines perdait toute sensibilité. Puis une explosion ébranla tout son corps. « Dieu du ciel ! c'est épatant, souffla-t-elle.

— A ton tour, dit Philip en tendant la cuillère à Solange.

— Non, merci, dit-elle le champagne me suffit.

— Aspire ! » dit-il impérieusement. Il la saisit par le bras et lui maintint la cuillère sous le nez.

« Non, merci », répéta-t-elle. Elle lui repoussa la main. La poudre blanche tomba sur le couvre-lit rouge sang.

« Salope ! » Philip la saisit par ses cheveux trempés, lui fit basculer la tête en arrière et versa la poudre du flacon dans une narine. « Aspire, j'ai dit. »

Solange haleta et la poudre lui coula dans le nez. Philip appliqua le flacon sous l'autre narine. « Encore », dit-il.

Cubitt sauta sur Philip. « Laisse-la tranquille, salopard ! » brailla-t-elle en le giflant.

Il repoussa Solange et allongea vivement Cubitt sur le lit. « Il est temps de s'amuser, grogna-t-il en la regardant droit dans les yeux. Ça te fera plaisir. Il répandit le reste de la cocaïne sur le bout de ses doigts qu'il lui plongea profondément dans le corps. Ce fut si rapide et inattendu qu'elle eut à peine le temps de ressentir la douleur quand elle éprouva au bas-ventre un désir bouleversant. Il enfonça et retira vivement ses doigts dans le vagin, tout en faisant tourner son pouce autour du clitoris. Elle gémit en se débattant. Puis elle se sentit éclater de nouveau. Elle n'avait jamais joui aussi intensément. Jamais.

Solange les observait, médusée. « Amène ton cul », lui enjoignit Philip en lui tirant le bras de sa main libre. Quand elle fut près de lui, il lui saisit la nuque et lui inclina la tête vers la poitrine de Cubitt. « Tu la voulais, prends-la. »

Solange prit les seins de Cubitt dans ses mains, pinça et lécha tour à tour les mamelons. Au bout d'un moment, la jeune Anglaise se surprit à gémir de bonheur. Elle saisit le phallus de Philip. Il était gros et dur. Elle plia les genoux l'attira sur elle et le guida dans son ventre.

Quand il la pénétra, elle retint son souffle craignant qu'il la déchire. Elle lui enfonça les ongles dans les fesses et le pressa lentement contre elle. Quand il fut entièrement dans son bas-ventre, ils restèrent tous les deux immobiles. Puis il remua doucement à petits coups espacés. De nouveau elle monta en spirale vers l'orgasme.

Tout à coup, Solange changea de position. Sans cesser de caresser les seins de Cubitt, elle allongea les cuisses de chaque côté de sa compagne et lui chuchota : « Aime-moi. »

Cubitt massa les deux seins qui pointaient au-dessus d'elle. Puis Solange glissa en avant. La langue de sa compagne trouva le clitoris.

« *Oui, oui, ma chérie* », murmura Solange en se balançant au-dessus de la bouche qui l'enchantait.

Les muscles de Cubitt se crispèrent. Elle éprouvait tant de sensations à la fois. De temps en temps, elle concentrait son esprit sur les poils dorés et les léchait. Puis elle pensait au phallus dans son ventre, qui cognait de plus en plus vite comme une masse de forgeron.

« Assez ! je t'en prie, assez, gémit-elle. Je n'en peux plus. S'appuyant sur les épaules et les fesses, elle souleva son torse. « Assez je t'en prie. » Puis elle se laissa retomber sur le dos, oubliant tout, sauf le spasme qui la saisissait. Il se prolongea quand Philip et Solange s'unirent.

Par la suite, elle ne se rappela plus qu'une chose de la fin : ils riaient tous les trois sur le lit.

Le lendemain matin, les yeux grands ouverts, Cubitt regardait les rayons du soleil traverser la jalousie. Leur éclat l'agaça. Elle considéra la scène de dévastation pleine d'élégance. Il y avait des verres et des bouteilles partout. Des cendriers jonchaient le sol.

Ils avaient fait l'amour pendant toute la nuit. Chaque fois, ils se sentaient différents. Il y avait eu des palpitations languissantes, des exigences brutales. Enfin, aux premières heures du matin, ils s'étaient tous endormis profondément.

Cubitt écouta une respiration lente et proche. Elle regarda, au-delà de la poitrine de Philip, le visage de Solange qui dormait encore, et se demanda ce qui rendait cette femme tellement différente des autres. Elle ne pouvait pas s'imaginer ce qu'elle éprouverait si elle tombait réellement amoureuse d'un être de son propre sexe. Jusqu'alors elle n'avait pas trouvé non plus d'homme à qui elle aurait pu se donner complètement. L'amour avec une femme ne lui suffirait pas non plus.

Soudain le réveil sonna. Les chiens de Philip, deux grands danois, trottèrent sur la carpette jusqu'à la table de nuit. Ils flairèrent l'horloge puis s'assirent comme au garde-à-vous, à l'extrémité du lit.

En grognant, Philip passa un bras au-dessus de Solange et tapa sur le réveil dont la sonnerie cessa. Sans se soucier de Cubitt qui le regardait, il ramassa un billet de cent dollars enroulé sur lui-même, le déroula, aspira ce qu'il y restait de cocaïne, laissa tomber sa tête sur l'oreiller et se rendormit.

Cubitt sortit du lit et alla à la salle de bains. En passant auprès du Jacuzzi, elle se sourit à elle-même, entra dans le bac à douche et s'admira dans le miroir. On lui avait toujours répété qu'elle était belle. Pourtant elle s'avouait franchement qu'elle avait les fesses un peu trop lourdes. Elle aurait préféré la sveltesse d'un jeune homme. Elle se palpa les seins, comme elle aurait tâté des fruits. Rien à redire à leur sujet. Pourtant, ceux de Solange étaient plus beaux.

Elle se caressa le ventre. Il n'était plus aussi plat qu'autrefois, quand elle était modèle de photographe. Désormais, bien que ferme, son abdomen s'était arrondi. Ce n'était plus celui d'une adolescente. Sa main glissa jusqu'au duvet entre ses jambes, tâta profondément. La muqueuse était irritée.

Elle pensa à la nuit précédente. Au point de vue physique elle était rassasiée mais n'avait éprouvé aucune satisfaction émotionnelle. Le plaisir sexuel ne manquait pas de charme et d'agrément mais n'aboutissait à rien. Et pourquoi en attendre plus ? A la réflexion, elle s'avoua qu'elle n'en avait jamais rien espéré.

Elle haussa les épaules, ouvrit le robinet, ajusta le mélangeur et passa sous la pluie de petites aiguilles d'eau qui tombèrent sur sa tête et noyèrent ses idées mélancoliques. Les cloisons de glace de la cabine s'embuèrent. Cela lui rappela les gouttes de vapeur condensées qui tombaient du plafond de la salle de bains quand elle était enfant. Chez sa mère, à Londres, cette pièce était toujours humide, même l'été ; l'hiver on y grelottait.

Son attention se porta vers des savons et pommades alignés sur une étagère au-dessus de la poire à douche. Elle en essaya plusieurs. Elle se savonna et se rinça, manœuvra de nouveau le mélangeur pour passer du chaud au froid. Petit à petit, sa fatigue se dissipa. Elle ferma le robinet et sortit de la cabine tout à fait éveillée. Elle s'enroula dans une serviette éponge et se frotta énergiquement. Puis elle peigna sa chevelure mouillée. Elle passa dans la chambre à coucher et s'habilla. Solange et Philip dormaient encore.

Dans son sommeil il paraissait étrangement innocent. Tous les hommes sont pareils, pensa-t-elle : uniquement préoccupés d'eux-mêmes, ils ne se soucient pas de ce qu'éprouvent leurs partenaires.

Philip la considérait sans doute comme un simple accessoire. D'autres, il est vrai, se laissaient volontiers exploiter par les femmes ; certains parce qu'ils ne s'en rendaient pas compte, d'autres, plus rares, étaient assez riches pour ne pas s'en soucier. Philip n'appartenait pas à cette catégorie. Lui, il se servait des femmes.

Le jeune Rostand battit des paupières puis ouvrit les yeux et considéra Cubitt. « Que fais-tu ? lui demanda-t-il.

— Je pense.

— A quoi ? »

Cubitt se pencha au-dessus du lit, lui baisa la joue et murmura : « A baiser tous les deux. »

5

Alex Drach allait quitter son bureau quand le téléphone sonna. C'était une amie qui l'appelait ; la conversation prit aussitôt un ton de flirt. Il ne se laissa pourtant pas aller car il avait hâte de sortir.

Il reposa le combiné sur son berceau, traversa de bout en bout son appartement situé aux derniers étages sur Gramercy Park. Il s'assura que la porte blindée donnant sur le palier était fermée à clé. Puis il alla à la cuisine et fouilla le réfrigérateur en quête de quelque chose à manger ; il n'y trouva qu'un muffin anglais desséché et un pamplemousse ratatiné. Il emporta ce minable butin dans la partie de son grenier qu'il avait aménagée en salle à manger. Il s'y assit sur un tabouret auprès d'un vieil établi qui lui servait de table.

Ce grenier, où subsistaient les poutres d'origine, le plafond et le plancher en larges lames et les murs de mortier rugueux, était son asile. Il en raffolait parce que l'espace lui permettait tous les aménagements imaginables. La hauteur du plafond équivalait à celle de trois étages. Une abondance de sièges, de tables et de canapés confortables, ainsi que des jeux de lumière à son goût lui laissaient largement la place de vivre et convenaient à son sens de l'indépendance. Alex considéra l'escalier intérieur conduisant aux chambres en mezzanine. Le vasistas situé au sommet lui indiqua que le soleil avait fondu la neige. Il alla à sa penderie, y choisit un pardessus en poil de chameau, appuya sur le bouton qui appelait l'ascenseur, fit basculer l'interrupteur qui éteignait toutes les lumières et entra dans la cabine.

Dehors, sous le pâle soleil d'hiver, des enfants façonnaient un bonhomme de neige. Une fillette de cinq ans, Alexandra, le vit se diriger vers Park Avenue Sud, grimpa sur le bonhomme de neige et agita la main. Ils avaient constaté qu'ils portaient le même nom et depuis se taquinaient toujours à ce sujet. Alex plia les doigts en ne laissant que l'index tendu pour imiter un pistolet et fit mine de tirer sur la petite fille qui se laissa tomber de son perchoir les deux mains sur la poitrine. Il espéra que personne n'avait vu ce geste et ne l'interprétait de travers. Le rire aigu de la gamine suivit Alex jusqu'à l'extrémité de la rue. Il faisait assez doux pour la saison, à peine moins de dix degrés centigrades ; la neige se transformait en boue sur laquelle coulaient des ruisselets qui se précipitaient le long du trottoir vers les gueules béantes des égouts. La température purifiait l'air. Alex respirait avec plaisir. Bien que ce fût le lundi matin, peu de véhicules roulaient vers le centre de la ville. La neige de la veille avait incité les banlieusards à prendre le train.

A l'extrémité de l'avenue, Alex héla un taxi pour se faire conduire vingt carrefours plus loin à son bureau dans le bâtiment de la Pan Am. Avant d'y pénétrer, il regarda une énorme benne preneuse ramasser des gravats derrière la palissade qui entourait l'emplacement de l'ancien hôtel Commodore.

Alex ne s'était jamais habitué aux destructions de bâtiments qui prenaient des allures de pillage, pour le plus grand bien des promoteurs immobiliers. Il rendit grâce au marché des arts qui respecte au moins le patrimoine des civilisations passées.

Il attendit assez longtemps pour voir une autre benne quitter le chantier. Enfin, il franchit la porte à tambour pour entrer dans le vestibule de marbre noir. En le traversant pour aller à la batterie d'ascenseurs, il soupira et se demanda ce qu'il trouverait dans son agenda. Il lui faudrait, de toute façon, ménager une partie de son temps pour s'occuper de la mission que lui avait confiée Rostand. Et Dieu savait quand il pourrait voir Sol Stern. Stern ! Si quelqu'un pouvait le tirer d'affaire c'était Sol. Alex se promit de l'appeler sans tarder. Puis le souvenir de Cubitt Keeble lui revint à la mémoire. Il se demanda si elle assisterait ce soir-là à la réception de Rostand International.

En attendant l'ascenseur, il observa ceux qui l'entouraient : gens aux visages inquiets qui se précipitaient vers leur travail, regard morne, lèvres serrées, sourcils froncés ; bref, l'allure du lundi matin. N'importe lequel pouvait être un assassin.

Alex fit jouer les muscles de ses épaules. La tension des quelques derniers jours laissait les tendons de son cou crispés. Il aspira profondément, chassa lentement l'air de ses poumons mais le poids de la crainte lui resta au creux de l'estomac. Ce n'était pas une sensation nouvelle pour lui. Il l'avait éprouvée pendant la guerre du Viêt-nam dix années auparavant. Il se rappela le temps où sa compagnie de fusiliers marins traversait Hua sur une route crevée par les bombes, au bord de la mer, en fouillant les ruines dans un territoire que les Viêt-congs n'avaient pas encore abandonné. Chaque instant pouvait alors être le dernier. Tout homme, femme, enfant dans les parages était un ennemi probable. En de tels instants, on se sent éminemment mortel, ce qui donne une impression étrange et presque exaltante.

Les portes de l'ascenseur s'ouvrirent. Alex entra dans la cabine avec un businessman à lunettes et deux femmes vêtues sans goût, qui se rendaient au travail visiblement sans enthousiasme. Les portes se fermèrent. Alex ressentit un choc à la poitrine quand l'ascenseur décolla.

De retour à son bureau après quatre jours d'absence, Alex commença par saluer sa secrétaire sans grâce et même rébarbative.

« Vous êtes exceptionnellement ravissante ce matin, Mademoiselle Goodyear. »

Cette dernière leva à peine la tête, le regard méfiant, puis se remit à dactylographier. « Les messages sont sur votre bureau, dit-elle. Monsieur Franklin est dans la salle d'attente.

— Très bien, merci, Mademoiselle Goodyear. » Alex examina les messages et scruta son carnet de rendez-vous. Il jeta un coup d'œil sur la chevelure de paille rougeâtre. « Dites à Monsieur Franklin que je le rejoindrai dans un instant. Je veux d'abord voir Po. »

Il traversa le bureau de Mlle Goodyear pour entrer dans celui de Harry Powalski, son assistant.

« Te voilà enfin de retour », dit Po, le visage rayonnant. Assis sur le bord de son bureau, il feuilletait une liasse de papiers. Petit et trapu, Po avait le teint pâle et les cheveux bruns, grisonnants, séparés par une raie au milieu du crâne. Il s'enorgueillissait de ses moustaches en guidon de bicyclette et de ses favoris coupés à la hauteur du bas de l'oreille. As du rossignol, il aurait pu faire un parfait cambrioleur.

Alex raffolait de Po. Leur amitié avait commencé au Viêt-nam, dans les fusiliers marins. Même en ce temps-là, Harry laissait libre cours à sa fantaisie, convaincu qu'il se tirerait indemne de toutes les situations. Les autres officiers le jugeaient insubordonné. Alex au contraire voyait en lui un bon soldat, réfractaire aux conventions, mais efficace.

La manière dont il était entré dans l'armée révélait le fond de son caractère. Sans espoir, à dix-huit ans, de poursuivre ses études il fut mobilisé. Résolu à ne pas se laisser faire, il lut attentivement le règlement militaire et constata que pour sa taille il devait peser au moins cinquante kilos. A cette époque il en faisait soixante-douze et demi. Il se priva de manger pendant des semaines et survécut grâce à un régime d'alcool, huile de ricin, levure de bière plus une poignée de pilules de vitamines qu'il faisait passer en avalant un demi-verre de jus d'orange. Il devint squelettique mais en fut ravi. Pour être sûr de ne pas atteindre cinquante kilos, il se fit raser complètement la tête et se coupa les ongles au plus court. Il ne manqua pas d'aller aux toilettes aussitôt avant la pesée. Pour faire bonne mesure, il cracha abondamment sur le trottoir avant d'entrer au centre de mobilisation. Enfin il monta sur la balance. L'aiguille s'arrêta à quarante-sept kilos cinq cents. Pour Po, ce fut un miracle.

Quinze jours plus tard, il reçut une note du général commandant le service de santé lui annonçant qu'il était classé dans la catégorie RT2 : réformé temporaire sans pension. Temporaire !... c'est-à-dire pour trois mois seulement. Harry comprit qu'il ne pouvait pas prolonger son régime de famine qui l'aurait fait crever en moins d'un an.

Restait un dernier recours : échouer à l'examen d'aptitude mentale. Comprenant d'emblée quelle réponse il aurait dû donner à chaque question, il en énonça de totalement différentes. Ce procédé n'était malheureusement pour lui pas infaillible. Il eut un parfait zéro, considéré comme une impossibilité statistique. Il apprit qu'un babouin subissant le même examen et rangeant des cubes de couleur à tout hasard aurait satisfait les examinateurs dans la proportion de vingt-cinq pour cent.

Le psychiatre du centre mobilisateur le fit remarquer à Harry et le menaça malicieusement de l'envoyer à l'hôpital psychiatrique le plus proche s'il refusait de repasser l'examen. Harry céda et eut cette fois la note de cent pour cent, encore jamais donnée à ce centre. Alors, quitte à être soldat, Harry « Po » Powalski décida de l'être tout à fait et s'engagea dans les fusiliers marins.

L'anglais méticuleux et pompeux de Po faisait sourire Alex. Il lui demanda : « Où en sont les fuites ?

— J'hésite à répondre à cette question sans être mieux informé : s'agit-il de les boucher ou de les percer ?

— Les boucher.

— Que faut-il faire en outre ?

— D'abord, je veux que tu loues un appartement d'une seule pièce quelque part dans les rues Soixante Est. Puis tu téléphones au service central de la Compagnie des téléphones new-yorkais. Alex lui tendit une liste de six noms : ceux des membres de la bande à Marto. « Tu t'identifies d'abord en donnant un de ces numéros de téléphone puis le nom correspondant. Tu indiques ton intention de transférer ta galerie à une autre adresse à laquelle tu demandes qu'on t'envoie tes factures.

— Compris. A celle de l'appartement que je vais louer.

— Tu comprends toujours tout. Efforce-toi quand même de parler un bon anglais des plus simples au cours de tes conversations avec la compagnie du téléphone. »

Le ronfleur de l'interphone se fit entendre. Po abaissa une manette. « Je vous lis, dit-il

— Monsieur Powalski, nasilla Mlle Goodyear, voulez-vous rappeler à Monsieur Drach que Monsieur Franklin l'attend. »

Alex se pencha au-dessus du bureau. « J'y vais sur-le-champ », dit-il.

Il traversa ses bureaux jusqu'à la salle d'attente où il serra la main d'un homme âgé, assis dans un fauteuil roulant. « Excusez-moi de vous avoir fait attendre, dit-il. Veuillez entrer dans mon bureau. »

Une femme en costume tailleur de gabardine manœuvra le fauteuil pour lui faire franchir le seuil. Alex se demanda où le vieillard l'avait pêchée. Elle offrait un aspect extraordinaire : pommettes larges, courtes tresses, lèvres épaisses, poitrine qui tendait la veste, fesses opulentes, mollets épais, chevilles bulbeuses. Elle portait une paire de brodequins marron énormes et Alex supposa que ses orteils l'étaient aussi.

Alex s'assit derrière son bureau. La femme extraordinaire plaça le fauteuil roulant devant lui et se retira dans un coin de la pièce où elle resta debout. « Que puis-je faire pour vous, Monsieur Franklin? demanda Drach.

— Je possède une collection, répondit Franklin qui jeta un coup d'œil autour de lui. Surtout des antiquités tibétaines et chinoises ainsi que quelques œuvres diverses. J'espère que vous pourrez me rendre visite pour me recommander...

— Un système de sécurité?

— Oui. Vous m'avez été chaleureusement recommandé.

— Je crois que je pourrai vous être utile, dit Alex. Antiquités tibétaines et chinoises, dites-vous. Ce sont des articles difficiles à protéger. Avez-vous déjà subi quelque perte?

— Non, jamais. La maison est très sûre.

— Avez-vous dressé le catalogue de votre collection? »

Franklin esquiva cette question en biaisant. « Ma foi, la plupart des objets sont photographiés. J'en ai prêté deux à l'Asia Society, ajouta-t-il inutilement.

— Je serais enchanté de voir cette collection. J'ai passé quelque temps en Orient et je ne me lasse jamais d'en admirer les objets d'art.

— J'ai eu le bonheur d'acquérir bon nombre de pièces superbes.

— Etes-vous collectionneur ou investisseur, Monsieur Franklin? »

Cette question parut intriguer son interlocuteur. Alex l'avait prévu. Tous les clients éventuels réagissaient ainsi. L'investisseur doit rendre compte au fisc de ses dépenses. Alex avait remarqué que ce sont toujours les meilleurs clients. Franklin pouvait être un simple collectionneur mais s'il n'avait pas de statut fiscal d'investisseur, il répugnerait vraisemblablement à faire les frais d'un système de sécurité ou n'en aurait pas les moyens.

« Par les temps qui courent, j'espère que la collection d'œuvres d'art offre une garantie contre l'inflation, dit Franklin. Mais je n'en fais pas le commerce. Je me contente de collectionner.

— Je peux au moins vous offrir quelques conseils élémentaires, monsieur Franklin. Les antiquités chinoises et tibétaines se négocient très facilement au marché noir. Si vous vous éloignez pendant l'été, je vous conseille de réfléchir sérieusement aux manières de mettre votre collection à l'abri. Elles sont nombreuses. Entendez-moi bien, s'il vous plaît. Une « maison très sûre » est exactement ce qui attire les voleurs d'objets d'art.

— Vous êtes assez décourageant, monsieur Drach. Que me conseillez-vous exactement?

— Nous dépassons maintenant le domaine des conseils élémentaires. Aucun système particulier ne protégera votre collection à coup sûr Bien des facteurs sont à étudier. D'abord j'aimerais procéder à une analyse des menaces et vérifier votre système de sécurité actuel. » Alex marqua un temps d'arrêt. « Car vous avez déjà un système de sécurité, évidemment ?

— Oui, évidemment, répondit Franklin les sourcils froncés. Il fait partie du bâtiment.

— Je vois. Nous ne pouvons en discuter sérieusement ici. Prenez votre temps et téléphonez-moi pour me donner un rendez-vous chez vous la semaine prochaine.

— Ce sera très bien. J'enverrai Maeve vous chercher en voiture », dit Franklin en désignant la femme restée debout dans le coin de la pièce.

Alex frémit intérieurement. « Vous êtes bien aimable, monsieur Franklin. Mais j'aurai besoin de ma propre voiture. »

Pendant qu'Alex recevait ses clients, Po passa la matinée à s'entretenir avec les agents de la compagnie du téléphone. Pour chaque membre de la bande, il composa d'abord les chiffres 3-4-8 puis les quatre premiers numéros du téléphone de leur bureau. Un représentant du service commercial du secteur dans lequel chaque galerie était située lui répondit.

Prétextant qu'il transférait son commerce, Po demanda qu'on lui envoie ses factures à la nouvelle adresse et qu'on y joigne un relevé des communications interurbaines de l'année passée.

L'agent de la compagnie lui expliqua qu'il pourrait seulement fournir des renseignements sur le mois précédent.

Po remercia son interlocuteur pour son amabilité et indiqua la nouvelle adresse. Le relevé lui serait envoyé dans le courant de la semaine. Il répéta le même procédé pour chaque membre du complot.

6

Le salon de Georgette à Manhattan prend soin des femmes qui désirent conserver une peau jeune, lisse, exempte de rides. Les prix varient du massage facial d'une heure à trente dollars jusqu'au traitement complet qui en vaut cent cinquante. C'est ce dernier que demandait toujours Jane Rostand.

Allongée sur le dos, les jambes couvertes par un court édredon bleu et blanc, elle s'abandonnait aux soins d'une esthéticienne en blouse blanche, qui lui nettoyait la peau avec une lotion inodore. Pendant que les doigts durs de la spécialiste décrivaient des cercles sur la surface ferme de son visage, Jane rêvait, à demi consciente, à un certain homme. Elle le voyait debout au pied de son lit à baldaquin. Elle ne portait qu'une courte veste de nuit finement brodée, mal boutonnée, révélant la totalité du cou long et gracieux ainsi que deux seins de jolie forme. Elle reposait contre un amas d'oreillers moelleux appuyés à un dosseret couvert de satin blanc.

Il s'approcha de la tête du lit en souriant. Ses doigts foncés tracèrent une ligne depuis le cou jusqu'à la gorge. Puis il lui baisa les joues, la caressa, l'émut. La main glissa vers l'entrecuisse et la pénétra. Voilà des années qu'elle n'avait rien ressenti de tel.

« ... Etes-vous prête pour le lubrifiant, madame Rostand ? » demanda l'esthéticienne.

Ensommeillée, Jane ouvrit les yeux. « Que dites-vous ?

— Le lubrifiant...

— Excusez-moi, Lisa. Bien sûr, allez-y. »

L'esthéticienne appliqua une crème contenant des cellules vivantes d'un placenta de chèvre, qui passe pour retarder le vieillissement. Elle se servait d'un petit fer tiède pour adoucir les pores.

« Ce traitement importe énormément, en particulier cette saison où le décolleté est à la mode. Nous devons aussi prendre soin de notre dos, nos épaules et ainsi de suite.

— C'est vrai, dit Jane. Les changements de température nuisent à ma peau, surtout en hiver. Le froid me couvre de taches rouges. »

Le traitement du corps avait lieu dans une pièce peu éclairée, confortablement meublée. Un feu de bois brûlait dans la cheminée et on entendait des airs de musique douce. L'esthéticienne s'occupait alors des cuisses, bras coudes et pieds de Jane. Elle se servait d'une serviette chaude pour enlever la lotion, puis appliquait une crème végétale qui effaçait les cellules mortes et hâtait la circulation du sang en quelques minutes. Ensuite, après un massage contre les rides, de la tête aux pieds, elle enveloppa Jane dans un voile de gaze imprégné de paraffine qui se rétractait sur sa peau.

Jane retomba dans sa rêverie. Cette fois, ce ne furent pas les lèvres de son amant qui se posèrent sur sa joue d'une blancheur de lait, mais celles d'André. Autrefois, au début, ils étaient si étroitement unis ! le moindre contact les animait.

Elle avait vingt-trois ans quand ils se rencontrèrent à Palm Beach, durant l'hiver 1935. Elle dansait au Flamingo Ball, l'événement le plus sensationnel de la saison mondaine cette année-là, quand elle aperçut André qui pénétrait au Palm Beach Country Club, en jaquette et cravate blanche. Il s'arrêta auprès de l'orchestre. Au bout d'un moment elle constata qu'il la suivait des yeux et en fut flattée. Elle portait une robe de crêpe vert et un collier de topaze qui mettait en valeur sa peau hâlée couleur de miel.

Quand l'orchestre cessa de jouer, il traversa la piste jusqu'à l'endroit où elle s'entretenait avec son cavalier : jeune homme mou, au visage pâle dont la peau paraissait translucide et dont les traits dénotaient une totale absence d'énergie. André avança sans hésitation vers eux, salua le jeune homme d'un hochement de tête et réclama à Jane la danse suivante.

Elle le considéra avec surprise. « Je ne crois pas que nous ayons été présentés », dit-elle.

André allait répondre quand le cavalier intervint. « Désolé, mademoiselle a réservé toutes ses danses pour la soirée. »

Dédaignant ces propos, André attendit qu'elle réponde. Sans y réfléchir, elle résolut de lui tenir la dragée haute. Quand l'orchestre reprit, cette fois sur l'air de *Melody Time,* Jane se tourna sans dire un mot vers son cavalier et s'éloigna dans ses bras, laissant André en plan.

Un peu plus tard, le maître de cérémonie annonça une *Paul Jones.* Au roulement du tambour, deux cercles se formèrent, les femmes à l'intérieur et les hommes à l'extérieur. L'orchestre entama *Le Voyageur de Virginie.* Hommes et femmes, face à face, glissèrent de côté en direction opposée. Jane vit défiler devant elle de nombreux visages. La musique cessa brusquement. La jeune fille fut étonnée de se trouver en face d'André.

« Le sort nous a réunis, malgré tout, il me semble, dit-il en souriant. Dansons-nous ? »

Commença une valse lente, romanesque. André la prit dans ses bras et la conduisit avec douceur autour de la piste. Elle constata qu'ils avaient la même taille et que ses longues jambes suivaient parfaitement le rythme du jeune homme.

« Quel bonheur que le destin nous présente l'un à l'autre, dit-il, en la regardant droit dans les yeux.

— Vous êtes bien aimable, monsieur. Pourtant ça me paraît bizarre. »

Il l'attira plus près de lui. « Peut-être est-ce la destinée. »

Elle l'écarta en glissant doucement son avant-bras entre eux. « Vous n'êtes pas américain, je crois ?

— C'est exact.

— Italien ?

— Français...

— La France ! J'y suis allée l'été dernier.

— Ça vous a plu ?

— J'en suis encore enchantée. Tout y est tellement différent d'ici. Les repas... »

L'orchestre se tut. Ils se séparèrent et les deux rondes se reconstituèrent. La musique reprit sur l'air du *Voyageur de Virginie.*

André et elle passèrent l'un devant l'autre à deux reprises. Chaque fois, elle lui sourit. Quand l'orchestre se tut, ils se retrouvèrent face à face.

Elle fronça les sourcils et pourtant se glissa entre les bras d'André. « Ne prétendez pas que c'est encore le destin.

— Ne disons rien. Dansons. »

Il abaissa sa main droite jusqu'au-dessous des reins et l'attira vers lui, si bien que leurs cuisses se touchèrent. Ils dansèrent lentement au rythme de la musique. Rassurée, elle lui passa un bras autour du cou et lui posa le front sur l'épaule. Il la serrait si étroitement qu'elle le sentit durcir.

Quand la musique cessa, ils se séparèrent. Jane le regarda d'un air entendu. « Notre chance durera-t-elle ? »

André haussa les épaules et répondit innocemment : « Sait-on jamais ? »

Eh bien oui ! la chance les favorisa de nouveau et ils repartirent enlacés. Elle raconta à André l'essentiel de sa vie : études en Suisse, rôtissage aux Bahamas, congélation à Saint-Moritz, perfectionnement à l'école Duchesne de New York. Parents divorcés, chacun remarié de son côté. Elle vivait alors avec son père qui avait fait fortune dans l'immobilier aussitôt après la guerre. Le jeune homme qui l'accompagnait ce soir-là était son cavalier habituel mais elle tint à préciser qu'il n'y avait rien de sérieux entre eux.

Cette danse terminée, Jane était convaincue d'avoir trouvé l'homme de sa vie, bien qu'elle ne sût rien de lui. Elle le trouvait terriblement séduisant, moins par son physique que par l'ambiance qu'il créait autour de lui. Elle devina qu'il savait ce qu'il voulait. L'attrait fut impétueux et instinctif.

André la conduisit à l'autre extrémité de la piste de danse, jusqu'à une table où ils s'assirent face à face. Les garçons ne savaient où donner de la tête mais André résolut le problème en agitant à bout de bras un billet de vingt dollars. En moins de temps qu'il n'en faut pour le dire, une bouteille de Moët et Chandon apparut dans un seau à glace auprès de leur table.

« Voilà une manière bien coûteuse de boire », dit-elle. A cet instant elle comprit qu'André avait soudoyé le chef d'orchestre pour qu'il arrête les rondes au moment précis où ils se trouvaient face à face. Voilà un homme qui n'abandonnait rien au hasard. « Gouvernez-vous toujours le destin comme ce soir ? demanda-t-elle.

— Parfois », répondit André avec un sourire distrait. Il éleva son verre. « A la plus belle fille de Palm Beach. »

Elle rit. « Vous les connaissez toutes ?

— La plupart, dit-il. De-ci, de-là. »

Dans le regard de la jeune fille la perplexité s'ajouta à l'admiration. « Que faites-vous aussi loin de chez vous ?

— Je vends de l'art.

— Comment ?

— De l'art. Vous savez, des tableaux, des dessins... »

Elle hocha la tête en guise d'approbation et parcourut la salle du regard. « Il est temps que je rejoigne mon cavalier.

— N'en faites rien. Nous commençons à peine à nous connaître.

— Nous connaître ? Je ne sais même pas votre nom.

— Je sais le vôtre, vous êtes Jane Thompson, dit André. En ce qui me concerne, je puis remédier à votre ignorance. » Il tira une carte de sa pochette et la lui donna.

Elle lut : ANDRÉ ROSTAND. ROSTAND ET FILS. 3 RUE DE LA BOÉTIE PARIS VIIIe... « Rostand ! Voilà un nom facile à se rappeler. » Elle but une gorgée de champagne et ajouta : « Oui, c'est un nom qui sonne bien.

— Il vous plaît, j'en suis ravi, parce que ce sera le vôtre. »

Elle écarquilla les paupières. « Vous êtes fou.

— Pas du tout, vous allez m'épouser. »

Elle éclata de rire mais sans conviction, tant elle était séduite. « Vous êtes un vrai pitre, dit-elle quand même.

— Je n'ai jamais parlé aussi sérieusement. Nous commencerons par aller nager ensemble dès demain matin avant le petit déjeuner.

— Quelle folie. » Elle vida sa coupe de champagne en se demandant si elle ne rêvait pas.

« Nous verrons bien », dit-il.

La semaine suivante, André annonça à son père qu'il allait se marier. Aaron s'efforça de l'en dissuader. Le père de Jane s'opposa aussi à cette union en disant clairement qu'il ne voulait pas voir sa fille épouser un juif. Les jeunes gens ne s'en soucièrent pas plus l'un que l'autre. En dépit des protestations de leurs familles, ils se marièrent civilement au printemps, à New York.

André emmena Jane à Paris. Ils y passèrent deux années de bonheur sans nuage. Il voyageait souvent et elle l'accompagnait partout. Quand il arrivait à André de la laisser seule, elle lui restait fidèle ; il n'y avait pas d'autre homme dans sa vie. Ils achetèrent une maison sur la côte d'Azur et y passèrent ensemble la plus grande partie de l'été. Elle prit des leçons particulières de français et ne tarda pas à le parler couramment. A l'automne ils retournèrent à Paris dont Jane s'était mise à raffoler. C'était une ville vivante, effervescente, peuplée de gens intéressants et même passionnants. Elle avait assez d'argent pour en jouir. Tout fut idyllique : leur amour, leur foyer, leur union, leur vie commune.

Mais tout changea quand elle fut enceinte. Elle tomba dans la morosité, perdit l'appétit, supporta mal les malaises du matin. Dès lors, elle refusa de recevoir André dans son lit.

Elle s'efforça de lui expliquer ce qu'elle éprouvait mais y parvint d'autant moins qu'elle le comprenait mal elle-même. Il s'agissait surtout de peur. Elle redoutait à l'excès la douleur, pas seulement pour elle-même mais pour n'importe quel être humain et animal. Elle n'avait jamais pu supporter la vue du sang, même au cinéma. La perspective d'accoucher lui faisait horreur. Trop de femmes lui avaient parlé des tortures ressenties lorsqu'elles mettaient au monde leurs enfants. L'idée de passer par cette épreuve la terrifiait. André l'écoutait et paraissait la comprendre. Il ne chercha pas à écarter ses craintes et lui dit qu'après l'accouchement tout reviendrait à la normale.

Vers la fin de la gestation, Jane se conduisit d'une manière désordonnée. Elle s'en rendait compte et ça la désespérait. Elle pensa même au suicide. Elle injuriait les domestiques, mangeait peu et se confinait dans sa chambre. Elle se sentait prise dans un piège sans évasion possible.

Les contractions commencèrent une nuit au lit. Elle éprouva une douleur imprécise au bas-ventre et remarqua que ses draps étaient mouillés. Elle appela André. Quand il entra dans sa chambre, elle éprouva une contraction plus douloureuse. Son bas-ventre se crispa, puis la douleur s'évanouit. André la massa. Un quart d'heure plus tard, elle eut une nouvelle contraction, moins douloureuse que la précédente. Ensuite, elles se succédèrent à intervalles de plus en plus rapprochés : d'abord toutes les dix, puis toutes les cinq minutes.

André fit venir la sage-femme. Une demi-heure plus tard, ils partirent pour la maternité. Au cours du trajet, les secousses du véhicule rendirent les contractions plus douloureuses. Elle arriva à la clinique en état de panique insensée. On la conduisit immédiatement à la salle d'accouchement où la sage-femme de service l'examina. Sans raison explicable, crispations et douleurs cessèrent. La sage-femme déclara que sa patiente en était seulement au premier stade et que l'accouchement n'aurait pas lieu avant le lendemain. Elle renvoya André chez lui en lui disant de ne pas revenir avant le matin suivant.

On installa Jane dans une chambre particulière où elle attendit, esseulée et épouvantée.

Quatre heures plus tard les contractions reprirent, cette fois plus intenses. Elle vociféra et se démena tant qu'un infirmier dut la tenir pendant que la sage-femme l'examinait. Elle n'était qu'à peine dilatée. On appela le médecin. Il lui fit une piqûre pour détendre la région pelvienne. On lui posa un masque sur le visage pour lui faire respirer un mélange d'oxyde nitreux et d'oxygène, afin de la calmer. Rien n'y fit. Elle peina pendant dix heures. On recourut à un anesthésiant plus énergique mais ce médicament interrompit le travail. Sous son masque Jane souffrit de claustrophobie. Elle ne cessait de brailler en suppliant la sage-femme de faire quelque chose, n'importe quoi pour mettre un terme à cette torture. La sage-femme répondait toujours par les mêmes mots : « Du calme, du calme. Aspirez... Expirez... Du calme. Tout ira bien. »

Jane souffrait particulièrement du dos, de plus en plus intensément à chaque contraction. Ce fut une véritable agonie pour elle. Des cris inhumains retentissaient dans la pièce voisine comme un écho aux siens.

La lumière l'éblouissait. On la ligota sur la table d'opération. En plus de tout cela, elle était épuisée et n'avait plus la force de pousser.

Quand elle mit le bébé au monde, elle eut à peine conscience de ce qui se passait. Les paroles du médecin semblaient venir de très loin. « Aspirez... Expirez... Assez... Poussez... Encore... Encore... Encore... » Elle sentit les tissus de son abdomen se tendre douloureusement et crut qu'on l'éventrait.

Elle regarda ce que faisait le médecin. Ce qu'elle vit lui parut entouré de brouillard. Le gynécologue lui plongea dans le corps deux énormes cuillères pareilles à celles qu'on utilise pour servir la salade de fruits. « Ça fait mal ! » s'exclama-t-elle. Puis elle sentit l'enfant sortir d'elle.

Le docteur annonçait tranquillement les progrès : « La tête atteint le périnée. Cheveux bruns... La tête... Le front... Les yeux... Une épaule... Poussez maintenant... Poussez encore pour l'autre épaule. »

Elle sentit quelque chose de chaud glisser au long de sa cuisse. Dans son délire, Jane leva la tête et vit une créature d'un bleu rosâtre allongée entre ses jambes. Par la suite, elle n'avoua jamais, pas même à sa mère, ce qu'elle éprouva à ce moment. Elle ne l'admit à elle-même qu'en de rares occasions, convaincue que c'était horrible, qu'elle n'était pas normale mais qu'elle n'y pouvait rien, que cela ne dépendait pas d'elle. Rien ne l'avait jamais autant répugnée que son enfant. Elle comprenait qu'André n'en était pas coupable mais l'idée de s'unir de nouveau à cet homme lui fut intolérable. Quelque chose s'était brisé en elle.

Le lendemain matin, quand André revint à la maternité et qu'on le conduisit aussitôt à la chambre de sa femme pour voir son fils Philip, il eut à peine le temps de s'extasier qu'elle lui fit part de sa décision. Elle vit l'euphorie s'effacer sur le visage de son mari dont le regard exprima un étonnement amer. Pourtant elle répéta, résolue à ne pas céder : « Plus jamais. »

En 1979, quarante années plus tard, elle se sentait redevenir jeune. Amoureuse d'un homme, elle avait hâte de le rejoindre. C'était stupide, mais elle ne pouvait se défendre contre son désir impérieux.

Il était intelligent, vigoureux, faisait preuve d'une gentillesse désuète qu'elle avait presque oubliée. Pourtant elle savait peu de chose à son sujet. En temps voulu, elle en apprendrait plus, c'était certain. Il y avait au moins quelque chose de beau dans sa vie. Le massage facial au fer chaud, le nettoyage en profondeur des pores, le masque raffermissant... tout cela c'était pour lui.

Jane sourit. Il était homme à apprécier ces menus soins.

7

« Mais les plans sont déjà terminés ! » cria Philip à son père.

Ce même lundi matin, les deux hommes étaient assis dans le bureau d'André Rostand. Le visage profondément ridé de ce dernier s'assombrit en entendant Philip protester contre la suspension des travaux sur son yatch de douze mètres. Il tira de sa poche intérieure l'étui de lunettes cerclées d'écaille dont il avait de plus en plus souvent besoin, bien qu'il ne les portât jamais en public. Il les ajusta pour scruter le visage de son fils. Comme toujours, il y vit ressentiment et opiniâtreté.

« Qu'ai-je donc fait au Seigneur ? dit-il, à peine capable de réprimer sa colère. Pourquoi ai-je un fils aussi sot ? Tu ne te rends pas compte du danger que représente ce complot ?

— Tu exagères. Marto l'a emporté pour le Vermeer, mais il ne manque pas d'autres tableaux sur terre. Nous pourrions commencer à nous intéresser au marché des contemporains.

— Tu ne sais pas de quoi tu parles. Nous sommes des négociants attachés aux vieilles traditions. Nous achetons et vendons la qualité. Nous ne trafiquons pas des foutaises. »

Philip agita la tête de droite et de gauche en dissimulant à peine son mépris. « Si Marto est tellement puissant, pourquoi ne traitons-nous pas avec lui ? Ensemble, nous pourrions dominer le marché. »

André retira ses lunettes et les remit dans la poche intérieure de son veston en flanelle grise. Il en avait entendu assez pour réaliser que Philip n'était pas digne de son patrimoine. « Pas une seule autre galerie au monde n'est restée dans la même famille pendant trois générations. Nous n'avons jamais acheté et vendu que la qualité. J'entends ne pas changer. Les Rostand ne tomberont jamais aussi bas que Marto et ses acolytes. Je me débrouillerai de cette bande. Diminue tes dépenses.

— Mais j'ai pris des engagements qui...

— Tu n'as d'obligation qu'envers la galerie. »

Bien qu'indigné, Philip céda. « Très bien. Que veux-tu que je fasse ?

— Ça vaut mieux. » Le roi des arts se leva et alla à la cheminée. « On m'a offert plusieurs collections de tableaux de très grande valeur », dit-il en saisissant le pommeau de sa canne en merisier. Il le caressa et poursuivit : « Ces œuvres d'art sont actuellement entre les mains d'un certain Monsignore Weiller. Je vais les acheter. »

Philip se leva à son tour et fit face à son père. « Mais... Tu parlais d'un moratoire sur les dépenses ?

— Il s'agit d'une situation exceptionnelle. Nous ne pouvons négliger ces tableaux.

— Qu'est-ce qu'ils ont de tellement extraordinaire ?

— Ils valent une fortune.

— Alors tu les paieras une fortune.

— Non. » André hésita un moment en se frappant la paume d'une main avec le pommeau de sa canne. « On me les offre pour la moitié de leur valeur. Ils ont été volés pendant la guerre. Pillés par les nazis. Ils refont à peine surface. »

Philip s'appuya au bord du bureau avec un sourire ironique. « Est-ce conforme aux grandes traditions dont tu parlais il y a une minute ?

— Ne sois pas idiot, Philip, rétorqua le père. Ces tableaux sont sur le marché. S'il en avait l'occasion, Marto les achèterait sur-le-champ et s'en servirait pour nous ruiner.

— Oui. Même idiot, je comprends », dit Philip. Un rien de sarcasme tinta dans sa voix.

« Tant mieux, parce que j'aurai besoin de ton aide. Quand on nous les livrera, je veux que tu t'en charges.

— T'ai-je jamais fait défaut ? »

André scruta le visage de son fils dont il comprit la question. Philip énonçait le prix de sa collaboration. « Non, dit-il à mi-voix. C'est pourquoi je compte sur toi. »

L'air satisfait, Philip passa derrière le bureau d'André et appuya sur un bouton qui fit coulisser le panneau du bar. « Qui est ce Monsignore Weiller ? demanda-t-il en se préparant un scotch à l'eau. Comment se fait-il qu'il détienne ces tableaux ?

— C'est une vieille relation, répondit André qui reposa sa canne sur la tablette de la cheminée et alla à la fenêtre. Nous nous sommes rencontrés pendant la guerre, pour peu de temps. Je sais seulement que ces œuvres d'art sont entre ses mains et qu'il veut s'en débarrasser. Elles arriveront de quelque part en Europe. La première sera ici ce soir.

— Ce soir ! »

André se tourna vers son fils et hocha la tête.

« Tu veux vraiment te lancer dans une affaire pareille ? demanda Philip. Ce serait jouer un jeu dangereux.

— J'y suis obligé.

— A qui appartenaient ces tableaux avant le pillage ?

— A des gens qui sont tous morts.

— Tous ? » demanda Philip. Un sourire s'étendit sur son visage.

« Sauf un seul. »

Le sourire disparut. « Qui la chance a-t-elle favorisé ainsi ? » Philip but une gorgée de whisky.

« Alex Drach.

— Alex Drach ! » vociféra Philip effaré. Il fit un pas vers son père. « La collection Drach ? Elle n'a pas été détruite ? »

André secoua la tête.

« Je vois ! s'exclama le fils.

— Non, tu ne comprends pas, dit tranquillement André. En outre tu te tairas. Seuls Grimaldi, Fuller, toi et moi serons au courant.

— Ne te soucie pas de moi. Inquiète-toi plutôt de Drach.

— Fais ce que tu as à faire, répondit sèchement André. Je ne t'en demande pas plus. »

Philip secoua la tête, surexcité. « C'est insensé. Que se passera-t-il si Drach apprend la vérité ?

— Il n'en saura rien tant que je ne serai pas prêt à la lui révéler. » André marqua un temps d'arrêt et retourna à son bureau puis ajouta : « Quand j'aurai réglé mon compte avec la bande noire, la collection Drach reviendra à Alex.

— Si je comprends bien, tu vas acheter ces tableaux d'un prix fou pour les donner.

— Ça me regarde, répondit fermement André.

— Je ne te savais pas aussi philanthrope, mon père.

— Je ne le suis pas... ni un voleur non plus. Pas plus que toi. Les propriétaires de ces œuvres d'art ont subi une injustice épouvantable, particulièrement Drach.

— Ça ne nous regarde pas.

— Nous ne sommes pas d'accord à ce sujet. Si je peux réparer cette injustice, je le ferai. Me comprends-tu ? »

Philip vida son verre. « Très bien, dit-il. Ces victimes ont droit à toute ma commisération. Mais qu'est-ce que nous y gagnons ?

— L'affaire rapportera suffisamment pour que tout le monde y trouve son compte. Fais la part qui te revient et je ferai la mienne. » Il n'y avait plus à discuter.

Philip s'en alla. André fit les cent pas dans son bureau en réfléchissant. Son fils avait raison, c'était un jeu dangereux. Voilà la seule chose sensée que Philip avait dite cet après-midi-là. André regarda l'extrémité de ses souliers bien cirés et se vit en train de marcher sur une corde raide. Une seule question se posait : jusqu'où pourrait-il aller ? La situation était tellement précaire qu'il en était exaspéré. D'une part, il devait conserver le secret de sa collaboration, surtout envers Alex Drach. D'autre part, il lui fallait empêcher la collection Drach et les autres tableaux pillés par les nazis d'apparaître sur le marché, tant qu'il n'aurait pas neutralisé la bande de Marto. Et puis, il y avait la fuite...

Il envisagea de se confier à Alex au sujet des tableaux qu'il allait acheter. Mais, s'il le faisait, ce jeune Drach découvrirait sûrement sa trahison. Non, mieux valait s'assurer d'abord la propriété des tableaux, maintenir Drach auprès de lui, à la fois pour le protéger et pour l'orienter. Dans l'immédiat, il fallait s'occuper du complot et ensuite régler son compte avec Montag.

8

Alex prit ses aises sur la banquette du taxi, pour mieux supporter les cahots quand le chauffeur sinuait dans les rues semées de nids-de-poule. Il avait passé toute la journée en conférences répugnantes avec des négociants en œuvres d'art, des collectionneurs : la file d'amateurs éclairés qui passaient chaque jour par son bureau. Rares étaient ceux qui appréciaient la valeur de l'art. Pour la plupart c'étaient seulement des propriétaires. « Les connards », bougonna-t-il. Cette réflexion révélait les deux aspects de sa personnalité : le technicien érudit et le chasseur de butin élevé sur les trottoirs de Pigalle.

Il respira profondément et fixa son attention sur le problème majeur du moment. Il avait hâte de revoir Sol Stern. Victime des camps de concentration nazis, ce vieil excentrique faisait autorité dans le domaine des œuvres d'art pillées. Il avait consacré sa vie à les retrouver. Au cours des années, Alex et lui avaient passé de longues heures ensemble, à échanger des renseignements au sujet des voleurs, des escrocs et tous ceux à qui ils avaient affaire dans leur travail.

Le taxi piqua vers le trottoir et s'arrêta. Alex acquitta le prix de la course devant un vaste immeuble de rapport, assez délabré, en haut du West Side de New York. Il pénétra dans le vestibule de marbre, vide de tout mobilier, prit l'ascenseur qui le hissa en grinçant jusqu'au sixième étage, puis suivit un corridor étroit jusqu'à une porte blindée à double serrure. Il sonna un coup bref, attendit une minute puis appuya de nouveau sur le bouton. Un instant plus tard, il entendit coulisser la fermeture du judas. « Drach, c'est bien toi ?

— Oui. Je suis en retard, excuse-moi.

— Un moment. » Des chaînes tintèrent, des clés tournèrent, la porte s'entrouvrit à peine et le visage d'un homme âgé, chauve, aux sourcils hérissés, apparut dans l'entrebâillement. « Les fardeaux de la sécurité, n'est-ce pas, mon pote ?

— C'est toute ma vie, comme la tienne », dit Alex. La porte s'ouvrit suffisamment pour qu'il pénètre dans une salle dont tous les murs disparaissaient derrière des classeurs.

Le visage de Sol Stern rayonna. Tout autour de son crâne luisant, une couronne de cheveux frisait comme une toison de mouton. Il indiqua de la main une table couverte de dossiers et auprès de laquelle il y avait deux chaises. « Assieds-toi », dit-il puis il s'excusa et s'éclipsa derrière une autre porte.

Selon toute apparence, ce bonhomme vivait seul avec la plus grande simplicité. Alex eut à peine le temps d'inventorier du regard la pièce sans autres meubles que la table, les chaises et les classeurs, que déjà Stern reparaissait avec deux gobelets et une carafe contenant un liquide doré.

« Xérès ? » offrit-il.

Alex hocha la tête sans conviction. « J'en serai ravi », dit-il poliment, le regard fixé sur la couche de poussière accumulée au fond de chaque gobelet.

Sol s'exclama joyeusement. « Tu es mon invité, jeune homme, profites-en. Je prépare ce xérès moi-même. »

Alex sourit, amusé par ce personnage rappelant les rabbins d'autrefois. Son pantalon froissé et son veston tombant jusqu'à mi-cuisse lui donnaient aussi l'allure d'un érudit des temps passés et d'un colporteur irlandais. Alex sirota une gorgée de xérès, gémit et dit : « Excellent. »

Stern éleva son gobelet : « *L'chaïm !* » dit-il. Il posa son verre sur le plancher et scruta le visage d'Alex entre ses lunettes et ses sourcils ébouriffés. « Que puis-je faire pour toi ?

— Me dire ce que tu sais de la collection Drach.

— Celle de ton père ?

— Oui.

— Quelle désolation ! Il possédait des tableaux merveilleux. Surtout des impressionnistes, si je ne me trompe pas.

— Que sais-tu de plus à son sujet ?

— Que sa collection a été détruite pendant la guerre.

— Je ne le crois pas. »

Les sourcils hérissés de Stern se relevèrent. « Pourquoi dis-tu ça ? »

Alex adopta le ton du témoin qui dépose devant un tribunal pour expliquer dans quelles circonstances tragiques avait péri Hugh Jenner. Il parla aussi de la tentative d'assassinat dont il avait été l'objet et de la réapparition du Watteau.

« Incroyable, murmura Stern les paupières écarquillées. Pourtant, ces éléments mis bout à bout signifient quelque chose.

— A ton tour, pourquoi dis-tu cela ?

— Ma foi, personne n'a jamais vu détruire la collection Drach ni su quand elle l'aurait été. Il a couru des bruits d'après lesquels il en resterait quelque chose à Rome. Si ces œuvres d'art existent encore, on conçoit qu'elles reparaissent maintenant.

— Et pourquoi ?

— C'est assez compliqué. Il s'agit des lois gouvernant la prescription. Les juristes en discutent beaucoup. Toutefois, en règle générale, si quelqu'un possède quelque chose depuis trente ans, ou à peu près, personne ne peut plus en revendiquer la propriété que la prescription rend légitime.

— Même s'il s'agit d'un objet volé ?

— Oui, dans certains cas. Pis encore, la prescription ne joue pas seulement pour l'objet mais pour le méfait, dans ce cas le vol. Je t'ai parlé de trente ans mais je t'ai dit que c'est la règle générale. En ce qui concerne les œuvres d'art, la loi varie de pays en pays : six ans dans l'Etat de New York ; cinq, en France. Deux forfaits seulement ne sont pas couverts par la prescription : le crime de guerre et l'assassinat.

— En conséquence, si les tableaux de mon père reparaissent, on peut les négocier sans encombre ?

— Oui, s'il ne reste pas d'héritier.

— Je vois, dit Alex. Si la collection Drach se trouve sur le point de refaire surface, je deviens un personnage gênant.

— On tue pour moins que ça. » Stern empoigna la carafe. « Encore un peu de xérès ? »

Alex refusa. « As-tu entendu parler d'un officier SS nommé Hans Montag ?

— Montag ! Bien sûr. C'était l'homme de Göring, un des personnages clé du régime nazi. On peut attribuer à Montag la plus grande partie des « réquisitions » qui eurent lieu à Paris.

— Dis-moi tout ce que tu sais à son sujet. »

Pendant une heure, Alex écouta, envoûté, le vieux Stern lui raconter comment les nazis, à la manière des Romains de l'antiquité, pillaient et emportaient les trésors artistiques des peuples vaincus. « Certaines unités de la Wehrmarcht ne servaient qu'à la confiscation des œuvres d'art. Quand les éléments avancés de cette armée s'emparaient d'une ville, les pillards suivaient de près, munis de listes tenues à jour. Ils savaient exactement ce qu'ils cherchaient : tableaux de prix, tapisseries anciennes, argent, or, tout ce qui vaut quelque chose. Ils embarquaient leur butin sur des camions ou des trains spéciaux pour l'expédier en Allemagne. Alors les maîtres du régime, là-bas, se disputaient les dépouilles. Ce fut la plus formidable spoliation de l'histoire.

« Considérons Göring, poursuivit Sol. C'était un fana de l'art. A la fin de la guerre, il avait amassé la plus vaste collection qu'aucun être humain eût jamais possédée jusqu'alors. Pour t'en donner une idée, je te dirai qu'il lui est arrivé de troquer cent soixante-quinze tableaux contre un Rubens.

— J'ai appris, en effet, qu'il avait un faible pour les nus pulpeux.

— Mieux que ça. Il avait un œil de faucon pour repérer des chefs-d'œuvre. Où que le trésor fût caché, il recourait à toutes les ruses imaginables, sans se priver de violence, pour s'en emparer. » De ses doigts blanchâtres Stern s'empara de nouveau de la carafe et se versa à boire. « D'autre part, Hitler ne fut jamais capable d'apprécier les tableaux qui lui tombaient entre les mains. Il y jetait un coup d'œil, les mettait à l'abri et les oubliait. En ce qui le concernait, ce n'étaient que des objets faisant partie de la collection qui portait son nom.

— Pourquoi ces gens-là étaient-ils tellement fascinés par l'art ? » demanda Alex.

D'un geste circulaire Stern montra les classeurs qui les entouraient. « Je vois, jeune homme, que tu ne sais pas grand-chose au sujet de l'Allemagne nazie. Sache au moins qu'Hitler ne voulait pas seulement vaincre ses ennemis mais aussi remodeler leur culture. Dans ce domaine, l'art était son objectif numéro un. Il considérait Van Gogh, Matisse, Cézanne et la plupart des artistes modernes comme des psychopathes et entendait faire disparaître toutes leurs œuvres. Evidemment toutes celles des juifs ou des bolcheviks, toutes celles qui traitaient d'un thème juif, même peintes par un non juif, toutes celles qui décrivaient l'exploitation ou la misère sociale, qui glorifiaient l'Afrique ou là race noire étaient considérées comme des travaux de dégénérés. Hitler ne voulait que des œuvres patriotiques, exaltantes, confortant son idée d'une race supérieure. Il avait même prévu en détail la construction d'un musée à Linz, sa ville natale, où il aurait rassemblé la plus grande collection d'art d'Europe. Linz devait devenir le centre culturel d'une nouvelle civilisation fondée sur l'idée de la suprématie aryenne. »

Bien qu'impressionné, Alex revint au sujet qui lui importait. « Qu'est-il advenu de Montag ? »

Le vieux Sol s'appuya au dossier de sa chaise, verre en main, et frotta son nez aquilin. Il réfléchit un moment. « Je crois qu'il a été tué lors de la prise de Rome par les Américains. Pourtant le bruit a couru qu'il aurait survécu à la guerre.

— Une simple rumeur ? »

Stern secoua la tête. « Il est difficile de démêler la vérité dans tout ce qui se raconte. On a aussi supposé que le fruit du pillage permet de survivre à...

— Des criminels de guerre ?

— Des hypothèses qui ne reposent peut-être sur rien. J'ai entendu dire que certaines grandes collections... des centaines de tableaux... serviraient à financer un réseau néo-nazi étendu sur l'Europe et l'Amérique latine. Je n'en crois rien.

— Moi non plus, dit Drach. Rien d'autre ?

— Je ne sais rien de précis sur Montag. Mais tu pourrais utiliser les dossiers de l'O.S.S. [1] aux Archives nationales. Le gouvernement en a autorisé la publication cette année. Intéresse-toi en particulier aux documents rassemblés par l'unité alliée de renseignements chargée d'étudier le pillage des œuvres d'art. Tu pourrais y trouver un début de piste. »

Alex se leva pour s'en aller.

« Dommage que je ne puisse t'en dire plus, soupira Stern.

— Comme toujours tu m'es très utile », répondit Alex en allant vers la porte.

Le vieillard lui saisit le bras. « Ne fais pas la chasse aux fantômes, fiston. Ça ne rachèterait pas ton père...

1. O.S.S. : *Overseas strategic services*, prédécesseurs de la C.I.A.

— Je le sais, répondit sèchement Alex. Ce n'est pas le sort de mon père qui m'intéresse, mais sa collection et je veux surtout savoir qui a essayé de m'assassiner en France.

— Bien sûr. Excuse-moi. Alors tu vas à Washington ? »

Alex acquiesça d'un hochement de tête. « Dans une quinzaine de jours. Je suis à peine de retour. J'ai un retard terrible dans mon travail.

— Eh bien ! quand tu y seras, sois prudent. La capitale n'est plus ce qu'elle était. La pègre y pullule.

— Merci pour le xérès, Sol. »

9

L'exposition à Rostand International, ce soir-là, rappela à Alex une grande première, avec un certain cachet intellectuel et, hélas ! beaucoup de snobisme aussi.

En smoking, avec cravate noire, Alex circula dans la foule élégante qu'il évalua à sept ou huit cents personnes. Bien peu d'entre elles, évidemment, se souciaient de ce qui était accroché aux murs. Les tableaux ne servaient que de toile de fond au rassemblement de gens vêtus par les meilleurs tailleurs et les plus grands couturiers. Servie par des garçons qui offraient à la ronde coupes de champagne et petits-fours, la cohue était aussi étroitement surveillée par le personnel de sécurité portant les mêmes habits de cérémonie.

Le siège de Rostand International n'avait rien d'un lieu public où peuvent se produire des événements saugrenus ou choquants. L'assistance se composait du gratin. Les noms représentaient plus que des familles : des institutions. Les invités régnaient en maîtres sur le monde de la finance et de l'industrie. Leurs empires s'étendaient sur toute la surface du globe.

Dès qu'il entra dans le vestibule, Alex perçut un parfum de musc, de cigares et de légers rires épars. Il jeta un coup d'œil circulaire dans la salle. Encore une exposition ! se dit-il en regrettant d'y être venu. Il n'avait rien à y gagner ; ce n'était sûrement pas là qu'il découvrirait l'origine de la fuite. Le décevait aussi l'absence de Cubitt Keeble. Les yeux mi-clos, réduits à deux rais gris d'hostilité, il circula en prêtant l'oreille à des bribes de conversations.

Un homme distingué, de haute taille, hocha la tête en réponse au sourire d'Alex, tout en expliquant à une jeune beauté que la peinture offre de meilleurs investissements que la promotion immobilière.

Un peu plus loin, une femme sophistiquée pérorait sur la vente du

Vermeer chez Sotheby. Elle demanda à pleine voix si Rostand International n'était pas sur le déclin.

« Il n'est vraiment plus à la hauteur.

— Qui ?

— Rostand.

— Qu'est-ce qui vous permet de dire ça ?

— Autrefois, il n'aurait jamais laissé un tableau comme celui-là lui glisser entre les doigts. »

Une autre intervint. « Ne l'enterrez pas encore, ma chère. C'est un homme très rusé. »

Plus loin encore, un groupe d'invités épiait l'entrée des célébrités. Dieu du ciel ! remarqua l'un d'eux. Si une bombe éclatait ici ce serait la panique demain à la bourse.

— Qui déposerait une bombe ?

— Je ne sais pas... n'importe qui. Les Arabes peut-être. »

Agacé, Alex décida de s'éclipser. Il se fraya un chemin vers le vestibule et rencontra alors André Rostand avec sa femme Jane, absorbés tous les deux par leur conversation avec une dame sculpteur. Ils ne parlaient ni d'art, ni de peinture, ni de sculpture mais de leur sympathie pour la doctrine du Tao.

Jane portait une robe réduite au minimum, en velours noir, qui lui découvrait le dos et moulait le bas de son corps. Belle comme toujours, elle n'arborait d'autres bijoux qu'une paire de boucles d'oreilles en diamant.

Alex s'approcha d'eux. Jane lui sourit froidement et se retourna aussitôt vers son interlocutrice.

Nullement vexé, Alex salua André Rostand qui lui tendit aussitôt la main. On aurait cru qu'ils ne s'étaient pas vus depuis longtemps.

« Ça avance ? demanda André.

— Pas encore », répondit Alex qui perçut une lassitude chez Rostand.

Le regard d'André évita celui de Drach. « Je pars ce soir pour Zurich, dit-il. Si vous avez des nouvelles, adressez-vous à Fuller. Dites-lui que vous voulez me parler mais ne lui donnez aucun détail. Il a des instructions pour vous indiquer à tout instant où vous pourrez m'atteindre. »

André avisa quelque chose qui lui déplut à l'extrémité du vestibule. Alex suivit son regard et vit Philip entouré de jolies femmes. L'enfant gâté paraissait s'ennuyer. Ses admiratrices semblaient être des new-yorkaises typiques, attirées par un homme qui les traiterait mal. Comme les insectes convergeant sur une flamme, elles avaient besoin de se brûler pour se sentir vivre.

« Il est encore dans les nuages, dit amèrement André.

— Il s'amuse, c'est tout.

— L'avenir de Rostand International », murmura le père dégoûté.

Alex se tut parce qu'il n'avait rien à dire. Depuis l'âge de quatorze ans, il avait deviné le ressentiment du père envers le fils et c'est en partie pour cela qu'il tolérait l'insolence de Philip. Il le voyait, en effet, blessé par l'animadversion de son père : mal dont il est difficile de guérir un homme. Le jeune Drach s'en rendait d'autant mieux compte qu'il avait lui aussi été privé d'amour paternel.

« Pendant un moment, les deux hommes restèrent silencieux. Alex se surprit à écouter l'entretien de Jane avec la dame sculpteur.

« Avez-vous entendu parler de Johnston ? demanda cette dernière.

— Le critique ? demanda Jane intriguée.

— L'ancien critique plutôt. Il est relégué à la chronique nécrologique. Son feuilleton l'a tué.

— Quel feuilleton ? demanda Jane. Je ne lis jamais les journaux.

— Alors, que lisez-vous ?

— Les revues de mode.

— Eh bien, comme je le disais... une chronique sur le bas-ventre du milieu artistique.

— Vous avez bien dit bas-ventre ? »

André qui écoutait aussi, sourit tristement et secoua la tête.

Jane se tourna vers son mari, comme si elle lui demandait secours. « Tu étais au courant de cette chronique ?

— Oui. Il accusait, je crois, certains conservateurs de musée d'accepter des tableaux d'artistes qu'ils exposent. Ce serait en quelque sorte des pots-de-vin sur toile.

— Les artistes font peut-être ainsi des cadeaux par gratitude, dit la dame sculpteur. C'est concevable dans le monde actuel.

— Parfois peut-être, répondit André avec une lueur de malice dans le regard. Parfois. »

Cette conversation ne l'intéressant pas, Alex prit congé. Il se dirigea vers la porte, puis s'arrêta brusquement. Dépassant tout le monde de quelques centimètres, Cubitt Keeble le regardait fixement en souriant, comme si elle ne voyait que lui. Il joua du coude pour s'approcher d'elle et, cette fois encore, les yeux vert jade l'émerveillèrent. « Vous êtes ici depuis le début de la soirée ? » demanda-t-il. Cette question ne l'engageait à rien ; pourtant il savait que la pire erreur envers une femme, c'est d'être trop prudent.

Elle répondit franchement : « Depuis assez longtemps. Je suis heureuse de vous voir.

— J'espère que vous vous amusez. »

Elle porta une coupe de champagne à ses lèvres et parcourut la foule du regard. « Je m'ennuie à mourir.

— Je vous comprends. Pas une seule personne ne regarde les murs. Tous ces gens-là sont ici pour se voir les uns les autres et surtout s'exhiber. »

Ni l'un ni l'autre ne dit plus rien. Il se demanda ce qu'elle pensait et s'avoua à lui-même qu'il n'était pas venu admirer les tableaux mais dans l'espoir de la rencontrer.

Tout à coup, chacun ouvrit la bouche pour parler au même moment.

« Excusez-moi, dit Alex.

— Non, parlez. »

Il hésita avant de dire : « Lorsque nous nous sommes rencontrés, je n'ai pas eu l'occasion de vous demander ce que vous faites exactement.

— Je travaille pour les Rostand.

— A quoi faire ?

— Je suis une paire d'yeux supplémentaire.

— Des yeux verts. Ils ont de la chance. »

Cubitt sourit et son expression s'adoucit.

« New York est-il votre centre d'opérations ? demanda-t-il.

— Oui, pour le moment. J'habite au Carlyle.

— Endroit agréable, dit Alex qui se trouva stupide.

— Confortable et commode. »

Et voilà Philip qui apparaît entre eux. « Vous vous amusez ? »

Cubitt le regarda, l'air morne, sans sourire. « Assistance assez saumâtre mais bon champagne.

— Et puis la compagnie d'Alex », dit Philip qui parut agacé.

Drach ne réagit pas. Pourtant l'atmosphère entre Philip et lui se chargea instantanément d'hostilité. Le fils Rostand s'était toujours montré grossier envers lui mais, cette fois, quelque chose d'autre tintait dans sa voix. Drach fit un pas vers la sortie.

« Attendez une minute », dit Cubitt en le retenant par le revers de son smoking.

Il sentit l'ongle long et rouge de l'index griffer la soie noire.

Philip fronça les sourcils. Une vague rouge parut jaillir de son col pour se répandre sur son visage. « Il est temps de nous en aller, dit-il à Cubitt. Je dois conduire mon père à l'aéroport. Je vous déposerai d'abord chez vous. »

Cubitt fit la grimace. « J'arrive à peine et je connais mon chemin. »

Alex constata que Philip transpirait abondamment. Sans doute était-ce parce que Cubitt le prenait de haut avec lui.

« Comme vous voudrez ! », dit durement le jeune Rostand. Il les quitta et sinua dans la foule en direction de la porte.

« Monsieur a des humeurs, dit Alex en souriant.

— Ne vous inquiétez pas, j'arrangerai les choses. » Elle baissa les yeux. « Vous avez une voiture ?

— Non, mais je sais héler les taxis.

— Pourrais-je en profiter ? »

Alex regarda autour de lui. La foule se clairsemait. Il se rappela combien il devait être prudent. Son système d'alerte fonctionnait alors à plein régime. Pourtant il n'hésita pas. « J'en serais ravi », dit-il.

10

Une heure plus tard, Baruch se tenait devant le comptoir de la douane, à l'aéroport international Kennedy. Un inspecteur considérait le tableau qu'il apportait de Rome. La sueur imprégnait la chemise bleue et froissée de ce fonctionnaire à l'air las.

A proximité, un jeune homme aux cheveux d'un roux explosif attendait, agacé, qu'un autre douanier eût fini de fouiller sa valise de cuir jaune râpé.

Baruch, aussi à l'aise que s'il faisait la queue à l'entrée d'un cinéma, respira l'œillet qu'il portait au revers de son veston. L'inspecteur feuilletait alors un grand registre. Baruch remarqua à regret que la fleur était fanée. Il l'arracha de la boutonnière et la lança adroitement dans une corbeille à papier.

« Vous jouez au basket-ball ? »

Baruch sourit. « Non, au football.

— J'y ai joué, moi aussi, il y a longtemps. »

Baruch hocha la tête. « Ce n'est plus le même jeu.

— Et comment ? Les nègres s'en sont emparés. »

Baruch hocha de nouveau la tête et le douanier poursuivit : « Comme ils mettent la main sur tout. »

Baruch hocha une troisième fois la tête. Enfin le fonctionnaire ferma son registre et regarda le tableau. « Qu'est-ce que ça représente, en fin de compte ? Paris ?

— Oui, Ça vous plaît ?

— Ma foi... l'art moderne. Non, ça ne me dit vraiment rien. » Le douanier fit signe à un jeune homme qui était à l'autre bout de la salle. « Freddie. Viens ici un moment, regarder ça. » En attendant ce Freddie, il chuchota, confidentiel : « Freddie est étudiant... diplômé des Beaux-Arts. » Ce diplôme l'impressionnait visiblement mais il prit soin d'ajouter : « Un peu heuh... » il se tapa la tempe de l'index. Une fois de plus, Baruch hocha la tête. « Fada », précisa inutilement le douanier.

Freddie arriva et considéra la toile d'un air blasé.

« Paris », dit le douanier pour se rendre utile.

Freddie interrogea Baruch. « Un souvenir ?

— Oui. Formidable, n'est-ce pas ?

— Combien l'avez-vous payé ? demanda Freddie condescendant.

— Quatre cents. » Baruch haussa les épaules et ajouta : « Quatre cents et des miettes. »

Freddie eut un sourire narquois. Il considérait Baruch comme un imbécile... « Ça va », dit-il à l'inspecteur.

Le douanier fit une croix à la craie sur la toile derrière la peinture et désigna le petit sac de cuir accroché au poignet du voyageur. « Qu'est-ce que vous avez là-dedans ?

— Mon insuline », répondit Baruch en ouvrant le sac.

L'inspecteur en tira un flacon contenant un liquide incolore et l'étui d'une seringue. « A quoi ça sert ? demanda-t-il.

— Je suis diabétique.

— Diable ! ça doit être pénible. » Il plongea la main jusqu'au fond du sac puis y remit insuline et seringue et le referma. « Bonne journée », dit-il en se retournant pour appuyer sur un bouton d'ordinateur indiquant que Baruch était libre.

Ce dernier reprit son sac et son tableau pour s'en aller vers la porte. Chemin faisant, il remarqua une adepte de Hare Krishna, s'approcha d'elle et accepta l'œillet qu'elle épingla au revers de son veston. Il lui donna un dollar et sortit du hall.

Les phares d'une Cadillac noire garée à quelques mètres de là, s'allumèrent à deux reprises puis la voiture vint lentement s'arrêter devant Baruch. Il sourit et en approcha.

La vitre de la portière arrière était baissée. Assis sur la banquette Philip regarda fixement Baruch. « Votre œillet me dit qui vous êtes, mon frère. »

Baruch hocha la tête en montrant la fleur du doigt. « Et vous devez être Rostand International.

— Bienvenue à la Grosse Pomme ! » dit Philip. La portière s'ouvrit, Baruch se pencha pour entrer.

Il s'installa sur le strapontin en face de Rostand père et fils. Coiffé d'un feutre taupé, incliné vers l'avant pour dissimuler le haut de son visage, André appuya sur un bouton incrusté dans l'accoudoir. « A la galerie », dit-il sèchement. La grosse voiture s'éloigna doucement du trottoir puis fila de plus en plus vite vers Manhattan.

Philip fit les présentations. « Frère Baruch, voici mon père : André Rostand et moi je m'appelle Philip. »

La tête blonde de Baruch s'inclina légèrement. « Excusez ma tenue froissée. Le vol a été long.

— Je vous comprends parce que je viens de faire le même trajet, dit Philip. C'est...

— Quelque ennui ? demanda André, interrompant son fils.

— Aucun. » Cette réponse dénotait une sorte de fierté professionnelle. « Le barbouillage nous a bien servi. La douane n'y a vu que du feu. Tant que nos articles resteront au-dessous de cinq cents dollars nous n'aurons rien à craindre : ni ennuis, ni expertise.

— Bravo ! dit Philip. Nous nettoierons le tableau ce soir à la galerie. S'il est authentique...

— J'espère qu'il est en bon état, dit André, coupant de nouveau la parole à son fils. Dans ce cas, les fonds seront déposés sous trois jours au compte de Monsignore.

— Je suis sûr que vous serez satisfait », dit Baruch en observant Philip au front duquel apparaissaient des gouttes de sueur.

11

Au lieu de prendre un taxi, Alex et Cubitt partirent à pied au long de l'avenue Madison vers l'hôtel Carlyle. Il était près de dix heures du soir. Le givre, soufflé par le vent glacial montant de l'Hudson, étalait une couverture blanche sur les rues. En cheminant dans la ville qui paraissait alors déserte et silencieuse, Cubitt s'appuyait au bras d'Alex.

« Comme c'est beau, dit-elle. Ça me donne l'impression d'un grand désert blanc.

— Moi, ça me donne plutôt l'impression du givre.

— Vous n'êtes guère romanesque.

— Surtout pas quand je grelotte. » Ils poursuivirent leur chemin d'un pas alerte, atteignirent le Carlyle et entrèrent dans le vestibule. « Merci de m'avoir accompagnée », dit Cubitt en déboutonnant son manteau de fourrure. Jusqu'alors Alex ne s'était soucié que du visage. Quand les deux pans du manteau s'écartèrent, l'ensemble du corps l'émerveilla autant. Devinant ce qu'il pensait, elle sourit : « Où habitez-vous ? demanda-t-elle.

— Gramercy Park.

— Vous vous êtes écarté de votre chemin.

— Pas tellement. »

Elle lui posa la main sur l'avant-bras. « Voulez-vous prendre quelque chose avant de repartir ? Ça vous réchauffera.

— Je suis assez romanesque pour accepter », répondit-il en souriant.

L'ascenseur les éleva jusqu'au dixième étage où ils suivirent un long couloir jusqu'à l'appartement de Cubitt. Elle ouvrit la porte et le précéda à travers plusieurs pièces où elle alluma la lumière.

« Nous allons loin ainsi ? demanda-t-il.

— Encore huit cents mètres avant d'atteindre le bar.

— Au moins il n'y a pas de problème de circulation. »

Cubitt le fit enfin entrer dans une chambre au décor oriental. La douce lumière d'une lanterne de papier huilé se réfléchissait sur le plafond tapissé de couleur thé. Elle ajusta soigneusement son pardessus au dossier d'un fauteuil d'ébène laqué et s'affaira à préparer les boissons. Alex s'assit au bord d'un canapé d'acajou orné de laiton et de nacre. Auprès de lui, un vase contenant une orchidée reposait sur une commode incrustée d'ivoire. Cubitt vint s'asseoir à côté de lui en portant dans chaque main un verre contenant du rhum de la Martinique.

« Les meubles ne sont guère confortables ici, dit-elle en lui remettant sa boisson. Ne croyez pas que ce décor me plaise.

— Rien n'est plus contagieux que le mauvais goût. C'est la maladie de notre époque. »

Elle le regarda d'un air intrigué. « Vous pensez au domaine de l'art ?

— Exactement. J'assiste régulièrement à l'ouverture de chaque exposition. C'est stupéfiant. Tout le monde sait que les tableaux présentés ne valent rien, mais bien des gens auraient honte de ne pas y aller. »

Cubitt but une gorgée de rhum. « Pourquoi y vont-ils donc ?

— Sans doute pour se frotter les uns aux autres. » En guise de conclusion Alex éleva son verre. « A votre santé. » Il goûta le rhum et souffla : « Le sang de Nelson.

— A vrai dire, c'est tout simplement du Saint-James. »

Alex l'observa par-dessus le bord de son verre. L'alcool rendait les yeux de Cubitt plus doux. Il la trouva extrêmement attrayante. Pourtant, une heure auparavant, il la considérait comme dangereuse. Cela ajoutait peut-être à son attrait. Il remarqua le même caractère contradictoire chez la jeune femme : de face, les traits harmonieux l'encourageaient ; de profil ils paraissaient plus sévères.

Elle soutint son regard un bon moment pendant qu'il l'observait ainsi et lui demanda enfin : « A quoi pensez-vous ? »

Il haussa les épaules. « A l'incertitude dans laquelle je vis.

— Où donc ?

— Ici même. » Un léger sourire éclaira la physionomie de la jeune femme qui se hâta de faire dévier la conversation. « Vous avez un joli accent, dit-elle. Je ne le reconnais pas. Vous n'êtes pas américain ?

— Si, mais j'ai grandi en France.

— Qu'est-ce qui vous a amené ici ?

— La même chose que vous : Rostand International. Le patron m'a adopté quand j'avais quatorze ans.

— Philip ne m'en a rien dit. C'est étrange mais ça explique...

— Quoi donc ?

— Pourquoi Philip vous est tellement hostile... Rivalité de famille ?

— Dans une certaine mesure probablement. »

Alex se leva et alla poser son verre vide sur le bar. Il se rappela l'expression assombrie de Philip le soir même à la galerie. « Si vous avez remarqué son animosité, pourquoi l'avez-vous provoqué ? » demanda-t-il.

Se servant de ses longs doigts comme d'un peigne, elle écarta ses cheveux de son visage. « Je ne l'ai pas provoqué.

— Mais si et vous vous en rendiez parfaitement compte. Moi aussi. Vous l'avez déçu pour qu'il vous désire encore plus.

— Je ne vous savais pas psychiatre. »

Alex sourit amusé. « Je ne le suis pas, dit-il, mais je sais reconnaître les manœuvres d'allumage. »

Cubitt se débarrassa de ses chaussures et replia ses jambes sous elle. « Que voulez-vous dire par allumage ?

— Chaque homme a un point faible. Certaines jolies belles le repèrent et appuient dessus comme sur un bouton. »

Cubitt plissa les paupières. « Vous venez de m'atteindre à mon point faible », dit-elle d'une voix plus dure. Elle se leva, alla à la fenêtre et regarda dehors. Pendant un moment, elle joua avec les rideaux. Enfin elle se retourna, le regarda d'un air dubitatif et demanda : « Et vous, où est votre bouton ?

— Vous ne le devinez pas ? » demanda-t-il avec un sourire bon enfant. Il prit son pardessus. « Merci pour le rhum. Il m'a réchauffé. » Il se dirigea vers la porte en ajoutant : « Je connais le chemin... »

12

Seul dans la cabine de l'ascenseur André Rostand regarda les petites lampes s'allumer l'une après l'autre jusqu'au cinquième étage de sa galerie.

Exposition... Bibliothèque... Photographie... Ces mots s'éclairèrent chaque fois qu'il passait un étage.

A celui du « Laboratoire », la cabine s'arrêta, les portes s'ouvrirent et Rostand sortit. Un membre du service de sécurité l'accueillit en touchant la visière de sa casquette et dit : « Ils y sont encore, Monsieur Rostand. »

Sans répondre André passa devant le gardien, pénétra dans un sas dont les portes s'ouvrirent sans bruit et déboucha dans le laboratoire. Marco Grimaldi y travaillait, entouré par Baruch, Fuller et Philip dont les regards convergeaient sur le tableau qu'il nettoyait.

« Ça avance ? demanda André en les rejoignant.

— Oui, Monsieur, dit Marco. *Le Joueur de luth.* En parfait état. » Il poursuivit sa tâche consistant à nettoyer le tableau avec un coton imprégné de dissolvant léger. Il procédait avec une lenteur prudente. Les vestiges des couleurs grossièrement appliquées par Montag disparaissaient. Il s'agissait d'une opération délicate. Les pigments de peinture sèchent physiquement en quelques semaines. Mais il faut au moins cent vingt-cinq ans pour qu'ils sèchent chimiquement. Après cette longue oxydation, la surface de la peinture devient aussi dure que de la pierre et résiste à tous les dissolvants. Les couleurs appliquées récemment pouvaient donc être effacées sans endommager l'original.

« Quand sera-t-il prêt ? » demanda Philip.

Absorbé par son travail, Marco haussa les épaules. « Patience, Monsieur Rostand. » Faisant passer délicatement sa main en cercle sur le tableau représentant une scène de Paris, il continua à faire apparaître le chef-d'œuvre de Watteau, que dissimulait ce barbouillage. Au bout d'un moment, Marco ajouta : « Il sera au point dans quelques jours. L'œuvre originale est parfaitement sèche. Aucun dégât à craindre.

— Très bien dit Philip enchanté par la nouvelle acquisition de la galerie. Nous trouverons facilement un acheteur. » Il se tourna vers Baruch et ajouta : « Le reste de la collection rapportera une fortune. »

Aussi décontenancé que s'il avait reçu un coup de poing à l'estomac, Fuller interrogea André du regard.

Le patron fronça les sourcils mais n'eut pas d'autre réaction. Il consulta sa montre. « Je vous laisse travailler, Marco, dit-il. Je dois retourner à l'aéroport. Mon plan de vol prévoit le décollage à minuit. » S'adressant à Baruch il ajouta : « Restez-vous quelque temps ici ?

— Plusieurs semaines, répondit son interlocuteur. J'ai quelques affaires à régler.

— Nous nous reverrons donc peut-être.

— Quand il vous plaira, monsieur Rostand. Je donnerai mes coordonnées à Philip.

— Très bien, dit André.

— Enchanté de vous être utile. »

La main de Marco continuait à décrire lentement des cercles sur la toile.

13

Jane Rostand releva l'ample manche de son peignoir pour consulter son bracelet-montre. Plus que cinq minutes. Pendant un moment, elle resta immobile en se délectant à la perspective de la nuit prochaine. Pendant toute la journée, elle n'avait réprimé qu'avec peine son excitation. L'absence d'André facilitait les choses... Bien que sa présence n'eût guère importé. Ces derniers temps, il ne remarquait jamais à quelle heure elle entrait et sortait.

Elle écrasa la Sobranie orange qu'elle s'était permise et posa son fume-cigarette auprès du cendrier. Puis elle sortit du lit et alla au miroir où elle se débarrassa de son peignoir. Ce qu'elle vit lui plut. Physiquement, elle restait pareille à ce qu'elle était vingt années plus tôt. Peut-être ses seins avaient-ils perdu un peu de leur fermeté mais ils conservaient le tonus de la jeunesse. Elle s'habilla rapidement parce qu'elle avait choisi robe et accessoires avant de s'allonger. Quand elle fut prête, l'interphone ronfla : son taxi l'attendait. Elle se hâta le long du corridor aux murs desquels étaient accrochées des lithographies de Rouault et enfila son vison à capuchon, sur le seuil de la porte.

Dehors, elle serra plus étroitement son manteau autour d'elle et monta dans la voiture. Le vent qui avait ravagé Manhattan pendant la journée s'était apaisé mais il faisait encore très froid. Le taxi fila vers le sud sur la Cinquième Avenue et entra dans Central Park par la Soixante-Sixième Rue. Cinq minutes plus tard, il quittait le parc vers l'ouest et montait vers le nord jusqu'au Dakota : un superbe ensemble immobilier de style gothique dominant les arbres du parc.

Le portier vêtu d'un lourd pardessus et coiffé d'une casquette se tenait à l'abri dans sa loge. Quand Jane descendit de la voiture, il ouvrit les portes de fer et verre puis toucha le bord de sa casquette. « Bonsoir », dit-il en souriant.

En constatant qu'il la reconnaissait, Jane esquissa un sourire nerveux et se précipita vers l'ascenseur. L'attente lui parut interminable. « C'est trop drôle », pensa-t-elle. André et elle avaient pensé à acheter un appartement au Dakota. La hauteur des plafonds, le soin apporté à l'architecture leur rappelaient un appartement qu'ils avaient habité à Paris. Construit à l'extrémité supérieure du West Side, l'immeuble se trouvait alors à l'écart de la ville. Ses parages donnaient l'impression qu'on atteindrait bientôt un pays de fermes et de routes en terre battue. Les gens à la mode en ce temps-là s'amusaient à dire que cet immeuble se trouvait en pays indien. De là lui venait son nom : Dakota.

Et depuis lors il était devenu une des résidences les plus chics de Manhattan. Finalement, c'est ce qui avait empêché André de s'y installer. Il préférait la tranquille élégance de leur appartement sur la Cinquième Avenue au West Side, plus littéraire, soucieux de culture et disons même bohème.

La porte de l'ascenseur s'ouvrit et Jane entra dans la cabine. Comme toujours, quand elle en arrivait à ce point-là, elle éprouva une contraction à la poitrine, qui lui parut monter vers la gorge. Elle ferma les yeux en craignant le vertige. Non, elle ne s'y habituerait jamais.

Sa liaison avait commencé au début d'octobre, chez Christie où elle était allée admirer quelques tableaux de maîtres anciens avant leur vente. Il s'était approché d'elle et s'était présenté lui-même. Après avoir échangé de menus propos au sujet des œuvres exposées, il l'invita à déjeuner pour le lendemain. Elle accepta. Ils se retrouvèrent donc deux jours plus tard dans un petit bistro à l'ouest du Village.

Ce déjeuner marqua un tournant. Assis face à face, ils commandèrent rôti de veau et vin rouge. Elle se rappelait surtout la manière dont il avait plongé son pouce dans le vin et lui avait passé ce doigt sur les lèvres. Puis le pouce lui était entré dans la bouche et s'était posé sur la langue. Sans se rendre compte de ce qu'elle faisait, Jane l'avait sucé. Le goût salé de la sueur et celui du vin la hanta pendant tout l'après-midi. Ils se revirent la semaine suivante à dîner. Le repas terminé, ils prirent un taxi pour le Dakota. Il ouvrit une bouteille de vin. Ils le goûtèrent à peine car ils se jetèrent sur le lit pour faire l'amour presque sans se dévêtir. Ensuite ils prirent une douche ensemble, s'enveloppèrent dans des serviettes-éponges et bavardèrent pendant des heures. Jane trouva cette étreinte ni aussi merveilleuse qu'elle l'avait espérée ni aussi décevante qu'elle aurait pu être. Avant de se quitter, ils firent l'amour de nouveau et cette fois ce fut parfait. De retour chez elle, Jane se sentit physiquement et mentalement mieux qu'elle ne l'avait été depuis quarante ans.

Pendant l'automne et l'hiver ils continuèrent à s'aimer dans la journée et parfois la nuit quand André n'était pas à New York.

Les mois s'écoulant, elle fut de plus en plus obsédée par son aventure. Elle ne vivait plus que pour le rencontrer. Cet amour devenait sa raison de vivre. Son existence se séparait en deux phases aussi distinctes que le jour et la nuit : le temps qu'elle passait sans lui ne lui paraissait qu'illusion et elle ne vivait réellement qu'en sa compagnie. Elle savait pourtant que ça ne durerait pas. L'espérer eût été folie. En attendant, elle jouissait sans réserve de son bonheur, en l'espérant aussi heureux qu'elle. Elle avait l'impression de renaître à la vie. Tout avait pris plus de sens, plus de beauté depuis leur rencontre. Même l'art dont elle ne s'était guère souciée jusqu'alors, l'enthousiasmait. Elle s'étonnait d'en discuter pendant des heures avec lui. A ce point de vue, il différait tellement d'André !

La porte de la cabine s'ouvrit et Jane pénétra directement dans le vestibule de l'appartement. Un tableau de Poliakoff, rouge et jaune vif, ressortait de manière accueillante sur les murs richement lambrissés d'acajou. Ce logement lui semblait exceptionnellement viril. Dès qu'elle s'y trouva, elle se détendit, comme si le décor lui-même la prenait par la main et la caressait.

Comme d'habitude, il n'était pas dans le vestibule pour l'accueillir. Cela faisait partie d'un petit jeu auquel ils s'amusaient. Jane étala son manteau sur la table et suivit un long couloir sous les poutres apparentes pour atteindre la chambre à coucher.

La lumière était allumée dans cette pièce. Il lisait, allongé sur un sofa. Il avait conscience de son arrivée mais ne se retournait pas. Elle avança sur la moquette d'un brun roux, se pencha au-dessus du sofa, lui posa les mains sur les yeux et murmura : « Bonjour chéri. »

Nando Pirelli se redressa. Un sourire de joie fendit son visage basané. Il lui baisa la paume de la main et fit pivoter Jane pour l'exposer à la lumière.

« Merveilleuse ! tu es merveilleuse, dit-il en l'admirant. Veux-tu boire ? » Sans attendre sa réponse, il se leva et alla au bar. « Rouge ou blanc, mon amour ?

— Blanc. »

Pendant que Pirelli enfonçait le tire-bouchon, Jane parcourut la pièce les bras croisés, tous les muscles de son corps en proie au désir.

« Il sera absent longtemps ? » demanda Pirelli.

Jane se tourna vers lui et sourit. « Trois ou quatre jours cette fois.

— Londres ?

— Oui. La vente Essler a lieu cette semaine.

— Je le sais. » Pirelli arracha le bouchon de la bouteille. « J'y serais volontiers allé, mais l'occasion d'être avec toi... » Il baissa la tête, comme un gamin qui n'ose avouer ses sentiments.

Jane alla vers lui. « Merci d'être resté. Je suis heureuse. »

Il lui tendit un verre de vin. « Bien sûr, pour André cette vente est très importante.

— A tel point qu'il a refusé d'y envoyer Philip », dit Jane.

Pirelli la prit par la main et la conduisit au canapé. Il la débarrassa de son verre qu'il posa sur une table basse auprès d'eux. Puis l'attirant vers lui, il glissa sa main sous la robe et caressa doucement l'intérieur des cuisses.

« Sur quoi penses-tu qu'il enchérira ? » demanda Pirelli, en exprimant toute sa passion dans un sourire.

14

Le Lear jet roula sur le périmètre nord de Heathrow, passant parmi les 747 et les 707, comme un moineau parmi des aigles, et s'arrêta à la gare numéro trois. La porte arrière de l'appareil s'ouvrit. André Rostand débarqua tenant sa canne de merisier et une petite valise. Une douzaine de douaniers et à peu près autant de policiers attendaient au service de l'immigration. C'était une heure creuse. Aucun autre passager dans le secteur des appareils privés.

Un fonctionnaire timide tendit à André un formulaire à remplir. Le voyageur indiqua le Claridge comme adresse à Londres. Il se rendit ensuite au contrôle des passeports, sans perdre de vue les agents de police adossés au mur et, de là, passa à la douane. Comme il n'avait rien à déclarer, il ne tarda pas à se diriger vers la sortie du côté vert.

D'un geste décidé un douanier le retint, lui demanda de poser sa valise sur la table d'acier inoxydable et de l'ouvrir. La fouille fut méticuleuse, révélant deux complets, trois cravates, plusieurs chemises, des chaussettes et du linge de corps. Le douanier ouvrit même l'étui du rasoir électrique qu'il examina. Puis avec un regard confus il le remit en place et dit : « Excusez-moi, monsieur. Je fais mon devoir. »

André ne répondit pas. Il referma la valise et sortit de la gare. Il pleuvait à torrents. La circulation était intense. Notre voyageur avisa une Rolls Royce garée à l'entrée du parking. Il y embarqua et ne dit qu'un seul mot : « Claridge ».

Cet hôtel qui reçoit par tradition les plus vieilles familles d'Angleterre et nombre de monarques en voyage, protège sa clientèle contre toute publicité indésirable. C'est pourquoi André Rostand y descendait toujours lorsqu'il allait à Londres.

Un chasseur en uniforme noir ouvrit la portière de la Rolls et accepta la pièce de cinquante pence qu'André lui remit. Il toucha du bout de la main son gibus de feutre, s'empara de la valise et se précipita pour ouvrir la porte du Claridge.

Il était exactement neuf heures et demie. Michael Koenig fumait une cigarette dans un fauteuil du vestibule. Pendant que le chasseur portait la valise à la réception, André bifurqua pour aller serrer la main de Koenig.

« Merci d'être venu, Michael, dit-il. Montons causer chez moi, nous y serons tranquilles. »

Grand, vêtu avec recherche — un peu trop sémillant peut-être au goût de Rostand — Koenig ramassa au pied de son fauteuil un porte-documents et suivit André au bureau de la réception.

L'employé de service accueillit le client avec un sourire. « Enchanté de vous revoir, Monsieur Rostand. Votre appartement habituel est prêt. »

Le Claridge offrait à sa clientèle deux cent neuf appartements complets avec toutes les commodités et cinquante-sept chambres avec salon. Le personnel s'élevait à plus de cinq cents unités. Y être admis était un privilège. Il n'y avait pas de tarif régulier. Le prix était une affaire personnelle, arrangée entre le client et le directeur. André n'avait jamais vu de note mais savait que, pour lui assurer son appartement au Claridge, Ray Fuller payait chaque année une petite fortune.

Rostand et Koenig suivirent le réceptionniste à travers le vestibule puis sur les marches de l'escalier à rampe de fer forgé qui s'élevait en spirale depuis le rez-de-chaussée.

Des fleurs avaient été disposées dans tous les coins du logement réservé à Rostand et un feu de bois crépitait dans la cheminée. Des meubles authentiquement anciens reposaient sur un tapis lilas foncé et des lithographies ornaient les murs tapissés de gris gorge-de-pigeon.

L'employé recula vers la porte en demandant : « Etes-vous parfaitement satisfait, Monsieur ? »

Rostand lui glissa discrètement un billet de cinq livres dans la main. « Peut-être pourriez-vous nous faire monter du café », dit-il. Dès qu'ils furent seuls, Rostand fit signe à Koenig de s'asseoir dans un fauteuil du salon. Quant à lui, il préféra rester debout et entra directement dans le vif du sujet.

« Je veux que vous ouvriez un compte chez deux agents de change. J'ai choisi D. H. S. Mederith et Compagnie d'une part Galloway et Pearson, d'autre part. Vous vous présenterez en personne privée, disposant de fonds considérables, que vous désirez investir à la bourse de Londres. Ne précisez pas le montant de vos disponibilités. Indiquez seulement qu'il s'agit de sommes substantielles. » André se tut un moment pour reprendre son souffle, puis reprit : « Expliquez à ces gens que vous voyagez beaucoup et que la plupart de vos communications avec eux auront lieu par télex. Vous devrez donc mettre au point un code pour leur passer vos ordres d'achat et de vente.

— Un code du commerce ou bien quelque chose de particulier?

— Voilà une bonne question! répondit André en tendant un carton à Koenig sur lequel étaient tapées à la machine les trois premières lettres de son nom KOE suivies par sa date de naissance inversée.

Koenig lut cette formule et hocha la tête. « Je comprends, dit-il l'air amusé. J'ouvre un compte, je précise un code et les fonds sont transférés directement à l'agent de change. En réalité je vous sers de paravent.

— Tout juste. C'est mon argent et c'est moi qui joue.

— Vous savez évidemment que vos investissements seront gouvernés par le règlement des Bourses de valeurs.

— Je le sais, en effet, répondit Rostand. Mais nous aurons les moyens d'exporter les fonds d'Angleterre quand nous aurons terminé nos affaires.

— Avez-vous pensé que je pourrais toucher tout l'argent et disparaître dès que les fonds auront été versés à mon compte? »

Une lueur de malice passa dans les yeux noirs de Rostand. « Lisez ceci », dit-il en offrant à Koenig une lettre et son duplicata. Ce document donnait à André Rostand un pouvoir général lui permettant d'effectuer toutes opérations pour le compte de Koenig. « Il vous suffit de signer et vous n'aurez plus aucun souci, Michael. L'argent ne passera même pas entre vos mains.

— Je vois que vous avez pensé à tout », dit Koenig qui lut attentivement la lettre, réfléchit un bref instant et signa.

André lui remit alors deux formulaires de demande d'ouverture de compte numéroté au Crédit suisse de Zurich. « Je crois que tout est en ordre, dit-il. Il faudra aussi les signer. »

La même opération se répéta : Koenig lut attentivement les formulaires. L'un était rempli à son nom avec indication de son adresse et de sa profession. L'autre concernait un certain Charles Stuart-Hunt avec une adresse différente et la profession d'éditeur. »

Koenig prit connaissance de ces renseignements sans qu'un seul muscle de son visage ne remue. Puis il parut s'étonner. « Pourquoi deux formulaires à deux noms différents ? demanda-t-il vivement.

— Parce que vous ouvrez deux comptes. En Grande-Bretagne les affaires de bourse sont régies par une législation très stricte. »

André expliqua qu'en vertu des lois britanniques, quiconque achète dix pour cent ou plus des actions d'une entreprise doit en notifier la direction dans les quinze jours. Cette exigence permet au public de savoir à tout instant qui possède une part importante du capital de n'importe quelle société par actions.

« Je vois », dit Koenig.

On frappa à la porte. Une servante apporta sur un plateau d'argent une cafetière d'où s'échappait de la vapeur, des tasses ainsi qu'une corbeille de croissants couverts d'une serviette rose. Elle posa le plateau sur une table devant le fauteuil de Koenig et s'éclipsa aussitôt.

Rostand emplit deux tasses. « De la crème ? demanda-t-il.

— Non, merci. Noir et sans sucre. »

André lui tendit la tasse et reprit son exposé. « C'est pour cela que vous ouvrez deux comptes sous deux noms différents.

— Aucune difficulté, dit joyeusement Koenig. Ma profession m'habitue à la comédie.

— C'est pourquoi je vous ai choisi. Vous ne risquez d'ailleurs rien parce qu'il sera impossible de remonter à la source des fonds. Les agents de change ne sauront pas d'où ils viennent.

— Une dernière question, dit Koenig. Qu'est-ce que j'y gagne ? »

André but une gorgée de café. La question de Koenig le confortait dans son jugement : c'était bien l'homme qu'il lui fallait ; sous un vernis d'élégance il avait la moralité d'un tricheur professionnel. « Dix mille livres, ça vous suffira ?

— Voilà qui m'assurera un week-end agréable à Acapulco », dit Koenig avec un sourire de satisfaction.

André lui indiqua qu'il recevrait par télex des instructions plus détaillées. De son côté il devait prévenir immédiatement Rostand si quelque difficulté apparaissait à l'une quelconque des charges d'agent de change. Enfin, André tira de son portefeuille cinq cents livres et les remit au régisseur de théâtre. « Ça vous servira pour l'ouverture des comptes. La moitié à chaque courtier. L'argent comptant c'est le plus simple, le plus rapide et ça ne laisse pas de trace. »

L'entretien terminé, Koenig s'en alla. André prit un bain, resta longtemps dans la baignoire, changea de linge et de complet, et se fit monter de la Causerie — bar et grill-room de l'hôtel — un verre d'amontillado.

Cependant, Koenig s'était déjà rendu en taxi à la City et avait franchi le seuil de D. H. S. Meredith & Co Ltd. Il se présenta au chef du service des comptes privés, un certain M. Simpson, et lui exposa qu'il désirait ouvrir un compte en versant deux cent cinquante livres en espèces.

M. Simpson fronça les sourcils et répondit que M. Koenig ferait mieux de s'adresser à une banque de son quartier, aux clients moins nombreux et où les petits comptes sont bien accueillis. L'attitude du chef du service changea du tout au tout quand Koenig annonça le transfert de vingt-cinq mille livres dans trois jours, en provenance d'une banque suisse.

Simpson invita Koenig à s'asseoir dans un fauteuil et lui présenta des formulaires à remplir, entre autres un document innocentant l'agent de change au cas où le client opérerait en Bourse sous des prétextes fallacieux. Koenig obtint la possibilité d'acheter à terme avec une simple marge de garantie dès que les fonds seraient arrivés de Suisse.

Enfin Koenig déclara qu'il voyageait constamment, passait plus de temps à l'étranger qu'en Angleterre. Il lui faudrait donc envoyer ses ordres par télex en utilisant un code.

Simpson se déclara d'accord et accepta le code qu'André avait donné à Koenig un peu plus tôt.

A midi notre régisseur de théâtre se rendit chez Galloway et Pearson, à Cornhill. Il y procéda de même sous le nom de Charles Stuart-Hunt, éditeur. Ces deux affaires réglées, il déjeuna d'une tarte de venaison avec de la salade verte au Corts Wine Bar, près de l'Old Bailey, avant de retourner à son travail au théâtre de Drury Lane.

A une heure moins vingt-cinq, le téléphone sonna dans l'appartement d'André Rostand au Claridge. Il décrocha. Une voix anonyme lui annonça : « Monsieur Rostand, j'ai un appel pour vous.

— Passez-moi la communication », répondit-il. La voix de Blandford Donahue retentit dans le récepteur. André consulta sa montre et s'étonna : Donahue était en avance.

« Vous devez avoir faim, dit-il. Que diriez-vous de déjeuner avec moi ? »

Donahue s'en déclara ravi. Une demi-heure plus tard, ils se retrouvèrent dans la vaste salle à manger du Claridge. Un orchestre hongrois jouait en sourdine. Les deux hommes prirent un vol-au-vent aux asperges, une terrine de lièvre et une bouteille de Château Margaux 1970.

Grand, pâle, d'aspect ascétique comme un vieux mandarin, Blandford Donahue avait un solide appétit. Ses yeux noirs étincelèrent de plaisir quand il vit arriver le premier plat. Au second, il changea de physionomie. Ses lèvres parurent épaissir et devenir sensuelles. Lorsqu'il eut fini son vin avec du fromage de Stilton et des biscuits, il avait encore la mine d'un mandarin mais du genre opulent et repu. André devina que, dans cette euphorie, Donahue serait malléable.

Arrivé au café, il était assez détendu pour demander à André s'il assisterait à la vente Essler cet après-midi-là. Normalement, ce commissaire-priseur n'aurait jamais posé une telle question à un magnat comme le directeur de Rostand International. Donahue avait d'ailleurs en particulier la réputation de ne jamais parler d'art ou de ventes aux enchères hors du lieu de sa profession. Mais le bon déjeuner donnait le résultat escompté par André qui répondit : « C'est précisément pour cela que je suis à Londres, mon cher Blandford. J'envisage d'acheter quelques articles. »

Donahue sourit. « Votre présence me fait plaisir », dit-il quand un garçon apporta une boîte d'excellents havanes. André les avait commandés en connaissance de cause, parce qu'il savait que le commissaire-priseur en raffolait. Il savait aussi que Donahue remarquerait une attention aussi délicate.

L'invité éleva son cigare à l'horizontale puis l'inclina pour le présenter à la lumière sous l'angle optimum. Il caressa la robe du bout des doigts puis fit passer le cigare sous son nez d'une courbe aristocratique.

Un silence inexplicable régnait entre les deux hommes. André se demandait comment aborder son affaire. Il décida de biaiser. « Que donneront les enchères aujourd'hui, à votre avis ? »

Donahue retira le cigare de sa bouche, s'adossa sur sa chaise et regarda fixement Rostand. Au bout d'un moment, il tira une bouffée puis une autre, sans répondre. Enfin il demanda : « Pourquoi me demandez-vous cela ?

— Parce que je voudrais que vous les poussiez au maximum. »

Donahue parcourut du regard la salle à manger du Claridge et répondit : « C'est mon métier.

— Oui, je le sais, Blandford. Mais aujourd'hui, j'aimerais que vous les poussiez plus haut que vous ne le feriez normalement.

— Où voulez-vous en venir, Rostand ?

— A ce que j'ai dit. Je souhaite que vous fassiez monter les prix en flèche, que vous les poussiez au maximum. »

Donahue parut abasourdi. « C'est immoral, dit-il.

— Mais vous *pouvez* le faire.

— Je le *peux,* mais ne le ferai pas », répondit fermement Donahue. De nouveau le silence les enveloppa.

André tira de sa poche un feuillet plié en quatre. « Je ne sais vraiment que dire, souffla-t-il en affectant un air gêné. Mais je suis au courant de vos relations privilégiées avec l'Amalgamated Securities Trust. Vous êtes son principal conseiller en fait d'investissements dans le domaine des arts, n'est-ce pas ? »

Donahue hocha prudemment la tête.

« Vos recommandations pèsent d'un poids très lourd, n'est-ce pas ? »

De nouveau Donahue hocha la tête. « J'ai quelque influence, dit-il tranquillement.

— Je suis peut-être indiscret, mon cher Blandford, mais je vous en dirai plus. Il vous arrive de conseiller l'A.S.T. par intérêt personnel. J'irai encore plus loin. Parfois vous êtes le véritable propriétaire des tableaux que vous lui recommandez.

Donahue blêmit. « Allons donc, Rostand ! C'est absurde.

— Je ne suis pas de votre avis. Ce que je dis est tout à fait exact. En qualité de commissaire-priseur principal et en association avec quelques autres chefs de service, il vous arrive de distraire des articles qui normalement devraient être vendus aux enchères. Vos collègues et vous acceptez aussi des pots-de-vin de collectionneurs qui cèdent leurs œuvres d'art à l'A.S.T. grâce à votre recommandation. Ça peut paraître absurde, mais c'est vrai. »

Jouant nerveusement avec son bouton de manchette en or, Donahue se mit à suer. « Vous ne pouvez pas le prouver. »

André éleva les sourcils. « Je crois que si. » Il versa une autre tasse de café à Donahue. « Peut-être préférez-vous un alcool ? » offrit-il bienveillant en lissant les plis du feuillet qu'il tenait.

Donahue tira rapidement plusieurs bouffées de son cigare. Visiblement il perdait pied. « Où donc avez-vous entendu raconter des sottises pareilles à mon sujet ?

— Peu importe, voici ce qui compte », dit André en tendant à son vis-à-vis la feuille de papier. Donahue la déplia et la parcourut du regard. C'était la liste des tableaux qu'il avait achetés en secret puis fait acquérir par l'Amalgameted Securities Trust. Les montants d'achat et de vente y figuraient. Suivait une liste des pots-de-vin reçus de divers collectionneurs.

Donahue redressa la tête. Son visage ovale prit une expression hagarde. « Je vois », souffla-t-il.

André tendit la main au-dessus de la table et la posa sur le poignet du commissaire-priseur. « Alors, mon cher Blandford, que dites-vous d'un digestif ? Je vous recommande un cognac... »

Attendue depuis longtemps, la vente de la collection Walter Essler commença en coup de tonnerre : une aquarelle de Holbein fut vendue £ 600 000.

Assis au milieu du sixième rang, André Rostand assista au spectacle indécent avec un sourire figé. Le réjouit particulièrement la physionomie de Bertram Bez.

L'Iranien portait un complet marron froissé. De temps en temps, il tirait de sa poche un morceau de chocolat qu'il croquait avec voracité. André était placé de telle sorte qu'il pouvait suivre aisément les réactions de Bez, chaque fois que le commissaire-priseur annonçait un prix. Sur son estrade, Blandford Donahue accomplissait son office avec un calme parfait. Il affectait même l'air blasé d'un monarque qui songe à abdiquer. D'une voix sacerdotale, il clamait les prix à une cadence rapide. « Deux cent mille ! Trois cent mille ? »

Les projecteurs de la télévision faisaient scintiller les gouttes de sueur sur son front. Au-dessus de sa tête, un tableau relié à un ordinateur indiquait en lettres lumineuses les prix en livres et en une douzaine de monnaies étrangères. Ce tableau avait les dimensions de ceux des jeux olympiques. A gauche de l'estrade, une batterie de téléphones reliait la salle de vente avec des enchérisseurs qui se trouvaient à Los Angeles où il était déjà minuit et à Tokyo où le jour suivant n'était pas encore levé.

Sur les fauteuils rembourrés, autour d'André, élégants et élégantes assistaient immobiles à la montée vertigineuse des prix. Seul André était à même d'admirer l'habileté du commissaire-priseur. Donahue semblait, en effet, imposer l'ordre dans le chaos de gestes, de signes, de cris qu'il convertissait en argent.

André avait enchéri pour le Holbein en touchant la perle de son épingle à cravate une demi-douzaine de fois. Bez avait aussitôt ajouté au prix plusieurs dizaines de milliers de livres. Quand la cote atteignit £500 000, Rostand se retira. Ce jour-là il n'achetait pas mais se contentait de pousser les enchères.

Le jeu continua entre Bez et un enchérisseur anonyme que personne ne repérait dans la salle, parce que, en réalité, Donahue poussait les prix de son propre chef. Il s'y prenait d'ailleurs prudemment, n'ajoutant que dix mille livres à la dernière enchère de l'Iranien. Enfin Bez l'emporta à un prix fabuleux. Il regarda autour de lui, ahuri, cherchant sans doute en vain celui qu'il avait vaincu.

Pour André, ce fut un instant exquis. Il se délecta à voir Bez qui pesait plus de cent cinquante kilos, s'agiter mal à l'aise dans son fauteuil en enchérissant sur un article dont la provenance était, pour le moins, « compliquée ». Pendant la séance, l'Iranien se tourna à plusieurs reprises vers Duranceau. Sans doute soupçonnait-il quelque chose de louche mais ses yeux noirs au-dessus de son nez en forme de cimeterre ne révélaient rien. Son agitation ne transparaissait que dans la fréquence avec laquelle il plongeait la main dans sa poche pour en tirer un bonbon au chocolat.

Les soixante-dix articles suivants firent passer le prix du Holbein au niveau d'un simple tintement de menue monnaie.

Une madone du Pérugin cota £900 000. Une miniature sur émail qui, d'après le catalogue, avait « probablement » appartenu à Louis XVI, atteignit en quatre-vingt-dix secondes £1 100 000.

Quelques minutes plus tard, une couverture de missel en ivoire de l'époque carolingienne, de dix-huit centimètres de haut, cota £1 500 000.

Pour Bertram Bez cet après-midi fut un triomphe mais lui coûta cher. Charles Duranceau, le négociant français aux airs de caméléon, et l'Iranien en eurent à eux deux pour six millions de livres. Le Holbein, le Pérugin et la plaque d'ivoire leur revenaient.

André Rostand quitta la salle de vente sans avoir dépensé un sou mais ravi. En voyant Bez se déplacer à toute vitesse, à peu près trois kilomètres à l'heure, avec la dignité d'un hippopotame, il sourit discrètement et s'écarta volontiers quand la cohue des reporters convergea sur l'Iranien éberlué.

« Pouvez-vous nous dire votre âge, Monsieur Bez ? demanda un journaliste.

— Qu'est-ce que ça peut vous faire ? » rétorqua l'Iranien.

15

La vente Essler prit fin à cinq heures et demie de l'après-midi. A neuf heures, le soir même, André Rostand avait quitté le Claridge, gagné l'aéroport de Heathrow, accompli les formalités administratives pour embarquer dans son Lear jet et atteint Paris.

Léon Decroix, directeur de sa succursale parisienne, l'attendait au Bourget. C'était un des plus anciens employés de l'entreprise. Il accueillit André comme un potentat en visite officielle. Le magnat se rendait d'ailleurs rarement à Paris, ville qu'il avait prise en grippe. Il s'intéressait peut-être encore moins à sa galerie parisienne.

Decroix au volant, André regardait, fatigué, les véhicules sur la route conduisant à la capitale. Il n'avait pas dormi la nuit précédente, avait eu deux entretiens d'importance capitale avec Koenig et Donahue, et, malgré son indifférence affectée, la vente avait achevé de l'épuiser. Il devait encore voir Villot.

Decroix fit décrire en douceur un arc de cercle à sa Mercedes 600 noire autour de la place de la Concorde et s'arrêta en face de l'hôtel Crillon.

Palais ducal au XVIIIe siècle, le Crillon n'inspirait pas de sympathie à André. Trop de chasseurs, trop de femmes de chambre, trop de valets, trop de va-et-vient. Il aurait préféré un établissement plus calme. Mais la situation convenait à ce qu'il devait faire.

Il prit rendez-vous avec Decroix pour le lendemain matin, lui souhaita bonne nuit et franchit les grilles de fer forgé, toujours ouvertes, pour plonger dans l'ambiance agitée du vestibule. Il hocha la tête pour répondre à la courbette d'un chasseur auquel il remit sa valise, s'inscrivit à la réception et passa sur le tapis aux arabesques bleues et vertes pour gagner le bar.

Il s'assit dans l'ombre d'un des box et attendit. De l'autre côté de la pièce, deux hommes d'affaires japonais bavardaient tranquillement en sirotant du whisky à la bière de gingembre. Ce mélange parut épouvantable à André qui se promit de jeter un coup d'œil sur le fonctionnement de Rostand International à Tokyo.

C'est à cet instant qu'Edouard Villot entra dans le bar. André leva le bras pour attirer son attention. Le Français hocha la tête, s'approcha et serra la main du magnat. Ce n'était pas une poignée de main mollasse comme en donnent si souvent les Français. Celle de Villot révélait sincérité et fermeté. Telle était une des nombreuses raisons pour lesquelles il plaisait à Rostand.

Villot prit place dans le box. « Un verre, mon ami ? » demanda André. Il fit signe au garçon qui arriva en deux bonds, et commanda deux cognacs.

Villot lui offrit une cigarette qu'il refusa.

« Comment ça va ? » demanda André.

Tout en tirant des bouffées de sa gauloise, Villot répondit : « Je mène une vie assez agitée pour le moment. Ma maîtresse exige le mariage. La plupart du temps mon fils est abruti par le chanvre. Ma fille vient de m'annoncer qu'elle est amoureuse de son professeur de danse. Je n'y trouverais rien à redire s'il ne s'agissait pas d'une femme. »

Le garçon apporta les cognacs. André signa la note et leva son verre : « A votre santé, Edouard ! Aux fardeaux de la paternité. »

Villot secoua la tête et soupira. Ils bavardèrent de choses et d'autres pendant quelque temps. Puis André se pencha au-dessus de la table et demanda : « Avez-vous eu le temps de considérer ma proposition ?

— J'y ai réfléchi.

— Et alors ?

— Je vous aiderai évidemment, dans la mesure de mes moyens.

— Bien, dit André soulagé. Je voudrais que vous ouvriez un compte personnel chez un agent de change. Potin et Frères feront l'affaire. Expliquez que vous passez une partie importante de votre temps hors de France et que vous communiquerez avec eux par télex et en code... »

Villot écouta attentivement André lui expliquer la suite de son projet.

Par bonheur, la loi française est beaucoup moins rigoureuse que celle d'Angleterre au sujet des opérations de Bourse. N'importe qui a le droit d'acheter autant de valeurs qu'il le souhaite sans révéler son identité. Utiliser Villot comme paravent présentait donc moins de complications.

En un quart d'heure ils se mirent d'accord. Villot signa en double exemplaire le pouvoir général en faveur d'André sur le compte qu'il allait ouvrir chez Potin & Frères. Il apposa également sa griffe sur une demande d'ouverture de compte numéroté au Crédit suisse. L'affaire était conclue.

André remit deux mille cinq cents francs à Villot pour ouvrir dès le lendemain un compte chez l'agent de change. Les deux hommes quittèrent le bar du Crillon, échangèrent une poignée de main dans le vestibule et chacun suivit son chemin.

Arrivé sur le trottoir, place de la Concorde, Villot sourit en se représentant la croupe de sa maîtresse offerte à un angle séduisant.

D'autre part, André prit l'ascenseur aux panneaux blancs et or pour monter à son appartement du sixième étage. Il entendait passer d'abord une heure dans un fauteuil confortable, un livre sur ses genoux, puis prendre un dîner léger avant de se coucher.

Le téléphone sonna le lendemain matin à huit heures et demie. André ouvrit les yeux en grognant, décrocha le combiné et entendit la voix aiguë de la standardiste prononcer la formule rituelle du réveil : « Bonjour monsieur.

— Bonjour, madame, merci », répondit-il et il raccrocha.

Aussitôt debout, il traversa sa chambre pieds nus, écarta les rideaux de sa fenêtre, admira le soleil qui se levait, bienveillant, au-dessus du Louvre et sur la place de la Concorde. Il se rappela inopinément qu'avant la fin du siècle passé son père jouissait d'une vue de Paris fort différente de sa chambre au dernier étage d'un immeuble de la rive gauche. Il se demanda s'il aurait le temps d'aller au cimetière où Aaron était enterré. Puis il écarta cette idée qui ne cadrait pas avec ses préoccupations du moment.

Il endossa une chemise bleu clair, noua une cravate mauve et mit un complet gris foncé. Les rayons du soleil pénétrèrent alors dans un angle de la chambre. Le déjeuner commandé la veille au soir arriva. Il le prit à loisir en parcourant *Le Figaro.*

Un quart d'heure plus tard, il quittait le Crillon pour embarquer sur le siège avant de la Mercedes que conduisait Decroix. Ils passèrent devant l'ambassade des Etats-Unis, le parc du palais de l'Elysée, quittèrent l'avenue Gabriel, traversèrent le rond-point des Champs-Elysées, bifurquèrent vers la place de l'Alma et gagnèrent celle du Trocadéro. Rostand débarqua en demandant à Decroix de l'attendre et se rendit à pied à la Tour : ensemble immobilier gigantesque bâti soixante-cinq années auparavant pour abriter la Sogegarde : principal dépôt en Europe d'objets d'art précieux. Tapie parmi les immeubles environnants, cette tour, de section triangulaire, n'était visible que du haut de la tour Eiffel. Comme les châteaux-forts d'autrefois, elle était ceinte d'un fossé plein d'eau avec pont-levis. Une coupole de six cents tonnes en couvrait le sommet. On ne pouvait y pénétrer que par une succession de portes d'acier n'ouvrant que de l'intérieur. Si l'un quelconque des systèmes d'alerte fonctionnait, toutes ces portes se fermaient instantanément.

Pour s'en aller le soir, les gardiens fermaient les portes de l'intérieur et passaient par un étroit tunnel, inondé après leur passage. Le lendemain matin, on pompait l'eau pour assécher ce couloir. Si, par quelque extraordinaire hasard, quelqu'un franchissait les défenses de la

Tour durant la nuit, un gaz s'y répandrait qui asphyxierait l'intrus sans nuire aux œuvres d'art.

Rostand se servait de cet établissement comme dépôt, de même que le Louvre, le Jeu de Paume, le Prado et la Tate Gallery.

En mettant le pied sur le pont de la Sogegarde, André savait que quelqu'un l'observait sur un écran de télévision à circuit fermé. Arrivé à la première porte, il appuya sur un bouton et dit dans un microphone grillagé : « *Numéro six cent cinquante-neuf, pour voir monsieur le directeur, s'il vous plaît.* »

André savait qu'il lui faudrait attendre pour que les gardiens vérifient son numéro de compte et comparent son visage avec les photographies du dossier. Discrètement, il laissa son regard errer sur l'avenue Kléber et se demanda comment se débrouillait Villot. La température rigoureuse de janvier avait dénudé les arbres de cette artère. Il savait qu'on l'observait encore et en était assez gêné. Il aurait voulu regarder droit dans l'œil de la cellule photo-électrique mais s'en abstint.

Tout à coup un ronfleur se fit entendre et la porte s'ouvrit. André pénétra dans une antichambre où un autre appareil de prise de vue se braqua sur lui. Il répéta son numéro dans un autre microphone et dut attendre une bonne minute avant que coulisse une seconde porte. Il entra dans une autre antichambre. M. Jean Rey, directeur de la Sogegarde, l'attendait au-delà d'une cloison de verre blindé.

Homme trapu et blafard, Rey inclinait à traiter les visiteurs avec la condescendance d'une gouvernante de grande maison faisant ses achats à l'épicerie de son quartier. Il avança d'un pas, considéra André à travers la cloison de glace, puis il fit un signe à l'intention de gardiens dissimulés dans une autre pièce. L'un de ceux-ci appuya sur un levier et la glace disparut dans le sol de marbre.

« Excusez ces formalités, dit Rey en tendant une main molle à André. Vous connaissez nos soucis.

— Certainement, répondit cordialement Rostand. C'est précisément pourquoi j'utilise la Tour depuis si longtemps. »

Rey conduisit André dans un petit bureau sans fenêtre. Il s'assit au bord d'un canapé et indiqua un profond fauteuil à André. Le silence dura un moment.

Rostand se trouvait dans une situation peu agréable. Jean Rey le connaissait évidemment mais se serait bien gardé de l'appeler par son nom. A la Sogegarde il n'était connu que par un numéro : système identique à celui des banques suisses.

« Que puis-je faire pour vous, monsieur ?

— Je voudrais prendre des dispositions pour qu'un expert de ma banque pénètre dans le dépôt afin d'évaluer les tableaux conservés ici.

— Ça ne présente aucune difficulté, dit Rey. Toutefois, par mesure de sécurité, il faudra que cette personne soit munie de moyens de l'identifier et d'un numéro de code.

— Je comprends, dit André en hochant la tête.

— Combien de temps durera cette visite ? Une matinée ? Un après-midi ? Toute une journée ?

— Au moins deux jours », répondit André. Il savait que le directeur de la Sogegarde connaissait son inventaire. Sa question n'était donc qu'un moyen subtil de contrôle. Quant au code, André suggéra que l'expert du banquier utilise son propre numéro de compte avec le préfixe *Cellini*.

« Cela nous conviendra parfaitement, dit Rey. Pourriez-vous me donner approximativement la date de sa visite ?

— Dans le courant de la semaine, je pense.

— J'en prendrai note dans votre dossier. »

L'affaire était réglée. André se leva et se dirigea vers la porte. De nouveau, il se sentit gêné comme s'il se trouvait captif de gnomes invisibles. « Enchanté de vous voir en si bonne santé, Monsieur Rey », dit-il.

Le petit bonhomme se leva, serra la main d'André et le conduisit devant la cloison de glace. De nouveau il fit signe en direction de la salle de garde et le verre plongea dans le sol.

André passa dans l'antichambre et se retourna. Jean Rey le salua de la main de l'autre côté de la vitre. Rostand lui rendit son salut et s'apitoya sur cet homme claustré dans un monde proche de l'irréel. Puis, à la réflexion, il pensa que sa propre existence n'était guère différente. L'un comme l'autre vivait dans un isolement volontaire. Rostand frissonna et sortit de la forteresse aussi isolée que les léproseries de jadis.

Pendant qu'André s'était enterré dans la tour du Trocadéro, Edouard Villot s'affairait. Après avoir satisfait sa maîtresse pour la troisième fois, il déjeuna de croissants nappés de beurre et de gelée de framboise. Il but trois tasses de café, puis un taxi le déposa devant le siège social de Potin & Frères où il ouvrit un compte à son propre nom. Comme Koenig, il déposa une petite somme en espèces et indiqua qu'une somme de cinq cent mille francs serait transférée à son compte par télex dans le courant de la semaine.

De même il expliqua que, passant une bonne partie de son temps hors de France, il souhaitait acheter et vendre des valeurs en donnant ses ordres par télex codés. L'employé de l'agent de change accepta mais à condition que Villot signe un contrat libérant la charge de toute responsabilité, au cas où son client mourrait ou disparaîtrait.

Avant d'apposer sa signature, Villot pensa à discuter mais s'en abstint. Peu lui importait, en fin de compte, ce qu'il adviendrait des fonds appartenant à Rostand s'il n'était plus là pour en rendre compte.

16

André retourna au Crillon avec Decroix, y prit sa valise et fila jusqu'au Bourget où son avion l'attendait prêt à décoller. Deux heures plus tard il atterrit à Zurich, passa sans encombre par le service d'immigration et la douane. Un taxi le conduisit à l'hôtel Baur-au-Lac.

Le bâtiment de l'hôtel, construit sous la Renaissance au bord du lac de Zurich, offre un aspect majestueux. La façade de trois étages, en pierre abondamment sculptée autour des portes et fenêtres, lui prête un air presque médiéval. A coup sûr, c'est une structure impressionnante. Il le faut bien, étant donné le tarif de l'hôtel.

Rostand y arriva juste après l'heure du déjeuner et le regretta. Il n'y a, en effet, pas de cuisine comparable à Zurich. C'est là qu'il avait amené Jane lors de leur voyage de noce : encore une raison de son attachement sentimental à ce décor romanesque.

Le portier tendit la main pour saisir sa valise. André l'écarta du geste et entreprit de monter les marches de bois donnant accès à la réception. Soudain un spasme lui serra la poitrine. Il se dressa sur la pointe des pieds, laissa tomber sa canne et se pencha en avant comme pour faire face à un ennemi invisible. Sa valise lui échappa. Il posa une main sur la rampe de fer forgé. Il lui sembla que l'escalier, aux marches jaunies par des années de fourbissage à la cire d'abeille, montait vers son visage.

Un chasseur dévala du vestibule, prit André par le bras pour l'aider à se redresser. « Un malaise, *mein Herr ?* »

André aspira profondément et hocha la tête.

« Dois-je appeler un médecin ? »

André secoua la tête et agita l'index de droite et de gauche pour signifier son refus. Son visage restait blême mais la douleur avait diminué. Il se redressa, désigna du doigt canne et valise, puis se dirigea vers le bureau de la réception.

Au moment où il signait le registre, une main se posa sur son épaule.

« Herr Rostand ? » André pivota sur lui-même et se trouva face à face avec Georges Asher. Il secoua la tête comme pour en chasser quelque chose. Asher lui apparaissait dans une brume bleuâtre. Il lui fallut un moment pour le reconnaître.

« Georges, dit-il à mi-voix. Je n'y étais plus.

— Vous paraissez en mauvais point, Herr Rostand. »

André sourit. Jusqu'alors il n'avait jamais perçu la moindre expression de sentiment chez Asher qui lui proposa : « Asseyons-nous si vous voulez. »

Des bribes de la *Todtentanz* tintaient dans l'esprit d'André. La danse de la mort. Mauvais signe. Il se redressa, saisit la main d'Asher entre les siennes et dit : « Parlons de nos affaires. »

Le visage d'Asher s'éclaira. Voilà un langage qu'il comprenait. Ils se rendirent au grand salon de l'hôtel et s'installèrent face à face, dans de profonds fauteuils, devant la cheminée où brûlait un tronc d'arbre. André considéra Asher : homme mince d'un mètre quatre-vingts, au visage étroit exempt de rides, ce qui le faisait paraître plus jeune que son âge.

« Vous avez bonne mine, dit André.

— Je ne peux malheureusement pas vous en dire autant, Herr Rostand.

— Bien, souffla André. Vous ne mentez pas.

— Sans doute, Herr Rostand, mais on se fait rarement des amis en disant la vérité. »

Rostand comprit la subtilité de cette réflexion. L'avocat Asher descendait d'une des plus vieilles familles de négociants Zurichois. Bourgmestre de la ville, son père avait aussi appartenu au Conseil fédéral suisse. Son arrière-grand-père avait figuré parmi les fondateurs du Crédit suisse.

Jusqu'à ces derniers temps, la famille Asher avait occupé une des places les plus élevées dans la pyramide sociale helvétique. Mais Georges avait échoué dans le commerce des objets d'art et subi d'autres revers financiers. Depuis lors, sa famille ne jouissait plus du même prestige.

André compatissait avec Asher. En Suisse, la perte d'une fortune familiale est un désastre. Un seul facteur, l'argent, rend éminent, disons même aristocrate, et donne accès aux places dominantes.

André donna à Georges Asher les mêmes instructions qu'à Koenig et à Villot. Il y a quatre mille banques en Suisse, soit une pour mille trois cents personnes. Ces établissements se chargent de négocier les valeurs mobilières.

Cela facilitait les choses à André car les opérations de Bourse se traitent anonymement, derrière l'écran protecteur des banques. Bien que ce système parût taillé exactement selon ses besoins, Rostand chargeait Asher d'agir pour son compte afin de dissimuler l'opération qu'il projetait derrière un paravent supplémentaire.

Il demanda à son ami d'ouvrir un compte à l'Union des banques suisses. Connu personnellement par les directeurs, Asher agirait aisément pour son compte. Comme à Londres et à Paris, André donna à son substitut deux exemplaires d'un pouvoir général sur le compte qu'il ouvrirait, ainsi qu'un formulaire demandant l'ouverture d'un compte numéroté au Crédit suisse.

André lut ces documents, hocha la tête et les signa. « Tout cela est parfaitement en règle, dit-il. J'ai agi de même avec nombre d'autres clients.

— Vous n'aurez donc pas de difficulté ? dit André en se passant le pouce sous le nez.

— Aucune. De telles opérations sont de pratique courante ici Vous n'avez à vous inquiéter de rien. »

André avisa un garçon qui se tenait, attentif, à l'écart. « Que prendrez-vous Georges ? demanda-t-il.

— Je n'ai guère envie de boire. Une tasse de café à la rigueur. »

André fit signe au garçon et commanda : « Deux cafés, s'il vous plaît. » Il se retourna vers Asher. Affaires faites, il se détendait.

Asher se pencha en avant et sourit, ce qui ne lui arrivait guère. « Je serai heureux de vous être utile.

— Merci, Georges. Je m'en réjouis aussi.

— J'ai hâte de voir comment les choses vont tourner.

— Vous serez tenu au courant, dit André.

— Je n'en doute pas », dit Asher qui tira sur le pli de son pantalon et croisa les jambes. Il parut rêver un instant et dit à mi-voix : « Je me rappelle qu'un jour mon père secoua quelques pièces de monnaie entre ses deux mains puis les jeta sur le tapis et me demanda ce que j'avais entendu. Evidemment, je lui répondis : « Rien. » Il me dit de les ramasser, ce que je fis et je les lui remis. Il me demanda d'écouter de nouveau, jeta les pièces sur le carrelage et me demanda encore ce que j'avais entendu. Elles avaient tinté, naturellement. Alors il me dit en souriant : « Mon garçon, place toujours ton argent où l'on peut l'entendre. »

André émit un petit rire. « Votre père était un sage, dit-il.

— C'est exact, convint Asher. Malheureusement, mes affaires n'ont pas tinté brillamment. »

Peu avant cinq heures, le hall du Crédit suisse, une des principales banques du pays, était presque désert. André s'approcha des portes du bâtiment imposant, à l'angle de la Bahnhofstrasse. Un gardien en uniforme s'inclina et lui ouvrit la porte. Sans prendre la peine de s'asseoir, André prit, l'une après l'autre, plusieurs revues d'affaires qu'il feuilleta distraitement. Au bout de cinq minutes, on le conduisit au troisième étage où se trouvait le bureau de Bertrand Keller.

Les deux hommes se connaissaient depuis des années et Keller avait servi d'intermédiaire à André pour diverses transactions financières.

Leurs relations comportaient un autre élément : leurs pères avaient grandi dans le même petit village d'Endingen, canton d'Argovie. Ils l'avaient ignoré jusque quelques années auparavant lorsque, par hasard, André indiqua qu'il avait l'intention de faire un détour par Endingen lors d'un voyage d'affaires. Ils comparèrent leurs souvenirs et se rappelèrent qu'Aaron Rostand, le père d'André, avait jadis courtisé Sophie Keller, une tante de Bertrand. Cette découverte avait scellé leur amitié.

Banquier soucieux d'efficacité, ne mesurant pas moins d'un mètre quatre-vingt-dix, Keller était parvenu à la direction de la banque à force de travail. Il avait notamment passé plusieurs années à parcourir le Moyen-Orient pour le Crédit Suisse. Outre les affaires, il avait deux passions : ses quatre Saint-Bernard et son vélo de course à dix vitesses sur lequel il pédalait chaque jour entre son domicile et son bureau.

Il se leva pour serrer la main d'André qu'il invita à s'asseoir dans un fauteuil devant son bureau. Rostand s'y sentit à l'aise. Dans cette vaste pièce exempte de tout ornement ostentatoire, il n'y avait rien sur la table de travail sauf un écran sur lequel défilaient les dernières données financières du monde entier.

Keller offrit un cigare à André et sortit de son tiroir une bouteille de Tomatin : un scotch de bonne marque. Cela lui arrivait rarement. André refusa le cigare mais accepta le whisky. Keller emplit deux verres puis, jetant de temps en temps un coup d'œil à l'écran, écouta André.

« Pendant les deux semaines qui viennent, j'investirai largement en valeurs mobilières sur les Bourses de Londres, Paris et Zurich. D'abord j'achèterai des valeurs diverses. Toutefois une certaine société absorbera la plus grande partie de mes fonds. Pour le moment je ne peux pas vous indiquer son nom mais je vous assure que c'est une affaire solide. »

Bertrand Keller sirotait lentement son whisky, toujours aussi attentif.

« Au début, ces transactions porteront sur des sommes modestes, poursuivit André. Plus tard, j'engagerai des fonds plus importants, à telle enseigne que leur effet sur le marché attirera l'attention du public, en particulier celle de la presse financière. C'est une des raisons, parmi d'autres, pour lesquelles j'entends agir à couvert. » André n'avait pas besoin d'expliquer cela à Keller. Les banquiers suisses considèrent que l'anonymat va de soi et le garantissent à leurs clients. Keller hocha donc la tête, prit dans un tiroir un grand bloc-notes et y coucha quelques mots.

« Afin d'exécuter ces opérations, continua André, je me suis assuré la collaboration de quatre personnes. Chacune ouvre un compte pour acheter et vendre en Bourse selon mes instructions. Elles m'ont aussi demandé d'ouvrir des comptes numérotés à leur nom. »

Keller se pencha en avant et sourit. Du moment qu'il n'enfreignait aucune loi suisse, il n'avait pas à interroger son client. Peu lui importait si les lois britanniques et françaises étaient violées.

« Ça peut être fait », dit-il tranquillement.

André but son whisky, posa le verre sur le bureau et ramassa le porte-documents qu'il avait posé à côté de son fauteuil. « Malheureusement, mes associés sont retenus par d'autres affaires et m'ont chargé de vous présenter pour leur compte ces formulaires. » André tendit par-dessus le bureau les quatre demandes d'ouverture de compte. « Ça leur évite un déplacement et me donne le plaisir de venir vous voir. »

Keller parcourut les formulaires du regard puis s'arrêta sur les noms qu'il lut à haute voix : « Charles Stuart-Hunt, Michael Koenig, Edouard Villot, Georges Asher. » Le dernier lui fit lever les sourcils mais il ne dit rien. « Je suppose que vous avez pris des précautions contre tout abus dont vous pourriez être victime », dit-il.

André lui offrit alors les procurations qui lui donnaient pouvoir général sur les comptes de ses associés. « Vous constaterez que les signatures sont identiques à celles des formulaires.

— Evidemment.

— Pour financer ces affaires, j'ai besoin d'un prêt », dit André.

Keller écarta les documents sur un coin de son bureau, jeta un coup d'œil à l'écran lumineux, puis se pencha sur son bloc-notes, stylo en main. « Combien vous faudra-t-il ? »

André s'adossa dans son fauteuil les mains jointes sur son ventre et fit tourner ses pouces l'un contre l'autre. « J'ai évalué qu'au total j'investirai quelque quatre-vingt-dix millions de dollars répartis entre diverses Bourses. Etant donné que j'achèterai à terme, il me faudra à peu près soixante millions de liquide. Je puis en déposer la moitié. »

Keller prit quelques notes.

« J'attends le reste de vous », ajouta André.

Le Suisse leva la tête. Il avait légèrement pâli. « Trente millions ? » murmura-t-il.

André acquiesça d'un lent hochement de tête en attendant la réponse de Keller.

« En ce qui concerne le financement... » commença le banquier.

André lui coupa la parole. « Vous voulez des garanties.

— C'est ça. »

Pour la troisième fois, André plongea la main dans son porte-documents de cuir et en tira plusieurs feuillets de papier épais : la liste des œuvres d'art déposées à la tour de la Sogegarde.

Keller fut à peine capable de retenir son étonnement. Cette liste représentait une fortune incalculable. « Emprunter sur des tableaux n'est pas courant, dit-il. Mais je ne crois pas que cela présente de difficulté. Il faudra évidemment passer par certaines formalités : expertise, certification d'authenticité et de provenance ainsi qu'une déclaration de votre part assurant que ces œuvres ne peuvent être retirées de leur dépôt sans le consentement en bonne et due forme du Crédit suisse.

— Ces documents seront sur votre bureau demain matin, répondit André. Sur l'un d'eux figureront nombre et mot de code permettant à votre expert de pénétrer dans le dépôt du Trocadéro.

— Excellent. Comme toujours, vous avez tout prévu, André. »

Rostand ne répondit pas à ce compliment. Il se leva, prit son porte-documents et le ferma. « Nous resterons en contact, Bertrand. » Après une poignée de main, Keller fit reconduire son client jusqu'à l'ascenseur qui l'amena au rez-de-chaussée où il plongea dans l'air glacial de la ville suisse la plus opulente. Il se promena au bord du lac en regardant au loin les pentes boisées des Alpes de Glaris.

Les cloches de la ville tintèrent harmonieusement. Six heures.

Sur le quai de Limmat, André héla un taxi pour se faire reconduire à son hôtel. Il entendait faire un bon repas, se coucher de bonne heure et partir le lendemain matin par le train pour Endingen. Il porta la main à sa poitrine. « Peut-être n'aurai-je plus l'occasion d'aller au cimetière où mon père et mon grand-père sont enterrés », pensa-t-il.

L'après-midi suivant, quand André atteignit la route qui suivait les courbes d'une rivière traversant le village d'Endingen, il demanda au chauffeur de ralentir. Le cimetière juif se trouvait à quelque huit cents mètres du village, lui avait-on dit. Au sommet d'une colline peu élevée, le chauffeur s'arrêta auprès d'un mur de pierre. André débarqua, enfonça les mains dans ses poches et fit les quelques pas qui le séparaient de l'entrée du cimetière. Il passa par-dessus une vieille chaîne rouillée, tendue entre deux piliers et marcha parmi les tombes tapissées de lichen et noircies par le temps.

On n'avait plus enterré personne dans ce cimetière depuis quarante ans. Obligés autrefois d'ensevelir leurs morts hors du village, les juifs d'Endingen partageaient désormais le cimetière des gentils.

André hâta le pas. La bise du nord traversait son léger manteau en poil de chameau. C'est seulement après avoir parcouru une centaine de mètres, qu'il avisa une pierre tombale portant cette inscription : BENJAMIN ROSTAND 1826-1897. Il vit une autre sépulture et s'en approcha. Le lichen en couvrait l'inscription. Avec la pointe de sa canne, il gratta givre et lichen révélant ainsi : REBECCA, ÉPOUSE DE BENJAMIN, 1847-1870. Ses grands-parents.

Il resta penché en avant, entre les deux tombes. « Me voilà revenu chez moi, après tant d'années », pensa-t-il. Cette idée lui rappela aussitôt celle de la mort. Il n'y pensait plus depuis bien longtemps. Jeune, il la redoutait, pas parce que la vie est sacrée : il n'était pas assez pieux pour nourrir de telles idées. A ses yeux la question était beaucoup plus simple. Il estimait que mieux vaut être en bonne santé que malade et malade, voire infirme, que mort. Mais cela, c'était la philosophie de sa jeunesse.

Désormais il ne concevait plus sa fin de la même manière. Il était las. Sa vie était devenue une prison et la mort pouvait donc se présenter comme une délivrance. Il comprenait pourquoi certains désirent quitter la vie autant qu'ils ont désiré plus tôt une femme, le prestige, la puissance. Voilà sur quoi il méditait entre deux tombes dans l'ancien cimetière juif d'Endingen. Toutefois, chercher la liberté dans la mort ne pouvait être un besoin conscient mais seulement une impulsion, comme celle des oiseaux qui savent d'instinct quand il est temps de migrer.

Puis il se rappela son père. Le souvenir du visage long et mince le consola. « Etrange », murmura-t-il en constatant combien il se sentait près d'Aaron à ce moment, en cet endroit. Il imagina son père debout, comme lui, entre les tombes de Benjamin et de Rebecca et se demanda à quoi il aurait pensé alors. Sans doute aurait-il envisagé la suite de sa vie, le printemps où des pousses de lierre avanceraient sur les pierres tombales. Oui, Aaron aurait pensé à l'avenir, car tel était son caractère.

SIXIÈME PARTIE

1894

Il s'appelait Aaron Rostand. Il avait vingt-quatre ans et il était artiste.

Cette qualité, il en avait pris conscience dès l'âge de sept ans, un soir où assis seul dans la maison familiale à Endingen, il se balançait sur la chaise à bascule de son père. Le soleil se couchait et l'ombre pénétrait le salon. Le jeune Aaron pensa à allumer les lampes à huile mais il remarqua que le combat des derniers rayons de lumière et de l'ombre dessinait des formes étranges sur le mur opposé à la fenêtre. Il les observa, les vit s'effacer, se reconstituer, se transformer au fur et à mesure que le soleil gagnait l'angle le plus lointain du mur.

Il alla à la cheminée, fouilla les cendres en quête d'un morceau de charbon, prit une feuille de papier sur la table et se mit à reproduire ce qu'il voyait. Il ne réfléchissait pas à ce qu'il faisait mais laissait sa main fonctionner d'elle-même pour dessiner les formes sans cesse changeantes qui apparaissaient sur le mur à la chute du jour.

Il entendit claquer la porte de la rue. Un instant plus tard son père lui demanda : « Que fais-tu dans l'ombre ? »

Aaron ne se retourna pas. « Je dessine, papa, je dessine, c'est tout », dit-il distraitement. Il continua à esquisser des formes bizarres avec son petit morceau de charbon. Depuis ce jour-là, il en eut toujours un à portée de la main.

Par une belle journée de septembre 1894, Aaron Rostand et son père Benjamin regardaient par les vitres d'un wagon de deuxième classe la file des charrettes, des chariots traînés par des chevaux sur la route de terre battue conduisant à Paris. Le train roulait si vite que ces véhicules semblaient presque immobiles. En approchant de leur but, Aaron distingua la pointe d'une tour de fer construite par un certain Eiffel pour l'Exposition universelle de 1889. Les journaux suisses avaient publié des articles à ce sujet et on en avait parlé jusque dans les petits villages de montagne où étaient nés ses parents.

« Papa ! s'exclama-t-il, en donnant un coup de coude à son père. La tour Eiffel ! »

Benjamin regarda au loin à travers ses lunettes neuves. A soixante-huit ans, le père d'Aaron restait vigoureux. Ses yeux marron au regard vif et ses traits nettement tranchés s'harmonisaient avec sa solide carcasse. Sur sa tête, exceptionnellement grosse, les cheveux grisonnaient à peine aux tempes mais battaient en retraite depuis longtemps de chaque côté du front. Selon la mode de l'époque, sa chevelure lui couvrait la nuque jusqu'aux épaules.

« Je la vois, dit-il. C'est ce truc noir en dentelle... »

Aaron secoua la tête. « Rends-toi compte, papa. Cinquante millions de francs. Quelle fortune, rien que pour bâtir un monument. »

Aaron glissa sur la banquette pour se rapprocher de la vitre. Le convoi pénétrait dans Paris. La foule qui circulait sur les trottoirs fascinait nos deux voyageurs descendus des montagnes de Suisse. Ni l'un ni l'autre n'avait jamais vu tant de monde. Pendant un moment, Aaron oublia presque le but de son voyage. Comme pour se le rappeler, il serra la poignée de la valise posée auprès de lui. Son contenu représentait deux ans de travail : les dessins qu'il se proposait de montrer à André-Louis Sabatini, le grand maître, professeur à l'école des Beaux-Arts. Ce que Sabatini en penserait déterminerait son avenir : son admission à l'école et sa valeur en qualité d'artiste.

Le train entra sous les verrières de la gare d'Austerlitz dans le tintamarre des butoirs de wagon et les sifflements de la vapeur. Aaron et Benjamin durent crier pour se faire entendre.

« Comment vas-tu ? demanda le père

— Je suis nerveux, répondit le fils. Et toi ?

— Comme toi ! »

Ils éclatèrent de rire.

Vêtu du complet que son père avait taillé et cousu pour lui, en vue de ce voyage, Aaron précéda son père en jouant du coude dans la foule jusqu'au trottoir devant lequel s'alignaient calèches et fiacres. Ils en hélèrent un et roulèrent sur les pavés des chaussées vers le Quartier Latin. Les lumières émerveillèrent Aaron. Des lampadaires à gaz brillaient partout le long des quais et des rues. Dans certains immeubles, les plus neufs, on s'éclairait à l'électricité.

Jamais, même dans ses rêves les plus fous, il n'avait rien envisagé qui ressemblât à Paris. Il avait visité Zurich et Lausanne et les avait prises pour des grandes villes. Mais désormais il les considérait comme des villages. Il était difficile à croire que vingt-quatre ans plus tôt seulement les Prussiens assiégeaient et bombardaient Paris et que les Parisiens, imbus de leur supériorité, fiers de leur ville et de leur confort habituel, s'étaient précipités comme une armée de rats affamés sur les Champs-Elysées et même jusqu'au bois de Boulogne pour y couper des arbres afin de se chauffer.

L'école des Beaux-Arts se trouvait sur le quai Malaquais, près du pont des Arts, dans le quartier de Paris qui depuis le Moyen Âge, temps où étudiants et professeurs ne parlaient que le latin, était le cœur de l'érudition française.

L'école occupait plusieurs immeubles datant du XVIIIe siècle, en bordure de la Seine et de la rue Bonaparte. Les lourdes portes de ferronnerie et les statues dressées sur les piliers, impressionnèrent

Aaron. Colonnes et cintres l'effrayèrent presque par leurs dimensions, leur caractère massif et leur somptuosité.

Benjamin se tourna vers son fils. Rares sont les pères qui se trouvent, au cours de leur vie, dans de telles circonstances. C'était un homme pieux, surtout depuis la mort en couches de sa femme Rébecca. Plus que dans le Talmud et que dans sa foi, il avait trouvé la consolation dans son fils.

Les deux Rostand avaient toujours vécu très proches l'un de l'autre. Quand Benjamin avait le loisir de quitter son échoppe de tailleur, il emmenait son fils en longues expéditions dans les environs d'Endingen et plus loin en Suisse. En été, ils pêchaient ensemble dans la rivière qui passait sous un pont près de chez eux. Ils cueillaient les pommes qui pendaient, grasses et rouges, dans le verger. Ils gravissaient et dévalaient en courant les collines vertes sur lesquelles paissent paresseusement les vaches. En hiver, ils s'échinaient à monter aux sommets des collines enneigées au-dessus de la ville, emportant leurs lourds skis taillés par Benjamin lui-même. Puis ils descendaient en glissant au long des sentiers de montagne qui sinuaient à travers les forêts.

Quand Aaron confia à son père son intention de devenir artiste, ce dernier s'efforça de l'en dissuader. Il ne voulait pas que son fils quitte la maison familiale pour aller à Paris. Depuis la naissance du petit, il comptait en faire son apprenti puis son compagnon qui l'aurait aidé dans ses vieux jours et enfin lui aurait succédé. Mais le jeune homme tenait trop à son rêve et le père finit par lui donner sa bénédiction. Sait-on jamais ? Peut-être Aaron deviendrait-il un Rembrandt ou, mieux encore un Rostand. Ainsi le père caressait-il désormais le même rêve que son fils. Pouvait-il faire mieux ?

Benjamin posa le bras sur l'épaule d'Aaron. Ils avaient la même taille. Le fils avait commencé à s'étoffer, portait les cheveux peut-être un peu plus longs qu'auparavant ; sans doute pour suivre la mode du Quartier Latin. Mais il les peignait pour les écarter rigoureusement de ses joues et de son front. Sa moustache commençait à pousser et traçait une ligne grise au-dessus de sa lèvre supérieure.

Le portier leur fit traverser le vestibule puis les conduisit au long d'un large couloir aux hautes fenêtres garnies de vitraux. Par celles qui étaient ouvertes, ils aperçurent une cour fermée. Coiffés de gibus, vêtus de jaquettes et de pantalons qui leur tombaient au-dessous des chevilles, des étudiants bavardaient avec animation par petits groupes. A l'extrémité du couloir, on laissa Aaron et Benjamin dans une vaste salle aux murs couverts de dessins au fusain cloués au hasard ; par endroits il y en avait trois au-dessus l'un de l'autre.

Une estrade, adossée tout le long d'un mur, supportait un bureau et un pupitre. Au milieu de la pièce, un dais d'un mètre cinquante de diamètre à peu près pendait du plafond. Tout autour il y avait une quarantaine de chevalets et de chaises.

Soudain une porte s'ouvrit. Un petit homme fluet, tenant à la main une canne au pommeau d'argent, entra dans la salle, vêtu avec la plus grande recherche. La chaînette d'or de son pince-nez lui entourait le cou.

« Bonjour, messieurs, dit-il fermement. Je suis Sabatini. Je crois que vous venez me présenter des dessins ? »

Aaron s'étonna d'entendre une voix aussi puissante émaner d'un être aussi frêle et délicat. Ce maître l'impressionna immédiatement. Selon toute évidence, il n'aimait pas perdre de temps. Pourtant, étant donné qu'il s'était adressé à Benjamin, Aaron resta silencieux.

« Nous vous sommes reconnaissants de nous accorder un temps précieux, monsieur, dit Benjamin. Pour mon fils et pour moi, c'est un grand honneur. » Il jeta un coup d'œil à Aaron. « Mais nous ne sommes pas venus seulement vous présenter des dessins. Mon fils voudrait entrer à l'école des Beaux-Arts pour étudier... Sous votre direction évidemment. »

Sabatini tourna vers Aaron un regard intense. Les yeux du maître semblèrent le transpercer mais il en fut moins intimidé. Puis il remarqua la main de Sabatini qui jouait avec la chaînette du pince-nez. Bien que délicate elle paraissait étonnamment vigoureuse, noueuse et parcourue par des veines foncées.

« Qu'as-tu fait jusqu'à présent ?

— Des dessins. Voudriez-vous...

— Sur quoi ? demanda Sabatini en pointant l'extrémité de sa canne sur le jeune homme.

— Du papier, maître. Ou sur tout ce que j'avais sous la main.

— Avec quoi dessines-tu ?

— Du fusain en général et, de temps en temps, un crayon.

— Pas de couleur ? aquarelle, gouache ?

— Non maître.

— Avez-vous les moyens ? demanda Sabatini en se tournant vers Benjamin qu'il parut évaluer.

— Nous avons les moyens », répondit le père en faisant un pas vers le maître. Le ton écartait toute discussion sur ce sujet.

Sabatini hocha la tête puis se dirigea vers une fenêtre de l'autre côté de la pièce, d'où il regarda les étudiants qui circulaient dans la cour. « Tout jeune homme qui sait tirer un trait droit vient à moi, dit-il, le dos tourné aux Rostand. Tous veulent être artistes. Peu d'entre eux, très peu le sont vraiment. » Il se retourna et désigna du bout de sa canne les dessins accrochés au mur, en regardant Aaron. « Les étudiants qui savent tracer un trait droit ne m'intéressent pas. Même s'ils le tracent parfaitement. Peu m'importe que tu puisses reproduire ce que tu vois, ni la perfection avec laquelle tu sais copier. Retracer la nature ne suffit pas. Imiter la réalité ne révèle rien. Ce que je veux voir, c'est l'être intérieur. Il faut que tu sois capable de *voir*. Compris ?

— Je n'en suis pas sûr, répondit Aaron.

— Au moins tu n'es ni un pitre ni un menteur. » Sabatini prit un dessin sur un des chevalets et le tendit au jeune homme. « Voici un nu dessiné par un élève compétent. C'est une représentation fidèle du modèle. Mais je n'appelle pas ça de l'art. L'étudiant qui en est l'auteur n'est pas un artiste. Il ne voit pas ce qu'il dessine. Il ne sait qu'imiter. »

Sabatini rejeta le dessin sur le chevalet. « Pour commencer, l'artiste voit d'*ici,* continua-t-il en désignant ses yeux. Puis d'*ici,* ajouta-t-il en appliquant ses mains sur sa poitrine. Enfin, tu dois être capable de voir avec ton âme et ça, personne ne peut te l'enseigner. »

Sabatini pointa brusquement sa canne vers une chaise et un chevalet. « Assieds-toi et dessine mon visage. »

Aaron consulta son père du regard. Benjamin haussa un sourcil broussailleux et désigna du menton le chevalet.

Aaron prit une feuille de papier et un fusain sur un autre chevalet et s'assit devant celui qu'avait désigné le maître. La bouche sèche et les doigts moites, il considéra Sabatini en se rappelant l'impression que cet homme lui avait donnée en entrant dans la pièce : frêle et délicat. Il se mit à travailler d'instinct. D'abord il esquissa une tête en quelques coups de fusain, vifs et adroits.

Il sentit que les traits de Sabatini ne rempliraient pas l'espace occupé par la face sur le papier. C'est là qu'apparaissait sa délicatesse. Le maître présentait en effet un visage large sur une petite tête ronde. Bien que chaque caractéristique fût impeccable en elle-même, leur ensemble donnait une impression de raffinement tatillon et même mesquin. Bouche petite, trop petite. Nez moyen. Yeux relativement réduits.

Lignes et plans prenant forme sous les doigts d'Aaron, la figure d'André-Louis Sabatini émergea du papier. Le dessin ne flattait pas le maître. Aaron fut sur le point d'ajouter un peu de vigueur à la mâchoire. Mais Sabatini saisit tout à coup le papier. « Je n'ai pas terminé, dit Aaron.

— Peu importe », dit Sabatini. Il se dirigea vers la fenêtre en examinant le portrait, puis il se tourna vers Benjamin. « Je ne fais pas très bonne impression à votre fils, dit-il.

— Peut-être vous voit-il ainsi, monsieur Sabatini. »

Le maître retourna au chevalet et montra le dessin à Aaron. « Est-ce vraiment moi ? demanda-t-il.

— Je vous vois ainsi. Excusez-moi si ça ne vous plaît pas.

— Mais tu ne regrettes pas ce que tu as fait ? »

Aaron frémit intérieurement. Il venait de commettre une terrible erreur mais il tenait à être sincère. « Non, maître.

— J'en suis heureux, dit Sabatini en souriant. C'est un bon dessin. »

Aaron prit une profonde inspiration. « Vous le croyez, maître ? »

Sabatini hocha la tête. Aaron leva les yeux vers son père qui esquissait un mince sourire.

« Tu peux commencer demain matin, dit Sabatini. Au dernier rang, là-bas, près du mur. » Il désigna le coin le plus reculé de la pièce. « C'est la sphère de feu, d'après Dante. Chaque étudiant y fait ses débuts en espérant atteindre la sphère des anges, de l'autre côté. En temps voulu, si tu le mérites, tu te rapprocheras des fenêtres. Ça dépend de toi. »

Sabatini serra la main de Benjamin et leur demanda d'attendre sur place un moment. Il franchit le seuil de la porte par laquelle il était entré quelques minutes auparavant et revint avec un jeune homme pâle mais si grand qu'auprès de lui le maître avait l'air d'un nain.

« Rostand, voici Matisse, Henri Matisse, un de mes élèves, dit-il. Il consent à te mettre au courant. »

Les deux jeunes gens s'observèrent et sourirent. Matisse plut aussitôt à Aaron. Avec sa moustache et sa courte barbe, ses gros souliers, sa tenue négligée, ses mains tachées de peinture, il offrait l'image parfaite du jeune artiste.

Sabatini hocha la tête et dit. « Matisse te racontera tous les cancans de l'école, Rostand. C'est un bavard. Par bonheur il sait aussi peindre. »

La semaine même où Aaron Rostand entra à l'école des Beaux-Arts, un geste qui paraissait totalement banal d'une femme de ménage travaillant à l'ambassade d'Allemagne en France déclencha une succession d'événements qui influencèrent le cours de l'histoire de France et, par contrecoup, anéantit les ambitions artistiques du jeune Aaron Rostand.

Comme elle le faisait à la fin de chaque jour ouvrable, la femme Bastian, balai et chiffon à la main, passa d'un bureau à l'autre de l'ambassade en nettoyant les planchers, essuyant les tables et vidant les corbeilles à papiers. Arrivée dans le cabinet de l'attaché militaire, elle préleva dans la corbeille quelques débris de papier pelure et les glissa dans une poche dissimulée sous ses jupons.

Le lendemain, après être passés par une succession de mains anonymes, ces mêmes débris de papier arrivèrent sur le bureau du commandant Léon Henry, chef du bureau de contre-espionnage de l'armée française.

Mis bout à bout, ils présentèrent un bordereau des renseignements fournis par un espion à l'attaché militaire Schwartzkopen. Seul un officier de l'état-major général pouvait posséder ces informations. Le commandant Henry chercha un espion et ne vit qu'un seul officier capable de trahir ainsi : le capitaine Alfred Dreyfus.

Rien ne prouvait que Dreyfus fût un espion. L'écriture du document ne ressemblait pas à la sienne, rien ne prouvait non plus qu'il fût en contact avec l'ambassade d'Allemagne. Un seul élément convainquit le commandant Henry, furieusement antisémite : appartenant à une riche famille de filateurs alsaciens, Dreyfus était juif

On arrêta donc Alfred Dreyfus qui comparut devant un tribunal militaire. Les débats eurent lieu à huis clos mais dans une atmosphère de frénésie nationaliste. Jugement simple et efficace : Dreyfus était coupable. Bien qu'il clamât son innocence, le condamné fut dégradé en public. On lui arracha ses épaulettes, on brisa son épée et il fut envoyé en détention solitaire dans l'enfer tropical de l'île au Diable.

Pendant une longue année, enquête, jugement, sentence d'Alfred Dreyfus tinrent la vedette dans la presse. Aaron vit monter avec crainte la vague de fureur antisémite qui balaya la France. On cria dans les rues le nom de Judas. Certains journaux réclamèrent l'abrogation de la loi conférant la nationalité française aux juifs du pays. Dans les cafés, les cabarets, partout, on parlait d'exiler les juifs de France. Des groupes d'activistes assaillirent les synagogues. Il y eut des bagarres jusque dans les villages les plus reculés.

Pendant cette année-là, Aaron ne pensa qu'à ses études. Il n'avait jamais travaillé autant ni tant appris. La classe de Sabatini commençait ponctuellement à huit heures et demie du matin et durait toute la journée avec quelques brèves récréations. Une discipline de fer imposait ce programme.

Chaque matin, André-Louis Sabatini quittait son appartement contigu à la salle de classe, montait en chaire et commençait par un exercice : il posait un tableau sur un chevalet au pied de sa chaire et accordait trois minutes aux élèves pour l'examiner. Ensuite, ils devaient le reproduire de mémoire.

« Aujourd'hui, je veux que vous regardiez ce Boucher. Entraînez vos yeux. Concentrez votre attention. Peu importe si ce tableau vous plaît ou pas. Vous n'êtes pas ici pour approuver ou désapprouver mais pour apprendre à voir. »

Aaron n'avait jamais rien regardé aussi attentivement et intensément de sa vie. Il enregistra mentalement chaque ligne, chaque coup de pinceau. Plus tard, il apprit que ce tableau était une des œuvres les plus célèbres de Boucher et que Sabatini avait obtenu la permission de l'emprunter au Louvre. Intitulé *Diane au bain,* il représentait deux femmes dans un cours d'eau, peintes en rose et bleu clair. Aaron le trouva joli mais artificiel et fade. Néanmoins, il nota chaque ride de l'eau, volute de nuage, courbe des personnages.

Quand le garçon de service retira la toile, les élèves se mirent à dessiner d'après leurs souvenirs. Au bout d'une demi-heure Sabatini gagna le coin où se trouvait Aaron, lui prit des mains son dessin et l'étudia à travers son pince-nez. Le jeune homme eut l'impression de subir un nouvel examen. En irait-il ainsi chaque jour ? Il se demanda s'il pourrait le supporter.

« Correct, Rostand, tout à fait correct. Bons détails. Bon pour un début. Mais trop rigide. Détendez-vous, donnez de la vie.

— Oui, maître. »

Sabatini sourit et s'éloigna.

Pendant la récréation suivante, Aaron fit connaissance avec les autres élèves. L'un d'eux, Georges Rouault, lui plut immédiatement par son air de dignité paisible. Henri Matisse lui expliqua que ce camarade avait débuté comme apprenti dans un atelier où l'on faisait des vitraux d'église.

Laroque, étudiant de troisième année, qui se trouvait à proximité entendit Matisse et dit : « Rouault passe encore beaucoup de temps à l'église. » Il se tourna vers Aaron. « Et toi ? »

Aaron considéra le long visage mince de Laroque sur lequel s'étalait un sourire hargneux et insolent. Il avait déjà eu affaire à des fiers-à-bras de ce genre à l'école d'Endingen.

« Vraiment pas, répondit-il avec un sourire qui minimisait l'importance de la question.

— Non, évidemment, dit Laroque d'une voix onctueuse. Excuse-moi je n'avais pas remarqué que tu es juif. »

Aaron conserva son sang-froid et s'éloigna.

En observant Sabatini, Aaron s'efforçait de deviner en quoi consistait la vie intérieure du maître qui restait un mystère pour lui comme pour tous ses autres élèves, depuis bien des années.

Aux Beaux-Arts on s'intéressait à la vie privée de Sabatini mais personne ne savait grand-chose à ce sujet. Il vivait seul. On le voyait rarement en public. On ne savait qu'une chose : apparemment, il consacrait toute son existence à son enseignement et à ses élèves.

Pourtant il arrivait parfois, lorsque Sabatini parcourait sa classe du regard, qu'Aaron décelât dans ses yeux une expression de nostalgie ou de tristesse. En de tels instants, Sabatini s'en prenait à un élève ou à l'ensemble des étudiants, et parlait cruellement, comme pour se cuirasser. « Un sur cent seulement d'entre vous vaudra jamais quelque chose », répétait-il fréquemment. Cela semblait refléter une de ses idées maîtresses : les jeunes gens espèrent et rêvent mais la plupart découvrent que ces rêves ne se réaliseront jamais. Aaron sentait que Sabatini comprenait ses élèves et savait qu'il pouvait leur être utile. Il semblait vouloir leur dire que chacun porte son fardeau et que nul ne devient artiste sans souffrance ; pis encore, sans peine, on ne devient pas un homme.

Pour les fêtes de fin d'année, Aaron retourna en Suisse. Il n'avait pas vu son père depuis plus d'un an. Bien des choses avaient changé. L'affaire Dreyfus répandait méfiance et haine jusqu'à Endingen.

« La vie n'est plus comme avant, dit Benjamin dès le premier soir qu'il passa avec son fils. Les gens sont aussi divisés ici qu'en France au sujet de Dreyfus. Nombre d'entre eux réagissent affreusement. Mais jusqu'à présent ils s'en tiennent au bavardage. Certains voudraient chasser les juifs de Suisse, confisquer leurs biens et en revenir aux mœurs d'autrefois. »

Aaron comprit que son père avait peur et s'efforça de le rassurer. « Ce ne sont que des affaires politiques, dit-il.

— Non. Ça va plus loin. Des bandes de voyous ont traversé la rivière à deux ou trois reprises pour lapider des maisons de juifs. Il y a même eu quelques bagarres dans le quartier. Rien de grave jusqu'à présent... »

La semaine suivante, Aaron aidait son père dans l'atelier. Au bout d'un moment, il déposa le rouleau de tissu dans lequel Benjamin avait taillé une pièce et sortit pour aller acheter une tarte aux cerises, *Kirschtorte,* chez le patissier voisin. A son retour, il posa la tarte près de la table de son père qui battit des mains joyeusement.

« Je vais préparer du thé », dit Aaron.

Benjamin désigna une étagère accrochée au mur, à l'extrémité du comptoir encombré. « Tu sauras trouver ce qu'il te faut », dit-il.

Aaron trouva théière, tasses et soucoupes dans un tas de choses mal rangées et passa à la cuisine pour préparer le thé.

Une lourde pierre fracassa la vitrine de l'échoppe. Aaron entendit le choc mais ne comprit ce qu'il se passait qu'en entendant les débris de verre tinter sur le sol. Il sortit en trombe de la cuisine, se précipita dans la rue où il s'attendait à voir quelques galopins s'enfuir vers la place du Marché. Il se trompait. C'étaient des gaillards déjà assez âgés, bien vêtus, qui fumaient la cigarette en bavardant à quelques dizaines de mètres. Ils feignirent de ne pas le remarquer.

« L'un de vous aurait-il vu jeter une pierre à travers notre vitrine ? » demanda Aaron en se dirigeant vers eux.

Un grand garçon dégingandé interrogea ses compagnons du regard et leur demanda : « Vous avez vu jeter une pierre ?

— Quelle pierre ? répondit un autre en réprimant un sourire.

— Celle que tu as lancée dans l'échoppe de mon père », s'écria Aaron en avançant fermement vers le plus grand.

Tous de ricaner. « Drôle de dur, ce youpin, dit l'un.

— Il veut jouer les héros, dit un autre.

— Mais c'est qu'il nous insulte ! »

Celui qu'Aaron avait défié resta muet. Il s'essuya lentement le nez du revers de la main. S'étant approché, Aaron remarqua que c'était un albinos aux grands yeux exophtalmiques.

Il entendit Benjamin lui crier du seuil de la boutique : « Laisse-le tranquille ! » Il se tourna pour apaiser son père et, à ce moment-là, avisa du coin de l'œil quelque chose près de son visage. Il chercha à esquiver mais ne fut pas assez rapide... Le premier coup l'aveugla. Puis l'albinos lui écrasa le nez. Au même instant, un autre poing le cogna à l'estomac. Aaron tomba à genoux, la bouche ouverte, secoua la tête pour s'éclaircir les idées. Avant qu'il ne reprît sa respiration, les pavés de la rue parurent agités par un tremblement de terre.

Bien qu'encore abasourdi, Aaron se leva et se précipita sur l'albinos qu'il frappa du poing au visage. Une tache rouge y apparut. Ils se battirent, cognèrent, luttèrent, chacun cherchant à pousser l'autre vers l'extrémité de la rue. Ils se heurtèrent ensemble à une charrette arrêtée, les brancards en l'air et tombèrent l'un sur l'autre. Alors plusieurs adversaires se précipitèrent sur Aaron, l'arrachèrent à l'étreinte de l'albinos et le rejetèrent par terre. Un œil poché, il vit de l'autre la haine sur leurs visages et souhaita que quelqu'un intervînt. Cependant, les voyous s'acharnaient méthodiquement sur lui à coups de talons à l'estomac, à l'aine, au pubis. Il se démena et reçut un coup sur la nuque. Dès lors, il ne sentit plus rien, pas même la neige qui s'était mise à tomber.

Il reprit conscience plusieurs heures après et sentit d'abord le contact d'un drap frais contre sa peau. Il régnait dans la pièce une odeur de teinture de violette. Aaron entendit la voix de son père, entrouvrit ses yeux contusionnés et reconnut sa propre chambre à coucher.

« Tu n'as plus rien à craindre maintenant », dit Benjamin d'une voix mal assurée.

Aaron sentit la main de son père sur son front mais la voix lui parut venir de très loin. Le souvenir de la bagarre lui revint. Sans doute Benjamin était-il blessé. « Ils t'ont battu papa ? » souffla-t-il.

Benjamin se pencha sur lui. « Je suis indemne, Aaron. Ne t'inquiète pas. Je me suis précipité sur eux. Ils m'ont abattu d'un seul coup de poing et se sont enfuis. Les gendarmes ont noté ma déposition mais prétendent que tu as déclenché la bataille. » Des larmes perlèrent aux yeux du père qui glissa la main sous le dos d'Aaron et le souleva dans ses bras.

Aaron ressentit alors une vive douleur à l'épaule mais n'en dit rien. « Qu'est-ce qu'ils ont raconté d'autre, papa ?

— Rien, Aaron. Rien du tout. Tous les témoins disent la même chose : c'est toi qui a attaqué l'albinos ; pendant le combat tu t'es heurté à une charrette, tu es tombé la nuque contre le pavé.

— Nous ne sommes pas suisses, papa, nous sommes juifs. » Parler lui fut trop pénible ; sa tête bascula en arrière, son père le reposa sur le lit. Tout son corps était douloureux, pourtant rien ne paraissait cassé. Puis il remarqua quelque chose de bizarre à son bras droit : impossible de le remuer. « Papa.

— Oui, Aaron.

— Mon bras... »

Aaron regarda la main droite inerte sur la couverture de laine et qui ne ressentait rien. Il voulut plier les doigts mais l'ordre de son cerveau n'atteignit pas son bras. Il chercha à le lever. Pas de sensation, pas de mouvement. « Papa. aide-moi à lever le bras... le droit. » Benjamin souleva le bras, l'air inquiet. « Lâche-le », dit Aaron. Benjamin s'exécuta ; le bras tomba mollement sur la couverture.

Le père entreprit de le masser. « Est-ce que tu sens quelque chose maintenant ? » demanda-t-il. Aaron secoua la tête. Benjamin continua à frotter de l'épaule à la main, en appuyant de plus en plus fort. Aaron secoua la tête. L'évidence s'imposa. Le fils constata : « J'ai le bras paralysé. »

Pendant les semaines qui suivirent, Aaron resta dans sa chambre et refusa de parler à qui que ce fût. Les douleurs de tout son corps disparurent mais le bras droit resta paralysé. Il mangeait à peine les repas que lui apportait son père, cessa de se laver, devint de plus en plus taciturne et perdit la notion du temps. Il somnolait pendant la journée et faisait les cent pas dans sa chambre pendant la nuit. Benjamin le voyait perdre la tête mais se sentait impuissant.

Un soir, peu avant le crépuscule, Aaron entendit des pas au rez-de-chaussée. Puis quelqu'un monta l'escalier conduisant à sa chambre. Sans doute était-ce un homme. Le médecin ? Non. Le pas était plus vif et ferme. Peut-être un autre docteur. Celui-là viendrait s'occuper de sa tête. L'intrus s'arrêta devant la porte et frappa discrètement. Au bout d'un moment, il frappa plus fort. Aaron se leva, souleva la clenche et ouvrit. Les volets étaient fermés. D'abord il ne reconnut pas son visiteur dont la silhouette lui parut pourtant familière : frêle, mince, pomponnée. Quand il s'habitua à la pénombre, il haleta : « Maître. C'est vous !

— Bonsoir, Rostand », dit Sabatini en poussant la porte du bout de sa canne.

Aaron avala sa salive et demanda, méfiant : « Que voulez-vous ? »

Sabatini haussa les épaules. « J'étais en route pour Bâle où je vais assister à une conférence. J'ai entendu parler de tes ennuis et j'ai fait un détour pour voir comment tu vas. Ça te déplaît ? »

Aaron n'était pas sûr de ses sentiments. Peu auparavant, son maître représentait tout pour lui. « Non, pas du tout. Entrez.

— Tu me permets d'ouvrir les volets, Rostand ? Il fait encore jour. » Sabatini alla à la fenêtre et écarta les contrevents. Il se retourna pour considérer Aaron aussi intensément que lors de leur première rencontre. Le jeune homme éprouva une bouffée de colère. Il pivota légèrement pour que Sabatini ne vît pas son bras droit.

« Qu'espériez-vous trouver ? Un fou ? un estropié ?

— Je vois ce que je vois, Rostand. Rien de plus, rien de moins.

— Et que voyez-vous ?

— Un jeune homme plein de promesses et de douleur. Un artiste qui ne dessinera peut-être plus jamais. Un petit garçon obsédé par la rancœur et la pitié pour lui-même. » Sabatini se dressa sur la pointe des pieds. « Est-ce que je vois juste, Rostand ? »

Aaron se raidit. « Merci, maître. L'analyse de mon caractère est impeccable. Peut-être voulez-vous faire mon portrait ? » Sabatini ne répondit pas. Il joua distraitement du bout des doigts avec la chaînette de son pince-nez. Aaron baissa la tête, puis se laissa tomber au bord du lit. « Je ne voulais pas vous vexer, maître. Je...

— Tu ne m'as pas vexé, Rostand. Tu n'es plus mon élève. Rien ne t'oblige à m'écouter. Je suis un intrus. » Sabatini posa sa canne sur le lit, unit les mains derrière le dos et retourna à la fenêtre. Après un moment de silence, il murmura : « Tu ne sais pas combien nos destins se ressemblent.

— Vraiment ?

— J'étais artiste, moi aussi, autrefois. J'étudiais aux Beaux-Arts. Mon professeur, le grand Ingres nous répétait à tous que quelques-uns d'entre nous seulement vaudraient jamais quelque chose. Comme toi, je croyais que je serais un de ceux-là. J'ai tout abandonné : avantages financiers, l'amour d'une femme, ma famille. Sabatini ne serait pas seulement un nouveau Fragonard ou un nouveau David mais le grand Sabatini. » Il se tut le regard fixé sur la brume rosâtre du coucher de soleil hivernal. Soudain il reprit d'une voix plus dure : « Un jour, Ingres me retint à la fin de la classe et me demanda : " Que préfères-tu devenir Sabatini, un peintre médiocre ou un grand professeur ? "

— Je vois », murmura Aaron.

Sabatini tira une pochette de son veston et essuya minutieusement les lentilles de son pince-nez. « J'aurais pu continuer à peindre. Mais à partir du moment où Ingres me posa cette question...

— Je comprends, maître. Mais moi je n'ai pas pu faire mes preuves. »

Sabatini se retourna face à Aaron, le regard chaleureux. « Je pourrais te répéter ce qu'Ingres m'a dit. Mais je ne veux pas mentir. Tu es un artiste. » Sabatini posa sa serviette sur le lit, en tira une douzaine de dessins et les regarda l'un après l'autre pendant un moment. « Tu as bon œil, Rostand. Tu sais ce que signifie le mot *art*. Il y a du génie en toi. N'abandonne pas ! Utilise-le.

— Que pourrai-je faire ? » Aaron se servit de sa main gauche pour soulever son bras droit et le laissa tomber contre son flanc.

« Si tu prends la mentalité d'un infirme, personne ne s'intéressera à toi. »

Une lueur de colère apparut dans le regard d'Aaron.

« Les gens qui s'apitoient sur eux-mêmes me dégoûtent, dit Sabatini. Ta vie n'est pas finie. Il te reste tes yeux. Dorénavant, ils te serviront de talent. Tu es jeune, tu as un don. Va où tu pourras t'en servir.

— Que me conseillez-vous ?

— D'abord de te laver. Tu sens mauvais, Rostand. Réfléchis. L'art, c'est ta vie. Ton infirmité n'y changera rien. Continue à étudier, à t'instruire.

— A quoi bon ? pour enseigner ? » demanda Aaron avec une ironie mordante.

Sabatini dédaigna cette pique. « Non, je ne te crois pas fait pour ça, dit-il tranquillement. J'ai une idée plus terre à terre. Je te conseille le négoce.

— Négociant en œuvres d'art ?

— Tout juste, dit Sabatini en souriant pour la première fois
— Jamais ! Je vous ai souvent entendu dire que ce sont des voleurs.
— Il y aura au moins un honnête homme parmi eux, dit Sabatini qui parla plus rapidement. Les véritables artistes désespèrent. On dénigre Manet et Fantin. Degas tombe dans la misanthropie. Les négociants ridiculisent Cézanne... Cependant, des gens comme Meissonier et Bouguereau vendent leurs toiles au mètre carré...
— Que me proposez-vous de faire ? Sauver l'art français ?
— Je ne pense pas à l'art français, mais à toi. Pis que des brigands, les marchands d'objets d'art sont des idiots. Ils ne reconnaîtraient pas un chef-d'œuvre même si on le leur mettait sous le nez. Grâce à ton œil et ton bon goût, tu pourrais assurer ton existence à condition d'être hardi et patient. En outre, tu discernes les tendances de l'art à venir.
— Je n'ai pas un sou.
— C'est ton affaire. Il y a des moyens. Tu as l'œil. Ça vaut une fortune. Tu es épris d'art et tu es un artiste.
— Je l'étais...
— ... Tu l'étais, c'est vrai. Continue à respecter l'art. » Sabatini traversa la chambre, leva la clenche et ouvrit la porte. « Pense à ce que je t'ai dit. » Il ajusta fermement son pince-nez pour regarder fixement Aaron. « Un jour, quand tu iras mieux, viens me voir. J'aimerais savoir comment tu te débrouilles. » Il franchit le seuil de la porte.
« Votre canne, maître ! » Aaron prit la canne de merisier sur le lit et la tendit à Sabatini.
« Garde-la, Rostand, dit ce dernier en souriant. Elle pourra t'être utile un jour. »
La porte se referma, le loquet retomba dans l'encoche.

Une semaine plus tard, Aaron quitta Endingen pour Paris. Un cocher de fiacre vint le chercher devant la boutique pour le conduire à la gare. Il avait demandé à son père de ne pas l'accompagner jusqu'au train. Les longs adieux lui faisaient horreur.
« Je regrette de ne pas pouvoir te donner plus d'argent, dit Benjamin. Mais tu as de quoi tenir quelques mois à Paris. »
Le père sourit avec mélancolie et ouvrit les bras. Ils s'étreignirent pendant un moment. Puis Benjamin tapota le dos d'Aaron et dit : « Que Dieu te garde. »
Aaron tenait la canne de merisier foncé dans sa main gauche. Il ne trouva rien à répondre, monta dans la voiture, s'assit à côté du cocher et hocha la tête. Le véhicule descendit en cahotant vers la gare. Le vent du nord soufflait, glacial.

Six mois plus tard, attablé dans un café bondé de la rue de la Paix, Aaron Rostand jouissait de l'ambiance pétillante de Paris, par un bel après-midi d'automne. Tout compte fait, ses affaires marchaient à souhait.

Il avait vécu du viatique que lui avait remis son père, ses journées, toutes pareilles l'une à l'autre, selon un programme routinier. Le matin il continuait à s'instruire au Louvre. L'après-midi, quand les galeries d'art ouvraient, il en faisait le tour pour se familiariser avec la spécialité de chacune, en cherchant à discerner les nuances du marché.

Ce qui le frappait le plus alors, c'était la rareté des nouveaux talents offerts au public. A quelques rares exceptions près, les négociants parisiens étaient myopes. Incapables de voir plus loin que le bout de leur nez, ils pouvaient encore moins prévoir l'évolution de l'art. Ils dédaignaient les plus jeunes artistes de leur temps : Matisse, Vuillard, Bonnard. Le génie de Cézanne leur échappait encore. D'ailleurs, ils se méfiaient du génie comme de toute nouveauté. Les galeries offraient ce que les gens chics de l'époque considéraient comme du grand art et qu'Aaron trouvait imitatif et conventionnel.

Assis au café cet après-midi-là, il commença à prendre des notes sur la misère qu'il avait constatée au cours de ses dernières tournées. « Les grands noms... Jean-Louis Meissonier : pas d'imagination mais très honoré ; portraits héroïques de Napoléon à cheval ; prix élevés... Gabriel Descamps : sans intérêt, stérile mais un certain sens de l'humour... Emile Vernet : traditionnel, sec, sans vie... François Heim : violence conventionnelle... Adolphe Bouguereau : peintre prétentieux de sujets pieux... »

Néanmoins, au tournant du siècle, Paris n'en était pas moins la capitale du monde artistique. Les collectionneurs y affluaient comme des sauterelles, de toute l'Europe, pour acheter leurs Rubens, Rembrandt, Raphaël. Le tsar et la tsarine y étaient venus faire leurs emplettes artistiques. La noblesse russe avait suivi l'exemple : les Stroganof, les Volkonsky, les Youssoupof. Les Benda, Liechtenstein et les Reitz venaient de Vienne. La saison n'aurait pas été complète sans la visite du roi de Bulgarie, mais cette année-là il vendait au lieu d'acheter.

Tout ce gratin du continent achetait aussi quelques bijoux et les femmes s'habillaient à Paris. On descendait au Ritz et dînait chez Maxim's. Certes il y avait d'autres capitales, d'autres grands hôtels et de bons restaurants ailleurs. Mais l'art ne se trouvait qu'à Paris.

Un problème se posait à Aaron : comment acquérir des œuvres d'art. Une quinzaine de gros négociants tenaient les fils du marché, grâce à leurs relations. C'est eux qui achetaient et vendaient les œuvres de prix. Les plus petits commerçants ne pouvaient se fier qu'aux on-dit, se contentaient d'œuvres médiocres et faisaient la chasse aux clients.

Il serait donc difficile de débuter et plus difficile encore de survivre. Il faudrait trouver des œuvres de valeur exceptionnelle, les acheter pour peu et les vendre à gros profit. Il avait l'œil et le savait. Mais ça ne suffisait pas. Il lui faudrait de la chance pour repérer un tableau qui en valût la peine et pour l'acheter à bas prix. De telles occasions ne se présenteraient pas souvent. En levant son verre pour boire son avant-dernière gorgée de Pernod, Aaron songea avec enthousiasme que la chance semblait près de lui sourire. Il lui suffisait peut-être d'attendre que les salles de l'hôtel Drouot ouvrent ce jour-là.

Aaron posa son calepin sur la table et glissa deux doigts dans son gousset pour en tirer sa montre. L'heure était venue de pousser sa dernière pointe de reconnaissance à l'Hôtel des ventes. Il y était allé les trois jours précédents pour examiner sous tous les angles un petit tableau qu'il attribuait à Vermeer. Il espérait que personne ne le remarquerait et qu'on ne le mettrait pas en vente avant qu'il se fût assuré de son authenticité. Le matin, il avait consulté dans les bibliothèques toutes les œuvres d'érudition pour étudier la technique de Vermeer et les matériaux dont il se servait ainsi que les autres artistes de son temps. Oui, il avait découvert un trésor.

Aaron vida son verre, en laissa le prix et un pourboire dans la soucoupe, prit sa canne de merisier dans sa main gauche, et s'en alla vers le bâtiment poussiéreux. Dès l'entrée, il se réjouit. Les salles étaient presque désertes. Arrivé dans celle où se trouvait son Vermeer, il s'arrêta net. Pour la première fois depuis trois jours, quelqu'un regardait *son* tableau. Une femme.

Affectant prudemment la nonchalance du boulevardier, il fit petit à petit le tour de la salle en observant l'inconnue. Elle était grande par rapport à la plupart des Françaises. Même immobile, elle avait un port remarquable. Un chapeau à large bord, incliné de côté, dissimulait ses traits.

Aaron eut l'impression qu'elle se livrait à une espèce de travail professionnel et se demanda lequel. Elle arborait un corsage blanc au col serré par un étroit ruban de velours violet, une jaquette aux amples manches et une jupe noire tombant jusqu'aux chevilles. Lorsqu'il arriva plus près d'elle, Aaron constata que le ruban entourant sa gorge était maintenu par une broche d'argent.

Il décrivit un large cercle afin de distinguer les traits sous le chapeau. Le visage n'offrait pas un aspect classique mais les courbes étaient presque parfaites. Raphaël l'aurait considérée comme un modèle idéal pour ses madones. D'un peu plus près Aaron constata son erreur : la forte mâchoire dénotait trop d'opiniâtreté pour une sainte. Cette caractéristique le rebuta.

Comme si elle devinait ses pensées, l'inconnue leva la tête et se tourna vers Aaron. Il soutint son regard. Elle l'observa sans manifester d'intérêt. Telle fut la première rencontre d'Anna Lerner et d'Aaron Rostand.

A trente ans, elle avait fait son chemin à Paris depuis qu'elle avait quitté Strasbourg, sa ville natale. D'abord gouvernante et dame de compagnie de la comtesse de Villebranche et finalement directrice adjointe d'un magasin d'antiquités de la rue Saint-Honoré, elle avait fait bien des métiers, appris ce que chacun pouvait lui enseigner, puis était passée à d'autres études. C'est seulement lorsqu'elle commença à négocier des œuvres d'art et à fréquenter des artistes qu'elle se sentit à la fois indépendante et satisfaite. Les belles choses l'avaient toujours ravie. Décidément, oui, sa dernière profession lui convenait à merveille.

Bien qu'elle ne pût acheter grand-chose pour elle-même, Anna se plaisait à visiter l'hôtel Drouot. Elle choisissait dans son imagination les objets qui auraient convenu à son petit logement de la rue Monsieur-le-Prince. Ses recherches s'effectuaient sans catalogue la plupart du temps car les objets n'étaient guère exposés que la veille et l'avant-veille des ventes.

Cet après-midi-là, Anna remarqua un tableau qu'elle aurait volontiers acheté. Elle ne savait rien à son sujet, sauf qu'il exerçait sur elle une sorte d'attrait magique.

C'était le portrait lumineux d'une solide servante d'auberge en train de verser de la bière dans une cruche de porcelaine blanche. Elle était vêtue d'une robe de couleur lapis-lazuli. L'artiste semblait avoir immobilisé le temps à l'instant où la servante accomplissait cette tâche. Quelle sérénité ! pensa Anna. Et pourtant, quelle précision dans le geste. C'est surtout la sérénité qui la fascinait.

Anna abaissa son regard vers le plancher et y remarqua une paire de souliers noirs, les plus brillants qu'elle eût jamais vus. Elle releva la tête, vit un pantalon aux plis impeccables et une jaquette foncée, puis le visage d'un homme de haute taille, mince, aux yeux noirs perçants. Barbe taillée à l'impériale, regard vif, sourire un peu intrigué. Elle avait déjà remarqué un instant plus tôt que cet homme l'observait. Voilà que maintenant il soutenait son regard ! Après un long silence, il se pencha vers elle, la main gauche posée sur une canne de merisier à pommeau d'argent. « Ce tableau vous plaît ? » demanda-t-il.

Anna eut l'impression d'être une élève interrogée par un professeur. « Il m'intéresse, dit-elle.

— Allez-vous l'acheter ? »

Sans y réfléchir, elle répondit : « J'en ai envie.

— Vous auriez tort, dit-il. C'est un faux. »

Cet homme avait le toupet de dénigrer une œuvre d'art exceptionnelle. Elle lui répondit sans aménité : « Vous m'intéressez beaucoup, monsieur. Je suis ravie de rencontrer un expert aussi consommé que vous.

— Vous prenez cette toile pour un Vermeer. C'est ce que le faussaire entend suggérer.

— Et pourquoi me dites vous ça, monsieur ? demanda-t-elle avec impatience.

— C'est très simple, mademoiselle. Tout dénonce le faux. Considérons les couleurs par exemple. Quelle est la dominante ici ? »

Anna regarda le tableau plus attentivement encore. « Le bleu. Je dirai, en effet, un bleu profond comme le lapis-lazuli.

— C'est bien ça. Mais les bleus de Vermeer étaient légers, aériens. J'ai des raisons de croire qu'il peignait la lumière et pas l'obscurité. »

L'intrus se pencha vers la toile pour en examiner la surface. Il hocha la tête et dit à Anna : « Vous auriez dû remarquer autre chose, mademoiselle. » Du bout de sa canne, il montra la robe de la servante. « Voyez les plis, ici. On croirait que la jupe se soulève au lieu de tomber.

— Je crains de ne pas vous suivre.

— Vermeer n'aurait certainement pas été aussi maladroit. L'artiste peint ce qu'il voit. Le faussaire, lui, ne voyait pas ce qu'il peignait. Alors, regardez les souliers. Ils ne sont pas de l'époque. La mode était alors aux chaussons, pas aux chaussures lacées. Le lacet est apparu beaucoup plus tard. »

Anna eut l'impression que son interlocuteur se laissait emporter. On rencontre des gens bizarres dans les salles de vente.

« Tenez, mademoiselle. Voulez-vous tenir ceci ? » Aaron lui glissa sa canne dans la main et décrocha le tableau du mur. Il le retourna, le serra sous son bras droit et, de la main gauche, arracha le papier collé derrière le cadre. « Vous voyez, dit-il en écartant ce papier pour qu'Anna vît l'envers de la toile. Voilà. Cela prouve que ce tableau est l'œuvre d'un Français.

— Un Français ? Vous m'étonnez. Qu'est-ce qui vous permet d'affirmer cela ?

— La toile. Les artistes hollandais comme Vermeer peignaient sur de la toile de lin qui est plus fine. Ils vivaient à une époque de prospérité. Mais ça, c'est du jute. Les Français se servaient du jute meilleur marché et plus accessible. » Aaron raccrocha le cadre au mur et reprit sa canne. « Oui, dit-il. C'est bien un faux et maladroitement exécuté. »

Décontenancée, Anna ne sut que dire.

« Au revoir, mademoiselle », dit Aaron en hochant légèrement la tête. Il pivota sur lui-même et s'en alla.

Restée seule Anna s'affligea comme si elle venait de casser un précieux vase de porcelaine. Cet homme disait sans doute vrai : le tableau était un faux. Elle se remit en marche autour de la salle en regardant les autres peintures exposées ce jour-là mais sans parvenir à concentrer son attention, tant elle était déprimée. Soudain elle avisa un employé de l'hôtel Drouot qui balayait le plancher. Elle s'en approcha. « Pardon, monsieur.

— Oui, mademoiselle.

— Avez-vous remarqué l'homme qui vient de sortir et qui examinait un tableau dans ce coin, là-bas ? »

Une lueur de malice passa dans le regard de l'homme de charge. « Bien sûr je l'ai remarqué. Il a arraché le papier derrière une toile. Je l'ai vu, mais je ne suis pas intervenu. Il y a des tas de gens qui soupçonnent toujours quelque fraude.

— Je voudrais savoir qui est cet homme. Est-ce qu'il vient souvent ici ?

— Oui, je le connais très bien. C'est un certain Aaron Rostand. Il vient presque tous les jours.

— Il ne serait pas malade... » Anna tapota sa tempe du bout du doigt.

« Comme les autres », dit l'homme de l'hôtel Drouot qui haussa les épaules.

Quelques jours plus tard, Anna retourna à l'hôtel Drouot et se rendit au bureau du commissaire-priseur qui tenait les procès-verbaux des ventes. Elle l'interrogea au sujet de *La Servante d'auberge.*

« Voyons, voyons, Mademoiselle, dit-il en ouvrant un registre. *La Servante d'auberge...* voilà. Elle est partie pour deux cents francs. »

Anna sourit mélancoliquement. Elle fut sur le point de partir quand une idée lui passa par la tête. « Pourriez-vous me dire, Monsieur, qui l'a achetée ? »

L'employé du commissaire-priseur pinça les lèvres. « Ah, Mademoiselle ! c'est impossible. Vous savez que je n'en ai pas le droit.

— Bien sûr, je vous comprends. » Elle fit claquer le fermoir de son sac à main. « Vous touchez une commission de dix pour cent, n'est-ce pas ? *La Servante d'auberge* vous en a donc rapporté vingt. Dix de mieux vous conviendraient ? »

L'employé du commissaire sourit. « A votre service, Mademoiselle. » Il rouvrit son registre et parcourut d'un doigt jauni par la nicotine des colonnes d'écriture. « Nous y voici. Monsieur Aaron Rostand. »

Ce jour-là, Paris rayonnait plus que la lumière du soleil. Une rose à la boutonnière, canne à la main, Aaron marchait vivement de l'hôtel Drouot à sa chambre meublée de la rue Jacob, en serrant sous son bras le Vermeer qu'il avait acheté aux enchères quelques jours auparavant pour presque rien. Enfin il avait le pied dans l'étrier.

Deux semaines plus tard, ayant nettoyé soigneusement et encadré de neuf son trésor, il entreprit la tournée des galeries d'art les plus connues et les plus prospères. Le succès ne fut pas immédiat. En fin de compte, ce fut Armand Beaumont qui acheta le tableau.

Ce Beaumont tenait une galerie florissante aux Champs-Elysées. Quand Aaron lui présenta le Vermeer, les yeux du négociant étincelèrent. Après un pénible marchandage, il s'en tint à quinze mille francs.

« J'en veux vingt mille », dit Aaron en souriant.

Beaumont se tâta le menton du bout des doigts et parcourut sa galerie du regard. Enfin il fit un effort. « Seize mille. Quoique grand maître, Vermeer n'est guère à la mode actuellement. »

Cet homme me prend pour un pauvre d'esprit, pensa Aaron qui se rappela le conseil de Sabatini : achète hardiment et vends avec patience. « Vingt mille, monsieur, c'est mon dernier mot. »

Le secrétaire de Beaumont interrompit la discussion en apportant quelques lettres à signer. Une heure plus tard, le négociant proposa un marché : cinq mille francs comptant et le reste dans les dix jours. « Ce sont nos conditions habituelles », dit-il fermement.

Aaron scruta le visage de son interlocuteur. « Très bien, monsieur, dit-il. Nous noterons ça sur le reçu ? »

Beaumont s'exclama indigné : « Jeune homme, dans le monde des arts parisiens ma parole vaut plus de vingt mille francs. »

Aaron eut envie de ramasser son tableau et de s'en aller mais il était tard, son bras paralysé lui faisait mal, aucun autre négociant n'avait offert aussi cher. Sans doute ferait-il encore des affaires avec Beaumont, aussi n'avait-il aucun intérêt à le vexer. « Très bien, monsieur, affaire faite », dit-il.

Beaumont sourit, alla au coffre scellé dans le mur de son bureau, en retira cinq billets de mille francs qu'il remit au jeune homme. « J'espère que notre méthode de paiement vous convient.

— Evidemment », répondit Aaron en pliant les billets pour les glisser dans son porte-monnaie.

Il descendit les Champs-Elysées à pied, bifurqua vers le Cours-la-Reine, suivit la Seine jusqu'au pont des Arts. Arrivé au Quartier Latin, il entendit des crieurs de journaux vociférer *J'ACCUSE... Zola accuse l'état-major dans le journal de Clemenceau.*

Aaron acheta L'*Aurore.* La lettre publique de Zola exposait comment le nouveau chef du deuxième bureau français avait révélé à l'état-major général qu'il soupçonnait un officier hongrois au service de la France d'être l'auteur du bordereau, ce qui innocentait Dreyfus.

Aaron lut le début de la lettre tout en marchant et s'arrêta à un café pour en terminer la lecture avant de monter dans sa chambre. Une coïncidence le frappait et lui suggérait un merveilleux changement de destinée. Comme Dreyfus, il avait failli perdre sa raison de vivre. Ce jour-là, la chance tournait pour l'un et pour l'autre. Il résolut d'aller voir Matisse le soir même pour fêter cet heureux événement.

Dix jours plus tard Aaron retourna à la galerie Beaumont. Le patron l'accueillit comme un client qui se propose d'acheter un tableau. « Que puis-je faire pour vous, monsieur, dit-il obséquieusement.

— Me donner les quinze mille francs que vous me devez, monsieur. »

Beaumont feignit la stupéfaction. « Quinze mille francs ! Etes-vous fou ? »

Aaron ressentit une contraction au plexus solaire. « Le solde du Vermeer que vous m'avez acheté vingt mille francs il y a dix jours.

— Vous vous trompez sûrement, monsieur. Je ne vous ai rien acheté. Je ne me rappelle même pas vous avoir jamais vu. »

Aaron comprit aussitôt qu'il avait commis une erreur stupide. Il avait accepté une avance en espèces sans exiger d'engagement. Il ne pourrait donc pas prouver que son Vermeer avait changé de mains. Impossible d'agir en justice.

« Est-ce ainsi que vous menez vos affaires, monsieur Beaumont ? demanda-t-il les lèvres blanchies par la rage.

— Je ne comprends pas de quoi vous me parlez, monsieur. Excusez-moi, j'ai affaire... »

Aaron se retint. Il avait pourtant envie de sauter à la gorge de cet homme. Il pivota sur lui-même et s'en alla. Mais avant de refermer la porte il cria : « Nous nous reverrons, monsieur. »

Pendant quelques jours, Aaron envisagea plusieurs moyens de recouvrer argent ou tableau. S'adresser à la police eût été vain. La justice n'offrait pas de meilleure issue. Pourtant il n'avait pas volé son tableau et ne supportait pas d'être volé lui-même. Le quatrième jour, à l'heure de la fermeture, il entra à la galerie sans sa canne mais avec un bidon de deux litres à la main. Il le posa près de la porte et en dévissa le bouchon. Puis il reprit le bidon l'inclina légèrement et parcourut la salle de vente en laissant couler son contenu sur le tapis d'où émana une forte odeur de pétrole.

Beaumont qui se trouvait alors dans son bureau, en sortit et se précipita vers Aaron. « Dieu du ciel ! Que faites-vous, idiot ? »

Sans répondre, Aaron laissa tomber son bidon et tira une boîte d'allumettes de sa poche. « Voilà, Monsieur Beaumont. Vous me rendez mon tableau ou le reste de ce que vous me devez. Sinon...

— Vous n'oserez pas. »

Aaron sourit. En scrutant le regard du négociant, il y surprit une pointe de frayeur.

« Soyez raisonnable, supplia Beaumont.

— Les négociations sont terminées », répondit froidement le jeune homme qui fit le geste de craquer une allumette.

« Attendez... attendez ! Je me rappelle maintenant. Vous m'avez bien vendu un tableau. J'ai de quoi vous payer. Donnez-moi le temps d'aller chercher l'argent à mon coffre. »

Aaron remit l'allumette dans la boîte et la boîte dans sa poche. Un court instant plus tard Beaumont revint avec les billets qu'il mit dans la main d'Aaron. « Comptez, dit-il.

— A quoi bon. Vous n'oseriez pas me voler. » Aaron sourit d'un air menaçant mais avec un rien de gaieté aussi. Il quitta la galerie argent en poche.

Avec les vingt mille francs du Vermeer, Aaron ouvrit une petite boutique d'œuvres d'art près de l'hôtel Drouot et ne tarda pas à se faire une réputation de négociant avisé. Il acheta hardiment mais avec sagesse, sans jamais commettre d'erreur. Comme Sabatini le lui avait dit, il avait l'œil. Ses concurrents l'enviaient et ses clients se fiaient à lui. La rapidité de son succès n'eut pas d'influence sur son caractère. Il continua à mener une vie frugale et à investir ses bénéfices dans ses affaires.

Il ne manquait pas de parcourir tous les matins les salles

d'exposition de l'hôtel des ventes en notant mentalement tout ce qu'il voyait d'intéressant. De retour à son magasin, il dictait des notes à sa secrétaire. Ce procédé lui permettait de suivre à la trace tous les tableaux qui lui passaient sous les yeux. Peut-être était-ce d'ailleurs un excès de précaution car il se rappelait chaque œuvre d'art dans tous ses détails.

Un après-midi, il trouva dans son courrier une lettre de Léon Fabre, fabricant d'armes bien connu et grand collectionneur d'objets d'art, qui demandait à Rostand « d'évaluer la collection Fabre en vue d'une vente éventuelle, soit aux enchères publiques soit de gré à gré ». L'expertise devait avoir lieu le lundi 22 mars 1897, au château Listrac.

Quand il embarqua dans le Paris-Bordeaux, le dimanche matin, Aaron était plein d'enthousiasme car il espérait faire de bons achats le lendemain matin. Il s'installa dans un compartiment de deuxième classe, déplia son journal et se mit à lire. Le convoi allait quitter la gare quand deux autres voyageurs entrèrent dans le compartiment. Aaron leva la tête et son optimisme s'affaissa. L'un des nouveaux venus n'était autre que Pierre Breton, négociant bien connu, avec lequel il avait souvent rivalisé aux enchères de l'hôtel Drouot. Pour voyager, Breton, grand homme blond, portait une casquette et un raglan de tweed. La jeune femme de l'hôtel Drouot l'accompagnait, vêtue d'un lourd manteau de laine verte avec cape sur les épaules et coiffée d'une toque de loutre.

Aaron se leva pour les saluer. Au cours de la conversation à bâtons rompus qui s'ensuivit, chacun se garda d'indiquer où il allait. En reprenant place auprès de la fenêtre Aaron avait deux raisons de mécontentement. Non seulement il allait affronter un concurrent redoutable pour la collection Fabre mais en outre la jeune femme le traitait avec hauteur en feignant de ne l'avoir jamais vu. Elle prit place à l'autre extrémité du compartiment et se laissa presque aussitôt absorber par la lecture d'un livre.

Ils arrivèrent à la nuit tombée à Bordeaux et se retrouvèrent tous les trois dans la patache conduisant à Listrac. Un seul fiacre se trouvait à la gare et il n'y avait qu'une seule auberge dans ce village. Ils y dînèrent : Anna et Breton à une table, et Aaron à l'autre. Quand ils montèrent à l'étage, Aaron constata que son concurrent et la jeune femme dormaient dans des chambres différentes. Peut-être collaboraient-ils mais au moins ils ne couchaient pas ensemble. Breton tendit la main à Aaron et lui souhaita bonne nuit. Anna sourit à Breton et formula le même vœu mais continua à dédaigner Aaron.

Le lendemain matin, Anna se leva de bonne heure, entrouvrit sa porte et prit dans le couloir ses bottines cirées de frais. Elle jeta un coup d'œil vers l'extrémité du couloir et constata avec satisfaction que les chaussures d'Aaron se trouvaient encore devant sa porte. Elle s'habilla vivement, alla sans bruit jusqu'à la chambre de Breton où elle frappa légèrement. Le négociant se présenta aussitôt tout prêt à descendre à la salle à manger.

« Il semble que Rostand n'aime pas se lever de bonne heure, dit Breton. La fortune appartient à qui se lève tôt.

— Alors, espérons qu'il dormira toute la matinée », répondit Anna en se versant une seconde tasse de café.

Une heure plus tard tous deux arrivèrent en calèche dans la cour du château Listrac. Une autre voiture était garée devant le perron. Breton débarqua le premier et tendit la main à Anna. Ils gravissaient les marches quand la lourde porte de chêne s'ouvrit. Ils virent Léon Fabre et Rostand qui se serraient la main en souriant. Aaron descendit vers son fiacre et salua en levant le bras gauche. Il tenait à la main quelques feuillets de papier : à coup sûr un contrat. Quand il monta dans sa voiture, Anna et Breton constatèrent qu'il portait des sabots.

Aaron Rostand revit Anna Lerner, un vendredi matin de beau temps quelques mois plus tard. Aux fenêtres du Ritz les jardinières étaient remplies de fleurs aux couleurs vives qui égayaient la façade grise de l'hôtel le plus élégant d'Europe.

Quand Aaron pénétra dans l'antichambre séparant le vestibule du grand salon, il entendit à travers les portes de verre des bribes de conversation. Dès le matin, la cohue des négociants en objets d'art était sur place. Le siège avait commencé. Ils attendaient « la Terreur » : le financier international multimillionnaire américain J. Pierpont Morgan.

C'était le collectionneur d'œuvres d'art le plus riche du monde entier. Depuis des années, il arrachait d'Europe tous les trésors que lui signalaient ses émissaires. Dans toutes les capitales, les négociants rêvaient d'une visite de Morgan. On savait à l'avance ce qu'il désirait. Le bruit en courait d'une galerie à l'autre comme les flammes d'un incendie. Avec ses onze milliards de dollars, ce titan de la finance raflait toutes les collections qui en valaient la peine. Il aimait à dire : « A quoi bon acheter un seul article si on peut les avoir tous ? »

Quand il se fraya sa voie dans la foule des négociants, Aaron perçut leur impatience fiévreuse. Nombre d'entre eux portaient des paquets volumineux contenant, selon toute évidence, statues, porcelaines, tableaux. C'était comique. Morgan devait les considérer comme de minables colporteurs. Pas étonnant qu'il eût interdit sa porte.

Tout ce qui comptait dans le commerce de l'art était là : Joseph Duveen, connu pour son entêtement, Seligman, Gimpel, ce filou de Beaumont et Pierre Breton. Mais une seule personne retint l'attention d'Aaron : Anna Lerner. Comme la première fois qu'il l'avait rencontrée, elle le passionna. Vêtue d'un tailleur de coton violet à rayures blanches et d'un corsage rose, elle parcourait le salon en saluant d'un hochement de tête les gens qu'elle connaissait. Qu'est-ce qui attirait tellement le jeune Rostand ? Selon toute évidence c'était une femme ambitieuse, indifférente, voire hostile. Pourtant elle le fascinait. Peu importait d'ailleurs car il pensait surtout à son rendez-vous avec Morgan.

Il allait prendre une tasse de café quand une voix de femme retentit derrière lui. « Devons-nous toujours rivaliser ? »

Il se retourna et s'étonna de voir Anna lui sourire.

« Je ne m'étais pas rendu compte de notre rivalité, répondit-il en souriant.

— Sans doute parce que c'est toujours moi qui perds. »

Il en fut stupéfait. Il n'avait rien prévu de tel. « Est-ce la paix que vous m'offrez, mademoiselle Lerner ?

— Au moins une trêve, monsieur Rostand. »

Tous deux éclatèrent de rire. A cet instant, un chasseur apparut portant une enveloppe sur un plateau et criant : « Monsieur Rostand. » Aaron leva sa canne, le chasseur se précipita vers lui. Il prit l'enveloppe et posa une pièce d'un franc sur le plateau. Serrant sa canne sous son bras gauche, il ouvrit l'enveloppe « Un message de Morgan », dit-il.

Anna battit des paupières : « Comment avez-vous réussi ce miracle ? »

Aaron haussa les épaules, l'œil brillant de malice. « Grâce à une relation que je me suis faite à Listrac », dit-il. Il partit vers le large escalier rococo conduisant à l'étage. Anna eut le temps de lui dire : « N'y allez pas en sabots cette fois. »

Du palier, Aaron se pencha vers le vestibule. Elle le suivait du regard. Il leva sa canne pour la saluer en souriant. Cette journée devait compter dans sa vie.

Un secrétaire introduisit Aaron dans le salon de l'appartement occupé par Morgan. Le financier faisait une réussite assis devant une table de marqueterie. Il se leva. Un pékinois à longs poils glissa le long de son pantalon.

« Fabre m'a dit le plus grand bien de vous, Rostand », dit Morgan. Sa voix autoritaire ajoutait une dimension supplémentaire à sa stature d'un mètre quatre-vingts. Aaron remarqua surtout le visage large : grands yeux noirs, moustache de phoque, gros nez boursouflé et couvert de petits points blancs comme une fraise.

« Inutile de vous dire le bien que je pense de vos collections, dit Aaron.

— Alors, vous me considérez comme un acheteur avisé ? »

Rostand perçut un rien d'ironie dans la voix du magnat. « Un des meilleurs.

— Eh bien ! j'ai quelque chose à vous montrer. » Morgan fit signe à Aaron de le suivre jusqu'à l'extrémité de la pièce où se trouvaient, chacune sur son guéridon, trois figurines de porcelaine. « Je vais en acheter une mais je ne sais pas exactement laquelle, dit Morgan en fixant sur le jeune homme un regard intrigué. Laquelle préférez-vous ? »

Aaron considéra les figurines : un dresde du XVIIIe siècle, rose et bleu, représentant un berger ; un paon de Chelsea multicolore, sur un petit socle baroque ; un chat blanc de Sèvres.

Aaron leva les yeux vers Morgan. Ce collectionneur excentrique lui faisait subir un examen et l'avenir de leurs relations en dépendait. Il fit un pas vers les guéridons et examina attentivement les trois œuvres d'art. Bien que ne connaissant rien aux porcelaines il pencha d'instinct pour le paon de Chelsea.

Aussitôt il leva sa canne à pommeau d'argent et de deux coups bien appliqués il brisa le berger de Dresde et le chat de Sèvres, n'épargnant que le paon de Chelsea.

« Voilà celle qu'il vous faut, dit-il à Morgan. Les autres ne sont pas dignes de vos collections. C'étaient des faux selon toute évidence. » Morgan poussa du bout de son soulier un débris de porcelaine. « Je crois, jeune homme, que nous ferons de bonnes affaires ensemble », dit-il.

SEPTIÈME PARTIE

1979

1

Le lendemain matin de sa visite à Endingen, André Rostand attendait dans son Lear jet la permission de décoller à l'aéroport de Zurich. Son pilote se tourna vers lui.

« Nous sommes les prochains sur la liste, Monsieur. Ce ne sera pas long... »

André hocha la tête. Il pensait à autre chose.

Il avait passé la nuit dans la maison où son père avait grandi. Personne n'y habitait plus depuis des années. Le soir, il avait acheté de la saucisse, du fromage de chèvre et une bouteille de bière qu'il avait emportés sous son bras, sur l'autre rive du cours d'eau. Il avait allumé du feu dans la cheminée et pris un repas solitaire.

Ensuite, il avait parcouru la vieille bâtisse de bois où il n'y avait plus un seul meuble, en pensant à sa dernière visite. Il avait alors seize ans, son père l'y avait amené. Ils avaient pris le train à Paris. Arrivés au petit village ils avaient gravi une colline qui le dominait. Aaron lui avait expliqué combien ce décor s'était transformé. Isolée autrefois sur une rive presque déserte, la maison disparaissait maintenant parmi de nombreuses résidences estivales construites pour des étrangers. Les rues étaient toutes pavées et l'ancien quartier juit avait disparu.

L'esprit d'André continua à poursuivre le passé. Des souvenirs d'Aaron et d'Anna, sa mère, reparurent pour la première fois dans sa mémoire. Ses parents avaient vécu une union heureuse, bien meilleure que son propre ménage. En vieillissant sa mère s'était alourdie mais était devenue plus robuste. L'Anna que son père avait épousée — svelte, ambitieuse, enthousiaste — faisait place à une femme paisible et heureuse. Elle conservait son assurance mais tempérée par l'âge. Son visage, naguère tellement beau, s'était amolli mais avait gagné en sérénité. Elle ne perdait guère son sang-froid que lorsque André rapportait de l'école de mauvaises notes ou lui désobéissait.

Il se rappela aussi la mort d'Anna. Aaron ne l'avait pas quittée durant ses derniers jours. L'instant fatal arrivé, il n'avait pas pleuré ni exprimé de chagrin. Sa douleur le paralysait. Il l'avait vue s'éloigner lentement, tranquillement, toujours plus loin. Et puis... André savait qu'à la mort de sa mère, son père avait perdu la plus grande partie de son être.

Enfin André pensa à Sabatini, l'homme dont son père lui avait donné le prénom. Une fois, dans son grand âge, le maître s'était rendu à sa galerie sur des jambes mal assurées, desséché comme une vieille pomme profondément ridée. Cette visite avait surpris Aaron.

« Tu me croyais mort ? vociféra Sabatini d'une voix aiguë.

— Non, je vous croyais occupé à travailler, maître, avait répondu Aaron.

— Travailler !... »

Le jeune André avait suivi les deux hommes qui parcouraient la galerie bras dessus, bras dessous en s'arrêtant devant les chefs-d'œuvre offerts aux clients. Ils étaient descendus à la chambre forte. Sabatini y avait perdu le souffle. Il y était resté longtemps sans rien dire.

Ensuite Aaron et son vieux maître étaient restés un moment devant la porte, sur le trottoir, attendant la voiture qui remmènerait Sabatini chez lui. Enfin les deux hommes s'étreignirent et prirent congé l'un de l'autre pour la dernière fois.

André n'oubliait pas les derniers mots de Sabatini à son père : « Tu étais doué pour les arts, Rostand. Tu es resté dans leur royaume en qualité de négociant. »

— Tout à coup la voix du pilote fit sursauter André et rompit le fil de ses réminiscences. « Vous êtes à l'aise, Monsieur Rostand ? »

André hocha la tête le visage crispé. Il n'aimait pas les voyages en avion, surtout les longs vols transatlantiques qui exigeaient trop de lui.

« Nous avons un temps superbe, Monsieur. »

André ne répondit pas. De tels bavardages ne suffisaient pas à le rasséréner. Il plongea la main vers le parquet de l'avion, y prit une serviette dont il tira quelques journaux où il savait trouver des commentaires sur la vente Essler à Londres. Un courrier les lui avait déposés la veille au Crillon. A la page des arts du *Daily Telegraph* le principal article signalait que les enchères de la collection Essler avaient battu un record universel : £ 15 750 000.

Le commentateur indiquait que la plus grande partie des œuvres d'art avait été acquise par un puissant consortium, Art Intrum, dirigé par le Docteur Léopold Marto. Ce groupe avait dû faire face à une concurrence acharnée de la part d'un enchérisseur anonyme qui, pensait-on, transmettait ses ordres de Los Angeles. Néanmoins le groupe Marto avait gardé la haute main sur la vente et, en quelques mois, était devenu un des maîtres du marché des arts, capable de rivaliser même avec Rostand International qui, en l'occurrence n'avait rien acheté du tout.

Un article du *Guardian* énumérait les prix astronomiques atteints à cette vente, puis en faisait remarquer l'aspect béotien. Les objets d'art mis aux enchères n'avaient guère de rapport avec la valeur qui leur était attribuée. La vente Essler sonnait clairement l'alarme quant à une des tendances contemporaines les plus constantes, celle de la vanité et de la faiblesse de jugement.

Le paragraphe suivant réjouit particulièrement André : « En fin de compte, cette vente présente un caractère malsain à bien des points de vue. Les objets surestimés de manière outrancière étaient de qualité si médiocre que n'importe qui aurait pu les acheter de gré à gré chez un négociant pour un prix très inférieur à celui qu'ils ont atteint sous les projecteurs de la télévision. »

Ces critiques avaient raison, pensa évidemment André, mais ils n'avaient même pas entrevu le fond des choses. Certes les objets d'art sont des marchandises comme les autres ; pourtant la hausse inconsidérée de leur prix en diminue la valeur réelle. Ça, Rostand l'avait toujours su. Ses clients d'autrefois aussi. Mais désormais les salles de vente n'étaient plus le domaine d'aristocrates blasés ou de collectionneurs avisés. Les envahissaient des hommes d'affaires aux lunettes de verre teinté, escortés de blondes couvertes de bijoux, aux regards durs, qui paraissaient s'ennuyer.

Il haussa les épaules. Et pourquoi pas ? Si ces gens-là consentaient à payer de tels prix, il était prêt à leur fournir de la marchandise.

Il tira son calepin de sa poche et le feuilleta du doigt pour arriver aux notes prises une semaine plus tôt. Les quatre comptes ouverts par ses prête-noms avaient reçu leurs premiers cent mille dollars de provisions par télex. D'autre part, les achats faits par Art Intrum à la vente Essler rendaient ce consortium vulnérable. Bref, tout était en place.

Le matin suivant, des messages codés passeraient par le Crédit suisse afin d'ordonner aux agents de change de commencer leurs opérations pour le compte de MM. Stuart-Hunt, Koenig, Villot et Asher.

Peu importait ce qu'il adviendrait de cette première mise de fonds. Si elle était perdue, on la remplacerait. Le seul élément important, c'était que chaque « investisseur » s'assurerait une solide réputation chez son agent de change. Il fallait, en effet, que ces courtiers considèrent leurs « clients » comme des investisseurs et pas des spéculateurs. Quand André lancerait son assaut contre le groupe Marto, il faudrait que ses instructions soient exécutées sur-le-champ et sans hésitation.

A trois heures, cet après-midi-là, André, de retour à New York, était assis dans son fauteuil de cuir à son bureau de la Cinquième Avenue. Il parcourut une colonne de chiffres et murmura : « Enfin, ça commence... » Il n'y avait personne auprès de lui pour l'entendre. André Rostand avait fait, refait, revérifié ses calculs une douzaine de fois. Le capital d'Art Intrum consistait en 5 millions de parts cotées à ce moment-là l'équivalent de 31 dollars sur les principales Bourses du monde. Il entendait en acheter un tiers, soit 1 600 000 parts, ce qui, compte tenu des fluctuations du marché, lui coûterait $ 50 millions. Il s'accordait dix jours ouvrables pour réussir son opération.

C'était peu mais les circonstances l'y contraignaient. Il devait donc acheter en moyenne 160 000 parts d'A.I. chaque jour. Au début le prix ne varierait guère. Mais tous les vendeurs trouvant automatiquement un preneur et ses prête-noms continuant à acheter, le prix monterait forcément. Les fonds continuant à affluer chez les agents de change chargés des opérations, la hausse se poursuivrait. Les journaux financiers la signaleraient. Nombre de spéculateurs prendraient le train en route. Alors la hausse se précipiterait. André prévoyait qu'au dixième jour la part vaudrait un tiers de plus, c'est-à-dire qu'elle coterait 40 dollars.

Il espérait que Marto attribuerait ce mouvement du marché à ses prodigieux « succès » dans les salles de vente lors des dernières semaines. Ainsi, serait-il pris de court quand il se rendrait compte de la vérité.

Rostand se leva, contourna son bureau et traversa la pièce jusqu'à la cheminée où il prit à deux mains sa canne de merisier. Puis il alla aux fenêtres donnant sur l'avenue Madison et plongea le regard dans le cœur du monde des arts new-yorkais. Pour la plupart des gens qui défilaient devant les vitrines offrant tableaux, antiquités, sculptures, Madison Avenue n'était probablement qu'un centre d'emploi, de négoce, coloré, agréable, essentiellement décoratif mais au fond dénué d'intérêt. Pour d'autres — ceux qui suivent la mode — les galeries d'art de la même avenue représentaient le sommet de la grâce mondaine, de la fortune, bref, le mieux que l'on peut se procurer avec de l'argent. Pour une troisième catégorie d'individus, les érudits, les romanesques, Madison Avenue apparaissait comme le dépôt des objets les plus beaux et les plus précieux du patrimoine culturel humain. Enfin, pour les négociants eux-mêmes, cette artère n'était qu'un marché.

De la fenêtre où se trouvait André Rostand, l'avenue représentait tout cela à la fois : un royaume où cohabitaient les différentes catégories sociales et dont il s'était toujours considéré comme le monarque. Ce jour-là, il entendait s'assurer qu'il en fût toujours ainsi.

Il retourna à la cheminée, y posa sa canne et s'assit à son bureau d'où il lança un appel à Bertrand Keller.

Deux minutes plus tard, Harper avait Keller en ligne et le passait à André. Ce dernier parla vivement et en code pour enjoindre au banquier suisse de transmettre aux quatre agents de change l'ordre d'acheter 40 000 parts d'Art Intrum. Chaque jour, tant que les choses se dérouleraient conformément à ses projets, il rappellerait Bertrand Keller pour lui répéter le même ordre. Au dixième, il posséderait 1 600 000 parts. Alors il commencerait à s'amuser.

2

Deux semaines plus tard, en entrant dans son bureau à neuf heures et quart du matin, André y trouva Ray Fuller qui l'attendait.

« J'ai des instructions à vous donner », dit-il en allant s'asseoir.

Fuller ouvrit son porte-documents et attendit. André feuilleta le calepin qu'il avait tiré de la poche intérieure de son veston. Ses instructions furent simples. Fuller devait envoyer par télex codé à Keller l'ordre de lancer sur le marché cent mille parts d'Art Intrum.

Comme d'habitude, ces titres devaient être cédés par petits paquets, d'abord à Zurich au nom d'Asher. On allégerait plus tard le compte de Villot à Paris. Les vagues commenceraient à apparaître sur le marché quand les deux comptes de Londres largueraient leurs parts d'Art Intrum quelques heures plus tard.

Durant la semaine passée, André avait déversé sur le marché un million de parts. Le premier jour il en répandit 400 000 sur les quatre Bourses de Paris, Londres et New York. La cote tomba sur ces trois marchés mais moins qu'à Zurich où le cours baissa à l'équivalent de 37 à 32 dollars.

Le deuxième jour il vendit trois cent mille titres de plus. A la clôture du marché, Art Intrum cotait $ 26. A ce moment-là, André prévoyait une riposte de Marto. Mais la vente Essler ayant absorbé une partie de son capital, Art Intrum manquait de fonds pour soutenir le cours de ses titres.

Le troisième jour, Rostand vendit 200 000 parts. Marto s'efforça de soutenir le cours mais, à la clôture, il tomba à $ 20.

Le quatrième jour, 100 000 titres de plus tombèrent sur le marché. Alors la panique prévue par André se déchaîna. Art Intrum tomba au cours désastreux de $ 15, soit une perte de vingt-deux points par rapport au cours d'ouverture au début de la semaine.

André gagnait la bataille qu'il avait engagée mais elle lui coûtait cher, comme il l'avait prévu. Ayant acheté les titres entre $ 31 et $ 33, il les avait vendus à une moyenne de $ 29, ce qui représentait une perte totale d'à peu près $ 6 millions. Il lui restait six cent mille titres, répartis entre les quatre comptes de ses prête-noms. L'estocade étant déjà portée, sans doute ne serait-il pas obligé de les vendre tous. Quant à la perte de six millions de dollars, il la compenserait par la suite. En outre Marto perdait beaucoup plus. André se demanda comment son adversaire prenait les choses.

Il leva la tête vers Fuller et lui dit : « Dès que vous connaîtrez le cours d'ouverture d'aujourd'hui, signalez-le-moi.

— A vos ordres, Monsieur.

— L'affaire s'est déroulée à une cadence satisfaisante. Qu'en pensez-vous Ray ?

— La même chose que vous, Monsieur. La panique coïncide joliment avec le dîner de l'Association des négociants en objets d'art qui a lieu ce soir. »

Un large sourire éclaira le visage d'André. « Je crois qu'il donnera lieu à une cérémonie exceptionnelle en l'honneur du docteur Marto.

— C'est exact, Monsieur. Marto doit recevoir le Prix de l'association, pour services rendus à la profession.

— Cette soirée sera intéressante, dit André. Pour une fois, j'assisterai avec plaisir au banquet. »

3

Alex Drach franchit le seuil des Archives nationales dont les portes de bronze de vingt-huit centimètres d'épaisseur et douze mètres de haut étaient ouvertes. Situé à mi-chemin entre le Capitole et la Maison Blanche, ce bâtiment massif de vingt étages abrite les documents les plus précieux de la République américaine.

En passant sous le portique d'entrée, il lut cette inscription gravée dans la pierre : ÉTUDIE LE PASSÉ. A cet instant il se rappela le dire de Shakespeare : « Le passé est présent. »

Le surmenage avait retardé de près de quinze jours son voyage à Washington. Comme toujours, il avait eu affaire à des clients anxieux de protéger leurs trésors. Le P.-D.G. d'un des principaux réseaux de télévision, de retour récemment à son domaine de Westchester, y avait trouvé les murs de son manoir dégarnis des tableaux représentant plusieurs millions de dollars. Pour des raisons personnelles, ce monsieur ne s'était adressé ni à sa compagnie d'assurance ni à la police et avait discrètement fait appel à Alex Drach.

Il consultait ce jeune homme parce que la récupération des toiles exigeait un talent particulier. Il fallait d'abord trouver le trésor puis vérifier qu'il s'agissait bien des œuvres authentiques et pas d'imitations.

La partie la plus difficile de la tâche d'Alex consista évidemment à situer l'endroit où l'objet du vol était recelé. Se fiant à ses archives mentales, jamais confiées au papier, il finit par penser à un repris de justice qui, moyennant finance, lui indiqua l'adresse d'un entrepôt. Le reste ne présenta pas de difficulté. Sachant combien son client tenait au secret, Alex n'avait qu'un recours : récupérer les tableaux de la même manière qu'on s'en était emparé. Il les vola, tout simplement.

Quand il les restitua au nabab, ce dernier exprima sa gratitude en lui offrant un paysage de Monet : gracieuseté valant à peu près un quart de million de dollars.

Par malheur, l'opération effectuée par Drach eut une conséquence tragique. L'entrepôt servait à un consortium de receleurs. Quand les gangsters qui dirigeaient cette entreprise constatèrent leur perte, ils en rendirent responsables les gardiens. Les journaux annoncèrent quelque temps plus tard qu'on avait trouvé devant le portail du cimetière de Forest Hill trois cadavres à la nuque brisée : les gardiens de l'entrepôt.

Dans le grand vestibule des Archives, Alex consacra un instant à l'exemplaire original de la déclaration d'Indépendance, enfermée dans une caisse de bronze et de verre. Une plaque sur le socle indique que ce coffre extraordinaire contient de l'hélium inerte ainsi qu'une certaine quantité de vapeur d'eau pour empêcher le document de se dessécher. En outre, le verre du couvercle filtre la lumière pour maintenir intacte la couleur de l'encre. Alex apprit aussi que chaque soir ce document descend dans une salle voûtée, située à six mètres au-dessous du vestibule. En qualité de conseiller spécialiste de la sécurité, ces détails l'intéressèrent.

Drach signa le registre que lui présenta un gardien à l'entrée de la salle centrale de recherche et on l'orienta sur le bureau de l'archiviste chargé des dossiers de l'O.S.S. Un ascenseur l'éleva au sixième étage et il suivit un couloir jusqu'à la pièce 712. Il y trouva un homme d'aspect paisible et même grave dont les cheveux gris descendaient jusqu'au dessous du col.

Ce M. John Temple qui veillait sur les archives du contre-espionnage américain depuis plus de trente ans, offrit un fauteuil à Alex et écouta sa requête.

« Je fais des recherches pour un roman dont l'action se déroulera pendant la Seconde Guerre mondiale. Je m'intéresse particulièrement à un collaborateur, un Français, qui possédait une collection d'objets d'art. Après avoir collaboré avec les nazis il s'est suicidé. Je voudrais en savoir plus au sujet de la vie qu'on menait en France en ce temps-là et également j'aimerais apprendre ce que sont devenues les collections d'objets d'art volées par les nazis. »

Temple sourit. Il recevait bien des demandes de ce genre. « Ce bâtiment abrite un million trois cent mille pieds cubes d'archives. Savez-vous combien de feuillets représente un pied cube ?

— Je n'en ai pas la moindre idée, répondit Alex, ahuri.

— Eh bien, sachez que cela fait 2 500 pages. Au sujet de l'O.S.S., nous avons donc accumulé huit cents pieds cubes de documents. Nos recherches sont donc toujours difficiles. Pourriez-vous me donner plus de précisions ?

— Je m'intéresse à une certaine unité des services de renseignements alliés, chargée d'étudier le pillage des objets d'art par les

Allemands, dans les pays qu'ils ont occupés pendant la Seconde Guerre mondiale. »

Temple hocha la tête. « Vous trouverez ce qu'il vous faut dans le groupe d'archives deux-trois-neuf. » Il se pencha pour ouvrir le tiroir inférieur de son bureau. Sa tête grise disparut pendant qu'il feuilletait plusieur cahiers. Il en choisit un, se redressa et en tourna les pages. De temps en temps il jetait un coup d'œil à Alex.

Ce dernier réprimait son impatience croissante. Véritable coffre vivant à secrets, ce Temple détenait peut-être la clé de son passé.

L'archiviste releva la tête. « Nous possédons à peu près soixante-cinq classeurs sur le pillage d'objets d'arts. Prenez cette liste et dites-moi ce que vous désirez. »

Alex prit la liste et la parcourut.

> Boîte six — dossier de Londres — élément britannique, C.C. Boître onze — victimes de l'Axe. Boîte vingt-trois — liste du personnel de l'Einsatzstab Rosenberg, section d'art de Hitler. Boîte trente — procès-verbaux d'interrogatoires : Göring, Haberstock, Rosenberg. Boîte cinquante-cinq — Orion : « affaire Drach. » (Il sembla à Alex que son père, de retour en ce monde, lui parlait à l'oreille. Il lut pourtant la dernière ligne.) Boîte soixante-cinq — rapport spécial sur la firme Rostand International.

Il ferma les yeux.

« Ça ne va pas, Monsieur Drach ? »

Alex se redressa et battit des paupières. « Si, très bien. Puis-je consulter ces documents.

— Evidemment, sauf s'ils sont secrets », répondit Temple. Il tendit la main par-dessus son bureau, prit quelques formulaires et les tendit à Alex. « Remplissez-les. Si votre demande est acceptée, les recherches dureront à peu près trois quarts d'heure. On vous apportera les boîtes à la salle centrale de recherches. »

Une heure plus tard, assis auprès du chariot dans lequel on lui avait livré les boîtes, Alex chercha le classeur cinquante-cinq qui devait contenir le matériel concernant l'affaire Drach. Il n'était pas là. La boîte soixante-cinq, contenant le rapport spécial sur Rostand International, non plus. Alex vérifia le contenu du chariot. Pas d'erreur : ces deux cartons manquaient. Il alla au téléphone, forma le numéro de Temple et signala à l'archiviste les dossiers manquants.

« C'est hélas parce que le secret n'est pas encore levé sur ces dossiers, expliqua Temple d'un ton navré. Si vous en avez vraiment besoin, je vous conseille d'en demander communication en vertu de la loi sur la Liberté d'information. »

Drach argua du manque de temps mais Temple ne put que s'excuser.

« Je comprends, dit Alex. Quel groupe d'archives m'avez-vous dit ?

— Le deux-trois-neuf... au quinzième étage. »

Alex remercia Temple et raccrocha. Il quitta la salle centrale de recherches et prit l'ascenseur pour le quinzième étage. Il s'engagea sur sa droite dans un long couloir bordé de chaque côté de classeurs, protégés par un épais grillage métallique. De temps en temps il s'arrêta pour lire les numéros. Vers le milieu du couloir, il trouva celui qu'il cherchait. A travers le grillage il repéra les deux boîtes qu'il lui fallait. Au-dessus de sa tête, une pancarte, accrochée au treillage métallique, indiquait : RÉSERVÉ AU SEUL PERSONNEL AUTORISÉ. Il pensa à forcer la serrure mais il y avait trop de monde dans le couloir. Un peu plus loin, une jeune femme rangeait sur les étagères les cartons posés sur un chariot qu'elle traînait à côté d'elle. Alex l'aborda et lui demanda où se trouvaient les archives des Affaires étrangères.

Elle lui donna des explications compliquées qui se résumaient à ceci : ces archives étaient classées au groupe 33 L. Cependant il regarda son badge d'identité et nota mentalement son nom : Beverly Sanchez.

Alex quitta le bâtiment des Archives, traversa la rue, entra chez un fleuriste, acheta deux douzaines de roses rouges à longue tige. Il retourna aux Archives, monta au quinzième étage. Cette fois, il ne tourna pas à droite mais à gauche, pour se rendre au bureau de la réceptionniste à qui il demanda la permission de voir Mlle Beverly Sanchez.

« Malheureusement elle est aux classeurs. Est-ce important ?

Alex sourit presque timidement. « C'est son anniversaire aujourd'hui. Je voulais lui faire la surprise de ce bouquet.

— Comme c'est gentil ! mais hélas...

— Rien qu'un instant, dit Alex en consultant ostensiblement sa montre. Je vais voir Monsieur Lloyd, l'archiviste en chef. Je viens d'être nommé au service des archives militaires contemporaines. »

La réceptionniste hocha la tête d'un air entendu. « D'accord, mais un instant seulement », dit-elle.

Alex la remercia. Elle appuya sur un bouton et la grille du couloir de droite s'ouvrit avec un bourdonnement électrique.

Muni de son bouquet, il se rendit tout droit à l'étagère contenant la boîte numéro 55. Il la prit et posa les roses à sa place. Il feuilleta rapidement les chemises de papier épais, en quête de celle qui porterait le titre « Orion ». C'était la dernière du classeur. Il préleva son contenu, la remit dans la boîte et reposa le classeur sur son étagère. Puis il alla chercher le numéro 65, le fouilla. Il contenait neuf chemises. Aucune n'était consacrée à « Rostand International ». Il vérifia. Rien. Il sacra à mi-voix.

En désespoir de cause, il remit le carton en place et fouilla ses voisins en comptant sur quelque erreur. Les chemises portaient divers titres : procès-verbaux d'interrogatoires, nomenclatures des tableaux volés, personnel des équipes de pillards. Toutes ces chemises défilèrent entre ses doigts mais toujours rien sur Rostand International.

Tout à coup il entendit claquer des talons de femme sur le plancher. Une employée venait dans sa direction. Il remit la boîte en place, déboutonna veston et chemise, et glissa contre sa poitrine le dossier Orion. Tout en se reboutonnant et en ajustant sa cravate, il retourna vers l'entrée. « Merde ! » bougonna-t-il. Il pivota sur lui-même, récupéra ses roses, juste à temps pour voir Beverly Sanchez arriver sur lui.

« Mademoiselle Sanchez ? »

Elle le regarda un moment stupéfaite. « Oui », répondit-elle, un rien effrayée.

Alex se demandait ce qu'il pouvait faire. D'abord, il fallait mettre cette demoiselle à l'aise. Il lui tendit le bouquet à bout de bras en espérant qu'elle ne le prendrait pas pour un fou. « Joyeux anniversaire ».

— Ce n'est pas mon anniversaire. » De ses yeux d'un noir profond, elle l'observa craintivement.

« Je le sais bien, mais je tiens à faire connaissance avec vous. » Une rougeur s'étendit sur les joues à fossettes de la jeune fille qui hésita un moment en se demandant à son tour ce qu'elle devait faire. « Vous n'avez pas le droit d'être ici, dit-elle.

— Je n'avais pas d'autre moyen d'y entrer.

— Mais vous ne me connaissez même pas.

— Bien sûr, je suis nouveau ici. Je viens d'être affecté aux archives militaires contemporaines. » Il sentit une goutte de sueur glisser le long de sa colonne vertébrale. « Vous connaissez le service de Monsieur Temple ? »

Elle hocha la tête. Ses boucles noires se balancèrent le long de ses joues. « Vous n'avez pas de badge d'identité, dit-elle.

— On ne me l'a pas encore remis. Vous savez que le service du personnel est toujours en retard. »

Elle sourit. « En effet, j'ai attendu huit jours pour avoir le mien. »

Il se pencha vers celui de la jeune fille. « Cette photo ne vous rend pas justice », dit-il.

Elle détourna la tête, gênée.

« Auriez-vous le temps de prendre une tasse de café avec moi ? » demanda-t-il avec une feinte timidité.

Elle consulta sa montre, hésita un instant et dit enfin : « Margaret pourra me remplacer. » Elle prit le bouquet de roses.

« Je connais un endroit agréable, juste en face de l'entrée », dit-il. Tous deux se dirigèrent vers le palier.

En passant devant le bureau de la réceptionniste qui leur sourit, Alex espéra qu'elles n'entendaient pas le dossier Orion crisser sous sa chemise.

4

Littéralement sonné, Alex relut le memorandum.

... LONDRES, ANGLETERRE
8 JANVIER 1946
SUJET : ORION

DE : HUGH JENNER, CHEF D'ESCADRILLE
SERVICE SPÉCIAL D'ENQUÊTE (S.S.E.)
QUARTIER GÉNÉRAL DES FORCES EXPÉDITIONNAIRES ALLIÉES LONDRES, ANGLETERRE

A : COMMANDANT RAY J. FULLER
UNITÉ D'ENQUÊTE SUR LE PILLAGE DES ŒUVRES D'ART (U.E.P.O.A.)
SERVICE STRATÉGIQUE D'OUTRE-MER
WASHINGTON D.C.

Nous présentons à la date d'aujourd'hui un rapport spécial sur les incidents les plus notoires qui marquèrent le pillage des collections d'œuvres d'art appartenant à des juifs parisiens pendant l'Occupation. Rapport conforme à la directive A — 42191 des services de renseignements alliés.

Nous avons particulièrement concentré notre attention sur les confiscations importantes qui commencèrent le 1er juillet 1940, autrement dit sur l' « affaire Drach ». Les services de renseignements alliés ont colligé la chronologie des événements d'après les documents originaux saisis dans les archives de l'état-major allemand à Berchtesgaden, ainsi que les enquêtes sur le terrain effectuées par l'O.S.S. à Paris, Monte-Carlo et Rome.

La collaboration de Paul Drach.

1° Avant l'occupation de Paris par les Allemands, les chefs de plusieurs familles de notables juifs se réunirent en secret et prirent des dispositions pour cacher leurs trésors artistiques en divers lieux disséminés en France.

2° PAUL DRACH, industriel français, non juif, mais marié à une héritière juive NOÉMIE DE MONTROSE se vit confier le secret de ces cachettes.

3° DRACH fut arrêté par la GESTAPO à 11 heures 40 le 18 juin 1940. Il fut conduit au quartier général de la Gestapo, 74, avenue Foch, Paris où le CAPITAINE SS HANS MONTAG, représentant particulier du REICHSMARSCHALL HERMANN GÖRING, l'interrogea. Quinze jours plus tard, d'après les témoignages recueillis, DRACH accompagna des SS au cours d'une série de confiscations des trésors cachés par les juifs dans la région parisienne. Cinq collections d'importance capitale, notamment celles de WEILL, STENDHAL et ROTHMAN, furent réquisitionnées par MONTAG pour le compte de GÖRING. Plus tard quatre autres collections, y compris celle de la famille DRACH, furent saisies par MONTAG et ses subordonnés. (Voir en appendice : Déposition, Tab. A.)

4° La valeur de ces quatre dernières collections peut être estimée à un minimum de cent millions de dollars. Ci-joint liste des articles saisis avec leur valeur respective. (Voir en appendice : Inventaire, Tab. B.)

5° D'après le personnel domestique de la famille DRACH, PAUL DRACH fut relâché par la GESTAPO et retourna chez lui. Le jour même de ce retour, il se suicida. Le témoignage de JOCKO CORVO, majordome, qui découvrit le corps de DRACH, atteste de la mort par suicide. Ce témoin remarqua également qu'à son retour chez lui DRACH présentait des contusions. Les témoins des confiscations confirment cet aspect de DRACH.

6° Nous en concluons donc que PAUL DRACH collabora sous contrainte avec la GESTAPO et qu'après avoir révélé le secret des cachettes il se suicida. Bien qu'à ce point de vue, seules des conjectures soient permises, il paraît vraisemblable que DRACH se donna la mort en vertu d'un sentiment de culpabilité et de remords.

La disparition de Hans Montag.

1° Les enquêtes sur le sort de MONTAG n'ont donné aucun résultat à ce jour. Comme dans nos rapports précédents, nous concluons que Montag fut tué par les troupes alliées lors de leur entrée à Rome en juin 1944. Dans les archives des SS UN CERTAIN COMMANDANT HANS MONTAG figure avec la mention : « disparu au cours d'un combat. » Il lui fut accordé la croix de fer à titre posthume pour services rendus au Reich.

Les collections.

1° Les cinq premières collections réquisitionnées pour le compte de GÖRING ont été retrouvées et recouvrées par notre unité. Le dépôt le plus important comprenait 3 000 tableaux et autres œuvres d'art situés au château de Niederleining, à proximité de Berchtesgaden, Allemagne. Les autres, y compris la collection DRACH n'ont pas été retrouvées. Nos enquêtes nous ont permis de préciser que ces tableaux se trouvaient dans un entrepôt à Rome où MONTAG les aurait déposés en 1943. Le CAPITAINE MONTAG fut promu au grade de COMMANDANT et d'agent de liaison personnel de GÖRING auprès du Vatican. Nous supposons qu'il existe un rapport entre la présence de MONTAG à Rome et celle de la collection DRACH dans la même ville. Nos enquêtes sur place cependant révèlent que l'entrepôt romain fut détruit par les bombardements alliés et que les tableaux subirent le même sort. (Voir en appendice : Rapport de U.E.P.O.A. sur Rome, Tab. D)

Classification.

Nous demandons que le présent rapport soit classé secret, afin de ménager les familles dont les noms sont cités. Ce secret protège aussi des données auxquelles nous continuons à nous intéresser. Nous prions l'O.S.S. de tenir Londres au courant par l'intermédiaire du S.S.E. de toute évolution éventuelle au sujet de ces affaires.

Signé
JENNER (CHEF D'ESCADRILLE)
LONDRES

Alex remit les papiers dans sa serviette et regarda par le hublot de la navette des Eastern Airlines qui décrivait des cercles au-dessus de Manhattan. L'appareil avait une heure de retard. Force lui était de subir cette attente avant l'atterrissage à La Guardia.

Il sacra contre le temps. Il sacra contre la compagnie de navigation. Puis il sacra contre André Rostand.

Certes le memorandum de Jenner confirmait le fait que son père avait collaboré. Mais il suggérait aussi que Rostand en savait plus qu'il ne l'avouait. Le rapport de Jenner était adressé à Ray Fuller. Or ce même Fuller travaillait à Rostand International depuis la guerre. On ne pouvait considérer cela comme une simple coïncidence. Alex Drach ignorait la nature de leur association et ce qui s'était passé entre eux à la fin de la guerre. Mais il était résolu à l'apprendre.

Depuis qu'il avait lu les documents dérobés aux Archives nationales, il ne cessait de penser à Fuller. A la rigueur, il comprenait la duplicité de Rostand mais l'attitude de Fuller le navrait. Il avait toujours su Ray Fuller foncièrement amoral. Mais ça... ça dépassait l'entendement. Il n'aurait jamais cru Fuller capable d'un tel culot.

Les autres pièces du dossier ne manquaient pas d'intérêt mais ne révélaient pas grand-chose. Il s'agissait de quelques rapports officiels allemands au sujet de confiscations qui avaient eu lieu à Paris pendant la guerre. Un ou deux éléments, notamment les ordres de Göring à ses subordonnés, en particulier au capitaine SS Hans Montag donnaient des précisions intéressantes. Mais le memorandum Jenner présentait une importance exceptionnelle.

L'hôtesse demanda d'une voix de saccharine aux voyageurs d'excuser le retard et les assura qu'ils débarqueraient dans un court instant. Cette annonce interrompit les réflexions d'Alex.

Bien que désagréable le retard à l'atterrissage lui avait été utile : il lui avait permis de dresser le programme des quelques jours suivants. Sa colère subsistait mais il l'avait orientée vers une activité efficace.

Il y avait foule à la grille de sortie mais Po fut facile à repérer avec son béret noir, ses lunettes de verre fumé, son veston de treillis vert olive. Alex estima néanmoins qu'au début de février ses sabots n'étaient pas de mise.

« Pourquoi ce déguisement ? demanda-t-il quand ils se dirigèrent tous les deux vers la vieille Ford délabrée de Po.

— Je ne veux pas me faire remarquer en ta compagnie.

— L'inverse serait plus justifié.

— Dieu du ciel ! quel sang-froid. » Po prononçait freud au lieu de froid.

Alex sourit de ce pataquès et demanda : « Mais qu'est-ce qui ne va pas ?

— Ton attitude à attirer les ennuis.

— Tu veux dire aptitude ?

— Oui, c'est ça, aptitude. Avec les assassins qui t'ont raté à Paris et ceux qui peuvent se trouver dans la cohue ici, ma vie ne vaut pas plus qu'une promesse de cartomancienne. »

Ils montèrent en voiture et s'éloignèrent. Po conduisit lentement sa Ford peinte de motifs psychédéliques jusqu'au dernier tournant à la sortie de la Guardia puis fonça à toute vitesse dans la circulation à l'heure de pointe...

« Qu'as-tu exhumé à Washington ? demanda Po en essuyant la buée sur le pare-brise.

— Pas grand-chose, répondit Alex.

— Ne cherche pas à me blouser. Tu es aussi crispé que le trou du cul d'un chameau dans une tempête de sable. »

Alex sourit. « Tu en serais là si tu venais de passer une heure au-dessus de Manhattan.

— Bon, ça va, garde tes secrets. Moi, je n'en ai pas pour toi. Les notes de téléphone sont arrivées, sauf celle de Bez qui n'a pas de numéro à Manhattan.

— Tu les as étudiées ? demanda Alex.

— Pas encore. Je t'attendais pour partager la tâche. »

Po appuya sur le bouton de la boîte à gants dont la porte s'abattit. Il en tira une liasse de notes de la compagnie des téléphones de New York. « Les voilà », dit-il en les remettant à Alex.

Ce dernier les parcourut du regard dans la pénombre. Y figuraient la date, l'heure et le numéro de toutes les communications d'inter de chaque négociant membre du complot au cours du mois précédent. Alex en fut ravi.

« Qu'est-ce que tu fais ce soir ? demanda-t-il à Po.

— Je joue au billard avec mon amie. Pourquoi ?

— As-tu le temps de venir avec moi à la bibliothèque publique ? »

Po grogna : « Ce soir ? tu exagères !

— Pourquoi ? Nous avons les notes. Il faut nous en servir. »

A Manhattan, Po remisa sa voiture dans un garage de la Quarante-quatrième Rue. Puis Alex et lui plongèrent dans le froid de la nuit pour aller à pied jusqu'à la bibliothèque municipale au coin de la Cinquième Avenue et de la Quarante-deuxième Rue. Avant de franchir ce carrefour, il leur fallut attendre un feu rouge.

« Ce sont les fardeaux de notre profession », dit Alex.

Po grogna en guise de réponse.

Alex avait un peu honte de se rendre à la bibliothèque en pareille compagnie. On le soupçonnerait de piloter un espion cubain détraqué. Puis il réalisa combien il se trompait. C'est lui qui paraîtrait vêtu d'une manière extravagante à la bibliothèque municipale.

Ils gravirent les marches du perron et entrèrent du côté de la Cinquième Avenue. Une cabine d'ascenseur pour six personnes les éleva jusqu'au troisième étage où ils entrèrent dans la principale salle de lecture. Dans le box numéro 7, ils trouvèrent les Haines Telekey Directories. Ville par ville, cet ouvrage donne plus de deux cents millions de numéros de téléphone, suivis du nom, de l'adresse et de la profession de l'abonné. Les exemplaires du Haines sont numérotés et ne devraient être mis à la disposition que des entreprises qui sollicitent des acheteurs par correspondance. Mais Alex connaissait cet excellent instrument d'enquête dont il s'était déjà servi.

Ils se partagèrent les notes et entreprirent de chercher avec qui avaient communiqué les membres de la bande Marto. Tâche longue et fastidieuse. Une trentaine de communications figuraient sur chaque note. Alex commença par Marto et découvrit qu'il s'était surtout entretenu avec des femmes. Il apprit aussi par quelles villes était passé Marto durant le mois précédent car les notes indiquaient l'origine de chaque appel.

Cependant Po travaillait sur Kellerman, Feigan et Duranceau. Une heure plus tard, Alex trouva la clé de la piste et en fut stupéfait pour la deuxième fois de la journée. « Pirelli ! dit-il. Il a appelé de Los Angeles, pas une mais plusieurs fois, et toujours le même numéro : 254 7181.

— Qui est-ce ?

— Tu ne le croiras pas. C'est le numéro personnel d'André Rostand. »

Po arbora un masque d'ahurissement bienveillant. « C'est une impasse, dit-il. A quoi joue-t-il, ton patron ? »

Alex fronça les sourcils et continua à étudier les notes de Pirelli qui avait appelé Rostand six fois en janvier. Il inscrivit les dates, heures et durée des communications et ferma l'annuaire.

« Il n'a pas parlé à André Rostand, dit-il. Ce dernier n'était pas chez lui lors de ces communications.

— Insensé !

— Oui, Po, dit Alex. Mais imagines-tu à qui Pirelli parlait ?

— Pas encore, dit Po en se grattant la tête. Donne-moi un instant. » Soudain son visage s'illumina. « Jane Rostand ?

— Bravo ! Maintenant tu peux aller jouer au billard. »

5

Le lendemain matin, Alex Drach descendit de son pigeonnier de méchante humeur. Non seulement il avait un des pires rhumes qui l'eût jamais affligé, mais la perspective de ce qui l'attendait ce jour-là l'assombrissait encore plus. Il lui faudrait débusquer Fuller et Rostand. Jusqu'alors il avait réagi aux événements. Désormais leur tour était venu de réagir.

Au rez-de-chaussée du building de la Pam Am, il acheta une carte de la Saint-Valentin, traversa le vestibule et prit l'ascenseur pour gagner son bureau au trentième étage. Il passa auprès de Mlle Goodyear, sa triste secrétaire, sans la voir et s'enferma dans son cabinet particulier. Il était exactement dix heures du matin lorsqu'il appela

André Rostand. Harper vint en ligne d'abord et ne passa la communication qu'au bout d'un moment.

« Alex ?

— Oui, André... Comment allez-vous ?

— Bien... Vous avez quelque chose pour moi ?

— Oui, l'origine de la fuite. »

Silence à l'autre bout de la ligne. Puis André demanda : « Pouvons-nous en parler ?

— Quand il vous plaira.

— Cet après-midi à trois heures ?

— Je serai à votre bureau.

— Excellent, dit André ravi.

— Ce n'est pas tout, dit tranquillement Alex. Pourriez-vous me mettre en communication avec Ray Fuller ? »

Alex chercha à se représenter le visage d'André à cet instant. A coup sûr cette question devait le bouleverser.

« Bien sûr, répondit pourtant Rostand. Un instant. »

Un déclic. En attendant, Alex écrivit quelques mots sur la carte qu'il avait achetée, la glissa dans une enveloppe qu'il adressa à Minta Corvo. Il se proposait de la mettre à la poste le jour même.

A peine l'avait-il glissée dans sa poche que la voix de Ray Fuller retentit. « Bonjour, Alex. De quoi s'agit-il ?

— J'ai une question à vous poser, Ray... C'est au sujet d'un rapport de l'O.S.S. qui m'est tombé sous les yeux aux Archives nationales, hier : un memorandum que vous envoya Hugh Jenner. Vous en souvenez-vous ?

— Ma foi... Jenner... De but en blanc, ce nom ne me rappelle rien.

— Voulez-vous que je vous en lise quelques passages pour rafraîchir votre mémoire ? Ça commence ainsi...

— Non, non ! s'exclama Fuller. Peut-être pourrions-nous en parler une autre fois. »

Alex sourit. « Je ne savais pas que vous aviez appartenu à l'O.S.S., Ray ? »

Fuller éluda la question. « Nous pourrions nous rencontrer un de ces jours. Je ne peux pas en parler ici.

— Certainement. Quand et où ?

— Je vous appelerai chez vous à neuf heures et demie ce soir.

— Très bien, je vous attendrai et nous boirons un verre ensemble. »

Alex prit congé et raccrocha.

6

Une heure après le coup de téléphone d'Alex, André entendit frapper à la porte de son bureau.

Harper entra et annonça : « Monsieur Philip, Monsieur. »

André n'eut pas le temps de répondre que déjà Philip repoussait la porte, écartait Harper et se plantait, raide, devant la table de son père. « Le Service de sécurité vient d'envoyer ceci. J'estime que c'est important. »

André fit lentement pivoter son fauteuil de cuir, les yeux fixés, paupières à demi baissées, sur Philip.

Ce dernier lui remit une petite cassette magnétique. André la prit, se tourna vers Harper et lui fit signe de sortir. Puis il se leva et dit d'une voix glaciale : « N'entre plus jamais, jamais, de cette façon dans mon bureau. »

Philip soutint hardiment son regard. « Ecoute ça », dit-il en désignant la cassette.

Rostand ouvrit le tiroir inférieur de son bureau, y glissa la cassette dans un magnétophone, appuya sur le bouton « Play », se rassit dans son fauteuil et attendit.

D'abord un déclic puis, la voix de Fuller. « Bonjour Alex. De quoi s'agit-il ?

— J'ai une question à vous poser, Ray. C'est au sujet d'un rapport de l'O.S.S. qui m'est tombé sous les yeux aux Archives nationales hier : un memorandum... »

André arrêta la machine et soupira : « J'ai déjà entendu cette conversation.

— Qu'est-ce que ça signifie ? demanda Philip, encore surexcité.

— Rien, répondit tranquillement André.

— Drach sait quelque chose.

— Sans doute.

— Ça le rend dangereux. »

André haussa les épaules. « Nous verrons bien. Il n'y a aucune raison de s'affoler. »

Philip se mit à aller et venir devant le bureau de son père. « C'est pourtant affolant. Qu'est-ce que c'est que cette histoire de rapport entre Fuller et l'O.S.S. ? Et ce memorandum Jenner ? »

André soupira. Selon toute évidence, il ne parviendrait pas à calmer son fils. L'heure des révélations était venue. Il désigna un fauteuil à Philip. « Assieds-toi et cesse de te conduire comme un galopin. Tu veux des explications, les voilà. »

Philip installa sa lourde carcasse dans un fauteuil et écouta André lui exposer brièvement comment il avait fait connaissance avec Ray Fuller.

C'était peu après la guerre, à Washington. Rostand assistait un groupe d'études qui enquêtait sur le pillage des œuvres d'art et la collaboration pendant la guerre. En qualité de chef d'une unité de l'O.S.S. chargée de récupérer les trésors pillés par les nazis, Fuller appartenait à ce groupe.

« Un jour, poursuivit André, au printemps 1946, Fuller me présenta la copie de documents dont la publication m'aurait à l'époque mis dans un embarras extrême. »

Assis au bord de son fauteuil Philip demanda : « Quel genre de document ?

— Des pièces compromettantes. Elles révèlent que pendant la guerre j'ai été contraint de prendre certains arrangements avec un réseau d'agents travaillant pour le compte d'Hermann Göring. »

Philip sourit, reprit ses aises dans le fauteuil. « Parlons simplement, père. Prendre certains arrangements signifie collaborer. »

André ne se maîtrisa qu'à grand-peine. Ses lèvres se crispèrent. Mais, à la réflexion, il jugea son euphémisme inutile. Philip avait dit vrai. Force lui était de l'avouer. « Ne me juge pas, Philip. » C'était une mise en garde, pas une prière. « Tu ne comprendrais pas la vie que nous menions alors. D'ailleurs, je ne me suis jamais considéré comme Français, ni Américain et encore moins comme juif. Je suis un vivant fait pour survivre. Je ne dois de comptes qu'à ma famille et à la galerie Tu ne pourrais pas en dire autant. »

Pendant un instant fugace, André pensa à Paul et à Noémie Drach, puis à Alex. Ses souvenirs s'effacèrent et son attention se reporta sur son fils.

Debout, Philip se penchait au-dessus du bureau de son père. « Quoi qu'il en soit, pense à ce que tu es en train de faire, dit-il sans aménité. Tu viens de m'avouer que depuis quarante ans Fuller te tient à la gorge. Il...

— Tu n'y comprends rien ! brailla André en se levant d'un bond. Nous nous entendons, Fuller et moi. Il m'a couvert et depuis ne m'en a jamais demandé plus que je n'étais prêt à lui donner.

— Il n'en est pas moins dangereux, pour moi, sinon pour toi. De même que ce salopard de Drach.

— Tais-toi », dit André en frappant sa table du poing. La colère rougissait et crispait son visage. « Je m'occuperai de tout ça. C'est encore moi le patron ici. »

Philip fit un pas en arrière et considéra son père pendant un moment. « Je crains que tu perdes contact avec la réalité. Tu deviens sénile ! »

André se redressa fit le tour de son bureau, rejeta l'épaule en arrière pour prendre de l'élan et gifla son fils sur la bouche.

Philip tituba et porta la main à son visage. « Voilà ta seconde erreur », bougonna-t-il, visiblement effrayé. Il s'éloigna de son père à reculons, ouvrit la porte et disparut dans le corridor sans la refermer.

Au lieu de prendre l'ascenseur il descendit à pied jusqu'au cinquième étage et entra dans son bureau par la porte dont lui seul détenait la clé. Cette pièce spacieuse était plongée dans la pénombre d'un froid matin d'hiver. Philip appuya sur un bouton électrique et des ampoules dissimulées dans des alvéoles du mur projetèrent leur lumière sur le plafond. Il se rendit tout droit à son bar, se servit un grand verre d'eau gazeuse et alla à la fenêtre. Dehors les passants se hâtaient, engoncés dans leur pardessus et leurs manteaux. Philip les observa pendant un moment puis alla s'asseoir à son bureau.

Il plongea la main dans sa poche, en tira une boîte de barbiturique et hésita un instant. Il aurait dû s'abstenir de telles drogues et le savait, mais la migraine battait douloureusement à ses tempes. Il appliqua le bas de son verre à sa tête. Son père devait être fou pour se fier à Fuller. Mais il n'y pouvait rien. Drach était encore plus redoutable. Quel lien existait-il entre eux ? Philip s'adossa dans son fauteuil et sentit l'effet du calmant se répandre dans son organisme. Décidément ces pilules avaient du bon. Tout à coup, une voix jaillit de l'interphone. « Un certain Monsieur Baruch vous demande, Monsieur.

— Passez-le-moi. »

Le téléphone sonna, Philip décrocha. « Baruch ?

— Oui, Monsieur Rostand.

— Qu'est-ce qu'il y a ?

— J'aimerais avoir un entretien avec vous. Mes supérieurs m'enjoignent de vous parler d'une ou deux choses. »

Philip hésita. « Quelque difficulté avec les expéditions sans doute ?

— Pas du tout. Pourrions-nous nous voir cet après-midi ? L'Oyster Bar du Grand Central ferait l'affaire, non ?

— A quelle heure ?

— Cinq heures.

— J'y serai », dit Philip qui raccrocha. De nouveau il s'adossa dans son fauteuil et s'efforça d'imaginer ce que Baruch voulait lui dire. Il se demanda s'il devait mettre son père au courant mais décida de s'en abstenir. « Détends-toi donc, se dit-il à lui-même. Reste calme et tout s'arrangera. » Il pensa à Cubitt et une idée lui vint à l'esprit.

Il tendit la main par-dessus son bureau, décrocha le combiné et forma un numéro. Au moment où il entendit sonner à l'autre extrémité de la ligne, le bruit assourdi d'une sirène de police monta de la rue. La sonnerie dura longtemps et il allait raccrocher quand la voix de Cubitt lui répondit.

« Allô ?

— Cubitt ? Ici Philip. J'ai besoin de te parler... »

7

Au début de l'après-midi, un cercle de lumière jaune projeté par une lampe couverte d'un abat-jour vert tombait sur un calepin que feuilletait Alex à son bureau. Son regard se fixa sur une page. Rostand. La clé, c'était Rostand.

Il écrivit ce nom d'où il fit diverger des traits, comme les rayons d'une roue. A l'extrémité de l'un d'eux il nota Jane et, au-dessous, Pirelli.

Ça, c'était l'évidence même. Depuis quand durait leur intrigue ? Il l'ignorait et ne savait pas non plus qui en avait pris l'initiative. Jane avait certainement ses raisons. Son mariage n'avait rien d'une bénédiction. Alex avait vécu assez longtemps chez les Rostand pour s'en rendre compte. Pourtant cette infidélité l'étonnait. Pirelli l'avait sans doute séduite. Plus qu'une aventure amoureuse, leur intrigue devait être une comédie mise en scène par Pirelli. Alex se demanda comment réagirait André.

Et puis, il y avait les relations Jenner-Fuller. André Rostand ne pouvait les ignorer. Alex savait fort bien qu'entre l'instant où Rostand avait raccroché et celui où Fuller était entré en ligne, le Service de sécurité avait été alerté et avait enregistré l'entretien. Maintenant la balle était dans le camp de Rostand.

Alex traça une ligne pointillée entre le nom de Rostand et celui de Montag. Le lien n'était pas certain, mais il en soupçonnait l'existence. Lui faudrait-il cambrioler la galerie ?

Alex traça quelques traits sur la page. Il aurait donné n'importe quoi pour jeter un coup d'œil sur la comptabilité secrète de Rostand International : le registre sur lequel était inscrit tout ce que la firme achetait et vendait. Si Montag existait encore, s'il se trouvait dans les parages, et s'il faisait des affaires avec la galerie, le lien y apparaîtrait.

Alex dessina un carré et inscrivit au-dessous *Rostand International.* Puis il dressa une liste commençant par les mots *système d'alerte* et finissant par *console d'écoute.* Il considéra longuement son schéma et conclut que c'était possible. Pourtant quelques difficultés se présentaient. Il aurait besoin d'assistance.

Le téléphone sonna. « Allô ? »

Il reconnut aussitôt un accent anglais.

« Oui, Cubitt.

— Qu'est-ce que vous faites ?

— Je pense, répondit-il.

— Ça vous laisserait le temps de dîner ?

— Ça va ? Vous avez une voix bizarre...

— Je vais très bien, dit Cubitt qui pourtant paraissait mal à l'aise. Si je vous dérange...

— Pas du tout. Au contraire votre appel me fait plaisir. Pour dîner, d'accord. A quelle heure ?

— Celle qui vous conviendra.

— Assez tôt, s'il vous plaît, parce que j'attends un coup de téléphone chez moi, ce soir même.

— Six heures et demie ?

— Au Carlyle ?

— Parfait. A tout à l'heure. »

Elle raccrocha brusquement. Il écouta un instant le ronronnement de la ligne puis reposa le combiné sur son berceau et appuya sur le bouton de Po au tableau de son interphone.

« Ici Po.

— Qu'est-ce que tu as au sujet de Sam Kell ?

— Bien peu de chose, répondit Po.

— Peux-tu le joindre ?

— Tâche difficile, Alex. Il a disparu.

— Fais de ton mieux quand même.

— Je m'en occupe », dit Po. L'interphone cessa de bourdonner.

Alex consulta sa montre. Il avait exactement un quart d'heure pour aller à Rostand International.

Fuller traversa le bureau d'André Rostand. « Je suis perplexe, dit-il. Je ne sais que lui dire.

— Ne vous inquiétez pas, dit André assis à son bureau. Tout ce qu'il a vu, c'est le rapport Jenner. S'il en savait plus, ce n'est pas à vous qu'il aurait téléphoné. Il se serait adressé directement à moi.

— Vous avez raison, Monsieur. C'est bien dans sa nature. »

L'interphone ronfla. Rostand abaissa une manette. « Oui », dit-il agacé par cette intrusion.

La voix de Harper annonça : « La sécurité vient d'appeler. Alex Drach est entré dans le vestibule.

— Parfait. Introduisez-le dès qu'il sera à l'étage. »

Rostand se leva pour s'approcher de Fuller. « Il se fait tard, Ray. Mieux vaut que vous ne soyez pas là quand il arrivera. Téléphonez-lui ce soir comme convenu et prenez rendez-vous à votre gré. J'ai confiance en vous pour régler cette affaire.

— Très bien, Monsieur Rostand », dit Fuller en reculant vers la porte.

Alex se présenta un instant plus tard.

« Asseyez-vous, dit André. J'attends plusieurs appels de Paris. Soyez indulgent si on nous interrompt. »

Alex comprit la subtilité de cette mise en garde : le patron lui signifiait qu'il passait après les affaires. Il allait falloir jouer serré.

Alex s'assit devant le bureau et les deux hommes se regardèrent réciproquement, aussi gêné l'un que l'autre.

« Alors, cette fuite ? Dites-moi de qui il s'agit ? »

Alex plongea la main dans la poche intérieure de son veston bleu foncé et en tira une enveloppe qu'il tendit à André.

Ce dernier la prit. Elle n'était pas fermée. Il la secoua au-dessus de son buvard. Une coupure de journal en tomba. Il la lut rapidement et releva la tête. « Qu'est-ce que c'est ? demanda-t-il.

— La nécrologie d'Hugh Jenner, répondit Alex. On me l'a envoyée de Londres il y a quelques jours. J'ai pensé qu'elle vous intéresserait.

— Pourquoi diable ?

— Je n'en sais rien. A vous de me le dire.

— J'ignore tout de cet homme.

— Et d'Hans Montag ? »

André regarda fixement Alex pendant un moment sans rien dire, puis répondit : « Je ne sais rien de lui, je vous l'ai déjà dit. Je n'en ai jamais entendu parler.

— Fuller est plus au courant.

— C'est possible, je ne sais pas.

— Quand avez-vous fait connaissance avec Ray ? »

André se leva et alla à la fenêtre. « De quoi s'agit-il, Alex ?

— De la collection de mon père, de sa mort, de celle de Jenner, d'une tentative d'assassinat contre moi. »

André se retourna vivement. « On a essayé de vous tuer ?

— La semaine dernière... »

Alex narra succinctement l'agression sur la route Roissy-Paris et les événements qui s'étaient déroulés à Londres.

Les traits du visage durcis, André demanda : « Et depuis ?

— Rien. Tout au moins rien de certain. Mais je sens qu'on me piste et qu'on m'observe. » Alex hésita avant de poursuivre. « C'est pourquoi je vous interroge au sujet de Montag et le cas de Fuller me paraît curieux. Quand vous êtes-vous rencontrés ?

— Si vous croyez que ça peut vous être utile je vous le dis. Nous avons fait connaissance après la guerre. J'ai été appelé à témoigner au sujet de quelques négociants en objets d'art qui avaient collaboré avec les nazis. Fuller dirigeait l'unité de l'O.S.S. enquêtant sur ces affaires. Nous avons sympathisé et je l'ai embauché dès qu'il a été démobilisé. »

Alex rejoignit André auprès de la fenêtre. Dehors il neigeait. « Fuller ne vous a jamais parlé de ses travaux ? Il ne vous a jamais rien dit à propos de la mort de mon père ?

— Brièvement, répondit André. Je n'avais pas envie d'en savoir plus. Le passé, c'est le passé. »

Alex se rappela les paroles de Shakespeare gravées sur le fronton des Archives nationales. « Le passé est présent, André.

— J'espère que vous ne tirez pas de conclusions fâcheuses.

— Comment faire autrement ? Rien ne m'indique que vous ne me trompez pas à cet instant.

— Rien, en effet. Il faut vous en tenir à ma parole. »

Alex sourit d'une manière qui n'avait rien de cordiale. « Je ferai mieux, André. J'apprendrai si vous m'avez menti ou si vous dites vrai. »

Ils restèrent face à face à s'observer froidement. C'est André qui rompit le silence. « Je regrette que cela intervienne entre nous. Quand vous aurez vérifié ce que je vous dis, j'espère que nous redeviendrons amis.

— Je l'espère aussi », dit Alex.

André sourit. « Et maintenant, la fuite. Comment s'appelle-t-il ?

— Ce n'est pas *il* dit Alex. Il s'agit d'une femme.

— Vous en êtes sûr ?

— Absolument. »

D'étonnement André écarquilla les paupières. « Je n'emploie pas de femme, sauf Cubitt Keeble. »

Alex soupira. « Cette femme ne travaille pas pour vous. »

Le regard d'André indiqua qu'il ne comprenait pas.

Après un bref instant d'hésitation, Alex déclara sèchement : « C'est Jane... »

8

Philip Rostand traversa rapidement la gare du Grand Central et descendit l'escalier conduisant à l'Oyster Bar. Il était à peine plus de cinq heures. Tout en se frayant un passage dans la foule qui emplissait le café, il regardait les tables du fond de la pièce. Vêtu d'un complet gris foncé avec chemise blanche et cravate noire, Baruch se trouvait à la dernière. Il se leva poliment quand Philip se dirigea vers lui.

« Bonjour, Monsieur Rostand. Que prenez-vous ?

— Un perrier au citron, s'il vous plaît. Je ne bois pas d'alcool pour le moment.

— Je prendrai la même chose. Je suis totalement abstinent. » Baruch se dirigea vers le comptoir et revint presque aussitôt avec les boissons. Il posa un verre devant Rostand et s'assit.

« Je suis heureux de vous voir, dit-il. Nous avons une légère difficulté. »

Philip se détendit et croisa les jambes. Il prit le demi-citron dans sa soucoupe et le pressa au-dessus de son verre. « J'écoute, dit-il.

— Il s'agit de Drach. »

Philip fronça les sourcils. « A quel sujet ?

— Il s'est rendu à Washington et a fait des recherches sur la collection Drach.

— Et alors ?

— Alors, nous voyons en lui un obstacle aux affaires que nous pourrions traiter avec Rostand International.

— Il n'a pas entendu parler du Watteau, j'espère ? »

Baruch sourit. « Pas encore. Mais vous savez aussi bien que moi qu'il a la puce à l'oreille. Il doit s'entretenir avec Fuller ce soir. »

Philip se redressa brusquement sur sa chaise. « Comment l'avez-vous appris ?

— Nous avons nos moyens.

— Est-ce que je m'adresse à Dieu ?

— A son serviteur seulement », répondit onctueusement Baruch. Il retira l'œillet de sa boutonnière et en fit tourner la tige entre ses longs doigts veinés. « Nous suggérons que la rencontre entre Drach et Fuller n'ait pas lieu.

— J'approuve sans réserve. Mais ce qu'ils font demeure sous la responsabilité de mon père.

— Vos intérêts sont en jeu, Monsieur Rostand. Il est temps que vous les défendiez. »

Philip se mit à transpirer et la colère monta en lui. « Qu'est-ce que vous recommandez ? » demanda-t-il avec humeur.

Baruch but lentement quelques gorgées. « Votre père n'est peut-être plus maître de la situation. Ses sentiments obscurcissent sa raison. »

Philip fixa sur Baruch un regard indigné. « Je ne suis pas venu ici pour parler des sentiments de mon père. » Un instant de silence. « Je répète ma question : que conseillez-vous ?

— Vous posez des questions inutiles, Monsieur Rostand. Nous n'avons qu'un but : résoudre ce problème afin de continuer nos affaires. »

Philip parcourut du regard la salle de l'Oyster Bar sans rien dire. Enfin ses yeux se reportèrent sur Baruch. « Je comprends. Cette situation m'inquiète autant que vos supérieurs et vous. Quant à Drach et Fuller, à vous de vous en occuper.

— Bien, Monsieur Rostand. Nous pouvons nous en charger. J'espère que vous parlez au nom de Rostand International.

— Dans ce cas particulier, oui.

— Je puis en faire part à mes supérieurs ?

— Dites-leur tout ce que vous voudrez. Occupez-vous de l'affaire.

— Ce ne sera pas long. Disons quelques heures. » Baruch leva la main et fit claquer les doigts pour réclamer la note.

« Quand reprendrez-vous contact avec moi ? demanda Philip.

— Ne vous inquiétez pas. Nous vous tiendrons au courant. Je saurai où vous joindre. »

Deux heures plus tard, Ray Fuller ne pensait plus à Baruch qui marchait pourtant à quelques pas derrière lui. Le maigre comptable songeait à sa fille Maggie. Son anniversaire tombait le surlendemain et il se demandait que lui offrir.

Il descendit dans la gare du métro et hâta le pas pour attraper un train qui arrivait au niveau inférieur. Il dévala l'escalier et se précipita dans un wagon juste au moment où les portes commençaient à coulisser.

Toujours à l'insu de Fuller, Baruch écarta les deux portes comme il aurait séparé deux rideaux et pénétra dans le wagon bondé. Il parvint à rattraper Fuller et à s'asseoir exactement derrière lui.

Le train quitta la station et plongea en tonnant dans l'obscurité. Baruch jeta un coup d'œil vers le jeune homme assis auprès de lui.

Ce dernier remarqua l'attention de Baruch, en parut flatté et sourit. Il était mince, portait de courtes moustaches et ses cheveux bruns étaient taillés en brosse. Baruch lui rendit son sourire et détourna la tête.

Au tintamarre du convoi s'ajoutait le brouhaha des nombreux voyageurs. C'était l'heure ou les banlieusards retournent chez eux, fatigués, les yeux fixés sur des publicités qu'ils ne lisent plus depuis longtemps. Baruch considéra un panneau portant cette inscription : J'AI EU MON BOULOT GRÂCE AUX PETITES ANNONCES DU TIMES. Son voisin parcourait un exemplaire du *Daily News* qui sentait l'encre d'imprimerie.

Les roues grincèrent dans une courbe. L'éclairage clignota. Jetant un regard espiègle à son jeune voisin, Baruch plongea la main dans sa poche. Il la ressortit poing fermé, une aiguille pointant entre deux doigts. Baruch l'appliqua doucement sur le dos de Fuller. Les roues du train grincèrent encore plus fort étouffant un cri.

La seringue que tenait Baruch contenait d'ordinaire son insuline. Ce soir-là c'était de la Triftazine, drogue employée dans les hôpitaux psychiatriques de l'Union soviétique : un pour cent d'une solution stérile de sulfure purifié dans de l'huile de pêche, mélangée à une quantité égale d'halopéridol, cette Triftazine a divers effets, selon la dose. En petite quantité elle peut servir de châtiment en provoquant une nervosité intolérable. Une plus forte dose fait monter la température à quarante degrés, provoque des spasmes à la gorge et interdit de parler. Enfin, les plus fortes doses, dont usait Baruch de temps en temps, plongent le sujet dans une vie strictement végétative : moyen efficace et indécelable de lui imposer silence à jamais.

Fuller se retourna et reconnut Baruch. Ses paupières s'écarquillèrent et aussitôt ses yeux devinrent vitreux. La dernière image qui resta fixée à jamais dans son esprit fut sans doute celle des visages fatigués des banlieusards.

Seul Baruch vit Fuller perdre conscience. Le train entrait dans une station en ralentissant. Il s'arrêta. Quelques voyageurs se levèrent autour de Fuller qui tomba à genoux. Les portes s'ouvrirent. Au moment où Baruch descendit du wagon, une femme âgée, noire, vêtue en infirmière s'exclama : « Un homme a une crise cardiaque ! Faites place autour de lui ! »

9

La soirée commença par un cocktail au Metropolitan Museum of Art. Les trésors datant du Moyen Age avaient été alignés le long des murs pour donner de l'espace à l'élite du monde des arts. Acheteurs, vendeurs, négociants, collectionneurs, et conservateurs de musée s'y rassemblaient avant le dîner et se complimentaient les uns les autres.

En smoking, avec Jane en robe du soir très décolletée dans le dos, André Rostand se trouvait parmi les centaines de personnes invitées au banquet patronné chaque année par l'Association des négociants américains en œuvres d'art.

« Voilà un étalage formidable de merveilles, chuchota Jane à son mari lorsqu'ils entrèrent dans la salle byzantine.

— Plus que les calices, les croix d'or et les tapisseries, les bijoux des femmes m'aveuglent, souffla André.

— Regarde celle-là », dit Jane.

Ce n'était autre que Muriel Postman, rousse de trente-cinq ans. Affectant les attitudes des belles du Sud, elle se faisait remarquer par son penchant pour ce qui coûte cher et ses paupières largement écarquillées par une feinte naïveté. Son mari et elle passaient pour le couple le plus mal assorti du monde des arts new-yorkais.

Stanley Postman, époux de Muriel, homme de petite taille, comptait parmi les plus importants négociants de primitifs sur le marché international. Taciturne, modéré dans ses propos, il passait le plus clair de son temps à pêcher, cuisiner et écrire des vers. Les mondanités lui faisaient horreur. C'est pourquoi sa femme était seule. Muriel, au contraire, raffolait des réunions nombreuses et le banquet de ce soir-là représentait pour elle le sommet de la grande montagne de sucre d'orge. Elle se précipita vers les Rostand.

« Quel ravissement de vous voir, Jane chérie ; c'est tout simplement divin ! » s'exclama-t-elle en se penchant pour piquer un baiser sur la joue de Jane où apparut une petite tache cramoisie.

« J'admire votre robe », répondit Jane avec un sourire glacial en ouvrant son poudrier.

Muriel leva un bras. « Une petite robe de rien, vraiment. Un Cardin que j'ai acheté à Londres. Je la traîne ici parce qu'elle va bien avec cette aigue-marine que mon mari vient de m'offrir. »

La bague — ornée d'une grosse pierre — la robe chatoyante et les plumes d'autruche orangées que Muriel portait autour du cou comme un boa exaspérèrent André.

Muriel lui présenta l'anneau sous le nez. « N'est-ce pas divin?

— Spectaculaire, répondit-il en faisant la grimace. J'avoue que les calices m'intéressent plus. » Il prit sa femme par le bras pour l'entraîner vers une vitrine d'exposition.

Rostand n'assistait plus au banquet de l'Association depuis sept ans. Il n'avait jamais adhéré à cette organisation ni présenté sa candidature, craignant de ne pas plaire au comité directeur qui les acceptait ou les refusait. Il savait que ses confrères ne l'aimaient pas, pour une raison notamment : on avait surpris un de ses employés en train d'installer un micro chez un de ses concurrents. Etouffer l'affaire lui avait coûté quatre millions de dollars, deux à son employé, deux au négociant indigné. Cela n'avait pas empêché l'histoire d'être connue par tous les négociants de la ville en moins d'une semaine. Rostand regrettait ce méfait mais s'accordait des circonstances atténuantes : en ce temps-là il était plus jeune et manquait d'expérience.

Le tintamarre qui s'en était suivi dans le monde des arts lui avait fait perdre quelques clients scrupuleux. Pourtant ce soir-là, en observant la foule autour de lui, il pensa que bien peu de ses collègues auraient honnêtement pu le condamner. Ils s'espionnaient tous à qui mieux mieux. C'était un usage du métier.

Ivan Lasky, sémillant négociant de petite taille, leur fit signe à distance et se dirigea vers eux. Il possédait une des principales galeries d'art contemporain à Soho. Ancien fabricant de chemises et pitre de vaudeville, il ne parvenait pas à se détacher tout à fait de ce dernier métier. On le voyait souvent au bal du Roseland où il donnait pour son propre amusement des spectacles de danses latino-américaines, samba et tango presque acrobatiques.

André n'aimait pas le genre d'œuvres d'art que vendait Lasky dans sa galerie qui ressemblait plutôt à un magasin de grande surface. Toutefois ce petit homme dodu lui plaisait. Bien que d'une loquacité incoercible d'égomaniaque, il avait le sens de l'humour, qualité rare dans le monde des arts. André offrit à boire à Lasky.

« Eh bien merci, ça me fera du bien. J'ai vécu une journée épouvantable. Ce matin quand je suis sorti de ma galerie, j'avais à peine mis le pied sur le trottoir quand j'ai vu quelqu'un tomber assassiné d'un coup de feu à un mètre de moi.

— Qui a commis ce crime? demanda André les paupières écarquillées.

— Je n'en sais rien. J'ai aussitôt plongé la tête la première dans un amoncellement de neige. »

Le bavardage de Lasky amusa André et Jane jusqu'à l'heure du banquet. Tout le monde se rendit alors dans un vaste hall où plus de cinquante tables de douze couverts s'offraient aux invités, drapées de nappes d'une blancheur éblouissante, brodées à la griffe de l'Association des négociants américains en objets d'art.

André Rostand et Léopold Marto se trouvèrent à la même table. Ils se saluèrent réciproquement d'un hochement de tête et prirent place. Quand on servit le hors-d'œuvre — un avocat farci de homard — la conversation s'établit lentement et surtout en propos légers, sans rapport avec les affaires. On ne fit surtout pas allusion au Vermeer. C'est à peine si quelques convives adressèrent à Marto des félicitations discrètes.

A la droite d'André, une jeune femme caquetait avec l'habileté d'une geisha, donnant tour à tour à ses deux voisins l'occasion de manifester leur tact et leur esprit.

Pendant que tout le monde mangeait le filet mignon, Marto consomma une étrange substance incolore granulée et pas du tout appétissante. Au lieu du vin, servi aux autres invités, il but du jus de carotte. Comme pour compenser un régime aussi terne, il parla abondamment, amusant toute la table par des histoires paillardes. A partir du moment où il se déchaîna ainsi, personne n'eut plus droit à la parole. On aurait cru qu'il siégeait en monarque.

Les autres membres de la tablée considérèrent probablement André comme un figurant discret, minimisé par l'exubérance de Marto. Pourquoi en aurait-il été autrement ? Aux yeux de tout le monde, Rostand appartenait au passé, alors que la marée du marché des arts poussait Marto vers le sommet.

Par comparaison avec ce triomphateur les autres négociants paraissaient aussi plats que du pain sans levain. André ne respectait parmi eux que le vieux Sam Sloane âgé de quatre-vingt-cinq ans. Peintre autrefois, il avait fréquenté à Paris Picasso, Bonnard, Vuillard. Puis, pendant cinquante-cinq ans, il avait vendu des tableaux de gré à gré à des clients choisis.

A bien des points de vue, André enviait Sam. Sa manière de traiter les affaires lui évitait d'avoir à se soucier de frais généraux et de personnel. Il n'avait pas besoin d'étalage non plus, ni de salle de présentation. Il achetait et vendait discrètement. André s'avouait qu'en réalité telle était la seule manière honnête et raisonnable de négocier les œuvres d'art.

L'évolution du commerce répugnait à Sloane, particulièrement l'importance croissante des ventes aux enchères. « On n'y offre rien d'important de nos jours, disait-il. Tenez, André, considérez votre galerie. C'est à peu près la seule firme qui traite les affaires à la manière d'autrefois. Le monde des arts change trop aujourd'hui. Ce n'est plus celui de mon temps. » Sloane jeta un coup d'œil vers Marto.

« Tout change, Sam, dit Rostand. Il faut suivre le mouvement.

— Pas moi ! s'exclama Sam. Les nouveaux venus sont trop grossiers et ignorants. Ils traitent les tableaux comme des chaussures. Peu leur importe ce qu'ils achètent et vendent. Il m'est arrivé de céder des toiles pour moins qu'elles ne m'avaient coûté, parce que j'appréciais la réaction qu'elles provoquaient chez le client. »

André hocha la tête et s'adossa sur sa chaise pour permettre au garçon de lui servir une tranche de renne rôti. Il restait peu d'amateurs éclairés comme Sam Sloane qui disait vrai : le monde évoluait ; pour survivre le négociant devait appliquer la méthode des grands centres commerciaux afin d'atteindre le maximum de clients ; cela impliquait l'usage des ordinateurs, les campagnes de promotion, de nouveaux systèmes d'inventaire, de publicité, de relations publiques. Il fallait surtout mieux comprendre la « valeur » des objets d'art aux yeux de la masse. Bien sûr, le marché s'élargissait, mais les grandes œuvres se faisaient de plus en plus rares.

Rostand haussa les épaules en pensant qu'heureusement il ne verrait pas la suite. Ce serait le monde de Philip et il le lui abandonnait volontiers.

Il regarda Jane à l'autre extrémité de la table, tout près de Marto. Jusqu'alors elle avait totalement ignoré sa présence. Selon toute évidence elle pensait à quelqu'un d'autre. Nando Pirelli était à la table six. Jane l'avait révélé à son mari en se retournant trop souvent dans cette direction.

Quand Alex lui avait révélé les relations entre Jane et l'Italien, il avait d'abord été étonné. Il doutait d'une véritable intrigue. Cela cadrait trop mal avec le caractère de son épouse. Mais, ce soir-là, en voyant les regards en biais qui passaient discrètement entre eux, André se rendit compte de son erreur.

Paradoxalement, il n'en éprouvait pas de colère. Si elle avait fourni des renseignements à Pirelli, elle ne se rendait certainement pas compte de leur valeur. Il en était certain. Quant à leurs amours... ils la rajeunissaient et André s'en réjouissait. Quelle que fût la psychose qui les avait séparés des décennies auparavant, elle avait dû en souffrir autant que lui. Et même plus peut-être. Depuis lors, il avait aimé une douzaine de femmes et avait partagé la couche d'un plus grand nombre. Quant à elle, il était convaincu qu'elle s'était privée jusqu'à ces derniers temps. Toutefois, s'il lui pardonnait la frigidité qu'elle lui avait opposée pendant des années, il lui en voulait d'avoir refusé de lui donner un autre enfant.

En regardant le rôti de renne surgelé répandre son jus dans l'assiette et mincir comme un ballon crevé, il envisagea l'alternative qui s'offrait à lui. Il pouvait mettre Jane au pied du mur mais cela ne servirait à rien. Il pouvait ne pas tenir compte de ce qu'il savait, les laisser agir à leur guise et même les manipuler en se servant de Jane pour fournir des informations fausses à Marto. C'était tentant mais désormais inutile. Non, ni l'une ni l'autre de ces solutions ne valait rien. Jane était son épouse, il la protégerait mais d'une autre manière.

Un coup de maillet retentit à la table du président. Quelqu'un toussota pour s'éclaircir la voix. On entendit ensuite un froissement de papier. Enfin la voix de Henry Gelding, nouvellement promu directeur de la Commission nationale des arts, se fit entendre dans la vaste salle.

« Mesdames et messieurs... J'éprouve un grand plaisir ce soir... » Homme de petite taille au visage replet, plein d'enthousiasme, Gelding exerçait un énorme pouvoir dans le monde des arts, parce que la masse de subventions fédérales passait entre ses mains. Sa tâche consistait à attirer l'attention du grand public sur les arts et à distribuer des sommes sans cesse croissantes aux artistes.

Derrière leurs lunettes cerclées de métal, les yeux clairs de Gelding balayèrent la salle où tous les visages se tournaient vers lui. Un large sourire apparut au-dessus de l'épaisse barbe qui compensait sa calvitie et il poursuivit son discours.

« Comme le répétait volontiers Mondrian : l'art n'est fait pour personne mais pour tout le monde. Nous devons diffuser ce message vers tous ceux qui habitent l'immense continent des Etats-Unis. Aux collectionneurs nous devons dire aussi que collectionner est un art... »

André fronça les sourcils derrière la main sur laquelle s'appuyait son front. Il se promettait de ne plus jamais assister à un de ces sinistres banquets.

« En qualité de collectionneur et de négociant, nous savons que tout achat d'œuvre d'art est une aventure, continuait à pérorer Gelding. Quelques-uns achètent dans un but de lucre mais la plupart pour leur honnête plaisir, parce qu'ils apprécient l'art. »

André retira son coude de la table et releva la tête. Il se demanda combien de personnes dans l'assistance croyaient ce que disait Gelding.

« La nation doit reconnaître l'admirable contribution qu'apportent les négociants en objets d'art à notre société. Leur rôle est à la fois délicat et obscur. Ils prodiguent à leurs clients des renseignements confidentiels, des relations et des conseils avisés. Mais surtout le négociant offre le service de son « œil » qui, chez les meilleurs, est à la fois sûr et prophétique... »

André aperçut un homme qui marchait sur la pointe des pieds entre les tables en direction de Marto, se pencha vers l'oreille de ce dernier et chuchota longuement. Le crâne de Marto oscilla lentement d'avant en arrière. De temps en temps il parut poser une question.

André n'avait pas besoin de recourir à la télépathie pour savoir de quoi ils discutaient. L'affaire était claire : un employé de Marto lui annonçait une nouvelle chute précipitée des parts d'Art Intrum à la Bourse. André en avait encore largué cent mille ce jour-là. Le cours était tombé à $ 12,25, soit une baisse de $ 2,75.

Le regard perdu dans le vide, Marto parut désemparé. André devina qu'il enjoindrait à son assistant de vendre tout ce qu'il possédait, y compris le Vermeer, afin de s'assurer des liquidités pour soutenir le cours des actions. Il ne ferait qu'aggraver le désastre. Grâce à ses indicateurs, André savait déjà que les actionnaires privés d'Art Intrum cédaient à la panique. Aux actions qu'il vendait, s'ajoutaient de gros paquets de provenances diverses.

Le prix qu'il recevait ce soir-là ne sauverait pas Marto. Pour fastidieux qu'eût été le dîner, voir la tête de son rival à cet instant compensait le long ennui éprouvé par Rostand.

Marto semblait s'effondrer intérieurement. Il leva un regard désespéré vers son assistant puis... tout à coup se redressa sur sa chaise car les projecteurs convergeaient sur lui.

« ... Il sied d'honorer ce soir l'homme qui, lorsqu'on écrira l'histoire du commerce des œuvres d'art au vingtième siècle, y figurera parmi les plus grands, disait Gelding. Nous rendons hommage ce soir au docteur Léopold Marto en lui conférant le prix de l'Association nationale des négociants américains en objets d'art. Coude à coude avec nous tous, cet homme a amélioré la réputation du commerce des beaux arts. Il a contribué à augmenter la confiance du public envers les négociants. C'est donc avec grand plaisir que j'appelle auprès de moi le docteur Léopold Marto. »

Marto se leva dans un tonnerre d'applaudissements. Il se dirigea vers l'estrade. Au passage, bien des gens lui tapotèrent l'épaule. Il remercia ceux qui applaudissaient en agitant les mains. Arrivé au microphone il se retourna en exhibant un large sourire.

« Merci, Henry, dit-il en hochant la tête dans la direction de Gelding. Vous m'avez présenté avec amabilité et concision. » Il adressa un clin d'œil au public et laissa s'écouler un moment pour que se calment les rires, toussotements et grincements de chaises sur le plancher. Il se lança ensuite dans une allocution de vingt minutes. Longtemps avant qu'il eût fini, il y avait deux places vides à sa table.

André et Jane Rostand avaient sinué entre un nombre qui leur parut infini de tables pour atteindre discrètement la porte. Puis ils avaient plongé dans la fraîcheur accueillante de la nuit.

10

Alex et Cubitt commandèrent des calvados après un dîner agréable, aux chandelles, dans l'arrière-salle du Harvey's Chelsea Bar, restaurant peu connu du bas West Side. Ils étaient d'excellente humeur et Alex se réjouissait de leur bonne entente.

Après leur dernière conversation au Carlyle, il n'espérait plus la revoir. Pourtant il était allé la chercher à son hôtel et, au lieu de rester dans l'Est Side trop grouillant, il avait conseillé le petit restaurant qu'il fréquentait à Chelsea.

Le repas plut à Cubitt. Elle mangea de tout ce qui se trouvait dans son assiette et picora largement dans celle de son compagnon. Les changements rapides d'expression de la jeune femme intriguaient Alex. Il avait découvert quelque chose de nouveau en elle : une forte tendance à l'espièglerie. Elle l'avait raillé pour le soin avec lequel il choisissait le vin, puis lui avait reproché d'être trop sérieux. Ses yeux vert bouteille changeaient aussi de minute en minute, exprimant tantôt l'humour, tantôt une sympathie amusée.

Cubitt dégusta une gorgée de calvados. Puis, comme elle le faisait souvent, elle passa ses longs doigts dans sa chevelure pour l'écarter de son front.

« J'aime votre figure, dit-elle. Elle a quelque chose d'orageux.

— Tiens, tiens ?

— Mais vos yeux m'inquiètent.

— Pourquoi donc ? »

Elle se pencha vers lui et regarda ses yeux avec l'application d'un oculiste. « Je ne parviens pas à préciser s'ils sont bleus ou gris.

— Tenez-vous-en à bleu-gris. »

Elle hocha la tête sans cesser de l'observer. Son regard déconcerta Alex qui se réjouit quand même de son attention.

« Autre chose m'intrigue, reprit-elle. Je ne sais jamais ce que vous pensez. Vos regards ont toujours la même expression. Ils n'indiquent jamais si vous êtes heureux, furieux ou triste.

— Changeons de sujet, si vous le voulez bien, dit-il. Je pensais justement le contraire à propos des vôtres. »

Elle s'adossa à la banquette en souriant. « Ils vous plaisent ?

— Je les trouve expressifs.

— Les fenêtres de l'âme ! Je l'ai déjà entendu dire.

— Moi aussi. » Il but et le silence régna pendant une minute. Puis il se rappela ce qu'elle avait dit de son regard. « Vous est-il jamais arrivé de me voir en colère ?

— Oui, avec Philip.

— En effet. Nous voilà revenus à lui.

— Pourquoi me dites-vous ça ?

— Parce que nous avons déjà parlé de Philip la dernière fois où nous étions ensemble.

— C'est exact. Je m'en souviens. Qu'est-ce qu'il il y a entre vous ? Pourquoi vous déteste-t-il tellement ? »

A son tour Alex s'adossa. Il n'aimait pas Philip. Dès leur première rencontre, ils s'étaient sentis ennemis. « Je me rappelle mon arrivée à New York. J'étais très jeune. J'acceptais difficilement son attitude envers moi. Il m'attaquait sans cesse. Puis un jour il m'appela dans le jardin, me traita de « grenouille » et me bouscula. Alors nous nous battîmes. Il était beaucoup plus âgé et plus lourd que moi. Il m'envoya plusieurs fois sur le gazon. »

Quand Alex raconta cette histoire, son visage prit une expression de dureté. Le souvenir de sa solitude à son arrivée en Amérique transparut dans sa voix.

Philip l'avait fait reculer jusqu'au mur du jardin et continuait à le frapper. Bien que n'espérant pas l'emporter, le gamin se relevait à chaque chute et reprenait le combat. Chaque fois qu'il allait atteindre Philip, l'autre l'envoyait au sol.

A leur insu, André Rostand les regardait par une fenêtre. La bataille dura sans doute plus d'une demi-heure. Enfin, Philip rentra dans la maison, époumonné. Alex le suivit. Il alla tout droit à la salle de bains pour éponger le sang sur son visage. Il saignait du nez.

Tout à coup la porte de la salle de bains s'ouvrit et André entra. Il remit à Alex un dollar d'argent et le félicita d'avoir donné une leçon à Philip. Si fort et lourd qu'il fût, ce dernier saurait désormais qu'en s'attaquant à lui, il s'engagerait dans un long combat. Voilà une leçon que bien peu de gamins sont capables de donner...

Alex se tut, le regard fixé sur la cloison de verre dépoli qui les séparait de la grande salle. Il revivait cette journée de son enfance.

« Et le dollar d'argent ? lui demanda Cubitt.

— Que dites-vous ?

— Qu'est devenu le dollar d'argent ?

— Je l'ai toujours. Pas à cause de sa valeur mais en raison de ce qu'il représente. Je suis peut-être sentimental. »

Elle sourit avec une sympathie sincère cette fois. « Vous est-il jamais arrivé d'avoir besoin de quelqu'un Alex ? Autrement dit avez-vous jamais aimé ? »

D'ordinaire un rideau opaque tombait quand une femme l'affrontait de cette manière, surtout une femme du genre qu'il devinait chez Cubitt. Pourtant, en cette occasion, il n'en fut pas affecté.

« Besoin et amour sont des mots difficiles à définir, dit-il. Parfois nous les confondons. A tout moment nous prenons des décisions qui nous lient à quelqu'un ou qui nous en séparent, pour de bonnes raisons ou bien de mauvaises. Pourtant c'est nous qui prenons ces décisions. Reste à savoir pourquoi nous choisissons telle ou telle manière d'agir.

— Peut-être en raison de cicatrices invisibles », dit Cubitt.

Alex vit sur le visage de la jeune femme qu'elle parlait de ses propres cicatrices, sans doute profondes aussi. « Je vais vous faire une proposition... dit-il. Changeons de sujet. Sortons d'ici. »

Cubitt se détendit et eut un sourire paisible. « Qu'allons-nous faire ? demanda-t-elle. Peut-être ne devrai-je pas poser une telle question ? » Une lueur de moquerie brilla dans ses yeux.

Alex haussa les épaules en affectant un air innocent. Il posa quarante dollars sur la table pour payer la note et ils quittèrent le restaurant bras dessus bras dessous. Ils allèrent à pied au long de la Dix-huitième Rue jusqu'à Park Avenue, puis obliquèrent au nord vers Gramercy Park. Il était près de neuf heure et demie.

Au coin de la Dix-huitième et de Park, Alex prit Cubitt dans ses bras et lui couvrit le visage de baisers en la serrant contre lui. Il perçut le goût brûlant du calvados dans son haleine. Ils s'étreignirent dans le froid qui devenait plus vif. Elle me plaît cette fille, pensa-t-il ; elle me plaît beaucoup.

« Voulez-vous venir jusqu'à mon galetas ? demanda-t-il.

— Je ne sais pas... Quel est votre signe ?

— Mon signe ? demanda-t-il intrigué. Est-ce important ?

— Mais bien sûr ! Quand êtes-vous né ?

— Le cinq mai 1941.

— Vous êtes donc un Taureau. C'est bien. Je suis une Sagittaire.

— Bravo. Sommes-nous compatibles ?

— Attendez que nous soyons chez vous. Je vous le montrerai. »

11

« Mon père tempêtait contre moi. Il me reprochait d'être devenue le jouet de gens riches. Il ne jurait que par la sainte Eglise catholique et le parti travailliste. »

Assis sur une banquette, à une table au coin du « 21 » Philip Rostand souriait à la brune sans grâce qui dînait en face de lui. Il la considérait comme une sotte mais, en qualité de membre du personnel du service des primitifs au Metropolitan Museum of Art, elle méritait d'être ménagée. Ils n'étaient pas seuls ce soir-là au club. Tous les amis qui les entouraient appartenaient à divers titres au monde des arts.

« Moi, je ne crois ni à l'un ni à l'autre, dit le cavalier de la sotte, jeune pseudo-intellectuel, collectionneur avide des tableaux surréalistes de Magritte. Je n'ai foi que dans les gens très riches. » Un éclat de rire s'éleva autour de la table. Philip y participa.

Il se rappela qu'il devait divertir la jeune femme car elle lui fournissait souvent des renseignements intéressants.

Sa voisine, grande dame âgée de la société new-yorkaise, et une des meilleures clientes de Rostand International, se pencha vers lui. « Quel cul, ce type, pas vrai ? » chuchota-t-elle.

Philip l'approuva en souriant.

« Ces jeunes gens sont si vulgaires ! reprit-elle. Mentalement estropiés, ils n'ont aucune idée de l'harmonie. C'est pourquoi j'aime tant mes tableaux.

— A propos de tableaux, dit Philip, nous avons un superbe Cézanne qui pourrait vous intéresser. »

Un garçon entra dans la salle avec deux bouteilles de champagne qu'il posa sur la table et s'en alla.

« Je serais ravie de le voir, dit la matrone. Quand ?

— Je vais à Rome cette semaine mais dès mon retour, je vous téléphonerai.

— Merveilleux. »

En face de Philip, deux de ses meilleurs amis s'entretenaient de choses plus passionnantes. C'étaient des éleveurs de chevaux. L'un d'eux revenait d'une vente de pur-sang à Newmarket où il avait acheté deux yearlings qui lui revenaient à £ 140000.

Philip se pencha au-dessus de la table et écouta attentivement. Les discussions au sujet des chevaux l'intéressaient plus que la conversation au sujet de la peinture. « Tu aurais dû voir ça, Philip, dit l'un d'eux. Il y avait un superbe étalage de viande de cheval. Je m'étonne que tu n'aies jamais investi dans les chevaux.

— Mais j'y pense depuis longtemps », répondit Philip avec enthousiasme. Il rêvait, en effet, d'une ferme d'élevage avec des écuries climatisées et de pur-sang qui auraient arboré ses couleurs à Ascot, Longchamp et Belmont. »

Il versa du champagne dans tous les verres. Un garçon apporta un appareil téléphonique qu'il brancha à une prise murale derrière sa chaise. Il se pencha et chuchota « Un appel pour vous, Monsieur ».

Philip hocha la tête avec humeur et prit le combiné.

« Il m'a semblé utile de vous le faire savoir, Monsieur Rostand, dit Baruch. Hélas ! monsieur Fuller est tombé gravement malade ce soir.

— J'en suis désolé », dit Philip en secouant la tête d'un air contrit. Il couvrit le micro de sa main et expliqua aux autres : « Notre chef comptable est très malade. »

Quelques-uns froncèrent les sourcils, d'autres ricanèrent.

« Merci de m'avoir prévenu, dit Philip dans l'appareil.

— Nous nous reverrons, dit Baruch.

— D'accord.

— Heureux de vous rendre service », conclut Baruch en raccrochant.

Quelques minutes plus tard le téléphone sonna chez Baruch.

« Allô.

— Baruch ?

— Oui. Qu'y a-t-il ?

— Ils sont toujours chez Drach. Pour la nuit, je crois. Il m'a semblé que ça vous intéresserait.

— Rien d'anormal ?

— Rien.

— Bien. Dormez et reprenez-les demain matin.

— D'accord. Bonne nuit, Baruch. »

Un déclic puis silence sur la ligne.

12

« Et alors qu'avez-vous fait ? » demanda Cubitt avec passion. Elle était assise par terre, adossée au canapé, entre les jambes d'Alex. La tête penchée en avant, elle sentait les doigts de son compagnon lui caresser les cheveux à rebrousse-poil sur la nuque. Les violons d'une chaconne de Johann Pachelbel emplissaient l'espace de l'appartement. Le champagne qu'il avait fait boire à la jeune femme et les vagues de la musique constituaient un accompagnement agréable et approprié aux jeux de ses doigts.

« Po força la serrure de l'entrepôt, dit-il. Les tableaux étaient tous là.

— Tous ?

— Il y en avait facilement pour trois millions de dollars.

— Et le P.-D.G., qu'a-t-il dit quand tu lui as rendu son trésor ?

— Il a admiré les tableaux l'un après l'autre puis a déclaré d'une profonde voix de tonnerre : « Un bel exploit, jeune homme. »

Cubitt éclata de rire puis rejeta la tête en arrière entre les cuisses d'Alex. Elle leva les yeux vers lui et, bien que sa tête renversée eût quelque chose de comique, son regard exprimait autant d'inquiétude que d'admiration. « Un jour ou l'autre tu auras des ennuis.

— Faut pas s'en faire, comme disent les Français. »

Elle entrecroisa ses doigts avec ceux de son compagnon. « Tu n'as donc jamais peur ? »

Alex haussa les épaules. « J'y pense le moins possible, dit-il. Le danger fait partie de l'existence. En réalité, tout le monde a peur de quelque chose. » Il réfléchit un instant. « J'aime à croire que je suis raisonnable. Bien utilisée la crainte peut se révéler très utile.

— Comme un éperon, non ?

— Plutôt comme un signal d'alarme, dit-il en souriant.

— Encore une fois, trouvons un autre sujet de conversation.

— D'accord, mais je dois d'abord donner un coup de téléphone. »

Il alla jusqu'à l'extrémité de la pièce puis gravit un escalier aux marches de chêne pour atteindre sa chambre à coucher en loggia. A ce moment-là, il était près de dix heures. Alex composa le numéro de Fuller et attendit. Pas de réponse.

Il raccrocha et redescendit vers Cubitt en se demandant ce qui se passait. Invalide, la fille de Fuller, Maggie, ne pouvait être que chez elle. Il envisagea d'y aller. Mais un coup d'œil dans la direction de Cubitt le fit changer d'idée. Toutefois ce silence l'intriguait... Peut-être s'expliquait-il de la manière la plus banale.

Il lui tendit la main. Elle la prit. Il l'aida à se lever.

« Tu as l'air soucieux, dit-elle.

— Ça nous arrive à tous, de temps en temps.

— Est-ce que je peux me rendre utile ?

— Bien sûr, viens », dit-il sans lui lâcher la main. Il la traîna ainsi en souriant sur l'escalier conduisant à sa chambre à coucher dont les trois fenêtres au sommet cintré donnaient sur le nord, offrant une vue scintillante du cœur de Manhattan. A l'autre extrémité de cette loggia se trouvait un grand lit. A droite, il y avait une alcôve avec une cheminée au fond ; à gauche, une double porte donnant accès à une pièce garnie d'armoires qui servait de vestiaire et lingerie ; au-delà, la salle de bains.

« Voudrais-tu encore un peu de champagne ? demanda Alex.

— Non, pas maintenant. » Elle lui passa les bras autour du cou et l'embrassa. La délicieuse chaleur de son corps déclencha un choc dans celui de son compagnon qui se sentit durcir.

Elle rompit. « Je reviens dans un instant », dit-elle en s'en allant à la salle de bains.

Alex la regarda disparaître derrière la double porte. Il avait voulu que cela se passât ainsi et pourtant il redoutait ce qu'il allait arriver. Il resta immobile en pensant à elle. Puis, brusquement, il se déshabilla.

Dans la première pièce, Cubitt se débarrassa de ses chaussures et de son panty puis elle passa dans la salle de bains. Elle fit couler l'eau et s'assit sur le siège du cabinet en s'efforçant de ne pas réfléchir. Ce lui fut impossible : d'une part, elle avait envie d'Alex ; d'autre part, cela contrariait son programme. Elle soupira et se dit que sa mission de ce soir-là faisait partie de son travail chez Rostand International.

Elle parcourut la salle de bains du regard. Il n'y avait pas grand-chose à voir. C'était une vaste pièce, haute de plafond, au plancher de bois et aux murs nus. Pour prendre une douche, il lui fallut monter trois marches. Ce diable de gars aime l'altitude pensa-t-elle.

Elle se lava, retourna dans l'antichambre où elle ramassa la brosse cylindrique à dents de caoutchouc et elle se peigna. Ce local était aussi simple et austère que la salle de bains : murs blancs, nus, sans rien pour les égayer.

Elle se rappela alors qu'à l'exception du Monet accroché au-dessus de la cheminée elle n'avait pas vu un seul objet d'art dans l'appartement.

Elle reposa la brosse et alla jusqu'à la grande glace de l'armoire. L'étonnèrent les poignées en laiton harmonieusement moulées. Elle tira celle de droite. La porte grinça en s'ouvrant. Cubitt s'immobilisa en se demandant s'il avait entendu. C'est à peine si elle perçut, étouffés, les accords de la chaconne de Pachelbel.

Elle ne put s'empêcher d'inventorier l'armoire, établissant ainsi, à l'insu d'Alex, plus d'intimité qu'il n'allait en susciter entre eux tout à l'heure. Six profondes étagères au-dessus des tiroirs. La plus haute, juste au-dessus de la tête de Cubitt, ne supportait qu'une valise très usagée et deux raquettes de tennis aux manches enveloppés par du sparadrap imprégné de sueur.

Sur l'étagère au-dessous : un gi de judo fortement capitonné avec plusieurs suspensoirs de sport et une ceinture noire. Sur la troisième étagère à partir du haut : des chemises, presque toutes blanches ou bleu clair. Cubitt constata des traces d'usure aux cols et à l'extrémité des manches : sans doute les victimes d'une blanchisserie chinoise.

Elle s'abstint d'ouvrir les tiroirs mais ne put s'empêcher de jeter un coup d'œil du côté gauche de l'armoire. S'y trouvaient une bonne douzaine de complets et de vestons de sport, correctement accrochés à des cintres de bois. Elle se rappela combien Alex lui avait plu dans son complet bleu foncé, l'après-midi où ils avaient fait connaissance.

Ceux qu'elle trouva dans l'armoire étaient en flanelle épaisse ou en laine; sûrement ses tenues d'hiver. Celles d'été devaient se trouver ailleurs dans son vaste appartement. Elle referma doucement les portes de l'armoire, retira sa robe, son soutien-gorge et sa culotte. Puis, ayant noué une serviette autour de sa taille elle retourna dans la chambre à coucher.

Il n'y était pas. Elle enleva le couvre-lit et se glissa entre les draps.

Quelques minutes plus tard Alex la rejoignit dans la loggia. Il s'approcha d'elle en portant deux verres de champagne, lui en donna un et abaissa le sien pour trinquer. Il but une gorgée puis posa sa flûte sur la table de nuit, dénoua la ceinture de sa robe de chambre, la jeta négligemment sur une chaise et se coula dans le lit auprès de Cubitt.

« D'où viens-tu ? demanda-t-elle.

— Du téléphone.

— Qui as-tu appelé ?

— Quelqu'un qui ne m'a pas répondu. »

Elle le regarda d'un air intrigué et allait lui poser une autre question quand Alex lui mit une main sur la bouche, cependant que son autre main descendait le long du corps de la jeune femme, s'arrêtait un instant sur les seins, puis tournait en rond sur son ventre et enfin glissait sur le doux mont entre ses cuisses. Tout l'être de Cubitt convergeait sur ce point de son corps.

Elle l'enlaça et l'attira vers elle, écarta les lèvres et lui plongea la langue dans la bouche où elle décrivit des petits cercles derrière ses lèvres. Elle le caressa. Il avait un corps extraordinairement musclé mais à la peau douce, aussi lisse que de l'ivoire.

L'agitation de son cœur se répandait vivement dans tout le corps de Cubitt. Ses genoux frémirent. Autrefois, il lui était arrivé de voir un étalon couvrir une jument. Elle comprit ce que la femelle tremblante avait éprouvé et se rappela la pénétration de l'énorme organe rose de l'étalon dans la jument qu'il déchirait sans doute. Le souvenir de ce spectacle la bouleversa de la tête aux pieds et surtout au centre du corps.

Les lèvres d'Alex firent le tour de son oreille, glissèrent sur le cou, s'attardèrent un moment sur la pointe des seins. Puis il donna de grands coups de langue sous les aisselles et de nouveau sur les mamelons. Il descendit le long du torse tout en caressant le ventre à deux mains. Il pointa la langue dans le nombril. Enfin il atteignit son but. Elle éleva les genoux. Soudain, tous les muscles de son corps se tendirent puis ce fut l'explosion. L'orgasme commençait.

Il s'écarta d'elle et soudain elle prit peur, ouvrit les yeux et tendit les bras vers lui. Il était encore là. Elle lui sourit, ravie, enchantée de se sentir doucement pénétrée. Tout se passait si bien, si facilement. Voilà un homme qui savait ce qu'il fallait faire. Elle l'avait prévu, mais le regard d'Alex lui avait jusqu'alors paru tellement indéchiffrable qu'elle avait douté.

Elle frémit et s'entendit gémir quand il plongea plus profondément en elle, ouvrit les paupières pour le regarder droit dans les yeux. Ceux d'Alex étaient d'un bleu profond et les pupilles aussi grandes que des sphères noires. Il sembla à Cubitt qu'elle y plongeait, qu'elle nageait dans son regard. Aucun homme ne l'avait jusqu'alors autant excitée.

Et puis, après une dernière secousse, ce fut fini.

Ensuite elle resta immobile dans les bras d'Alex cependant que s'apaisait son frémissement intérieur. Lui aussi restait silencieux, lui passant lentement la main dans les cheveux. Elle se demanda ce qu'il pensait alors. A coup sûr, aucun homme ne pouvait éveiller de telles sensations chez une femme sans en être atteint lui aussi. Elle y réfléchit un moment, puis elle se promit de ne jamais tomber trop amoureuse de lui.

Cette nuit-là, pendant que Cubitt reposait, Alex, adossé à un oreiller, regardait au-delà de ses fenêtres la ligne brisée des toits de Manhattan. Quelque chose le tracassait. Quand les aiguilles de la tour du parc de Madison approchèrent de minuit, il avait d'autant moins résolu le problème qu'il n'en précisait pas encore les données. Enfin, il roula sur lui-même, éteignit la lumière et s'endormit.

Vers la fin de la nuit, il rêva qu'il se trouvait dans une division de cavalerie française, cantonnée au milieu d'une forêt. La tête levée vers le ciel, il regardait un banc de nuages arriver de l'est. Une brume épaisse flottait au-dessus des arbres, suggérant une idée de pluie. Il lui sembla aussi entendre au loin un roulement de tonnerre. Il n'y avait pourtant pas de vent et il ne percevait pas la douce odeur de l'humidité qui précède l'orage.

Epuisé après une longue nuit de patrouille, il aspirait au luxe d'un lit sec et chaud. Mais soudain il plut. La forêt lui fit horreur. Un brouillard gris l'enveloppait et un froid aussi aigu qu'une lame de couteau traversait la capote épaisse qu'il portait sur les épaules. Apparemment il attendait quelque chose. Peut-être rien du tout. Si l'ennemi attaquait, ce ne serait pas dans ce secteur à travers cette forêt au terrain bourbeux, semé de monticules et de fossés, coupé par des centaines de ruisselets dévalant des collines vers les ravins avec des sentiers malaisés. Et que dire de la brume qui s'élevait constamment du sous-bois.

Dans son rêve, il sourit, certain d'être en sécurité. Il se mit à marcher à travers l'immense forêt et... tout à coup il se produisit quelque chose qu'il ne comprit pas : un moteur grinçait et gémissait, les plaques d'acier d'une chenille de char d'assaut claquaient dans la boue, des arbres se brisaient. Soudain il entendit un bruit sec pareil à celui des machines dans lesquelles les forains font éclater des grains de maïs mais en plus cinglant.

Il n'eut pas le temps d'apercevoir le char de tête à travers la brume épaisse. Il n'eut conscience que d'une douleur aiguë au dos, comme un coup de fouet. Puis une douzaine de balles, tirées de la tourelle, pénétrèrent ses poumons et brisèrent ses omoplates. Pendant un instant fugace, il comprit ce qui lui arrivait et écarta les bras comme un crucifié. Sa tête et ses épaules basculèrent en arrière. Il fut incapable de crier. D'ailleurs après le premier coup de fouet il ne ressentit plus la moindre douleur. Il lui semblait seulement que son corps s'élevait dans le branchage pour flotter au-dessus de la forêt.

Une explosion le précipita contre le pied d'un arbre. Il y resta, tordu sur lui-même, perdant son sang, le visage dans la boue. Les lambeaux de son manteau de cavalerie kaki, imprégnés de sang, claquaient au vent. Pendant le court instant de vie qui lui restait, il entendit gargouiller ses poumons. A travers une brume rouge, il entrevit des soldats allemands qui passaient auprès de lui en soufflant. Il sut que c'étaient les Allemands parce qu'il sentit une puanteur de cuir imprégné d'urine. Les ennemis, en effet, pissaient sur leurs bottes pour en amollir le cuir.

Alex se réveilla en sursaut et regarda autour de lui. Il se demanda où il se trouvait. Il suait abondamment. Cubitt dormait auprès de lui. Il regarda les lumières de la ville au-delà des fenêtres.

Tout à coup, il se rappela les propos qu'ils avaient échangés plus tôt au cours de cette soirée.

« Mon signe ? est-ce important ?

— Mais bien sûr ! Quand êtes-vous né ? »

Alex se glissa hors du lit pour aller au petit secrétaire au coin de la loggia. Il ouvrit le tiroir du milieu et en tira une enveloppe cachetée dont il déchira un bord pour en tirer le rapport de Jenner. Il tourna la première page pour s'arrêter à la seconde qu'il parcourut vivement du regard. Il trouva ce qu'il cherchait. Du bout de l'ongle il souligna la date à laquelle son père avait été arrêté par la Gestapo : 18 juin 1940. Il resta médusé un moment puis souffla : « C'est impossible... »

Il resta longtemps appuyé au montant d'une des fenêtres voûtées, le regard perdu sur les toits de Manhattan. Paul Drach n'était pas son père. Il ne pouvait pas l'être si son anniversaire tombait bien le 5 mai, près de onze mois après l'arrestation de Paul. Ou bien, peut-être sa mère et Paul se seraient-ils retrouvés ensemble avant la mort de ce dernier ?... Jocko lui en aurait parlé. Où était donc sa mère quand les Allemands avaient arrêté son père. Qu'en avait dit Jocko ?... Paul avait fermé la maison et congédié le personnel parce qu'il avait envoyé Noémie à Monte-Carlo. Jocko en savait-il plus ? Que lui cachait-il ? Qui était son vrai père ?

Hébété, Alex retourna au secrétaire, plia le papier pelure du rapport en s'efforçant de percer l'absurdité de l'histoire que Jocko lui avait racontée. Il le glissa dans une enveloppe neuve qu'il cacheta.

Tout cela était insensé. Il ne savait plus rien de certain. La réalité lui paraissait aussi fluide que de l'eau coulant entre ses doigts. Il retourna au lit et s'allongea auprès de Cubitt. Elle dormait profondément. Il la regarda pendant un moment en se demandant ce qu'il y avait de sincérité en elle, quels sentiments elle éprouvait pour lui. Enfin il se retourna en sachant qu'il ne dormirait pas beaucoup cette nuit-là.

13

Mgr Weiller et un prêtre représentant la Commission vaticane d'archéologie sacrée arrivèrent aux catacombes de Monte Verde par la via Portuense. L'entrée du souterrain se trouvait dans le jardin d'une antique villa romaine, entre deux petits bâtiments. Celui de droite, expliqua Montag, était la *scuola,* lieu où se rassemblaient les fidèles pour rendre hommage aux défunts avant qu'ils fussent descendus dans les galeries souterraines. Quant à celui de gauche, c'était la maison du gardien.

Aussitôt après l'entrée, ils virent un système de palans d'où plongeaient des câbles vers l'intérieur de la terre. « Voilà ce qui assure notre sécurité, expliqua Montag au prêtre. Sans ces guides nous ne pourrions pas retrouver notre chemin. Les catacombes sont un labyrinthe de couloirs et de grottes qui s'étendent sous terre à des kilomètres. En certains endroits nous passerons par des galeries d'un mètre de largeur et même moins et de deux de hauteur. Elles s'entrecroisent à n'en plus finir. Sans nos câbles nous pourrions nous y perdre et mourir de faim et de soif avant de trouver l'itinéraire qui ramène à la surface. »

Le prêtre pâlit et murmura : « Peut-être pourrions-nous nous contenter d'un rapport écrit, monsignore Weiller ?

— Il n'y a vraiment pas de quoi s'inquiéter, dit Montag en offrant à son interlocuteur un gilet de grosse toile. Enfilez ceci. Un câble s'accroche entre les épaules pour assurer votre sécurité. Jusqu'à présent nous n'avons jamais égaré un visiteur. » La crainte du prêtre amusait Montag.

Ils suivirent un couloir incliné sur une courte distance puis descendirent un escalier abrupt aux marches de pierre rongées par le temps.

Chacun tenait une torche électrique à la main. Plus ils avançaient plus l'obscurité épaississait autour d'eux. Tout en s'enfonçant profondément dans les catacombes, Montag commenta les particularités les plus remarquables de celles de Monte Verde. Elles avaient été creusées au premier siècle par des chrétiens soumis au règne du paganisme romain. La loi interdisait les enterrements et exigeait l'incinération des morts dont on versait les cendres dans des urnes qu'on déposait ensuite dans des mausolées bordant les larges artères d'accès à la ville.

Juifs et chrétiens refusaient l'incinération de leurs morts et recouraient à des galeries souterraines qui, en ce temps-là, constituaient un réseau de plusieurs étages sous terre. Pour faire de la place, on ne cessait de fouir, on ouvrait des salles de chaque côté des couloirs et on creusait sans cesse de plus en plus profondément.

Montag ajouta qu'à notre époque nous connaissons quarante-cinq catacombes. Leurs couloirs superposés et entrecroisés représentent une telle longueur que si on les mettait bout à bout ils s'étendraient du pied des Alpes jusqu'à la pointe de la Calabre, soit sur mille quatre cent quarante kilomètres. Jusqu'alors on n'avait exploré qu'un très petit nombre des couloirs et on ignorait une bonne partie de leur étendue. A peine pouvait-on estimer à sept millions le nombre des corps déposés dans les chambres souterraines.

Par la nature de son sol, la banlieue de Rome offre des conditions parfaites pour ces villes souterraines. Les collines entourant la ville éternelles sont en tuf : pierre facile à creuser, poreuse et sèche. Les catacombes ont été creusées par les *fossores :* fossoyeurs organisés en guilde et appartenant à un clergé du plus bas échelon.

Montag constata que le jeune prêtre avait de moins en moins peur. « Vous sentez-vous plus à l'aise, mon frère ?

— Un peu.

— C'est une affaire d'habitude. »

Ils cheminèrent encore sur quelque huit cents mètres pour atteindre le site de l'excavation. Quatre ouvriers en combinaison bleu foncé, chaussés de bottes cloutées et coiffés de casques de mineur, peinaient durement pour déplacer les décombres à l'entrée d'une chambre funéraire.

« Le travail avance-t-il, frère Rolf ? » demanda Montag.

S'appuyant sur le manche de sa pelle qui paraissait minuscule entre ses énormes mains, Rolf se redressa. « Nous en aurons fini dans une semaine, Monsignore.

— Parfait, mon frère. »

Un gros terrassier joufflu, qui mâchait de la gomme, se redressa à l'entrée de la grotte où il creusait. « Nous avons quelques difficultés,

Monsignore. La lumière s'éteint trop souvent. » Il fit passer la gomme par-dessus sa langue et se remit à mâcher comme vache qui rumine.

Montag poussa un profond soupir puis parla lentement, comme s'il s'adressait à un enfant attardé. « Je vérifierai la génératrice, mon frère. » Il se tourna vers le jeune prêtre qui l'accompagnait. « Le matériel laisse à désirer, vous savez, dit-il agacé.

— Je le sais.

— Nous accomplissons pourtant une mission importante.

— Et pour une bonne cause, Monsignore. »

Montag posa un bras sur les épaules du prêtre pour le reconduire le long du même couloir vers l'entrée des catacombes. Les treuils tournant à l'entrée embobinèrent les cordes qu'ils avaient traînées derrière eux.

« Vous avez une drôle d'équipe ici, dit le prêtre quand ils arrivèrent à l'escalier. On voit rarement un moine porter une boucle d'oreille.

— Le frère Rolf nous est arrivé voilà quelques années. Il descend d'une longue lignée de gitans. Pour lui, c'est une affaire de tradition. »

Le prêtre hocha la tête avec indulgence. Ils arrivèrent à la lumière du jour.

« Je ne sais pas ce que nous ferions sans vous, Monsignore Weiller, dit le jeune prêtre.

— Nous ne travaillons que pour la plus grande gloire de notre Sainte Mère l'Eglise. »

Le prêtre se glissa sur le siège arrière d'une Fiat noire. Il abaissa la vitre et leva les yeux vers Montag. « Monseigneur l'évêque sera satisfait », dit-il.

Montag sourit benoîtement. « Transmettez-lui mes plus humbles respects, je vous prie. »

Le prêtre hocha la tête et la Fiat démarra.

Pendant que Mgr Weiller regardait la voiture dévaler la colline vers la via Portuense, un cul-de-jatte en loques arrêta son chariot à ses pieds. Tout à coup, il sentit une main tirer la jambe de son pantalon. Il baissa la tête, vit le visage suppliant du mendiant et la main noueuse qui l'agrippait.

En regardant ce visage, il se mit à trembler, chercha à s'écarter mais resta figé sur place. Sa main droite s'éleva jusqu'à sa joue qu'il frotta. Des souvenirs de Lodz éclatèrent dans sa mémoire.

HUITIÈME PARTIE

1940

Un crêpe brumeux voilait le soleil au-dessus de Lodz, en Pologne. Au milieu d'un terrain vague, hors des anciennes fortifications, on avait creusé un trou carré de six mètres de profondeur et de treize mètres de côté. Dans le ronflement des pelles excavatrices, dominé de temps en temps par le feu saccadé des mitrailleuses, des centaines d'hommes, de femmes et d'enfants nus marchaient vers leur tombe.

Le lieutenant SS Hans Heinrich Montag regarda prudemment au fond du trou en frappant ses bottes du bout de sa cravache. L'odeur de la chair en putréfaction monta à ses narines. Efficace mais désagréable, pensa-t-il en se pinçant le nez.

Il se tourna vers le cortège des détenus. Des milliers de condamnés avaient tracé un sentier qui s'approfondissait. Cinq par cinq, ils arrivaient au bord de la fosse. On leur ordonnait de s'agenouiller. Une rafale de mitrailleuse les précipitait en avant.

La proximité physique de ces exécutions avait changé l'idée que le lieutenant SS se faisait de la vie. Il lui avait fallu un certain temps pour s'habituer à la puanteur, aux visages effarés, aux regards suppliants. Même lorsqu'il ne voyait pas les figures, les nuques inclinées au-dessus du trou avaient chacune leur caractéristique : large, mince, chevelue, chauve, exprimant la terreur ou le défi. Mais au bout d'un certain temps, après être resté là jour après jour, raide, impeccable dans son uniforme noir, Montag jugea cela tout simplement ennuyeux.

Au début il avait trouvé drôle ces hommes et ces femmes nus qui pensaient encore à couvrir leur sexe de leurs mains. Même le caractère futile de ce geste ne l'amusait plus. Il enregistrait mentalement les scènes qui se déroulaient sous ses yeux mais ne les voyait pas plus qu'un aveugle.

Jusqu'à ce qu'il adhérât aux SS, la vie de Montag, fils d'un employé de banque, avait été marquée par la médiocrité jusque dans ses moindres détails. Il était passé par quelques bonnes écoles, s'était même inscrit à l'université de Berlin. Mais la négligence et la paresse l'avaient toujours maintenu au dernier rang de sa classe. Dénué de tout attrait, incapable d'attirer l'attention des filles qu'il désirait, nul au point de vue sportif, Hans n'avait poursuivi ses études qu'en flattant les autorités scolaires. Il n'enfreignait jamais aucun règlement. C'est ainsi qu'il était parvenu à avancer de classe en classe, d'année en année. Dénué d'intelligence, il était quand même rusé.

Enfin, dès sa première année d'université, sa nullité se manifesta de façon trop éclatante. Il échoua au premier examen de passage et se vit obligé de chercher du travail. Son père fit appel à un ami qui trouva pour Hans une place n'exigeant guère d'effort chez un négociant munichois en objets d'art.

Le patron ne tarda pas à réaliser l'inaptitude du jeune homme et l'aurait volontiers congédié si ce dernier n'avait pas adhéré au parti nazi. En désespoir de cause il le garda à son service en espérant qu'il lui serait utile d'une autre manière. Montag s'en rendit compte et ce fut pour lui une véritable révélation qui orienta sa destinée.

Son ascension commença un soir dans une brasserie où il se battit avec un étudiant qui raillait Hitler. Les deux combattants furent arrêtés par la police. L'étudiant passa en justice mais on relâcha Montag sans dommage. Il demanda alors à être admis dans les SS.

En quittant le commissariat de police, ce soir-là il jubilait. On lui reconnaissait enfin un talent. Il allait montrer au parti combien ses dirigeants avaient eu raison de lui accorder leur confiance.

Parmi les SS, Montag monta rapidement en grade. Au bout de quelque temps on l'affecta au service des mœurs de la Gestapo, ce qui lui permit d'exercer un pouvoir considérable sous prétexte de combattre immoralité et homosexualité dans les rangs du parti. Ses supérieurs reconnurent en lui un de leurs semblables.

On aurait tort de croire que Montag se dévouait au parti nazi. Toute question politique lui était indifférente. Une seule chose l'intéressait : l'exercice du pouvoir. A part cela, la notion du bien et du mal lui échappait complètement. Un acte que la plupart des gens considéraient comme vil devenait admirable à ses yeux s'il le favorisait. Ni moral ni immoral, il était plutôt amoral.

Quand la guerre éclata en septembre 1939, Montag fut affecté à une unité spéciale. Sa tâche consistait à suivre l'armée allemande et à faire appliquer l'idéologie nazie dans les territoires occupés. Le lieutenant Hans Montag comprenait parfaitement ce que cela signifiait : éliminer les juifs d'Europe.

Nous voilà donc dans la banlieue de Lodz, au bord du trou de la mort. Du sommet d'une pile de cadavres, un vieillard considère Montag d'un regard suppliant. Trop faible pour parler, il tend la main et ses doigts amaigris, minces comme des serres, saisissent une des bottes luisantes du lieutenant SS.

Montag essaya de se dégager mais le vieillard se cramponna avec toute l'énergie du désespoir. Pendant un instant fugace, le nazi craignit de perdre l'équilibre et de dégringoler dans la fosse remplie de cadavres et d'agonisants. Mais le vieillard se mourait et ses doigts glissèrent sur la botte.

Bien que libre de ses mouvements, le lourd lieutenant SS resta paralysé au bord de la fosse. Il tremblait. Sa main gantée de noir s'éleva vers son visage et d'un geste automatique il passa l'index sur le nævus qui enlaidissait sa joue ronde de chérubin.

Un sergent SS, trapu, à la nuque de bovidé, fit un pas en avant, une cigarette collée à la lèvre inférieure. Il brandit son fusil en le tenant par le canon et écrasa la face du vieillard qui retomba dans le trou et roula jusqu'au bas d'un tas de cadavres.

Bouleversé malgré tout, Montag s'éloigna de la fosse pour aller à l'endroit où les prisonniers se déshabillaient. En y arrivant il avisa une vingtaine de Polonais de tous âges qui retiraient leurs vêtements. Il y avait parmi eux une gamine aux longs cheveux blonds qui tenait un bébé sur ses bras. Le petit être gazouillait, ravi, sous les yeux de ses parents qui ne pouvaient retenir leurs larmes.

« Pressez-vous ! vociféra Montag. Il y en a d'autres qui attendent. »

Il ne venait même pas à l'esprit des prisonniers d'implorer miséricorde. Chacun faisait un petit tas avec ses vêtements, sous-vêtements, souliers, bijoux. Quand on leur ordonna d'avancer, la jeune fille blonde passa auprès de Montag. Un doigt sur sa poitrine, elle dit en polonais : « Quatorze ans. »

Montag hésita un instant puis lui fit signe de s'arrêter et lui demanda : « Comment t'appelles-tu ?

— Léna, dit-elle. Léna Kolarska. »

Un petit être innocent, pensa-t-il en admirant ce jeune corps. Il caressa la tête du nourrisson et ordonna à un soldat de le remettre à sa mère qui continuait à avancer vers la fosse. Puis il envoya la gamine vers un camion vide. « Trouvez une couverture et donnez-la-lui », aboya-t-il par-dessus son épaule, en retournant vers le trou de la mort.

La gamine se débattit pour échapper aux soldats et rejoindre sa famille. Mais ce fut en vain. Pendant qu'on l'entraînait vers le camion, elle se retourna et vit les siens, y compris son petit frère, tomber dans la fosse.

Quand on la jeta dans le camion, les mitrailleuses crépitaient encore. Elle s'accroupit dans un coin, pétrifiée.

Ce soir-là Léna attendait debout au bord du tub où Montag prenait son bain. Il lui parlait mais elle n'écoutait pas. Elle n'éprouvait que de la haine. Elle n'oublierait jamais ce que cet homme lui avait fait. Désormais sa destinée était fixée. Elle n'en attendait rien : ni amour, ni enfant, ni foyer. Elle ne vivrait que pour se venger. Un jour Hans Montag souffrirait affreusement, comme il l'avait fait souffrir.

« Sais-tu ce que vaut la parole d'un SS ? demanda Montag. Sais-tu la valeur de sa parole ? »

Elle hocha la tête en le regardant sans le voir.

« Bien. Il importe que tu le saches. Si tu m'obéis, si tu te conduis bien, si tu apprécies ce que j'ai fait pour toi, je te promets de mener une vie heureuse avec nous. Je t'en donne solennellement ma parole de SS. » Montag leva la tête vers elle et sourit. « Alors que réponds-tu ?

— Je ferai ce qu'on me dira de faire », dit-elle en détachant chaque mot, lentement, d'une voix morne.

Montag se mit debout dans le tub. « Donne-moi une serviette », ordonna-t-il. Elle s'exécuta. Nu, il paraissait tout rond et blanc, hormis l'horrible chose rosâtre qui pendait entre ses jambes.

Il sortit du tub tout en s'essuyant. Puis, les yeux brillants il saisit son pénis et le caressa pour le faire gonfler entre ses mains. « Ça te plaît, mignonne ? En as-tu déjà vu un aussi beau ? »

Elle pivota sur elle-même et s'éloigna les bras croisés sur sa poitrine.

Montag la rattrapa d'un bond, la fit tourner vers lui et la gifla. « Je ne te frapperai plus jamais, dit-il froidement. La prochaine fois, je te ferai fusiller. »

Elle baissa les yeux et souffla : « Je comprends. »

Il grogna de satisfaction, alla fermer la porte à clé et retourna vers elle. « Viens », dit-il.

Elle s'approcha de lui. Il la prit dans ses bras. Son haleine empestait la bière. Il lui guida la main vers son érection. La maladresse de cette vierge le fit sourire. « Déshabille-toi », dit-il.

Elle portait une robe marron d'une seule pièce, boutonnée par devant, de haut en bas. Elle lui tourna le dos pour défaire les boutons un par un. Elle tremblait tellement qu'elle arracha le dernier qui lui resta dans la main. La robe tomba sur le plancher. Elle était nue. Les soldats ne lui avaient rien donné d'autre pour se vêtir.

Elle se jeta à plat ventre sur le lit, la tête entre les bras et sentit Montag s'aplatir sur elle.

« Ton corps est fait pour le plaisir, dit-il. Ne crains rien. »

Il se mit à califourchon au-dessus d'elle et tapota les petites fesses rondes, caressa le dos et glissa la main sous le torse pour prendre les seins. Elle éprouvait une douleur sourde et grinçait des dents en s'efforçant de rester immobile. Elle n'osait pas retourner la tête pour le regarder. Si elle l'avait fait, elle n'aurait plus été capable de céder.

Il lui saisit les fesses, les souleva et les écarta. De la main gauche il lui poussa les épaules contre les draps. De la main droite, il la maintint en place tout en pointant son pénis entre les jambes.

« Regardez-moi ça. Comme c'est beau ! » Il se parlait à lui-même. « Tellement fraîche. Elle veut vivre. Elle me veut... »

Elle sentit quelque chose de dur pointer entre ses jambes puis la pénétrer. Il la déchirait. Elle hurla de douleur, se retourna sur le flanc et se débattit.

« Non ! » cria-t-elle en lui échappant.

Montag la saisit par les épaules et la rejeta sur le lit dans la même position. De nouveau il l'écrasa de tout le poids de son corps, les genoux serrés entre les cuisses de la jeune fille. Il les écarta et saisit les seins. Il la serra de toutes ses forces en haletant.

Elle poussa un cri de douleur et chercha encore à lui échapper mais il la maintint. Puis, comme s'il défonçait un mur dans son ventre, il la pénétra totalement. Il grogna, se démena. Elle crut qu'il se retirait d'elle. Il revint à l'assaut, une fois, deux fois puis ce fut fini. Il s'immobilisa. Elle sentit que le drap était mouillé sous elle. Elle y vit du sang.

Un moment plus tard, il roula sur le flanc. Sans se rendre compte de ce qu'elle faisait, elle jeta un coup d'œil dans sa direction. Il consultait sa montre. Aussitôt après, il s'endormit. Elle resta immobile, osant à peine respirer.

A minuit on frappa à la porte. Montag s'éveilla d'un profond sommeil. Son ordonnance lui remit une dépêche du quartier général de la Luftwaffe, à Berlin. On lui ordonnait de quitter Lodz sur-le-champ pour se présenter au Reichsmarschall Hermann Göring.

Il laissa la gamine sur le lit et s'habilla à la hâte.

« Je le savais, je le savais, murmurait-il. Il va se passer de grandes choses. » Il se tourna vers Léna. « Ça va la belle ? »

Elle hocha la tête, hébétée.

Cinq minutes plus tard, en tenue, il s'admirait devant le miroir, tout à fait satisfait de lui-même : bottes noires luisantes, pantalon bien pressé, chemise impeccable.

De nouveau il se tourna vers Léna en serrant sa ceinture à boucle d'argent sur laquelle figurait la devise des SS : MON HONNEUR EST FIDÉLITÉ. Il ramassa sa casquette, s'en coiffa puis vérifia dans le miroir si la tête de mort était bien au milieu du front.

Il saisit sa valise, ouvrit la porte et embarqua dans la Mercedes noire réquisitionnée pour le conduire au terrain d'aviation.

Debout devant la porte, son ordonnance montra l'intérieur de la pièce et demanda : « Que devons-nous en faire ? »

Montag haussa les épaules. « Tout ce qui est à moi appartient à mes hommes, dit-il ravi par sa propre bienveillance. Prenez cette petite truie. Elle est à vous... »

Le trimoteur Junker de transport, arborant des croix gammées noires sous ses ailes, cahota au long de la piste d'atterrissage à l'aérodrome de Berlin et s'arrêta brusquement. Hans Montag en descendit d'un bond et se précipita vers la Horch décapotable qui l'attendait.

Deux heures plus tard cette voiture roulait à travers la forêt brumeuse qui entourait le domaine de cinq mille hectares du Reichsmarschall Hermann Göring. Sur la banquette arrière, Montag se caressait nerveusement la joue. Avant peu, il se trouverait en présence du Reichsmarschall, chef de la Lutwaffe, homme le plus puissant d'Allemagne après Hitler lui-même. Il se demandait le motif de sa convocation. La dépêche n'expliquait rien.

Baptisé en l'honneur de feu son épouse Karin, le manoir de Göring se trouvait au milieu d'une clairière parsemée de petits sapins. Le bâtiment rappelait les chalets de montagne bavarois. Construit en pierre et bois il était couvert d'une imitation de chaume. Des cornes de cerf pointaient, de-ci, de-là, sur la façade. Montag remarqua que cette partie du domaine était ceinte de fil de fer barbelé avec, de place en place, des plates-formes de mitrailleuse et des tours de guet. L'ensemble lui rappela les camps de concentration.

A l'entrée principale, un jeune lieutenant de la Luftwaffe, portant l'uniforme bleu gris de son arme, accueillit Montag en levant le bras droit : le salut nazi.

« *Heil Hitler!* » s'exclama Montag en guise de réponse.

Ce lieutenant, un certain Kropp, conduisit le nouveau venu au-delà des lourdes portes de chêne dans un couloir bordé de chaque côté de vitrines dans lesquelles s'étalaient des souvenirs d'or et d'argent : tasses, plateaux, bâtons, médailles et toutes sortes d'autres cadeaux offerts par des chefs d'Etat au Reichsmarschall.

Le claquement des bottes sur le plancher ciré éveillait des échos d'un bout à l'autre du couloir. Montag savait que Göring possédait sept autres résidences en plus de son Karinhall. Il y avait l'hôtel particulier de Berlin, le château du XVIe siècle près de Bayreuth, la ferme modèle et la maison de campagne dans la grande banlieue de Berlin, un autre rendez-vous de chasse à la frontière prussienne et enfin une ferme plus petite près de chez Hitler à Berchtesgaden.

A l'extrémité du couloir il suivit Kropp sur un escalier de bois ciré. « Vous logerez ici cette nuit », dit le lieutenant de la Luftwaffe en ouvrant la porte d'une chambre au premier étage. La fenêtre donnait sur la forêt. Avant de se retirer, Kropp ajouta : « Le Reichsmarschall compte sur vous à la réception et au dîner en l'honneur du général von Manstein, à qui nous devons notre magnifique victoire sur la France. La cérémonie commencera à huit heures précises dans la salle d'honneur.

— *Jawohl! Heil Hitler!* » répondit Montag en saluant élégamment à la manière nazie. Il était enchanté. A ce moment-là l'Allemagne chantait les louanges de Manstein. Brillamment mis à exécution par Hitler, son plan avait permis d'anéantir les armées ennemies en France et aux Pays-Bas. Pourtant Montag ne comprenait pas pourquoi on l'invitait à une réception en l'honneur de ce héros. Il se promit d'en tirer le meilleur parti possible, prit un bain, endossa un autre uniforme et, à huit heures précises, descendit le grand escalier de Karinhall pour se rendre à la salle d'honneur au plafond voûté, soutenu par des poutres énormes. Des troncs d'arbre brûlaient dans une cheminée de pierres entourée de trophées de chasse.

Les autres murs étaient couverts de tableaux dans des cadres dorés. Une coupe de champagne à la main, Montag admira les toiles. Il reconnut un Dürer qui, à lui seul, valait deux millions de deutschmarks. A côté, se trouvait un Bruegel. Encore une fortune. Un Cranach. De tous les coins de la pièce, des œuvres d'art peintes par les plus grands maîtres du passé regardaient Montag.

La fête battait son plein. Maréchaux, généraux, amiraux et autres officiers des plus hauts rangs, en uniformes de gala, aux galons d'or et constellés de médailles, marivaudaient avec des femmes en robe du soir aux bijoux étincelants. La salle d'honneur sentait la pommade, le parfum, le feu de bois, le rôti d'agneau, de sanglier et de cerf, qu'une phalange de cuisiniers à toques blanches débitaient en tranches à un buffet.

Le jeune et brillant général Erich von Manstein recevait cordialement les félicitations auprès de la cheminée. Défilaient devant lui des officiers généraux et supérieurs de l'état-major. Montag reconnut à ses côtés le général von Brauchitsch, nouvellement promu commandant en chef de la Wehrmacht ; Jodl, le chef des opérations, dont la chevelure se clairsemait. Keitel, chef de l'état-major et l'amiral Canaris chef de l'Abwehr : service de renseignements allemand.

Tout à coup il se produisit un remue-ménage général près de la porte, comme si une faux avait balayé l'entrée de la salle. Le Reichsmarschall Hermann Göring apparut. Ce soir-là il arborait un uniforme blanc de neige aux brandebourgs bleu clair avec cinq rangées de médailles sur la poitrine. En outre « Max le Bleu » (pour le mérite) pendait en sautoir, à un ruban noir, blanc, rouge. Hermann Göring avança lentement entre deux rangées d'admirateurs. Il s'arrêta pour échanger quelques mots avec le Reichsleiter Alfred Rosenberg, idéologue en chef du parti nazi et homme de confiance d'Adolph Hitler depuis longtemps.

Rosenberg portait un complet marron à veston croisé, trop grand pour lui et particulièrement minable parmi les officiers en grand uniforme. Mal peigné, la peau blafarde, il regardait autour de lui d'un air amer, à travers ses lunettes aux verres non cerclés.

Sachant que Göring et Rosenberg se détestaient, Montag s'approcha d'eux pour entendre ce qu'ils se disaient. « Ah... Reichsleiter, tonitrua Göring à l'intention de Rosenberg. Nous serons bientôt à Paris. »

Inclinant légèrement la tête de côté Rosenberg répondit : « Voilà un moment capital pour le Reich, Herr Reichsmarschall. La Luftwaffe s'est conduite brillamment. »

Sa grosse main aux doigts boudinés appuyée contre son flanc, le Reichsmarschall plissa les paupières et dit : « Votre personnel est prêt évidemment ?

— Nous estimons, en effet, que vingt à trente mille œuvres d'art passeront entre nos mains d'ici à quelques mois, répondit Rosenberg en reculant d'un pas. Les plus belles seront évidemment réservées au Führer pour son musée de Linz.

— *Natürlich !* s'exclama Göring l'air radieux. Toujours le meilleur pour notre Führer. » Il posa la main sur l'épaule de Rosenberg puis poursuivit son chemin.

Montag ne doutait pas que ce bref échange de propos entre Göring et Rosenberg présentait beaucoup plus d'importance qu'il n'y paraissait.

Les choses se passèrent tout autrement quand Göring salua Manstein et les autres officiers rassemblés près de la cheminée. A quarante-sept ans, Göring était le chef nazi le plus populaire dans l'armée. Certes, les militaires l'appelaient par raillerie *der Dicke :* le Gros. Le Reichsmarschall pesait en effet cent vingt-neuf kilos. En dépit de ses tenues sémillantes, de ses changements répétés d'uniforme, de ses bagues ornées de diamants et de ses épingles à cravate serties d'émeraudes, les militaires admiraient en lui l'as de l'aviation dont les exploits au cours de la Première Guerre mondiale lui donnaient le droit de les commander.

Un quatuor à cordes entama un air de Haydn. D'un geste, Göring invita les convives à s'attabler. Conformément à son grade, Montag n'eut droit qu'à une place fort éloignée de l'amphitryon qui quitta d'ailleurs la salle dès qu'on servit le repas.

L'assiette du lieutenant était encore vide quand Kropp se pencha à sa droite et lui chuchota à l'oreille. « *Bitte, Leutnant,* suivez-moi. »

Kropp conduisit Montag par un labyrinthe de couloirs. Ils passèrent devant plusieurs portes gardées par des sentinelles de la Luftwaffe qui claquèrent des talons à leur approche. Tous ces aviateurs se ressemblaient : jeunes blonds, yeux bleus, teint rose.

Les deux lieutenants s'arrêtèrent devant une double porte de chêne incrustée d'un aigle et d'une croix gammée en or. Kropp l'ouvrit et s'écarta pour livrer passage à Montag qui pénétra dans une pièce peu éclairée, salua et s'immobilisa au garde-à-vous. Des peaux d'animaux couvraient le plancher. Des têtes d'animaux constellaient les murs. La pièce sentait l'odeur des animaux naturalisés.

Hermann Göring qui avait eu le temps de revêtir un uniforme bleu ciel, trônait dans un énorme fauteuil. « Approchez, lieutenant Montag, et asseyez-vous », dit-il en désignant un autre fauteuil en face de lui.

Anxieux, Montag prit place au bord du siège. Son nom écrit sur la couverture d'un dossier posé sur les genoux de Göring le consternait. « D'après votre passé, il semble que vous vous y connaissiez en fait d'art, lieutenant.

— Des connaissances très modestes, Reichsmarschall...

— Bien. Les tâches désagréables ne vous répugnent pas et vous les exécutez à souhait.

— Je fais de mon mieux », dit Montag encore plus inquiet.

Göring se leva, traversa un angle de la pièce pour atteindre son bureau, ouvrit un tiroir et en tira un petit flacon contenant des pilules blanches. Montag avait entendu dire que le Reichsmarschall se droguait. Il ne savait d'ailleurs pas si der Dicke prenait des pilules pour dompter son appétit insatiable, pour vaincre son insomnie ou encore pour stimuler son énergie. En tout cas il se droguait.

Montag jugea bon de détourner son regard qu'il fixa sur l'unique tableau de la pièce représentant une scène religieuse.

En retournant à son fauteuil Göring dit en souriant : « Vous avez remarqué ma peinture favorite, lieutenant.

— Une œuvre superbe, étonnante.

— Un Vermeer, dit Göring fier de lui : *Femme surprise en flagrant délit d'adultère.* Il m'a coûté cher. Je l'ai troqué contre deux cents toiles. Il les vaut. Qu'en dites-vous lieutenant ? »

Montag acquiesça d'un long hochement de tête.

Göring marqua un temps d'arrêt et relâcha le bouton supérieur de sa tunique. Il croisa les jambes et balança un pied. « J'ai une tâche pour vous, dit-il enfin.

— J'en suis très honoré, répondit fermement Montag, enchanté.

— Ce que je dis à partir de maintenant doit rester absolument secret.

— Evidemment, Reichsmarschall. » Ces mots jaillirent spontanément des lèvres de Montag.

« Nous serons à Paris avant un mois, reprit der Dicke. Un trésor fabuleux d'objets d'art nous y attend. Toutefois l'affaire n'est pas simple. Rosenberg veut tout prendre. Il a la liste de toutes les œuvres de grande valeur. » Göring plissa les paupières. « Moi aussi », ajouta-t-il. Montag hocha de nouveau la tête. « Les SS seront chargés des confiscations, évidemment. Voilà où vous entrez en jeu. Je veux que certains articles me soient réservés. *Verstehen Sie?* (comprenez-vous).

— *Jawohl Herr* Reichsmarschall, répondit Montag. Comment voulez-vous que je procède ?

— Mes agents de renseignements en France m'ont indiqué que les oiseaux juifs fuient leurs nids. Quelques-unes des plus belles collections ont déjà été transportées hors de Paris. Certaines ont même quitté la France. Mais d'autres, parmi les plus intéressantes y sont dissimulées. Nous ne les avons pas encore repérées. Mais nous savons où se trouve la collection Rostand. Cela vous fournit un point de départ. »

Göring se leva de nouveau et retourna à son bureau. Il fit tourner la clé du tiroir central, l'ouvrit, en sortit une liasse de papiers dans laquelle il choisit deux feuillets. Il retourna vers Montag, s'assit, lui tendit ces documents et dit : « Cela vous sera utile.

— Vous pouvez compter sur moi, dit Montag en se levant. M'est-il permis de supposer que je pourrai agir selon mes propres méthodes dans cette affaire ? »

Göring relâcha deux autres boutons dorés de sa tunique. « Opérez comme il vous plaira mais n'oubliez pas un seul instant que vous n'opérez pas officiellement pour moi. Il s'agit d'une affaire personnelle et pas de la politique d'Etat.

— Je comprends parfaitement, dit Montag.

— Quant aux juifs, je n'ai rien contre eux, personnellement. Peut-être trouverez-vous plus profitable de traiter avec ces gens-là au lieu de les exterminer. Je ne suis pas fanatique comme Rosenberg. »

Montag resta apparemment impassible bien qu'il réprouvât l'opinion du Reichsmarschall. Selon lui, le Führer avait raison : les juifs étaient l'ennemi principal. Mais évidemment les sympathies du Reichsmarschall ne regardaient que lui. Montag savait que Göring protégeait quelques juifs qui travaillaient pour lui. Des bruits qui couraient au sujet de son impureté raciale étaient venus aux oreilles de Montag. Göring aurait eu un père naturel juif. « Je comprends, Herr Reichsmarschall.

— Très bien, capitaine. Les fanatiques ne survivent pas. »

Montag rectifia la position, salua et souffla : « Capitaine ?

— Oui, capitaine Montag. Vous recevrez votre ordre de mission et votre promotion dans la semaine. Cela vous permettra d'agir plus efficacement pour moi. Vous pouvez disposer. »

Montag arriva à Paris le lendemain de sa capitulation.

Trois jours plus tard, il entreprit d'exécuter le plan qu'il avait mis au point entre-temps. Ses agents lui avaient indiqué que la plupart des collections d'œuvres d'art importantes appartenant à des juifs étaient cachées dans la ville même en des endroits connus par deux personnes seulement : Paul Drach et André Rostand.

Drach fut arrêté sur ordre de Montag et conduit au siège de la Gestapo. Deux jours plus tard on le traîna sur un escalier jusqu'à une pièce vide aux murs carrelés de blanc.

Montag et le sergent SS Horst Schlenker l'y attendaient. On conduisit Drach au milieu de la pièce sous une poulie accrochée au plafond. Un des gardiens qui l'avaient amené là lui réunit les mains derrière le dos, l'autre lui passa des menottes. Drach se débattit. Un des gardiens passa un crochet entre les deux bracelets des menottes et tira sur une corde tombant de la poulie.

Les mains jointes derrière le dos, Montag regarda Drach droit dans les yeux. Le prisonnier s'efforçait de ne pas y prêter attention et maintenait les yeux fixés sur le carrelage du sol. Montag fit un signe. Le gardien qui tenait la corde hissa le prisonnier d'une cinquantaine de centimètres. Montag attendit que les yeux de Drach se fixent sur les siens. Ça se passait toujours ainsi. Au bout d'un certain temps ils voulaient tous reprendre contact avec le sol. Ce besoin devenait si impérieux qu'ils se mettaient à parler. Montag pivota sur lui-même et fit signe à Schlenker d'approcher. « Parle-lui, dit-il sèchement. Tu sais ce que je veux. »

Schlenker plissa les lèvres. Son visage bouffi rayonna. Taille : un mètre quatre-vingts ; carrure : un mètre ; yeux de fanatique halluciné.

Schlenker avança vers Drach, les bras croisés sur la poitrine, un stick de cavalier à la main. Il tendit cette cravache à un des gardiens, se débarrassa de sa tunique et roula les manches de sa chemise. Puis il parla d'une voix saccadée : celle d'un obsédé. « Vous savez pourquoi vous êtes ici. Dites-moi ce que vous savez et tout ira bien. Vous conserverez votre beau visage. Une figure d'Aryen. Nez droit, yeux bleus brillants, cheveux blonds. Vous pourriez être allemand ! »

Drach resta muet.

Schlenker souleva de sa main gauche le menton de Drach. « Je vous dis que votre figure me plaît. Vous ne savez pas répondre à un compliment ? » Il gifla le prisonnier. Le coup fit apparaître une tache rouge sur la joue de Drach. Schlenker sourit et frappa de nouveau.

Drach s'écria : « Salopard, je ne dirai rien ! »

Schlenker haussa les épaules. « Quel dommage ! » dit-il. Il se tourna vers un des gardes, hocha la tête et dit : « Vas-y. »

Le SS en pantalon noir et bottes montantes, fit un pas en avant et déchira la chemise de Drach pour lui découvrir le dos, puis lui arracha son pantalon et fit un pas en arrière. Pendu par les mains derrière le dos, Drach ne conservait plus que ses bottes de caoutchouc.

Schlenker étendit la main et le gardien lui donna sa cravache.

Montag observait la scène avec intérêt. C'était la première fois qu'il assistait à un interrogatoire selon les procédés de la Gestapo. Le premier coup fit éclater la peau sur les fesses de la victime. Drach resta muet, ce qui étonna ses bourreaux. Quand la cravache siffla de nouveau, Montag eut l'impression de voir la douleur monter le long de la colonne vertébrale de Drach et éclater dans son cerveau.

La victime serra les dents mais ne cria pas plus au deuxième coup qu'au premier. Le troisième fut décisif : Drach vociféra. Montag se demanda s'il n'allait pas déchirer ses cordes vocales. Les coups de cravache continuant à pleuvoir, Drach se démena comme un poisson au bout d'une ligne. Il tournait sur lui-même, pendu à la corde, la tordait, tourbillonnait mais ne parvenait pas à éviter la cravache.

Montag remarqua que les mains enflaient à partir du poignet et qu'elles bleuissaient. Puis les veines capillaires éclatèrent, répandant un liquide violacé sur les doigts et la main.

L'interrogatoire dura plusieurs heures. Drach cria épisodiquement de douleur mais ne dit rien d'intelligible. De temps en temps, Montag enjoignait à Schlenker de cesser. Alors il parlait à son prisonnier. Il lui disait cordialement qu'il lui déplaisait de voir des brutes le martyriser. C'était trop dommage. Tout pourrait se terminer en un instant si Drach consentait à révéler quelques petits secrets. Où se trouvaient les collections ? Qu'en avait-il fait ? Il n'était pas juif et ne devait rien à ces porcs.

Drach continua à décevoir Montag qui en perdait la tête. Pourquoi cet homme tenait-il tant à protéger une aussi méprisable racaille que les juifs ?

Enfin Schlenker suggéra une méthode de persuasion plus efficace. Montag hocha la tête et recula de quelques pas. Les gardiens lâchèrent la corde. Les pieds de Drach reprirent contact avec le sol. On le ligota sur une chaise à dossier droit.

Montag observa fasciné les SS qui ajustaient une pince de cuivre aux testicules de Drach et une autre de plus grande dimension à sa tête.

A demi consciente la victime considérait d'un œil vague Schlenker qui lui répétait les mêmes questions que Montag. Il secoua la tête mais des larmes coulèrent sur son visage. Une lueur de sympathie passa dans le regard de Schlenker qui n'en appuya pas moins sur une manette. Drach hurla quand le courant électrique pénétra son corps par les testicules.

Schlenker l'interrogea de nouveau. Drach secoua encore la tête et cria ; cette fois du sang lui jaillit de la bouche parce qu'il s'était mordu la langue. Livides, ses mains se crispaient sur le bord de la chaise.

Le courant électrique continua de lui ravager l'organisme. Les jambes du supplicié s'agitèrent convulsivement. Il rejeta la tête en arrière. Enfin il perdit conscience.

« Voilà un détenu opiniâtre », dit Schlenker visiblement stupéfait.

Montag haussa les épaules. « Ne vous en faites pas, sergent. Il y a d'autres moyens. Rapportez-le dans sa cellule. »

Quinze jours plus tard, revenant de Monte-Carlo avec la liste qu'André Rostand lui avait fournie, le capitaine SS Hans Montag reparut sûr de lui au siège de la Gestapo. Il donna des instructions pour que Paul Drach lui fût amené lavé, pansé et rasé.

Cet après-midi-là, hébété, à peine capable de marcher, Drach fut conduit par une succession de couloirs jusqu'à un poste de garde derrière une porte vitrée. Montag s'y trouvait assis derrière un grand bureau. Il sourit joyeusement et lui demanda : « Comment allez-vous ?

— Vous n'obtiendrez rien de moi, répondit Drach d'une voix à peine intelligible tant il avait les lèvres enflées.

— Rien, en effet. Je ne vous demande d'ailleurs rien du tout, monsieur. Nous avons malheureusement commis une erreur. » Montag se pencha au-dessus de son bureau en affectant un air de commisération. « Que pourrai-je faire pour vous ? » Cette question aurait pu passer pour une étreinte verbale.

« Me relâcher. »

Un sourire radieux éclaira le visage de Montag. « Avec ou sans vos tableaux ? »

Drach daigna enfin abaisser son regard vers Montag. « Avec évidemment.

— Il y a pourtant un pépin. Nous sommes tombés sur des documents falsifiés. »

Drach ne pipa mot.

« Tout compte fait, il s'agit d'un délit, reprit Montag.

— Que voulez-vous ?

— Rien. Je vous l'ai déjà dit. » Comme il le faisait souvent, Montag passa son index sur le bas de sa joue. « Tout est prêt pour votre élargissement. Vous reverrez les rues de Paris. Je vous le garantis. Vous avez ma parole de SS. »

Drach considéra Montag d'un air sceptique. « Quand ? demanda-t-il sans conviction.

— Sur-le-champ. Ma voiture attend devant la porte. » Montag se leva, frappa cordialement l'épaule de Drach et sourit. « Alors on y va ? »

Drach suivit en boitillant Montag jusqu'à la porte donnant sur la rue Lauriston. On lui remit ses affaires personnelles ainsi qu'un document lui rendant la liberté. Il y en avait deux exemplaires. Montag lui tendit son stylo pour en signer un. Drach s'exécuta et rendit le stylographe à Montag. « Gardez-le, dit l'Allemand. Ce sera un souvenir. »

Ils arrivèrent sur le trottoir en plein soleil au début de l'après-midi. « Quel beau temps pour une promenade », dit Montag. Il posa le bras sur les épaules de Drach. « Soyez prudent. Reposez-vous pendant quelques jours. On vous a très mal traité. »

En se gardant de sourire, Drach monta auprès de Montag dans la conduite intérieure Horch noire, au moteur de huit cylindres. La voiture était assez large pour que deux SS s'assoient à chaque extrémité de la banquette.

Montag se tourna vers Drach. « Etant donné que vous êtes notre invité, vous pouvez choisir l'itinéraire.

— Par où vous voudrez, répondit Drach, pourvu que j'arrive chez moi.

— Vous ne voyez pas d'inconvénient à nous arrêter de temps en temps. J'ai des choses à ramasser en cours de route.

— Comme il vous plaira, dit Drach qui paraissait rasséréné et même reconnaissant.

— Bravo », dit Montag. Il se pencha vers le chauffeur et ordonna : « Allons-y. »

La Horch fila devant le Trocadéro, prit l'avenue du Président-Wilson et arriva place de l'Alma. Elle franchit un pont pour passer sur la rive gauche. Le long du quai, elle doubla une douzaine de camions garés le long du trottoir. A l'intérieur se trouvaient des soldats allemands. Aussitôt après le passage de la voiture, ces véhicules démarrèrent.

Drach jeta un coup d'œil par la lunette arrière. « Mais c'est un défilé, mon capitaine, dit-il.

— Pas du tout, Drach, répondit Montag en riant. Nous allons procéder à quelques visites domiciliaires. »

Un instant plus tard la Horch s'arrêta quelques mètres au-delà d'un portail isolant le trottoir de l'église Saint-Pierre-du-Gros-Caillou.

Le bâtiment voisin abritait un des principaux dépôts d'objets d'art appartenant à des juifs.

Drach comprit aussitôt, sursauta et saisit Montag à la gorge. Les deux SS intervinrent, et s'efforcèrent de lui retourner les bras derrière le dos.

« Faites-le lâcher prise ! » s'écria Montag haletant.

D'un coup de crosse de révolver, l'un des SS assomma Drach. On parvint alors à le maîtriser.

Montag avala sa salive à plusieurs reprises et bredouilla : « Ne le tuez pas. Passez-lui seulement les menottes. » Tout en se débattant Drach criait : « Menteur. Vous m'avez menti. »

Montag se frotta la gorge et chuchota avec haine. « Il n'est pas l'heure de discuter de morale. »

Il descendit de la voiture et fit signe au chauffeur du premier camion d'avancer. Un instant plus tard, il frappait à la porte de l'immeuble.

Pendant que Drach restait sur la banquette arrière, maintenu par les deux gardiens, Montag écarta brutalement la personne qui ouvrit et traversa le vestibule pour arriver à la porte conduisant à la cave. Elle était fermée par deux serrures. Montag se tourna vers un des soldats qui le suivaient et dit : « Tire dedans. »

Le soldat braqua son pistolet de gros calibre sur une serrure et tira plusieurs balles. Il répéta la même opération avec l'autre. Les pênes sautèrent. La porte s'entrouvrit.

Suivi par les soldats, Montag descendit un escalier aux marches de pierre et aux murs noircis par la poussière. A peine arrivés au sous-sol, ils trouvèrent un amoncellement de caisses marquées à l'encre du sceau de la famille Rothman. Les soldats entreprirent aussitôt de les monter au rez-de-chaussée où une autre équipe les attendait pour porter les caisses jusqu'au hayon du camion où les attendaient deux autres soldats.

Du siège de la voiture, Drach assistait à l'opération, l'air égaré.

Deux prêtres de Saint-Pierre-du-Gros-Caillou avaient franchi le portail de leur église. Ils reconnurent Drach et en parurent stupéfaits. Puis ils comprirent ce qui se passait. Quelques passants s'étaient arrêtés. On entendit des murmures. Enfin l'un des curés cria à Drach : « Traître. »

Quelques soldats s'approchèrent l'arme au poing des Français qui répétaient la même accusation. Montag, qui était resté devant la porte de l'immeuble voisin, rappela les soldats vers le camion. « Ça ne fait rien, dit-il. On comprend que ces gens-là soient indignés par la trahison de leur concitoyen. »

Cet après-midi-là, Montag dirigea de la même manière cinq saisies de collections. Tout se passa partout de la même manière. On exhiba Drach, vêtu en civil, contusionné certes, mais traité avec respect, pour faire croire qu'il collaborait avec l'ennemi.

Montag était aux anges. Il accomplissait un exploit magnifique dont on lui serait reconnaissant dans les milieux les plus élevés de la SS. Drach ne comprenait rien. C'était trop beau ! Personne ne soupçonnerait la source réelle de ses renseignements. Rostand avait traité avec Montag qui le protégeait.

Les saisies terminées, Montag et trois soldats conduisirent Drach à son hôtel particulier au bord de la Seine. En descendant de la Horch, le capitaine SS portait une valise de cuir contenant un rouleau de corde. L'immeuble était vide. Il n'y restait plus personne, pas même les domestiques. On conduisit Drach au grand salon.

« Alors, vous voyez, dit Montag. Je vous ramène chez vous. »

Drach ne répondit pas.

Montag haussa les épaules et décrocha le téléphone pour appeler en toute priorité le Reichsmarschall Hermann Göring à Karinhall. En attendant la communication, il ouvrit sa valise, en tira le rouleau de corde et le jeta à un des gardiens, puis il indiqua du doigt le lustre de cristal accroché au plafond. Le combiné appliqué à l'oreille, il regarda Drach se démener contre ses gardiens.

Un des SS appliqua sur la bouche de Drach une main qui sentait l'oignon. Puis, non sans difficulté, les autres lui passèrent la corde au cou.

Ils le traînèrent au milieu de la pièce, passèrent l'extrémité de la corde dans l'anneau soutenant le lustre et hissèrent Drach. A cet instant le capitaine Hans Montag entendit la voix de Göring. Il lui fit aussitôt son rapport.

« Exactement trois mille, Herr Reichsmarschall », dit-il. Il hésita un moment en regardant les jambes de Paul Drach battre l'air de plus en plus faiblement. « Evidemment, Herr Reichsmarschall. Tous ces trésors partiront par train spécial ce soir même. » Il retint son souffle. A l'approche de la mort, le sphincter de Drach se relâcha et les intestins se vidèrent.

Ravi par les félicitations de son maître, Montag raccrocha, traversa le salon et ordonna d'attacher l'extrémité de la corde au pied d'une grosse armoire. Puis il fit signe à l'un des gardiens de déposer un fauteuil du XVIe siècle sous le lustre. « Tiens-le en place », dit-il en montrant le fauteuil.

En s'appuyant sur l'épaule du gardien, Montag monta sur le siège et fouilla les poches de Drach. Dans l'une d'elles, il trouva le stylographe noir qu'il lui avait donné au début de l'après-midi, le glissa dans sa pochette et redescendit. « *Auf wiedersehen,* monsieur Drach », dit-il en faisant basculer le fauteuil.

Sa tâche accomplie, Montag s'en alla en méditant sur les tragédies de la guerre et en se réjouissant de sa réussite. Il résolut de s'accorder une première récompense le soir même : une bouteille de champagne millésimé chez Maxim's.

NEUVIÈME PARTIE

1979

1

Alex sentit le doigt de Cubitt passer sur ses sourcils. Il ouvrit les yeux. Elle souriait, l'air gamin. Il lui prit la tête à deux mains et l'attira vers lui.

« Il me semble que je suis avec Robinson Crusoé, ronronna-t-elle. Allons-nous-en. Je connais un endroit fabuleux : la petite île d'Anguilla, dans l'archipel des Antilles. »

Alex plissa les paupières. Il avait si peu dormi que la fatigue lui brûlait les yeux. Pour s'empêcher de rire, il retint sa lèvre inférieure sous ses dents. Enfin, s'appuyant sur un coude, il passa sa main libre dans les cheveux de Cubitt.

« Nous pourrions partir ensemble, dit-elle. Il suffit de le décider. »

Tout en continuant à lui caresser les cheveux, il répondit : « Ce ne serait pas difficile. Nous en avons déjà fait l'expérience, l'un et l'autre.

— Tu as déjà vécu sur une île déserte ?

— Une ou deux fois, dit-il.

— Avec qui ? demanda-t-elle en affectant la jalousie.

— Je ne me rappelle que les valises. Il m'a toujours paru plus difficile de les emplir que de les vider.

— Pour moi, c'est tout le contraire. J'aime faire mes bagages.

— Pour notre premier départ ensemble nous pourrions peut-être nous passer de bagage. »

Elle éclata de rire.

« Réfléchis-y », dit-il en se glissant hors du lit pour aller prendre une douche.

Dix minutes plus tard, il s'arrêta devant le lavabo, laissa couler un filet d'eau sur ses doigts puis se frotta les yeux en se tenant la tête à deux mains.

Il usait de ce procédé pour se détendre physiquement et pour mettre en même temps de l'ordre dans ses idées. A partir du moment où il comprenait une situation et en avait étudié tous les facteurs, il avait l'esprit clair et appliquait sa volonté à faire ce qu'il décidait.

C'est ce qu'il fit à ce moment-là. D'abord il prendrait contact avec Fuller pour lui tirer les vers du nez. L'itinéraire vers Rostand passait par Fuller. La question de paternité n'avait aucune importance. Au cours de sa vie, chacun a plusieurs pères successifs et chacun élève plusieurs fils. Parfois les véritables pères sont les plus nuisibles. Ces questions réglées, il lui faudrait mettre au net ses sentiments envers Cubitt. Il aimait sa manière de danser mais se demandait s'ils oscillaient au même rythme. Ce doute n'était qu'intuitif mais ses intuitions l'avaient rarement trompé. Il s'humecta de nouveau les yeux puis passa dans le vestiaire séparant la salle de bains de la chambre à coucher.

D'autre part, il aurait peut-être pu l'aimer. Elle était vive, joyeuse, d'une compagnie agréable et...

... traîtresse...

« Nom de Dieu ! » souffla-t-il, médusé, les yeux fixés sur le reflet de Cubitt dans la glace de l'armoire. Elle était en train de fouiller les tiroirs de son bureau.

Il la vit ouvrir celui du milieu, y prendre une enveloppe cachetée et l'élever vers la lumière. L'enveloppe était trop épaisse pour qu'elle pût lire à travers. Elle la posa sur la table, disparut pendant un bref instant et revint en tenant à la main un objet qu'Alex prit d'abord pour un stylographe. Elle en dévissa le sommet et en tira une pince bizarre. D'une minceur presque microscopique les deux lames mesuraient une douzaine de centimètres. Cubitt reprit l'enveloppe et introduisit la pince dans un des coins. Elle la fit adroitement tourner entre ses doigts.

Drach continua à l'observer pendant qu'elle exécutait ce qu'il appelait « une bouclette à la française ». En la voyant agir ainsi, il fut soulagé. Si pénible qu'elle fût, cette constatation le soulageait en lui fournissant la réponse à sa deuxième question. Il aurait dû le deviner. En réalité, il avait compris depuis le début mais refusé d'admettre l'évidence. Chacun des baisers de la belle avait un fumet de trahison. Elle avait choisi son camp : celui de Philip. Comme toujours depuis ses quatorze ans, Alex retrouvait la même opposition entre lui et le fils Rostand.

Cubitt retira la pince de l'enveloppe. Le rapport y était enroulé. Elle le déroula et l'aplatit sur le bureau. Puis elle prit dans son sac à main un appareil photographique miniature, fabriqué en Suisse, pas plus grand que la moitié d'un paquet de cigarettes. Elle photographia les deux pages du rapport. L'appareil, très perfectionné, fonctionnait automatiquement, ce qui permit à Cubitt de prendre huit instantanés sans embobiner le film. Faite de matière plastique, la caméra ne produisait aucun bruit.

L'affaire faite, Cubitt remit l'appareil dans son sac à main, enroula le rapport autour de la pince, l'inséra dans l'enveloppe, tourna la pince à l'envers et la retira. Elle remit la pince dans son étui, en revissa le capuchon, rouvrit le tiroir y posa l'enveloppe et le referma juste à temps pour se glisser dans le lit avant qu'Alex apparût sur le seuil de la chambre, les cheveux encore mouillés après sa douche.

« J'ai réfléchi, dit-il en souriant. Comment appelles-tu cette île des Antilles où nous irions filer le parfait amour ? »

2

Philip Rostand attendait dans le bureau de son père quand celui-ci y arriva à neuf heures et quart du matin.

« As-tu entendu les informations ? demanda le jeune homme plein d'enthousiasme. Bertram Bez annonce qu'il a décidé de vendre ses parts d'Art Intrum.

— Ça m'étonne, dit André en esquissant à peine un sourire. Je n'aurais pas cru que Bez capitulerait le premier. » Il s'assit devant son bureau et parcourut distraitement son courrier.

« Qu'est-ce qui s'est passé ? demanda Philip. Ça n'a pas duré une semaine. »

André haussa les épaules et leva les yeux vers son fils. « Selon toute évidence le public n'a pas confiance dans les méthodes de Marto. Les directeurs de l'A.D.A. doivent faire une drôle de tête ce matin. »

Philip s'assit. « Après le banquet, hier soir, Marto a fait une déclaration aux reporters. D'après lui, la baisse en Bourse des parts d'Art Intrum n'est qu'un simple phénomène épisodique et les actionnaires reprendront confiance.

— C'est bien ce qu'il va arriver, dit André avec malice.

— Que dis-tu là ?

— Ce dont je suis sûr, parce que je vais m'en occuper. Ce matin même j'ai ordonné à mon banquier de Zurich de faire acheter toutes les parts d'Art Intrum qui se présenteront à la Bourse. A quatre heures, cet après-midi, Rostand International possédera un nombre de titres suffisant pour prendre l'affaire en main. »

Philip souffla, prit ses aises dans son fauteuil, l'air incrédule. « C'est insensé. Tu vas perdre une fortune.

— Tout au contraire, Philip, je vais en gagner une. A douze et demi la part, et sans doute moins en raison des propos tenus par Bez ce matin, Art Intrum offre la meilleure affaire du marché aujourd'hui.

— Et si ce titre continue à baisser ?

— Ça n'arrivera pas.

— Comment le sais-tu ?

— C'est moi qui ai précipité sa chute dès le début. »

Philip éclata de rire. « Je n'en crois rien, s'exclama-t-il. Comment aurais-tu réussi ça ?

— Je n'ai pas le temps de te l'expliquer tout de suite. Nous en parlerons pendant le trajet vers Rome. » André marqua un temps d'arrêt. « Nous partons demain matin de bonne heure. J'entends régler nos affaires avec Montag le plus vite possible. »

Philip fronça les sourcils. « Pourquoi y allons-nous tous les deux ?

— Je veux voir ce que je paie. Je veux aussi que tu restes là-bas après mon départ pour veiller à ce que tout se passe correctement.

— Ça durera combien de temps ? demanda Philip.

— Le temps qu'il faudra, répondit sèchement son père. En sortant d'ici envoie-moi Fuller.

— Je ne crois pas qu'il soit arrivé », dit innocemment Philip en ouvrant la porte.

André leva les yeux, agacé. « Vérifie. Fuller n'est pas homme à arriver en retard. »

Philip haussa les épaules et s'en alla.

André décrocha le téléphone et appela Jane. Quand elle lui répondit, il se montra particulièrement attentionné et lui demanda même si elle était libre pour déjeuner avec lui. Elle accepta. Ils se donnèrent rendez-vous aux Quatre-Saisons. Ensuite elle lui demanda gaiement à quoi il occuperait son après-midi.

« J'ai affaire dans une autre galerie. Pourrais-tu venir avec moi ? »

Cette proposition était tellement inattendue que Jane ne sut que répondre pendant un moment. Enfin, elle lui dit : « Pourquoi pas ? Que vas-tu faire à cette galerie ? Acheter ou vendre ?

— Acheter, répondit-il.

— Un tableau ?

— Plus que ça. J'achète toute une galerie. »

3

A l'hôpital psychiatrique de l'Etat de New York, Alex regardait en compagnie d'un médecin en blouse blanche à travers une porte vitrée qui le séparait d'une chambre.

En désespoir de cause il s'était rendu auparavant chez Fuller mais n'y avait trouvé que sa fille, Maggie. Elle partait justement pour l'hôpital et lui dit que son père avait succombé à une attaque la veille au soir.

« On le reconnaît à peine », dit Drach à voix basse en regardant Fuller assis dans un lit, adossé à des oreillers, le regard vide. Dans son fauteuil roulant, Maggie Fuller tenait la main de son père. « On croirait que son visage a disparu, comme si... ses pommettes s'étaient effondrées. » Il se rappela avoir déjà vu un visage semblable à Londres, trois semaines plus tôt.

Gêné, le médecin ne savait que dire. Pour rompre le silence il demanda : « C'est un de vos parents ?

— Non, répondit Alex. Un ami.

— Sa fille en est terriblement affectée.
— Ça se comprend... »
Le médecin parla des difficultés que rencontrent les gens âgés dans le monde contemporain. Cependant Alex se rappelait le Fuller qu'il avait connu en des temps meilleurs, notamment quand il se proposait d'écrire une série d'articles pendant ses grandes vacances. Fuller l'y avait aidé et avait ensuite raconté au personnel de la galerie qu'Alex était son disciple. Quand le jeune homme allait à la galerie, le chef comptable en effet, lui faisait parcourir les salles et le tenait spontanément au courant des affaires. Empruntant au jargon des gangsters, Alex disait que Fuller était le *consigliere* de Rostand.
Echappant à sa rêverie, Alex demanda au médecin : « Pouvez-vous faire quelque chose pour lui ?
— Presque rien. Physiquement, il est intact mais son esprit est totalement oblitéré. Je ne peux rien dire de plus.
— Il tremble comme une feuille, docteur.
— Tension artérielle trop élevée, comme cela arrive fréquemment après une attaque.
— Cet homme était un des plus lucides que j'aie jamais connu. Nous nous sommes entretenus hier. Je n'ai rien remarqué d'anormal, absolument rien ! »
Le docteur haussa les épaules. « Ça arrive... » dit-il. Alex allait l'interrompre, mais le médecin se hâta d'enchaîner : « En réalité, il y avait quelque chose qui ne tournait pas rond. » Il se pencha vers Drach. « Monsieur Fuller se proposait-il de partir en voyage ?
— Je ne crois pas. Il n'en a rien dit à personne.
— Etait-il déjà malade ? Précisons : souffrait-il de quoi que ce soit avant cette attaque ?
— Pas à ma connaissance, pourquoi ?
— Quand je l'ai examiné, j'ai constaté la trace d'une piqûre au-dessus de l'omoplate. L'aspect de l'orifice fait penser à un médicament épais comme un antibiotique. S'il ne s'agit pas d'une vaccination avant voyage, il suivait un traitement.
— Je n'étais pas au courant », dit Alex qui prit congé du médecin et pénétra dans la chambre de Fuller. Il se pencha vers le patient puis tourna son regard vers Maggie. Immobile, le dos appuyé au dossier du fauteuil, les mains unies sur les genoux, elle paraissait presque aussi médusée que son père.
« Bonjour », dit-il.
Elle leva vers lui des yeux profondément enfoncés dans les orbites et cernés par la fatigue. Elle avait toujours été petite mais, à cet instant-là, éplorée, elle paraissait miniaturisée.
« Bonjour Alex, répondit-elle à voix basse.
— Pas d'amélioration ? »
Elle secoua la tête. « Aucune. »
Il s'assit au bord du lit. « Pouvons-nous parler ? demanda-t-il.

— Que pourrions-nous dire ? Hier soir papa m'a téléphoé du bureau pour m'annoncer qu'il rentrait à la maison. Puis un agent de police a sonné chez nous et m'a dit où il se trouvait.

— Avez-vous remarqué quelque chose d'exceptionnel au cours des derniers jours ?

— Rien. » Elle se tourna vers son père. « Autrefois nous étions quatre à la maison. Je reste seule. » Des larmes coulèrent sur ses joues. « Je ne parviens pas à y croire, murmura-t-elle.

— Maggie. » Elle leva de nouveau vers lui ses yeux mi-clos par des paupières gonflées. « Si vous avez besoin de quoi que ce soit, je ferai tout pour vous. Il vous suffit de m'appeler.

— Merci, Alex. Je sais que je peux compter sur vous. »

Il considéra le visage de Fuller.

Maggie lui dit : « L'autre jour papa m'a parlé d'une manière bizarre à votre sujet. Je suis tellement bouleversée que je ne me rappelle pas exactement ce qu'il a dit. Mais je sais qu'il m'a donné une petite enveloppe de papier fort en m'indiquant qu'elle contient la clé d'un coffre. La mémoire me revient. Il m'a dit : " S'il m'arrivait malheur, donne cette enveloppe à Alex Drach ". »

Alex se leva vivement. Son cœur battait plus vite. « Vous avez l'enveloppe sur vous ? demanda-t-il, le souffle coupé.

— Non. Elle est à la maison.

— Me permettez-vous de passer la chercher chez vous ce soir ?

— Bien sûr. Je ne sers à rien ici. » Elle reprit la main de son père qui continuait à regarder droit devant lui sans rien voir.

4

Il n'était guère plus de deux heures et demie, cet après-midi-là quand Alex arriva au carrefour de la Cinquième Avenue et de la Quarante-quatrième Rue. Il vérifia l'heure à la vieille horloge du carrefour, son repère préféré en ce qui concernait le temps. Il n'y en avait pas de semblable sur l'avenue.

La banque se trouvait sur le trottoir d'en face, au coin sud-est de l'intersection. Alex plongea la main dans la poche extérieure de son veston pour y vérifier la présence de la petite enveloppe. C'était celle d'un coffre, avec un infime feuillet de papier portant un numéro inscrit à l'encre.

Il regarda dans les deux directions de la rue. Rien ne lui parut anormal mais il n'en fut pas sûr. Il se méfiait d'ailleurs des apparences. Il avait la conviction intime et inexplicable d'être observé. Force lui fut pourtant de ne pas en tenir compte. Il fit donc trois pas jusqu'au bord du trottoir, attendit l'apparition d'un feu rouge, traversa la rue et entra dans la banque.

Un escalier roulant à mouvement lent le conduisit au sous-sol. Il se dirigea vers une sorte de cage en verre dans laquelle un employé siégeait derrière un grand bureau d'acajou. Au-delà s'étendaient à l'infini d'innombrables rangées de coffres scellés dans le mur.

Il se dirigea vers la cage de verre, salua l'employé d'un hochement de tête et brandit sa clé.

Le gardien quitta son bureau et se dirigea vers la porte. « *Che ne fous ai bas engore fu* », dit-il dans un interphone.

Alex hésita. Il ne savait pas exactement que dire. Certes il possédait la clé du coffre mais si Ray Fuller n'avait pas laissé d'instructions en bonne et due forme il n'aurait pas accès à la serrure. Il se demanda si cet employé se rappelait la physionomie de Ray Fuller. Puis, il décida de jouer franc jeu.

« Je ne suis encore jamais venu ici, dit-il. C'est M. Ray Fuller qui m'envoie.

— *Ach,* ce cher vieux monsieur Fuller, dit le gardien en regardant Drach d'un œil soupçonneux. Et qui êtes-vous ? »

Alex expliqua que Fuller était gravement malade et lui avait confié la mission de vérifier quelque chose dans son coffre. Puis il tira de sa poche plusieurs pièces d'identité qu'il posa sur le tourniquet.

Cet instrument pivota en emportant les documents. L'employé chaussa ses lunettes pour les examiner. « Un instant, s'il vous plaît », dit-il. Il se dirigea vers une batterie de classeurs, ouvrit un tiroir, fit glisser sous son pouce plusieurs cartes vertes, en choisit une et revint au guichet.

« Oui, monsieur Drach. *Fous êtes pien ici.* » Il fit pivoter le tourniquet sur lequel il avait posé la carte verte. « *Z'il fous blaît, zignez ici.* » Alex s'exécuta et renvoya la carte par le même moyen.

« Merci. Maintenant vous pouvez entrer. » Le bonhomme plongea sa clé dans une serrure et ouvrit la porte. Alex pénétra dans le saint des saints suivi par un autre gardien.

« *Foulez-fous un gabinet brivé ?* demanda l'employé.

— Oui, s'il vous plaît. »

Le bonhomme prit la clé d'Alex et lui fit franchir une autre porte de la cage de verre. Celle-là donnait accès au couloir des coffres. Arrivé devant celui qui portait le numéro de la clé, l'employé en tira une autre de sa poche et les enfonça toutes les deux dans une serrure. Elles tournèrent en même temps. Le gardien tira une longue boîte étroite du coffre.

Alex le suivit jusqu'à une petite pièce où le tiroir fut déposé sur une table. Il remercia. Sans dire un mot, le bonhomme hocha la tête et le laissa seul.

Alex s'assit devant le tiroir et le souleva. Il le trouva plus léger qu'il ne l'aurait cru, le reposa sur la table, hésita un moment et ouvrit enfin le couvercle.

Une liasse de feuilles jaunies par l'âge, réunies par un anneau élastique, s'y trouvait. Mal à l'aise, Alex s'en empara.

Il avisa alors une enveloppe blanche restée au fond du tiroir, posa le paquet de vieux documents sur la table, prit l'enveloppe, en déchira un coin du bout de l'ongle et l'ouvrit.

Le cœur battant il déplia un feuillet et lut une lettre écrite à la main par Ray Fuller. Elle était datée du 1er août 1956.

Cher Alex,

Peut-être ne lirez-vous jamais ceci. Si ça vous arrive, je ne serai plus là. Cette première ligne suffit à vous éclairer sur la gravité de mes aveux.

Vous trouverez dans ce même tiroir une demi-douzaine de documents originaux tombés entre mes mains après la guerre.

En ce temps-là, je commandais une unité de l'O.S.S. qui enquêtait sur les crimes de guerre allemands, particulièrement sur le pillage des œuvres d'art. Parmi les missions qui m'étaient confiées, l'une concernait la disparition de plusieurs collections confisquées à Paris en juin et juillet 1940. Les documents ci-joints donnent le résultat de l'enquête.

Il suffit de les lire pour comprendre toute l'affaire. Quant à moi, il m'est plus difficile d'expliquer pourquoi je les ai tenus secrets jusqu'à maintenant.

Je veux que vous sachiez la vérité. Je vous le dois. D'abord vous devez comprendre que mon unité d'enquête décela des centaines de cas de collaboration avec l'ennemi pendant la guerre. Ensuite, je dois vous avouer que rares furent les cas qui donnèrent lieu à une action judiciaire. Bien qu'un des plus abominables, celui de Rostand ne fut pas le seul qui bénéficia de l'indulgence des autorités.

En outre, les victimes de sa trahison sont mortes. Rien ne peut plus leur être utile désormais.

Troisièmement, les collections ont été détruites, pour autant que je le sache. Cela supprime toute raison de poursuites à ce point de vue.

Il m'est donc apparu à ce moment-là et je le crois encore, que la révélation des preuves exposées dans ces documents ne servirait qu'à punir André Rostand.

D'autre part, ces pièces m'ont fourni une chance unique d'assurer la sécurité de ma famille. En les utilisant habilement elles m'ont donné l'équivalent d'une fortune et André Rostand en a également bénéficié.

Comprenez, je vous prie, qu'au moment où j'ai décidé de dissimuler ces renseignements aux autorités compétentes, votre défunt père n'avait à ma connaissance pas d'héritier.

Votre arrivée à New York changea tout. Quand j'appris votre existence, je fus choqué et horrifié. Néanmoins j'ai gardé le silence. Je continue à me taire parce que je crois que nous en bénéficions tous : vous, moi et Rostand. Nous n'aurions aucun intérêt à exhumer le passé.

Ce n'est pas en vain que je vous révèle tardivement cette tragique vérité. J'estime que vous avez le droit de savoir comment périt votre père. Je crois aussi que ces documents ont assuré ma sécurité et qu'ils en font autant pour vous. S'il m'arrivait malheur, peut-être vous sauveront-ils la vie.

Pardonnez-moi. J'ai toujours été votre ami.

Ray.

Alex resta médusé pendant plusieurs minutes, les yeux fixés sur cette lettre. Il osait à peine regarder les documents restés sur la table. Enfin, il en déplia un d'une main tremblante et le lut.

C'était le document qui manquait dans la boîte numéro soixante-cinq des Archives nationales. La collaboration de Rostand avec les nazis y apparaissait clairement. Le rapport fournissait des précisions sur l'arrestation de Paul Drach et sur le rôle qu'y avait joué Montag. Au cinquième paragraphe, il indiquait qu'André Rostand avait eu un entretien secret avec l'officier SS à Monte-Carlo.

Alex cessa de lire. La rencontre avait eu lieu à Monte-Carlo... Il relut lentement ce paragraphe : « Cependant Montag tenait à mettre la main sur les collections cachées. Il prit sur lui de se rendre à Monte-Carlo pour y rencontrer le négociant en obets d'art André Rostand. Leur entretien eut lieu à la fin du mois de juin 1940... »

A cette époque Rostand était dans la principauté de Monaco avec Noémie Drach. Mais oui, certainement, ils s'y trouvaient ensemble. Or ils se connaissaient. Ils avaient donc forcément dû se rencontrer là-bas. C'était l'évidence même. Alex apprenait que son père était un traître mais pas celui que tout le monde avait accusé de trahison. Son véritable père ne pouvait être qu'André Rostand. Cela expliquait bien des choses : la raison pour laquelle Jocko l'avait envoyé à New York, celle pour laquelle Rostand l'avait accueilli, élevé et aidé à débuter dans la vie ; l'attitude de Philip à son égard et même sa haine. Les racines de tout cela se trouvaient dans ce document et à Monte-Carlo.

Alex resta longtemps immobile dans la cellule de la banque. Il pensait à Rostand. Quelles épreuves cet homme avait subies ! Il se rappela aussi le caractère équivoque de ses relations avec le négociant en objets d'art. Il secoua la tête comme pour se frayer une piste à travers la jungle psychique dans laquelle il se sentait égaré.

Il parcourut les autres documents, relut le premier puis les remit dans le tiroir du coffre avec la lettre de Fuller. Enfin, après avoir médité quelques secondes de plus, il appuya sur le bouton de la sonnette. Le vieil employé à lunettes vint le libérer. Un gardien emporta le tiroir et le remit dans le coffre en leur présence. Enfin il traversa de nouveau la cage de verre dont le gardien ouvrit la porte pour le libérer.

Au lieu de prendre l'escalier mécanique, il traversa le sous-sol de la banque de bout en bout pour sortir par l'escalier le plus proche de la Quarante-quatrième Rue. Il gravit les marches trois par trois et reparut au soleil. Il jeta un coup d'œil des deux côtés de la rue, traversa la chaussée et rentra dans le bâtiment par l'entrée nord-est.

Il passa vivement devant la batterie d'ascenseurs, gravit un étage, pénétra dans une cafétéria, la traversa et ressortit de l'immeuble par la Quarante-troisième Rue. Au bout de quelques pas il s'engagea dans l'avenue Madison puis s'arrêta brusquement à l'entrée d'un café, se retourna pour observer l'avenue derrière lui afin de voir si quelqu'un l'avait suivi.

Apparemment non, il n'était pas filé. Il poursuivit sa route en direction de l'est jusqu'au building de la Pan Am et monta à son bureau, au quarante-troisième étage. Hors de lui, il ne gardait son calme qu'à force de volonté. Décidé à agir, il se rendit directement au bureau de Po et prononça les mots que ce dernier aimait entendre : « Nous avons du boulot. »

Les yeux de Po brillèrent. « De quoi s'agit-il, Numéro Un ?

— Cambriolage.

— Quand et où ?

— Dans la nuit de demain. Rostand International.

— Je me demande... dit Po lentement. Je me demande si je ne vais pas vendre mes parts de Drach Associates.

— Le projet n'a rien d'impossible, dit Alex tranquillement. Je connais les êtres comme ma poche.

— J'aimerais en savoir plus, dit Po.

— Papier, crayon, dresse une liste. »

Po attendit un moment que son patron reprenne la parole.

« Premièrement, il me faut un jeu complet de rossignols, un électro-aimant maniable, enfin tous les outils d'un métier que tu connais bien. Deuxièmement, je veux des batteries de six, douze et vingt-quatre volts, avec un convertisseur. N'oublie pas la pince-monseigneur. De préférence un engin court.

— Bon Dieu de bois ! que vas-tu faire ? défoncer les coffres de la Federal reserve bank ?

— Non, je veux seulement pénétrer dans la galerie, répondit Alex, sûr de lui.

— Parbleu ! ce diable de type va voler la camelote que nous avons récupérée, s'exclama Po les yeux au ciel.

— Il n'est pas temps de plaisanter Harry, dit Drach gravement cette fois. Il s'agit d'une affaire personnelle. Je n'ai pas d'autre moyen de m'en tirer. Crois bien que je ne fais pas ça à la légère.

— D'accord, je ne voulais pas te vexer. Toutefois, il me semble que tu as besoin d'un ami. Alors, éclaire-moi un peu. A quoi t'attaques-tu ?

— A toute la cabane, Po. Je connais tous les systèmes de sécurité de la galerie : tous les détecteurs de présence, tous les systèmes d'alerte qui aboutissent à un tableau central. C'est ce qu'on appelle le procédé Johnson. André Rostand n'a pas lésiné. Aucune panne possible dans sa machinerie. Tout est gardé, il n'y manque rien : rayons infrarouges, détection de mouvements. Tous les postes d'alerte communiquent au tableau central. Infaillible. Je peux m'en débrouiller parce que je connais tout sur le bout du doigt. Mais il me faut quelqu'un d'adroit : par exemple Sam Kell.

— Combien de temps comptes-tu rester à l'intérieur ? demanda Po.

— Voilà une bonne question. Je devrai peut-être faire face à des gardiens. Mes déplacements seront donc limités. Peu importe, j'en aurai pour une demi-heure. Pas plus.

— Des gardiens ?

— Quatre.

— Armés ?

— Oui, mais moi je ne le serai pas, répondit Alex. Je ne veux pas de dégâts personnels. » Il se mit à aller et venir devant la table de Po. « Mon but, c'est le bureau de Fuller.

— Pourquoi donc ?

— Je veux étudier le livre d'inventaire. »

Po hocha la tête. « Quel point d'accès as-tu choisi ?

— L'immeuble voisin. Rostand possède tout le pâté de maisons depuis des années. Actuellement on est en train de rénover ce bâtiment. Si Kell nous fraie la voie, nous pouvons passer dans la galerie.

— Il te faudra un serrurier.

— Bien deviné, dit Alex en souriant. J'aurai aussi besoin d'une camionnette de la Société du téléphone de New York.

— Ce ne sera pas facile, dit Po. D'ailleurs je me méfie de tes initiatives. La dernière fois que je t'ai accompagné dans une de tes expéditions, nous avons passé toute la nuit dans une cave inondée. »

Alex éclata de rire. « Au moins, cette fois, si nous sommes coincés, ce sera dans des locaux plus chics. »

5

Un Léopold Marto déconfit siégeait au bout de la table de conférence à Art Intrum. Duranceau, Kellerman, Feigan et quelques autres membres du conseil d'administration s'étaient réunis pour faire le point et évaluer les conséquences de la décision annoncée par Bertram Bez. Il ne s'était pas contenté de parler mais avait livré cinq pour cent du capital de l'entreprise sur le marché de Londres.

Bien qu'il ne fît pas partie du conseil, Nando Pirelli assistait aussi à la conférence. Il s'entretint brièvement à voix basse avec Marto, puis se retira dans un angle de la pièce.

L'esprit agité par des envies de violence, Marto fit signe à la secrétaire qui lui tendit le maillet. Il en frappa un coup sur la table. « Messieurs les membres du conseil voudraient-ils prendre place ? » dit-il.

Le silence se fit aussitôt dans la salle. Tous s'assirent devant la longue table rectangulaire, sauf Pirelli qui resta sur une chaise dans son coin.

« Le président déclare la séance ouverte, dit Marto. Je propose de remettre à plus tard la lecture du procès-verbal de la dernière réunion dont vous avez chacun un exemplaire devant vous. »

Ira Kellerman soutint cette proposition. Duranceau fit de même à l'autre bout de la table. Personne ne souleva d'objection et la proposition fut adoptée.

« Comme deuxième point à l'ordre du jour, reprit Marto, votre président vous propose de nommer Nando Pirelli à la direction laissée vacante par M. Bertram Bez. » Marto interrogea tous les administrateurs d'un regard circulaire.

Kellerman approuva la proposition. Jules Feigan fit de même.

« La présidence demande un vote à main levée. »

Tous levèrent la main, sauf Charles Duranceau.

Regardant ce dernier d'un œil furibond, Marto déclara : « La proposition est acceptée. Le procès-verbal indiquera que monsieur Duranceau a émis l'unique vote contraire. » Marto se tourna vers Pirelli et lui fit signe d'approcher.

Les applaudissements qui accueillirent Pirelli lorsqu'il s'assit à l'extrémité de la table, en face de Marto, cessèrent quand Duranceau se leva et dit : « Je propose... »

Marto l'interrompit. « La présidence donne la parole à M. Charles Duranceau.

— Merci, monsieur le président, dit Duranceau en saluant Marto d'un signe de tête. Je propose que le conseil nomme un nouveau président-directeur général. Je déclare en outre que le prés dent en exercice a fait preuve de graves négligences dans la gestion de notre firme et je lui demande de démissionner. »

Duranceau n'avait pas fini de parler que Marto s'était levé d'un bond. Les autres considéraient l'intervenant sans rien dire. Ce dernier marqua un temps d'arrêt, sourit et reprit : « Sans doute dois-je vous donner des précisions. J'entends notamment vous présenter la candidature d'un nouveau président-directeur général, une personne qui ne siège pas parmi nous cet après-midi mais qui attend à proximité. Il s'agit d'André Rostand. »

Des veines d'un bleu rougeâtre gonflèrent sur le visage de Marto comme les lignes d'une carte géographique. « La présidence prendra cette motion en considération si elle est présentée selon les règles, dit-il d'une voix glaciale.

— Avant de procéder à un vote, reprit le Français, je suggère aux membres du conseil qu'ils prennent connaissance de ceci. »

Duranceau tira plusieurs feuillets d'un dossier posé devant lui. « J'ai ici une lettre dans laquelle Rostand définit à quelles conditions il consentirait à assurer la direction de notre entreprise et à gérer son actif. Cette proposition me paraît tout à fait acceptable et je l'approuve. »

Duranceau tira d'autres feuillets du dossier et les distribua autour de lui.

« Vous trouverez aussi le brouillon d'une lettre par laquelle monsieur Léopold Marto pourrait nous faire part de sa démission. » Duranceau regarda à sa droite et enchaîna : « Si j'avais su que monsieur Pirelli serait élu membre du conseil cet après-midi, j'aurais préparé une lettre identique à son intention. »

Pirelli se leva à son tour. « Qu'est-ce que c'est que cette histoire-là ? vociféra-t-il. De quel droit Rostand présenterait-il conditions et exigences ? Depuis quand êtes-vous son porte-parole ? »

Duranceau soupira. « Monsieur Rostand agit conformément à ses droits. Il ne veut pas nous forcer la main mais il a des projets légitimes en ce qui concerne sa part du capital de notre société. A l'heure actuelle cette part équivaut à une majorité. Parlons franchement, messieurs : André Rostand nous possède. »

Après un moment de silence plusieurs conversations s'engagèrent en divers points de la table. Seul Marto ne dit mot. Il resta une longue minute à sa place, à l'extrémité de la table, puis toussota, frappa un coup de maillet pour imposer le silence et s'adressa à Duranceau. « Le conseil d'administration mérite des explications, Charles.

— Elles sont très simples, monsieur le président. Au début de l'après-midi, Rostand m'a rendu visite à mon bureau. Il m'a présenté les propositions dont je vous fais part, ainsi que la photocopie des relevés d'achat de nos titres sur diverses Bourses. Il en possède actuellement deux millions sept cents mille. J'ai largement pris mon temps pour vérifier l'exactitude de cette situation. Ces actions lui appartiennent bel et bien. Je vous répète donc, messieurs, qu'André Rostand possède pratiquement la majorité des titres et je vous demande d'accepter la démission du docteur Léopold Marto. Rostand propose aussi que la société achète les titres de Marto et de Pirelli à dix-sept dollars la part. Compte tenu de notre situation financière actuelle et des cours de la Bourse, c'est à mon avis une offre extrêmement généreuse. »

Ira Kellerman écrasa du plat de la main sur la table l'exemplaire du document remis par Duranceau. « Il me paraît évident que Rostand est maître de notre affaire. Mais pourquoi ne nous évince-t-il pas tous ? Pourquoi seulement Marto et Pirelli ?

— Messieurs, je ne suis pas en mesure de répondre à cette question. Rostand m'a apporté sa proposition et m'a demandé de vous la soumettre. C'est tout. »

André et Jane Rostand attendaient sur la banquette arrière de leur voiture arrêtée au bord du trottoir, devant le siège social d'Art Intrum. Le chauffeur laissait son moteur tourner au ralenti. Un jet de fumée gris bleu jaillissait du tuyau d'échappement et se dissipait dans l'air froid de février. André regardait de haut en bas l'immeuble sans fenêtres à façade concave. Il estimait que ce bâtiment ressemblait plus à un coffre qu'à une galerie d'art et lui rappelait même les bunkers allemands de la Seconde Guerre mondiale. A la porte, ni enseigne, ni plaque de cuivre indiquant la nature des affaires qu'on traitait à l'intérieur.

« Tu ne trouves pas ça vilain ? demanda-t-il à Jane.

— Hideux, répondit-elle, mais qu'attendons-nous ici, à ne rien faire ? »

André lui prit la main et la baisa. « Nous passons si peu de temps ensemble Jane.

— Mais pourquoi le perdre ainsi ?

— Attends un instant, tu verras. »

Par une heureuse coïncidence, la sonnerie du téléphone retentit à cet instant, Rostand décrocha le combiné, écouta un court instant puis dit : « Je suis ravi. J'accepte. » Il écouta de nouveau, répondit affirmativement à plusieurs questions puis demanda : « Est-il là ? » Il hocha la tête en entendant la réponse, puis raccrocha.

« On m'appelait du conseil d'administration d'Art Intrum, dit-il radieux en se tournant vers Jane. Ces messieurs m'offrent la présidence de leur firme. Crois-tu que j'aie accepté ?

— Mais je prenais Art Intrum pour la bande noire qui te faisait du tort ? demanda-t-elle en battant des paupières.

— C'était bien ça, ma chérie. » Il posa la main sur la poignée de la portière. « Y allons-nous ? »

Jane le regarda d'un œil soupçonneux. « Nous ? demanda-t-elle.

— En qualité de nouveau président-directeur général, j'estime que ces messieurs doivent faire connaissance avec toi. »

Ils descendirent de la voiture et gravirent l'escalier du perron. En attendant que l'énorme porte d'acier s'ouvre, André pensa à Marto. Il ne lui tenait plus rigueur et espérait même que le bonhomme prendrait sa défaite avec bonne grâce. Quant à Pirelli... ce n'était pas la même chose.

La lourde porte s'ouvrit sans le moindre bruit. Jane et André pénétrèrent dans un vaste vestibule. Ils entendirent aussitôt un brouhaha à l'étage supérieur : celui de la galerie d'art.

Il n'y avait pas d'ascenseur ni d'escalier pour arriver à Art Intrum. Marto en avait horreur. Il avait fait construire l'immeuble avec des rampes à faible pente qui en faisaient le tour. Les sols étaient couverts d'un tissu en fines lames d'acier inoxydable ; les murs incurvés tapissés d'étoffe rouge et les plinthes ornées de moulures chromées. Sur le palier, le mobilier était aussi en acier inoxydable capitonné de coussins brodés noir, marron et rouge.

Duranceau les accueillit au sommet de la rampe. « On vous attend », chuchota-t-il en les conduisant à la salle du conseil.

Tout le monde se leva. « Messieurs, annonça Duranceau, je suis heureux de vous présenter Monsieur et Madame André Rostand. »

Sauf Marto et Pirelli, tous les membres de l'assistance battirent poliment des mains.

Cet enthousiasme s'éteignit aussitôt. Quand André conduisit Jane au sommet de la table, un silence de mort s'établit. Marto et lui se trouvaient face à face. « Excusez mon intrusion, Léopold, dit-il. Ces formalités me sont aussi désagréables qu'à vous. »

Marto affecta de sourire. « Tout au contraire, Rostand. Votre arrivée ici représente un exploit remarquable. Je suis sûr que vous prendriez les choses aussi bien que moi si c'était vous qui deviez partir. »

André regarda Pirelli qui se trouvait à l'autre extrémité de la table. Quand Jane suivit la direction du regard de son mari, le sémillant Italien baissa les yeux. Elle se tourna vers André et constata qu'il l'observait attentivement. Elle rougit, peinée et honteuse.

Elle serra les lèvres mais ne détourna pas la tête. Constatant son désarroi, André lui sourit avec gentillesse. En présence d'inconnus assez hostiles, sans doute accepterait-elle son attitude comme un témoignage d'amour et de compréhension plutôt que comme un geste de représailles. Il lui offrait une fois de plus l'affection qu'elle lui avait refusée pendant des années et la compréhension dont il avait toujours fait preuve envers elle.

Il vit à son regard qu'elle comprenait. Elle battit des paupières puis se tourna de nouveau vers Pirelli, mais cette fois les yeux brillants de fureur. D'instinct, elle saisit le coude d'André. A cet instant où elle constatait ce qu'avait fait Pirelli, comment il l'avait exploitée, trahie, comment il avait joué de son corps. André caressa la main qu'elle lui avait posée sur le coude. Puis il parcourut la salle du regard en sentant les yeux de Jane fixés sur lui et il se mit à parler.

« Si j'ai bien compris, le conseil d'administration a l'amabilité de me proposer la présidence d'Art Intrum. Je l'accepte humblement comme un honneur et une responsabilité... » Il regarda Nando Pirelli... « A condition, évidemment, que je reçoive dès demain matin la démission de monsieur Pirelli ainsi que ses actions de notre société, qui lui seront payées au tarif que je vous ai indiqué. »

Les yeux de Pirelli s'enflammèrent pendant un instant fugace puis il hocha la tête, résigné, esquissa un sourire confus et quitta la salle du conseil.

A ce moment-là, André eut envie de rire de sa victoire et de sa vengeance. Les choses n'auraient pu se passer mieux. L'humiliation de Pirelli représentait une prime inattendue. La fin la plus exquise arriverait quand il réglerait finalement le compte de Montag.

6

Cubitt venait de recevoir les photographies. Elle consulta sa montre. Il lui restait le temps de prendre un bain avant d'appeler Alex. Mais le téléphone sonna. C'était Philip.

« Cubitt !

— Je ne m'attendais pas à cet appel. Veux-tu monter ?

— Essaie de m'en empêcher ! »

Cubitt passa dans sa chambre à coucher, y prit une brosse à cheveux au manche d'argent sur la commode et retourna au salon. Tout en brossant sa chevelure, elle plongea le regard dans l'avenue Madison. Déjà les lumières étincelaient aux vitrines. Le soir tombait encore tôt à cette saison.

La visite de Philip lui déplaisait. Elle aurait préféré celle d'Alex. Décidément le fils Rostand s'accordait tous les droits avec elle. Ils s'étaient beaucoup fréquentés ces derniers temps, il est vrai. Pendant la dernière quinzaine, ils avaient assisté ensemble à une douzaine de réceptions, fréquenté des théâtres et passé un week-end à la Martinique. Ils avaient eu du bon temps mais elle constatait qu'il s'intéressait de moins en moins à elle et de plus en plus à lui-même. Pis encore, il pensait tellement à ses propres affaires qu'il ne remarquait pas ce qu'elle éprouvait envers lui.

Elle ne s'était d'ailleurs pas trop attachée à lui, ni pour sa personnalité, ni pour son aspect physique. A ses yeux, Philip représentait la richesse et la puissance dont il finirait peut-être par lui donner une part. C'est sur cela qu'elle misait. Dans ce domaine, Alex n'avait rien à offrir.

D'autre part, Drach était un homme beaucoup plus viril que Philip. Il semblait plus sûr de lui et peut-être était-ce pourquoi il se montrait plus chaleureux, attentif et généreux. C'était un de ces hommes qui prêtent attention à celles qui s'intéressent à eux. Qualité assez rare, que Cubitt admirait chez les autres, sans la posséder, hélas !

Elle pensa à Alex. Aucun homme ne l'avait jamais autant attirée physiquement. Jusqu'alors elle était parvenue à dominer tous ses amants mais n'y parvenait pas avec lui. Il paraissait avoir toujours un pas d'avance sur elle. C'était une nouveauté intéressante et même excitante... Un commencement d'amour, peut-être ?

Elle se rappela la nuit précédente. Elle fut certaine de lui avoir plu. Peut-être même l'aimait-il quelque peu. A ce point de vue ils différaient l'un de l'autre. Elle ne tomberait jamais amoureuse de lui sans être certaine qu'il l'aimait passionnément. Affaire de sagesse. Elle désirait être aimée plus qu'elle n'aimerait. Seules les sottes aiment sans être sûres des sentiments de leurs partenaires.

La sonnette de l'appartement tinta. Cubitt fronça les sourcils, alla au vestibule, le traversa et ouvrit la porte. Sur le palier Philip tenait deux grands danois chacun au bout d'une laisse.

« Salut mignonne ! » dit-il. Les deux molosses franchirent le seuil d'un bond. Il piqua un baiser sur la joue de la jeune femme et passa devant elle, traîné vers le salon par les danois. Il les libéra de leurs laisses et se laissa tomber dans un fauteuil, les jambes croisées. Au-dessous de ses paupières gonflées, mi-closes, il considéra Cubitt de la tête aux pieds. « J'ai essayé de te téléphoner hier soir. Tu n'as pas répondu.

— J'étais avec Alex.

— Vous avez baisé ? » Quand Philip posa cette question, un sourire bizarre plissa son visage. En dépit de l'attitude nonchalante qu'il avait prise dans le fauteuil profond et de ce sourire, elle sentit qu'il était d'humeur agressive.

« J'ai eu ce que tu voulais, dit-elle, éludant sa question.

— Et lui aussi, sans doute ! »

Cubitt ne répondit pas mais alla à un grand secrétaire chinois à l'autre bout de la pièce. Elle prit dans un tiroir une enveloppe de papier fort ainsi que la caméra miniature et les remit à Philip.

« Un de mes amis vient de les développer, dit-elle. C'est un décorateur, un type très sûr qui ne pose pas de question. »

Philip esquissa un sourire confus : mi-satisfait mi-mécontent. Il ouvrit l'enveloppe et en tira deux photographies de 18 × 24 ainsi que quelques négatifs de plus petit format. Il les examina attentivement pendant plusieurs minutes. Ses narines palpitèrent. Enfin il releva brusquement la tête et lui demanda : « Tu as lu ça ?

— Bien sûr.

— Ça t'a intéressée ? » demanda-t-il en remettant photos et négatifs dans l'enveloppe.

Elle haussa les épaules. « Peut-être... Qu'est-ce que ça signifie ? »

Philip se leva et se dirigea vers elle. « Pas grand-chose, heureusement pour nous.

— Alors pourquoi se donner tant de tintouin ?

— Ça t'a vraiment déplu ? demanda-t-il, narquois.

— Quoi ?

— La peine que tu as prise pour les avoir.

— Je ne pouvais pas procéder autrement. Mais je tiens à te dire que je ne recommencerai pas. » Elle pivota sur ses talons et partit pour le vestibule.

Il la saisit brutalement par le bras et la ramena vers lui. « Peu importe ce qui te plaît ou non, dit-il furieux. Tu feras ce que je te dirai. » Il enleva son veston et tira sur la fermeture éclair de sa braguette.

« Déshabille-toi », ordonna-t-il. Les deux chiens grognèrent, arrachés à leur quiétude par la voix furieuse de Philip.

Cubitt ne bougea pas.

« Je te dis de te déshabiller. » Il passa la main dans l'échancrure du corsage qu'il déchira jusqu'à la ceinture. « C'est mon tour », dit-il.

Il se dévêtit vivement, libérant son érection. Les chiens se levèrent et regardèrent avec curiosité.

Cubitt considéra Philip pendant un moment sans rien dire. Puis, avec un sourire terrible, elle se dénuda lentement.

7

Aussitôt entré au Chelsea Bar, Alex repéra Bob Renard, un de ses vieux amis, membre de la police new-yorkaise, chaussé de bottes, vêtu d'un jean et d'une chemise moulants, et qui se prenait pour un arbitre des élégances. Il avait douze ans d'ancienneté dans son administration. Durant les huit premières il avait travaillé en civil contre les trafiquants de drogues et les bandes organisées de criminels. Quatre années auparavant on l'avait affecté à la brigade des arts.

Alex lui avait rendu plusieurs services, d'un genre dont on ne parle jamais et maintenant il avait besoin de son aide.

Renard se leva, prit la main d'Alex et lui dit : « Tu es en retard, mon vieux.

— Excuse-moi, j'ai passé une mauvaise journée. »

Alex s'assit, commanda à boire, puis tendit le bras par-dessus la table pour ébouriffer les longs cheveux de Renard. « Tu n'es pas à la mode, dit-il en souriant. Les cheveux longs ne sont plus de mise.

— Tu es comme mon commissaire. Lui aussi voudrait que j'adopte une autre coiffure. Mais il tolère ma tignasse parce que j'évolue dans le domaine des arts. Dans la police on considère tous les artistes comme des dingues.

— A part ça, comment va ?

— Plutôt mal. On a dissous notre brigade et je viens d'être affecté à la récupération des biens volés. Evidemment on me charge en particulier de retrouver les objets d'art. Mais, faute d'appartenir à une brigade déterminée, je n'ai plus de soutien au sommet. »

Stupéfait, Drach secoua la tête. « Que s'est-il donc passé ? »

Renard sourit et agita les mains. « Toujours la même histoire. Rappelle-toi qu'il y a quelques années la chasse aux voleurs d'objets d'art avait droit aux honneurs de la presse. On en a publié des articles sur l'intrusion de grands gangs dans ce genre de méfaits. Leurs hommes exécutaient des vols et ils se débrouillaient pour écouler leurs marchandises par l'intermédiaire de négociants connus. »

Alex hocha la tête. « Oui, je me rappelle ce qu'on en a dit. Les affaires que les gangsters traitaient avec les négociants leur permettaient de laver le fric qu'ils tiraient de la drogue. Les commerçants ne refusaient pas, d'autre part, de receler les œuvres que leur offraient d'aussi bons clients. Bref, les tableaux de valeur devenaient la monnaie courante du milieu.

— Tout juste ! Alors moi, nigaud, je me mets sérieusement à la tâche, je fais des recherches et je découvre que le commerce des œuvres d'art volées représente un chiffre d'affaires proche du million de millions de dollars, à peine moins que celui de la drogue d'après les statistiques internationales du crime et de la délinquance.

— La grosse galette, quoi ?

— Et des types puissants. »

A son tour, Renard tendit le bras par-dessus la table, saisit Alex par l'épaule pour l'attirer vers lui. « Alors que s'est-il passé ? Le mois dernier, on me convoque pour m'annoncer que ma brigade n'existe plus. Au bout de quatre ans, ils estimaient que je perdais mon temps. La vérité est simple : on ne veut plus que la police s'occupe de ces affaires en respectant la procédure strictement légale. Il y a trop d'argent en jeu et je m'étais trop approché du pot aux roses. »

Percevant la frustration de Renard, Alex détourna son regard et demanda quand même poliment « Et la suite ?

— Je passe mon temps dans mon bureau, spécialement chargé de recouvrer les biens volés. Mais sans le soutien d'une brigade ni de chefs qui me protègeraient, je suis impuissant. »

Drach secoua la tête. « Nous avons tous appris des leçons de ce genre. Tu te heurtais à des gens trop unis : négociants, gangs internationaux, politiciens, hommes de loi et même une partie de la police. Les affaires sont les affaires. »

Alex but une gorgée de scotch et rappela ce que lui avait raconté naguère Jocko Corvo. Le Corse avait dessiné une pyramide. Il avait désigné un des côtés en bas et dit : « Ça, c'est la gauche. » En pointant l'index sur l'autre côté il avait ajouté : « Et voici la droite. » A ce niveau, lui avait dit Jocko, il y a des différences. Mais au sommet de la pyramide tous les gens sont identiques. Il n'y reste plus qu'une chose : la puissance. Ceux qui en bénéficient le savent et se connaissent tous les uns les autres. Ils s'épaulent et se couvrent.

Renard s'appuya au dossier de sa chaise, haussa les épaules et étouffa un rire de dépit. « J'aurais dû le savoir. Le monde des arts offre un parfait bouillon de culture pour la corruption. Ceux qui opèrent dans ce milieu ne risquent rien. Il n'y a pas d'organisation de contrôle comme la Commission des opérations de Bourse sur le marché des valeurs, pas de comptabilité. Tout échappe au regard du public. » Renard secoua la tête et but sa bière. « Et toi, qui est-ce qui t'inquiète ? demanda-t-il.

— Un caïd : Rostand. »

Renard émit un petit sifflement. « Sensationnel ! Ce type est partout. Qu'est-ce qui t'intéresse personnellement à son sujet ?

— Je crois qu'il trafique de la marchandise volée mais je n'ai pas de preuve. C'est à peine si j'ai relevé quelques indices. » Alex marqua un temps d'arrêt, pinça les lèvres et ajouta plus bas : « Peut-être serait-il en rapport avec des nazis. »

Renard laissa tomber ses deux mains sur la table, l'air à la fois émerveillé et effrayé. « Sois prudent, Alex. Si ces gens-là te jugent dangereux, ils n'hésiteront pas à te faire disparaître.

— Inutile de me le dire. J'en ai vu des exemples et de très près. Quand j'étais chez Rostand et que je travaillais pour lui, j'ai constaté ce qui se passait. C'est pourquoi je l'ai quitté. J'aimais mieux travailler pour mon propre compte. Je n'ignorais rien de la corruption ni des liens entre la pègre et les gens qui passent pour respectables. Je sais comment ils procèdent. Quand je les ai quittés je croyais que je n'aurais plus à y penser. Mais ce que je soupçonne au sujet de Rostand est une trop grosse affaire. Je ne peux pas laisser courir.

— La seule manière de gagner avec un type de cette importance, c'est en s'appuyant sur un de ses concurrents aussi puissant que lui, murmura Renard. Or, personne, absolument personne ne se risquerait à l'affronter. Il est trop redoutable.

— Il faut que je trouve de l'assistance au commissariat du dix-neuvième. »

Renard plissa les paupières. « N'en demande pas trop.

— J'ai besoin d'une couverture pendant quelque temps demain soir. Disons entre vingt et une heures et minuit.

Renard réfléchit, les yeux levés comme s'il consultait le plafond. « Le dix-neuvième... en haut, du côté est... entre les rues Soixante-deux et Quatre-vingt-seize... le quartier des bas de soie... des galeries d'art. » Il abaissa les yeux vers Alex et sourit. « Un casse ? »

Alex acquiesça d'un hochement de tête.

« Rostand International ? »

De nouveau Alex hocha la tête.

« Et tu veux que je te couvre ?

— Tout juste.

— Je ne veux pas en savoir plus, dit Renard en tripotant le médaillon d'or pendu à son cou. Je peux prendre contact avec deux ou trois amis qui patrouillent dans les parages. Tu seras donc couvert du côté de la rue, cette nuit-là. Mais permets-moi de te dire... » Renard hésita et but une longue gorgée de bière. « ... Tu peux être sûr que les systèmes d'alarme de cette boîte sont reliés au commissariat. S'ils fonctionnent, tu es fait comme un rat. »

Alex émit un petit rire. « Ne t'en fais pas. J'ai ce qu'il me faut. »

Renard se leva, donna une tape sur l'épaule d'Alex et lui dit : « Je te le souhaite... pour ton bien. » Il pivota sur lui-même et s'en alla.

8

Harry Powalsky était pressé. A huit heures quarante-cinq, il n'avait pas de temps à perdre. Vêtu d'un pantalon de treillis bleu, d'un veston léger, il portait un casque jaune en usage dans le bâtiment. Il pénétra dans le parking de l'entreprise new-yorkaise d'entretien des lignes téléphoniques et monta dans la camionnette qui se trouvait à l'angle le plus proche de la rue.

Ce bon vieux Marvin ! se dit-il. Rappaport avait laissé les clés à l'endroit convenu : accrochées à un aimant sous le tableau de bord. Po fit tourner le moteur, le laissa chauffer un instant, puis roula vers le portail. Quand il y arriva, un garde surgit devant lui.

« Merde alors, bredouilla-t-il. Je l'ai dans l'os. »

Le gardien ouvrit la portière de droite. « Tu n'y es pas, mon bonhomme. Il est interdit de sortir le matériel la nuit.

— Tu ne vois pas, trou du cul, que je suis en service d'urgence. Le disjoncteur général de la zone B a claqué.

— Assez de salades, dit le gardien en braquant le faisceau de sa torche électrique sur le visage de Po. Je veux voir l'ordre de mission. »

Po arrêta le moteur et bondit hors de la camionnette. « D'accord, mon vieux, tu vas comprendre. Ma chérie en meurt d'envie. Mais elle ne marche que dans la camionnette. Ailleurs il n'y a pas moyen.

— Tu te paies ma gueule ?

— Absolument pas. C'est sur cette banquette qu'elle devient folle.

— Je voudrais bien te faire plaisir, mon pote. Mais le règlement c'est le règlement. »

Le regard suppliant, Po insista : « Rien qu'une heure. Ça suffira.

— Je fais mon boulot, c'est tout.

— Ton boulot, mais c'est toi qui te paies ma gueule. A cette heure-ci personne n'en saura rien. »

Le gardien haussa les épaules. « Que pourrais-je dire ?

— Ne dis rien et laisse-moi partir. Je reviendrai aussitôt après... »

Le gardien hésita un moment, jeta un regard circulaire autour de lui puis fixa Po droit dans les yeux. « Ça va, mon pote, mais cette fois seulement. » Il s'éloigna en criant par-dessus son épaule : « Ramène ce véhicule avant la fin de la nuit. Je ne veux pas que tu te balades d'un bout à l'autre de la ville. »

Po retourna dans la camionnette, essuya avec son mouchoir la sueur qui couvrait son visage. « Dieu du ciel, se dit-il. On n'a jamais vu plus con. »

La camionnette franchit la grille de la Première Avenue et fila vers le centre de New York. Il était déjà neuf heures du soir.

Alex n'avait pas perdu une minute de la journée. Pendant la matinée il avait reçu le nombre habituel de clients, discuté à plusieurs reprises avec Po, puis passé l'après-midi à rédiger un rapport pour une compagnie d'assurance sur la valeur d'une collection de tableaux volés.

Dans un bar de la gare du Grand Central, il scruta le visage de tous les clients assis autour de lui : la banalité même. Ces gens regardaient droit devant eux d'un œil morne, leurs mains anonymes crispées sur des verres contenant quelque boisson apaisante et, de temps en temps, ils écrasaient leur mégot dans un petit cendrier de verre.

Alex but son Glenfiddich puis abaissa sa main droite pour toucher machinalement son sac de toile afin de se rassurer. De nouveau il en fit mentalement l'inventaire : une petite gaine de cuir semblable à un étui à lunettes qui contenait un jeu de rossignols ; un parapluie dans une petite boîte noire ; une paire de gants de caoutchouc ; une pince-monseigneur, un rouleau de corde solide et un petit émetteur-récepteur.

Il plongea la main dans la poche de sa salopette noire en tissu épais, en tira son porte-monnaie et paya sa boisson. Son casque jaune sous le bras, il ramassa son sac et alla à une cabine téléphonique au fond de la salle. Sa montre lui indiqua alors qu'il était neuf heures dix du soir. Po devrait être accessible.

Po conduisit sa camionnette bleu et blanc au nord de la Quarante-deuxième Rue et la gara au bord du trottoir. Il entra dans le bâtiment du *Daily News* et s'enferma dans la première cabine téléphonique vide qu'il aperçut. Il s'assit sur le petit tabouret et nota l'heure : 9 h 12. Trois minutes d'avance.

A neuf heures et quart exactement, il consulta un petit morceau de papier et composa un numéro. La voix d'Alex retentit à l'autre extrémité de la ligne malgré le bourdonnement.

« Je l'ai, Alex. Où la veux-tu ?

— Au coin sud-est du carrefour Quarante-quatre et Vanderbilt. J'y serai.

— D'accord, patron. A tout de suite. »

Drach raccrocha un bref instant puis composa un autre numéro.

« Bienvenue à New York, Sam, dit-il. Nous nous y mettons.

— Je ne prétendrais pas que je suis heureux d'être de retour. Où est la machine ?

— Au carrefour où tu te trouves : Quarante-quatre et Vanderbilt. Camionnette bleu et blanc. Elle y sera dans trois minutes. »

Alex raccrocha, ramassa son casque et son sac et sortit du bar.

Titan ventripotent, Sam Kell raccrocha et resta un moment le regard fixé sur les bouts de papier et les mégots qui jonchaient le sol de la cabine qui empestait l'urine. Il consulta sa montre puis traversa la gare du Grand Central jusqu'à un petit réduit sous la rotonde principale. Il ouvrit un coffre de consigne automatique et en tira une boîte noire d'une vingtaine de centimètres de long. Il la posa par terre et s'accroupit pour vérifier le fonctionnement des quatre interrupteurs à bascule et s'assurer que les fils rouge et violet sortant de la boîte étaient bien vissés sur des pinces-crocodile. Il referma le coffret, consulta de nouveau sa montre, traversa rapidement la rotonde en sens inverse jusqu'à l'escalier mécanique conduisant à l'étage supérieur du bâtiment de la Pan Am. Deux minutes plus tard, il se trouvait au coin sud-est du carrefour Quarante-quatre-Vanderbilt. Il faisait froid. Sam se battit les flancs à deux bras en rejetant les épaules en arrière, tant pour se réchauffer que pour effacer la crispation qu'il ressentait à la nuque. Il ne s'était jamais considéré comme intrépide et n'aimait pas le risque. Les treize mois qu'il avait passés au Viêt-nam avaient fortement atténué son courage. D'autre part, Drach avait sûrement préparé son affaire et savait ce qu'il faisait. Le temps passé ensemble dans les marines le rassurait à ce point de vue.

Il arriva à la camionnette à l'instant même où Alex s'asseyait derrière le volant, ouvrit l'autre portière et prit place sur la banquette auprès de lui.

« Il fait vachement froid, dit-il.

— Tant mieux, répondit Alex. Il y aura moins de monde dans les rues ce soir. » Ils échangèrent une poignée de main en souriant.

« On va quand même se geler le cul là-bas », couina Po du fond de la camionnette.

Kell se retourna. « Comment ça va, mon pote ?

— Tu auras plus chaud avec ça, gros mignon, répondit Po en lui tendant une salopette pareille à celle d'Alex.

— Tu peux te changer dans le fond », dit Alex.

Kell enjamba le dossier de la banquette, endossa la salopette et se coiffa du casque jaune.

A 9 h 25, la camionnette s'engagea dans l'avenue Madison pour s'arrêter devant un immeuble de cinq étages, en pierre de taille, contigu à Rostand International. Alex descendit de son siège et alla ouvrir le hayon. Il y prit vivement six lanternes électriques qu'il brancha aux prises de la camionnette. Puis il disposa quatre tiges métalliques verticales autour d'un regard de visite de canalisation passant sous le trottoir. Il accrocha les lanternes aux tiges et tendit de l'une à l'autre un ruban de matière plastique luisante.

Sa boîte noire sous le bras, Kell le rejoignit. Ils soulevèrent ensemble le couvercle du regard et y laissèrent descendre au bout d'un fil une torche électrique. La lumière leur révéla ce qu'ils s'attendaient à trouver : des lignes téléphoniques à environ un mètre cinquante sous terre.

Kell descendit sa lampe électrique à la main et examina attentivement les faisceaux de fils.

Po sortit de la camionnette en se frappant les flancs du plat de la main pour se réchauffer. « Vous êtes prêts pour moi. les gars ?

— Pas encore, répondit Alex. Ton tour viendra tout à l'heure. »
Po se pencha au-dessus du trou. « Tout va bien, en bas ? »

Kell releva la tête. « Va te faire foutre », répondit-il. Puis il ajouta : « Passez-moi la boîte. » Alex s'allongea sur le trottoir pour la lui tendre.

« Pourquoi pas sectionner tous ces fils ? Le système serait hors d'usage, demanda Po.

— On ne pourrait pas faire pire répondit Alex. A l'instant où un circuit est coupé l'alerte sonne au poste de police. Sam est obligé d'incorporer une boucle dans le circuit pour éviter ça. Il étudie le système avec sa boîte noire, y introduit un circuit et, à partir de ce moment-là, il est maître de la situation.

— Qu'est-ce que cette boîte noire ? demanda Po.

— Je ne vais pas te faire un dessin. Il est temps de te mettre au travail. »

Alex retourna à la camionnette et prit dans son sac un trousseau de rossignols qu'il remit à Po. « C'est une serrure de sûreté, dit-il. Je l'ai vérifiée ce matin.

— Du type Segalock ? demanda Po.

— Oui, mais équipée d'un cylindre Medeco. »

Po se rembrunit. Ces cylindres rendaient les serrures difficiles à crocheter. Il descendit de la camionnette et prit l'escalier conduisant du bord du perron au niveau du sous-sol, et se mit aussitôt au travail.

Alex retourna au trou et regarda Kell tester les câbles. Spécialiste en fait de sécurité, Drach savait que les premiers éléments de tout système d'alerte sont des détecteurs placés aux fenêtres, portes, seuils et tous autres points d'accès. Ils sont reliés à un circuit électrique qui atteint le tableau central de contrôle.

C'est ce dernier qui déclenche cloches et sirènes dans le local même et au poste de police le plus proche, en l'occurrence celui du dix-neuvième.

Kell s'y connaissait en physique. Sa boîte noire lui permit de repérer le premier des huit câbles passant sous terre. Avec son canif il arracha la gaine isolante et pinça le métal avec une pince-crocodile. Ensuite il joua du potentiomètre pour vérifier les tensions. Alors il leva la tête vers Alex et fit un signe négatif.

Il débrancha sa pince-crocodile et répéta la même opération avec un autre câble. Cette fois encore ce n'était pas le bon.

Il ne lui en resta plus que deux à tester. Quand il leva la tête vers Alex il souriait. « Je crois que je l'ai, dit-il. Numéro sept. Il doit y passer un courant continu.

— Tâche de ne pas te tromper. Je ne voudrais pas que l'enfer se déchaîne autour de moi quand je serai là-dedans.

— Ne t'en fais pas. Cette fois, j'ai le bon.

— Il te faut combien de temps ? demanda Alex.

— Pas plus de cinq minutes. Il me suffit de calibrer la résistance et de l'introduire dans le circuit. »

Kell fixa les fils rouge et violet de sa boîte au câble dénudé. Puis il ajusta les manettes de son instrument de contrôle et doubla d'un circuit bidon celui du système d'alerte. L'affaire lui prit trois minutes.

Kell se leva et s'étira si vigoureusement qu'il faillit frapper Alex au visage.

« Ça va, dit-il. Nous sommes maîtres du système. »

Alex hocha la tête et retourna à la camionnette où il prit son sac et descendit par la rampe extérieure au niveau du sous-sol. Po travaillait encore les serrures.

« C'est le froid, dit-il. J'ai les doigts gourds. »

Alex le regarda avec inquiétude manœuvrer ses rossignols. Selon toute évidence, la tâche n'était pas aisée. On ne pouvait arracher à la porte cette serrure renforcée par des anneaux d'acier.

Tout à coup Alex entendit la glace crisser sous des semelles. Il tapota l'épaule de Po et tous deux s'adossèrent au mur dans le coin le plus obscur au pied de la rampe. Le trousseau de rossignols resta pendu à la serrure.

Deux noctambules passèrent sur le trottoir au-dessus d'eux. Po attendit une minute, souffla de la buée sur ses doigts pour les réchauffer et se remit au travail. Alex resta dans l'ombre et regarda les nuages diffus passer sur la lune.

Au bout de trois minutes, Po lui chuchota à l'oreille : « A toi de jouer, maestro. La porte est grande ouverte.

— J'y vais. S'il arrive quoi que ce soit d'inquiétant, ramasse tes outils et file. Je me débrouillerai par mes propres moyens. »

Son sac accroché à l'épaule, il pénétra dans le vestibule obscur du sous-sol. D'abord, il referma la porte au verrou derrière lui et s'engagea dans un couloir en enfilant des gants de caoutchouc. Alors seulement il alluma son infime torche électrique qui lui permit de repérer le pied de l'escalier. Il éteignit sa lampe et monta lentement en se guidant sur la rampe. Arrivé au premier palier, il ralluma sa torche-stylo pour atteindre l'autre rampe, éteignit et reprit son ascension. La même opération se répéta à chaque étage. Arrivé au sommet de l'escalier il passa sur le toit. La faible lumière de la lune lui permit de s'orienter jusqu'au parapet. Il se pencha en avant et soupira de soulagement en constatant que l'escalier de secours en cas d'incendie de la galerie se trouvait à moins de deux mètres de lui. Il y lança son sac puis monta sur la rambarde, évalua prudemment la distance et bondit. Il s'accrocha à la rampe de l'escalier et la franchit d'une pirouette.

En un clin d'œil il se trouva sur le toit de Rostand International. Deux faisceaux de lumière en balayaient la surface, prêts à signaler au bureau des gardiens toute intrusion. Le cœur battant à tout rompre, Alex hésita. L'instant était venu de vérifier si Kell avait réussi son exploit. Enfin il prit une profonde inspiration et avança. Pas le moindre bruit. Alex soupira en remerciant silencieusement Sam Kell et se mit au travail.

Il tira une chignole électrique de son sac à outils, l'ajusta au convertisseur et brancha ce dernier sur sa batterie de quarante-huit volts. Il déplia le plan du dernier étage de la galerie pour repérer où se trouvait la salle à manger.

Il perça un trou de quelques centimètres de diamètre dans lequel il plongea le parapluie. Lorsqu'il y eut passé presque entièrement le manche, il ouvrit le parapluie et se mit à élargir le trou. De temps en temps, il plongeait la main au-dessous de lui pour ramasser les débris de plâtre et de ciment qui s'accumulaient sur la toile.

Enfin, lorsqu'il eut percé un orifice assez grand pour passer à travers, il se laissa tomber sur une table de la salle à manger.

Il y resta immobile un moment, l'oreille aux aguets et n'entendit rien que le rugissement des avions à réaction qui passaient dans le ciel. Il ralluma sa torche miniature, fit glisser la lumière le long du mur jusqu'à la porte dont il s'approcha en épiant les moindres bruits. Par coïncidence, un gardien aurait pu patrouiller dans les parages. Grâce au travail de Kell, il n'avait plus rien d'autre à craindre.

Il posa doucement la main sur la poignée de la porte et l'abaissa. Un déclic le paralysa. C'était seulement celui de la serrure. Il entrouvit la porte. Toujours rien. Alex jeta un coup d'œil dans le couloir faiblement éclairé par des veilleuses. Pas de gardien. Il sortit de la salle à manger et se précipita à pas de loup vers la porte donnant accès à la cage d'escalier. Il descendit un étage pour arriver au sixième et s'introduisit dans le bureau de Fuller.

La porte refermée derrière lui. Il resta un moment immobile pour reprendre son souffle. Il faisait trop chaud dans cette pièce. Alex entendit les bulles éclatant à la surface de l'aquarium des poissons rouges de Fuller. Il se demanda si on les avait nourris depuis que le chef comptable ne venait plus au bureau. Après une brève inspection des lieux qu'il connaissait fort bien, il alla droit à la table de travail.

Sauf si quelqu'un s'en était emparé, le livre d'inventaire devait se trouver où Fuller aimait à le conserver : sur la droite dans le tiroir du milieu. Alex ouvrit ce tiroir, y plongea le faisceau de sa lampe électrique et sacra. Le registre n'y était pas. Il ouvrit à tour de rôle les autres tiroirs mais en vain.

Ayant repoussé le dernier, il se redressa. Si le registre n'était pas dans le bureau de Fuller, il ne pouvait être que dans celui de Rostand. Il retourna sans bruit vers la porte, y appliqua l'oreille et écouta un moment avant de l'ouvrir. Tout allait encore bien. Sur ses épaisses semelles de crêpe il se rendit sans bruit à l'extrémité opposée du couloir et entra dans le bureau d'André Rostand par la porte aux panneaux blanc et or qu'il referma derrière lui. Il appuya sur le bouton de sa torche électrique et alla au bureau. Comme toujours, il n'y avait rien dessus. Alex ouvrit le tiroir le plus haut, fouilla à travers des piles de papiers : memorandums, correspondance. Il y avait aussi plusieurs dossiers gris noués de ruban bleu. Pas de livre d'inventaire.

il repoussait le tiroir lorsqu'il entendit s'ouvrir la porte de l'ascenseur au bout du couloir.

Il éteignit sa petite lampe électrique et se figea sur place. Un bruit de pas approcha du bureau. Alex regarda autour de lui. Aucune cachette. Il saisit son sac, le jeta sous le bureau et appuya sur un bouton dissimulé dans le lambris. Un panneau coulissa, lui laissant tout juste la place de tenir debout devant le bar d'André Rostand. Il resta visible jusqu'au moment où il tendit la main à l'extérieur pour appuyer de nouveau sur le bouton. Juste avant que le panneau se referme, Alex glissa dans l'interstice l'extrémité de sa lampe électrique pas plus grosse qu'un stylographe. Au même instant la porte du bureau s'ouvrit en grinçant. Un faisceau de vive lumière balaya la table de travail puis les lampes s'allumèrent dans la pièce.

Alex se raidit. Il entendit la respiration pénible du gardien à trois mètres de lui et se représenta cet homme en train d'explorer du regard tout ce qui l'entourait. Peut-être sentait-il une présence ? Alex se mit à suer et se demanda ce qu'il ferait si l'autre le découvrait. Le sac était-il visible ? Alex avait-il commis quelque impair qui le ferait repérer ? Le gardien pouvait d'ailleurs tout simplement remarquer que le panneau du bar n'était pas entièrement fermé. L'attente parut à Alex durer une éternité puis la lumière s'éteignit, la porte se referma, les souliers du gardien grincèrent vers l'extrémité du couloir. Alex attendit que la porte de l'ascenseur s'ouvre et se referme. Puis il glissa les doigts dans l'interstice et appuya de nouveau sur le bouton. Le panneau coulissa. Il sortit de sa cachette couvert de sueur de la tête aux pieds.

Il envisagea de s'en aller immédiatement mais résista à cette tentation, ralluma sa torche et retourna au bureau. Cette fois il trouva le livre d'inventaire dans le premier tiroir latéral qu'il ouvrit.

Il s'assit dans le fauteuil d'André Rostand et parcourut l'une après l'autre les pages du livre. Y figuraient le nom de chaque œuvre d'art que possédait la galerie, son lieu d'origine, la date et le prix de l'achat et, quand l'objet avait été revendu, celui de la vente.

La valeur de la plupart des articles figurait en nombre de six et même sept chiffres. Un trésor fabuleux. Rien que durant le mois précédent, d'après ce livre, Rostand avait acheté et vendu des toiles représentant une somme de treize millions de dollars.

Alex arrivait presque à la dernière page quand une anomalie retint son attention. Deux semaines et demie plus tôt, la galerie avait acheté une *Vue de Paris* provenant de Rome. C'était déjà bizarre. Mais il y avait plus extraordinaire encore. Cette toile avait coûté $ 480. Que faisait donc Rostand avec une œuvre d'art pour grand magasin ? Trois hypothèses se présentèrent à l'esprit d'Alex : achat à très bas prix d'une œuvre de grande valeur ; erreur ; camouflage.

Alex nota le titre du tableau, la date d'achat et continua à étudier le registre jusqu'à la dernière ligne. Le Watteau n'y figurait pas.

Il referma le livre, le remit à sa place dans le même tiroir et fut de nouveau sur le point de partir, convaincu qu'il n'en apprendrait pas plus. Pourtant il parcourut rapidement le contenu des autres tiroirs. Dans un des deux plus bas, il repéra un petit magnétophone à cassettes. Il le posa sur la table renroula la bande pendant quelques secondes puis écouta.

« De quoi s'agit-il, Alex ?

— Rien qu'une question, Ray. Ça concerne un rapport de l'O.S.S... »

Alex sourit tristement et arrêta le déroulement. Il savait désormais pourquoi Fuller avait été éliminé.

Enfin il quitta la galerie et retourna au sous-sol d'où il remonta vers le trottoir.

9

La sonnerie du téléphone retentit chez l'inspecteur Charles S. Boczka des douanes fédérales à Queens, peu avant minuit. Réveillé en sursaut, il grogna, enfonça la tête sous la couverture mais perçut encore la sonnerie. Il tendit la main vers le combiné et murmura : « Ici Boczka.

— Charlie ? Ici Alex. »

Boczka s'appuya sur un coude et consulta l'horloge sur sa table de nuit.

« Dieu du ciel ! qu'est-ce qui te prend Alex ? C'est pas une heure pour appeler les honnêtes gens. »

La femme de Boczka dressa à côté de son mari une tête auréolée de bigoudis bleus et roses.

« Qui c'est, mon chéri ? » demanda-t-elle.

Boczka fronça les sourcils et la fit taire d'un geste de la main. « Qu'est-ce que tu veux, Alex ?

— Peux-tu me rendre un service, strictement confidentiel... Dès demain matin, essaie de repérer dans vos livres l'entrée aux Etats-Unis d'un tableau importé de Rome le 16 janvier, évalué probablement à moins de cinq cents dollars... Je ne peux pas affirmer qu'il s'agisse de fraude. Mais cette affaire m'intéresse personnellement... Je cherche le nom et l'adresse de celui qui l'a présenté à la douane. »

Boczka jeta un coup d'œil à sa femme qui s'était rendormie, et réfléchit un moment. « Je ne suis qu'un des six cents inspecteurs des douanes fédérales, grogna-t-il. C'est important ?

— D'une importance vitale.

— Bon. Je ferai de mon mieux », dit Boczka. Il bâilla et se gratta la tête. « Je ferai passer ta question dans l'ordinateur et je te téléphonerai de bonne heure demain...

— Merci, Charlie, et bonne nuit.

— Bonne nuit. » Boczka raccrocha le combiné, régla son réveille-matin sur six heures et demie au lieu de sept heures, s'allongea et s'endormit presque aussitôt.

10

« Il me semble que nous traitons toujours nos affaires dans des décors de la plus grande opulence, Herr Rostand. Malheureusement les exigences de ma mission ne me permettent guère de passer souvent des soirées aussi agréables. »

Ayant jeté son froc aux orties pour la soirée, Hans Montag se trouvait avec André et Philip Rostand dans un des appartements du palais romain de Mme Gérard. Plusieurs fauteuils, deux canapés, des miroirs anciens meublaient le salon où se trouvait aussi une admirable cheminée surélevée ainsi qu'un bar bien fourni.

Jusqu'alors, la soirée s'était passée agréablement, au moins pour Hans Montag. La bouteille de cognac, débouchée pour ces messieurs, était à moitié vide sur la table entre leurs fauteuils.

Philip avait accueilli la réflexion de l'Allemand par un éclat de rire. « Avec les fonds que nous mettons à votre disposition, Monsignore, dit-il, vous aurez bientôt amplement les moyens de vous divertir ainsi. »

Le jeune Rostand tendit le goulot de la bouteille vers le verre de Montag qui refusa d'un geste et dit : « J'ai découvert, messieurs, que la vie de chaque homme passe par des stades différents.

— Je prévois que la vôtre va en changer avant peu », dit Philip.

Montag leva ses yeux clairs vers le plafond d'un air inspiré. « Je crains de n'être pas né pour terminer mon existence dans le clergé. » Il marqua un temps d'arrêt puis s'adressa à André. « Cela me rappelle, Herr Rostand, que nous pourrions sans doute adresser une prière au ciel en souvenir de Léopold Marto, récemment décédé. »

Philip sursauta et demanda à son père : « Tu es au courant ? » André secoua la tête, stupéfait.

« J'ai lu ça dans le journal de ce matin », dit Montag en offrant à André une coupure de l'*International Herald tribune.*

André y jeta un coup d'œil. « Plongeon mortel de Léopold Marto, 79 ans, négociant en objets d'art. » Tel était le titre. L'article énumérait les diverses entreprises dans lesquelles Marto possédait des intérêts et annonçait que la veille il était mort d'une chute de ving-quatre étages par la fenêtre de son appartement. Les premières constatations indiquaient qu'il s'agissait probablement d'un suicide. On avait découvert le cadavre peu après huit heures du matin sur le toit de l'immeuble voisin. La police indiquait que le défunt laissait une note faisant allusion à des difficultés d'affaires.

L'air ahuri, Philip prit la coupure que lui tendait son père, la lut et la rendit à Montag.

« Eh bien, ma foi, c'est une bonne nouvelle », dit-il ravi.

Son père le foudroya du regard.

« Un acte désolant plutôt, dit Montag qui soupira. Mais la vie doit continuer comme toujours. »

André allait répondre quand on frappa à la porte. Mme Gérard entra au salon. Rostand se leva. « Permettez-moi de vous présenter, Madame, une de mes vieilles relations : Hans Weiller. »

Montag sourit, visiblement séduit par cette femme. Ses cheveux blond cendré, ses longs cils, sa peau claire plaisaient à tous les hommes, en dépit de son âge. Montag ne fit pas exception. Il apprécia sa grâce et sa superbe maturité bien qu'habituellement il préférât les adolescentes.

L'air pensif, Mme Gérard regarda ce M. Weiller droit dans les yeux. Pour les trois hommes, elle parut avoir le regard mutin mais en réalité elle se demandait où elle avait vu cet individu. « Nous sommes-nous déjà rencontrés, Monsieur Weiller ? » demanda-t-elle en souriant.

Montag se leva, esquissa une courbette et répondit : « Si je vous avais déjà vue, Madame, je suis sûr que je n'aurais pas oublié une femme aussi belle et charmante. »

Mme Gérard se tourna vers André. « Vos invités sont toujours d'une courtoisie exquise », dit-elle.

André lui demanda de se joindre à eux pour boire un verre de cognac. Elle accepta. Philip leva le sien et proclama : « En l'honneur d'une belle dame. » Il parut enchanté de lui-même.

André et Montag levèrent plus discrètement leurs verres en direction de Mme Gérard qui hocha gracieusement la tête.

La conversation se poursuivit sur un ton léger et amical. Une des jeunes personnes de la maison apporta un plateau d'amuse-gueule. Quand elle se pencha pour le poser sur la table, Montag suivit d'un œil libidineux la courbe de ses hanches et de ses cuisses.

Mme Gérard le remarqua. Montag s'en rendit compte et sourit gêné. Ce n'était pas un sourire de banale politesse, mais une espèce de parade comme s'il demandait à l'hôtesse d'oublier son impair. Alors, sans s'en rendre compte, il se mit à frotter le côté droit de son visage avec son index.

Ce geste frappa Mme Gérard. Il lui rappelait quelque-chose d'affreux mais elle ne se rappelait pas quoi.

Tout à coup le téléphone sonna. Elle décrocha, écouta un bref instant et tendit le combiné à Montag.

« C'est pour vous, Monsieur Weiller, dit-elle... J'espère que vous voudrez bien m'excuser. » Elle sortit de la pièce.

Mme Gérard se précipita à son bureau à l'étage au-dessus et alla immédiatement s'asseoir devant sa table de travail sur laquelle se trouvait un système compliqué d'interphone relié à un magnétophone. Elle les mit en marche l'un et l'autre. Ce genre d'écoute n'avait rien d'exceptionnel. Il lui permettait d'augmenter ses revenus de temps à autre.

La voix de Montag retentit. « Qu'avez-vous dit ? J'entends mal... Combien de temps est-il resté à l'intérieur ?... Je vois... Nous pouvons sans doute nous attendre à le voir apparaître ici... Oui, ne le perdez pas de vue... C'est ça, à la même heure demain matin. »

L'ampoule indiquant que l'appareil du salon était en ligne s'éteignit mais le magnétophone continua à enregistrer les propos échangés par les Rostand et leur invité.

Ce fut Weiller qui rompit le silence. « Nous nous trouvons hélas devant une grave difficulté, je crois, Messieurs.

— Qu'est-ce qui ne va pas ? demanda Philip.

— Il s'agit d'Alex Drach, répondit Weiller.

— Drach ? demanda André surpris.

— Il vient de passer une demi-heure au siège de Rostand International, indiqua Weiller.

— A cette heure-ci ? s'exclama Philip.

— Il n'avait sûrement pas de rendez-vous, ironisa Weiller.

— Je m'y attendais ! s'exclama Philip, hors de lui.

— Qui vous l'a dit ? demanda André.

— Nous surveillons Drach depuis des semaines, répondit Weiller.

— Il faudra nous occuper de lui, dit Philip d'une voix trop aiguë.

— C'est moi qui commande, dit fermement André. Je l'ai déjà dit et je le répète : nos relations avec Alex Drach ne dépendent que de moi.

— Comment t'en débrouilleras-tu ? demanda Philip. En lui rendant la collection ?

— Peut-être, dit André. De toute façon, c'est moi et pas toi que ça regarde.

— Peu importe ce que vous ferez de la collection Drach, dit Weiller. Je veux seulement qu'on me la paie.

— Ne vous inquiétez pas, Herr Weiller, dit André avec un rien d'ironie dans la voix. L'affaire finie, vous ne vous plaindrez pas. »

Les pieds d'une chaise grincèrent sur le plancher.

« Il faut que je lance quelques appels téléphoniques, reprit André Rostand. Si vous avez besoin de moi, je suis à l'Excelsior. » Un instant plus tard la porte claqua.

Suivit un moment de silence. Puis Weiller reprit : « Il se fait vieux. J'espère que vous vous en rendez compte. Il ne voit pas les conséquences que pourraient avoir ses actes. Heureusement que vous avez décidé de prendre les choses en mains. J'en suis ravi. » Nouveau grincement de chaise. « Vous avez le choix... Tout comme votre père jadis : Drach ou la collection.

— Quand les tableaux seront-ils prêts ? »

On entendit le bruit d'un verre posé sur une table.

« Ils sont dans une salle des catacombes, tout à fait en sécurité. Je vous les montrerai, à vous et à votre père, dans les quarante-huit heures. Vous trouverez sûrement intéressante ma cave aux trésors.

— Parfait, dit Philip. Si les peintures sont en bon état, vous toucherez votre argent sur-le-champ. »

Après un long silence Weiller demanda : « Drach sait-il qui je suis ?

— Je ne crois pas mais je ne suis sûr de rien.

— S'il ne le sait pas, il l'apprendra. Parbleu ! il est détective.

— Il n'y a pas tellement à s'inquiéter. Votre ami Baruch peut prendre soin de lui. En cas d'empêchement, j'ai quelqu'un sous la main qui s'en chargera.

— Vraiment ? demanda Weiller sceptique. Je ne vous en aurais pas cru capable.

— Ne me sous-estimez pas, Weiller. Je suis plus proche que vous de Drach.

— La personne sur laquelle vous comptez ne serait-elle pas la jolie demoiselle Keeble ? »

Philip éclata de rire. « S'il le faut, elle m'obéira.

— Je n'en doute pas », dit Montag. Glissement d'une chaise sur le plancher. « Vous savez où me joindre. »

La porte s'ouvrit, se referma et ce fut le silence.

Mme Gérard appuya sur un bouton pour arrêter le magnétophone et prit ses aises dans son fauteuil. Elle ferma les yeux. Ainsi, ce Weiller connaissait Cubitt ou en avait entendu parler. Inconsciemment, Mme Gérard passa son index sur sa joue. Alors la lumière se fit en elle. Montag ! Weiller n'était autre que Montag. « Montag, répéta-t-elle à haute voix. Comment ne l'ai-je pas reconnu immédiatement ? »

D'un geste furieux elle ouvrit le tiroir supérieur de son bureau, y prit un 9 mm à canon court et se précipita au salon. Elle y entra en trombe. Ils étaient partis.

Toujours furieuse, elle décrocha le téléphone. Le portier lui annonça que Philip et Weiller venaient de sortir. Elle alla à l'extrémité de la pièce et regarda par la fenêtre dominant la Piazza Navona. Trois heures du matin. Il faisait frais. La place était déserte.

L'œil fixé sur la Fontaine du Bernin au milieu de la Piazza, elle se maudit elle-même, pour avoir laissé échapper l'occasion qu'elle attendait depuis près de quarante ans. Mais cette occasion se présenterait de nouveau. Comme à Lodz quarante ans auparavant, elle se jura de se venger.

11

Quand Alex arriva à son bureau, un instant avant neuf heures, le lendemain matin, il reconnut à peine sa secrétaire Mlle Goodyear, tant celle-ci paraissait de bonne humeur. En général, elle ressemblait à une commandante des auxiliaires féminines de l'armée ayant servi en Corée. Or, ce matin-là, elle sourit à l'arrivée du patron.

Surpris, Alex hésita à passer aussitôt dans son bureau. Il remarqua devant Mlle Goodyear plusieurs cartons qui ressemblaient à des invitations, puis avisa sur le classeur un vase contenant une douzaine de tulipes jaunes qui répandaient dans le bureau une ambiance printanière.

« Que se passe-t-il donc ? bredouilla-t-il. Est-ce votre anniversaire ? »

Elle baissa timidement ses yeux d'un marron doré. « Bertie et moi nous marions la semaine prochaine, répondit-elle en feuilletant distraitement *Maisons et Jardins.*

— J'en suis ravi, dit Alex. Cela signifie-t-il que vous nous quittez ?

— Ah mon dieu non ! s'exclama-t-elle en levant ses sourcils soulignés d'un trait de crayon marron gras. Je suis une femme libre. »

Alex sourit aussi joyeusement qu'il le put, passa dans son bureau, se laissa tomber dans son fauteuil et regarda par la fenêtre le tableau que lui offraient les toits de Manhattan.

Les premiers flocons d'une nouvelle chute de neige voltigeaient autour de l'Empire State Building. Il avait remarqué récemment que la nuit des projecteurs illuminaient les trente étages supérieurs de ce building. Cette nouveauté lui avait fait horreur. Jusqu'alors cette tour pointait dans le paysage comme un phare : symbole majestueux. Et voilà que la municipalité en faisait un gigantesque jouet. Alex chassa de son esprit Mlle Goodyear et l'Empire State Building pour se mettre au travail.

Une heure plus tard, la jeune fiancée entra dans son bureau et chuchota confidentiellement : « Une certaine demoiselle Keeble demande à vous voir. » Alex n'en fut pas surpris. Il hocha gravement la tête et alla à la salle d'attente.

Avant qu'il eût dit un mot, Cubitt se précipita vers lui l'air inquiet. « Je veux te parler, dit-elle.

— Viens dans mon bureau. »

Ils s'y rendirent en silence. Alex ferma la porte et demanda, à son tour inquiet : « De quoi s'agit-il ?

— J'ai reçu ce matin un coup de téléphone d'une de mes amies de Rome, Madame Gérard. Je t'ai déjà parlé d'elle.

— Je me rappelle, dit Alex en s'asseyant au bord de son bureau.

— Elle m'a demandé si je te connais et m'a dit qu'elle doit te parler de toute urgence.

— A quel sujet ?

— Je n'en sais rien, répondit Cubitt. Elle a insisté sur l'urgence. c'est tout ce que je peux te dire. »

Le ronfleur de l'interphone bourdonna.

Alex se pencha en arrière et répondit : « Allô !

— Vous avez Monsieur Charles Boczka en ligne, annonça Mlle Goodyear.

— Passez-le-moi, répondit Alex en décrochant le combiné.

— Alex ?

— C'est bien moi, Charlie.

— J'ai ton renseignement.

— Parle, répondit Alex en ramassant un crayon et un bloc-notes sur sa table.

— Les douanes ont enregistré cent cinquante mille entrées aux Etats-Unis le seize janvier. Je n'ai repéré dans cette masse qu'un seul tableau provenant de Rome et valant moins de cinq cents dollars. Un certain Derek Matthiesen l'apportait dans ses bagages. Il habiterait 19, Via del Giacamo, à Rome. Je me suis entretenu avec l'inspecteur Russell Wilkinson qui était de service ce matin-là et se rappelle le tableau. Une barbouille sans intérêt, m'a-t-il dit. Son adjoint l'a regardé aussi. Ils sont du même avis et estiment que cette toile ne pourrait valoir plus que quelques centaines de dollars.

— La peinture était-elle fraîche ? »

Boczka ne répondit pas immédiatement : « Je n'ai pas demandé. Mais je peux te dire quelque-chose de plus. Ce Matthiesen... si c'est bien son nom... est diabétique.

— Comment as-tu appris ça ?

— Il portait un petit sac plein de tubes d'insuline. » Alex nota ce détail sur son calepin. « Bravo, Charlie ! dit-il. Tu m'as rendu service. N'hésite pas à faire appel à moi en cas de besoin.

— Je n'ai pas fini, Alex. Nous avons interrogé la police romaine au sujet de l'adresse. Elle n'existe pas.

— Ça cadre avec ce que j'entrevois. Encore merci, Charlie.

— A ta disposition, répondit Boczka ; mais ne m'appelle plus à minuit. »

Alex reposa le combiné sur son berceau et se tourna vers Cubitt qui s'était adossée à la fenêtre.

« Tu croiras que j'ai le cerveau dérangé, dit-elle. Mais je suis sûre que ta vie est en danger. »

Il sourit, amusé. « Qu'est-ce qui te fait croire ça ?

— Après m'avoir demandé si je te connais, madame Gérard m'a conseillé d'être prudente. Elle m'a dit que je n'imagine pas dans quelle intrigue je me suis engagée. Il serait question de nazis et d'objets d'art volés. »

Alex resta impassible. Il se demanda si la belle ne lui tendait pas un piège. D'autre part, elle ne savait peut-être même pas quel rôle elle jouait. « Dans quoi t'es-tu engagée ? » demanda-t-il.

Une ombre passa dans le regard de Cubitt. « Je n'en suis pas sûre moi-même, mais j'ai peur.

— Il n'y a pas de quoi t'inquiéter. » Il fut sur le point de lui révéler ce qu'il savait mais s'en abstint. Qu'elle fût sincère ou pas, il n'avait aucune raison de la renseigner.

« Comment se fait-il que cette madame Gérard soit au courant de mon existence ? demanda-t-il.

— Je le lui ai demandé, mais elle n'a pas voulu me le dire. Elle tient à te parler, c'est tout. J'ai son numéro de téléphone. » Cubitt ouvrit son sac et y plongea la main.

Alex la retint d'un geste. « C'est inutile. De toute façon je vais à Rome.

— Quelle coïncidence, dit Cubitt en souriant. Moi aussi j'y vais.

— Avec mes bottes ! s'exclama-t-il.

— Avec mes petits souliers mignons ! »

Alex la regarda sévèrement. « Je te croyais intelligente, Cubitt.

— Je suis une femme libre d'aller et venir à mon gré. »

Alex lui prit la main et sentit un frémissement de soupçon le parcourir de la tête aux pieds. Les yeux de la belle ne révélaient rien. Impossible de discerner si elle mentait ou disait vrai. Il l'embrassa quand même et sentit les lèvres de la jeune femme trembler sous les siennes. Elle leva lentement les bras pour les lui passer autour du cou.

Soudain une toux aigre retentit derrière lui. Il lâcha Cubitt, se retourna et vit Mlle Goodyear sur le seuil de la porte. Elle avait repris son expression habituelle et parla avec le charme d'une lampe à souder. « Excusez-moi. Vous avez déjà raté un rendez-vous avec un client et il vient d'en arriver un autre.

— Hélas ! Je suis pris par une affaire urgente, mademoiselle Goodyear. Dites-leur que je ne suis pas ici.

— Mais...

— Faites ce que je vous dis, mademoiselle Goodyear.

— Bien Monsieur.

— Et puis, mademoiselle Goodyear...

— Oui, monsieur Drach ?

— Appelez-moi Jocko Corvo à Paris et réservez deux places dans le prochain vol pour Rome. »

12

Alex et Cubitt prirent un taxi à l'aéroport pour se rendre à l'hôtel Bernini, établissement ultra-moderne, sur la Via Veneto. Ils s'y inscrivirent en se servant de faux passeports et montèrent à leur chambre d'où Alex appela Mme Gérard au téléphone.

Confortablement installée dans un fauteuil, de l'autre côté de la pièce, Cubitt feuilleta son guide de Rome tout en écoutant ce que disait Drach.

« Oui... Ici, à Rome... Nous venons d'arriver... Evidemment, mais il vaudrait sans doute mieux ne pas en parler par téléphone. Pourrions-nous nous voir ce soir même?... Sept heures, c'est bon... Oui... Alors, à bientôt. »

Lorsqu'il eut raccroché, Cubitt lui dit qu'elle désirait faire rapidement quelques achats Via Veneto.

« D'accord, dit Alex mais ne tarde pas. Nous devons être chez madame Gérard dans une heure.

— Je n'en ai que pour un instant », dit-elle.

Elle embrassa Alex et sortit de la chambre.

Quand Cubitt entra dans la cabine de l'ascenseur à l'extrémité du couloir, Baruch sortit d'une chambre au même étage. Il alla sans bruit à la porte de Drach et tira du sac accroché à son épaule un petit cylindre contenant de la laque à cheveux et dont l'orifice était prolongé par un tube de plastique de trois centimètres de long. Il glissa ce tuyau dans le trou de la serrure et en vaporisa l'intérieur pendant quelques secondes.

Ça ne fonctionne pas toujours, se disait-il. Parfois la laque ne durcit pas assez pour maintenir les parties mobiles de la serrure dans la position « ouvert ». Normalement, quand on insère une clé dans la serrure après ce laquage, elle soulève les pièces mobiles qui restent dans cette position. Dès lors, l'effraction devient des plus simples. Baruch espéra que cette fois la laque agirait efficacement et il se réjouit d'avoir ainsi préparé sa mission. Il retourna à sa chambre et attendit.

Arrivée dans le vestibule de l'hôtel, Cubitt s'enferma dans une cabine téléphonique et composa un numéro.

Philip Rostand lui répondit.

« Ici Cubitt, dit-elle.

— Cubitt! Tu es à Rome?

— Je suis pressée. Alex m'attend.

— Déjà?

— Tu t'attendais à son arrivée? »

Il prit le temps de réfléchir avant de répondre : « Non... Que fait-il ici ?

— Je ne sais pas au juste, mais il a rendez-vous avec madame Gérard.

— Madame Gérard ! s'exclama le jeune Rostand. Qu'est-ce qu'elle fait dans cette histoire ?

— Elle est en contact avec lui et il lui a parlé de toi ainsi que de quelqu'un d'autre : un certain Montag.

— Montag ?

— Oui.

— Comment se fait-il qu'elle le connaisse ?

— Je ne sais pas. Elle a seulement dit qu'elle l'a connu pendant la guerre et qu'elle veut parler à Alex à son sujet.»

Après un long silence Philip demanda : « Pouvons-nous nous voir ?

— Non, répondit-elle, je dois rejoindre Alex.

— Que se passe-t-il donc ? »

Cubitt répondit en parlant rapidement : « Je ne veux plus m'occuper de ça, Philip. Ce que je fais ne me plaît pas. J'ignore ce qu'il se passe et je crois que tu devrais trouver quelqu'un pour me remplacer. » Encore un temps d'arrêt. « Comme tu voudras, dit durement Philip. Je crois que tu commets une erreur.

— Erreur ou pas, j'y tiens.

— A ton gré, dit Philip. Je ne demande jamais à personne de faire quelque chose qui lui déplaît.

— Merci, Philip. Tu me comprends, j'en suis heureuse. Excuse-moi.

— Ne dis pas de bêtises, Cubitt ; et tu n'as pas à t'excuser non plus. Je ne te demande qu'une chose... d'être discrète.

— Bien sûr. »

Baruch avança silencieusement au long du corridor jusqu'à la porte d'Alex. Près d'une heure s'était écoulée depuis qu'il avait vaporisé la serrure ; une demi-heure depuis que Cubitt avait ouvert la porte à son retour du vestibule ; peut-être deux minutes depuis qu'ils étaient sortis ensemble de la chambre. Sans doute était-ce pour dîner, pensa Baruch. Cette hypothèse lui convenait parce qu'elle lui accordait le temps nécessaire à l'exécution de son projet.

Il tira un passe-partout de sa poche, l'introduisit dans la serrure, prit une profonde inspiration et savoura son incertitude pendant un moment. Puis il fit tourner la clé. Elle obéit sans rencontrer de résistance. Il poussa la porte et constata, ravi, qu'elle s'ouvrait.

La vaste chambre, haute de plafond, était meublée dans le style du XVIIIe siècle et offrait une vue magnifique sur la Via Veneto. Très romanesque ! pensa-t-il. Il retira son veston, son col de pasteur et les posa sur le lit. A ce moment, il remarqua la valise de Drach sur la banquette réservée à cet usage. Il passa dans la salle de bains, accrocha son sac à la poignée de la porte et tira de la poche une paire de gants de chirurgien.

Le luminaire de laiton convenait admirablement à son projet. Il enfila les gants et fit jouer ses doigts comme l'aurait fait un chirurgien avant de se mettre au travail.

D'abord, il se hissa sur le bord de la baignoire et atteignit ainsi la douille de la lampe au plafond. Il dévissa l'abat-jour. L'ampoule se balança au bout des fils qui tombaient d'un trou percé dans le plafond. En se gardant de les dévisser tout à fait, il relacha les vis qui serraient les fils de cuivre à la douille.

Travaillant les bras levés au-dessus de sa tête, en équilibre instable sur le bord de la baignoire, il fut pris de torticolis. La douleur l'obligea à s'arrêter. Il se massa la nuque de la main gauche. Le mal s'apaisa. Il descendit de son perchoir, posa son tournevis sur la commode et porta son attention sur le bras mobile de la douche.

Ce dernier était vissé contre le mur dans une collerette d'aluminium poli. La maintenant d'une main, il se servit de l'autre pour faire pivoter sur lui-même le bras mobile de la douche qui finit par lui rester entre les doigts. Il le posa à la verticale dans la baignoire, arracha la collerette du mur et descendit de la baignoire pour fouiller son sac de cuir. Il y prit une feuille de mica qui isolerait la douche du reste de la plomberie, sûrement reliée à la terre. Ayant fixé sa feuille de mica dans la collerette il la remit en place et revissa le bras de la douche. Désormais il était certain que cet appareil n'était plus en contact avec la terre.

Il prit ensuite dans son sac une perceuse à pile, y ajusta une mèche, remonta sur le bord de la baignoire et perça un trou dans le bras de la douche près de l'endroit où il disparaissait dans la collerette. L'effort fit perler des gouttes de sueur sur son visage. La mèche dérapait sur le métal lisse. Enfin, juste au moment où il se mettait à sacrer à pleine voix, la pointe d'acier pénétra et la chignole fit un bruit différent. Poussant de tout son poids sur son outil il perçut la résistance du métal et, un moment plus tard, obtint sa percée. Il brossa du plat de la main les débris de métal et admira le petit trou à la base du bras mobile. Il remplaça la mèche par une autre de plus forte dimension.

A ce moment-là, la sueur coulait abondamment de son front et sa chemise blanche était trempée sous son gilet. Dédaignant la douleur que l'effort avait provoquée à son épaule, il remonta sur la baignoire et perça un trou de plus grand diamètre au plafond, immédiatement au-dessus de la collerette. Au bout de quelques secondes des particules de plâtre lui tombèrent dans les yeux, puis la mèche passa à travers le plafond.

Il mit la perceuse de côté et tira de son sac une boucle en fil de fer, et un rouleau de chatterton. Il enroula une bonne épaisseur de ce ruban au fil de fer. Il mit cet assemblage de côté, retourna à son sac, y prit environ un mètre vingt de fil électrique ainsi qu'une pince étroite. Il s'assit sur le bord de la baignoire devant le miroir et se servit de sa pince pour arracher les gaines aux deux extrémités du fil. De temps en temps, il relevait la tête pour se regarder dans la glace.

Le travail qu'il venait d'accomplir avait sali son gilet et son pantalon. Cela le gênait. Mais le travail devait être accompli. La récompense viendrait plus tard.

Baruch remonta sur le bord de la baignoire et glissa l'extrémité dorée du fil électrique dans le petit trou qu'il avait percé dans le tuyau. Il enfonça la quasi-totalité du fil dans le trou plus gros qu'il avait percé au plafond. Convaincu d'avoir presque terminé sa tâche, il prit le fil de fer sur la commode et l'introduisit dans le trou, au-dessus de l'ampoule. Il tâtonna. Le chatterton finit par accrocher le fil électrique qu'il avait enfoncé au-dessus du plafond. Il tira lentement et fut ravi de ramener l'extrémité du fil.

Il prit dans son gousset une petite torche électrique pas plus grosse qu'un stylographe, l'alluma et la serra entre ses dents. Le faisceau de lumière resta invisible tant qu'il n'eut pas éteint la lampe du plafond, ce qui plongea la salle de bains dans l'obscurité. Il reprit sa position inconfortable sur le bord de la baignoire et brancha l'extrémité nue du fil électrique sur la douille de l'ampoule. Il resserra les vis puis reprit contact avec le plancher, alluma la lumière et fut ébloui. L'affaire est dans le sac ! pensa-t-il.

Trempé de sueur mais emporté par l'élan du travail, il remit en place l'abat-jour du plafond. Quand il eut terminé rien n'indiquait qu'il l'avait dévissé auparavant. A première vue, la salle de bains, la lumière et la douche étaient exactement dans l'état où il les avait trouvées lorsqu'il était entré dans cette pièce. Puis il déroula une petite longueur de chatterton qu'il déchira avec ses dents et il s'en servit pour boucher le petit trou dans le bras mobile de la douche. Enfin il utilisa un morceau plus long pour camoufler le trou percé dans le plafond.

Sa tâche accomplie il poussa un profond soupir et descendit de la baignoire. Certes, en examinant attentivement le plafond et la douche on distinguait le chatterton. Tout le reste était invisible. Impossible de repérer la feuille de mica ni les trous qu'il avait percés.

Baruch prit une serviette auprès du lavabo pour essuyer les débris de métal et de plâtre dans le fond de la baignoire. Il procéda de la même façon sur le plancher au-dessous de la lampe électrique. Ensuite il cueillit dans le lavabo les restes de la gaine qu'il y avait laissé tomber en dénudant le fil électrique. Il les jeta dans la serviette qu'il roula et mit dans son sac à outils.

Après un dernier coup d'œil à la salle de bains, il passa dans la chambre en retirant ses gants, enfila col blanc et veston noir, raccrocha son sac à l'épaule et sortit de la même manière qu'il était entré, pleinement satisfait de lui-même. L'expérience aidant, il parvenait à accomplir à la perfection de telles tâches. Drach serait le deuxième homme qu'il tuerait dans une baignoire. Cette fois-ci, il n'y aurait pas de sang. Drach périrait électrocuté. A cet instant Baruch fronça les sourcils en proie à une sensation de faiblesse qui n'était sans doute pas due à la fatigue. Il saisit vivement son flacon de glucose pur.

13

Cubitt, Mme Gérard et Alex avaient fini de dîner mais restaient à table et savouraient un excellent champagne dans l'appartement personnel de l'hôtesse.

Ses deux interlocuteurs avaient écouté, médusés, le récit des circonstances dans lesquelles elle avait fait connaissance avec « Herr Weiller ». Il l'avait violée alors qu'elle avait quatorze ans, quarante ans plus tôt. Il s'appelait alors le lieutenant SS Montag.

« Je n'ai passé avec lui qu'une seule nuit, la plus horrible de ma vie. Je n'ai jamais pu l'oublier et je me la rappellerai toujours. Quand j'y pense, il me semble que sa convocation à Berlin me sauva la vie. J'ai entendu dire, en effet, ce qu'il était advenu des autres gamines qu'il avait réquisitionnées pour son plaisir : au bout de quelques jours il les envoyait à l'abattoir avec les autres condamnés à mort.

— Comment avez-vous survécu ? »

Mme Gérard grimaça amèrement. « Survécu... Je me demande si c'est le mot qui convient. Montag me livra à sa section de SS, comme cadeau, en prenant congé de ses hommes.

— Montag, vous voulez dire Weiller ? remarqua Cubitt.

— A Lodz, c'était le lieutenant Montag. Weiller est *son nom de paix.* » Son regard resta fixé un moment sur les paumes de ses deux mains ouvertes devant elle. « On pourrait encore le dénoncer et le faire traduire en justice pour les crimes qu'il a commis à Lodz. Mais je préfère...

— ... lui régler son compte vous-même », termina Drach.

Mme Gérard hocha lentement la tête.

« Je vous comprends », reprit Alex. Il sentit que Cubitt l'observait attentivement. « Vous nous avez dit que ce lieutenant SS Montag fut transféré à Paris.

— C'est exact, je l'ai appris ensuite.

— En quelle année ? demanda Alex.

— En juin 1940. J'ai aussi appris qu'il en était enchanté. »

Drach s'appuya au dossier de sa chaise. Le silence régna un moment autour de la table. « Qu'a-t-il fait à Paris ? » demanda-t-il.

Mme Gérard haussa les épaules. « Je ne sais pas, répondit-elle avec humeur. Je n'en ai rien appris.

— Moi, je le sais, dit Alex. Hermann Göring l'a chargé d'une mission exceptionnelle. »

Une des demoiselles de la maison apporta un magnétophone. Elle le plaça sur la table et s'éclipsa.

« Voilà ce que je veux vous faire entendre, dit Mme Gérard. Un système d'écoute relie toutes les pièces à mon bureau. Je n'ai pu enregistrer qu'une partie de la conversation, parce que j'ai quitté le salon dès que j'ai passé l'appareil téléphonique à ce Weiller. J'écoute toujours les conversations qui viennent de l'extérieur. On n'appelle les gens chez moi que pour des raisons importantes et j'aime savoir de quoi il s'agit. » Elle appuya sur le bouton « Play », s'écarta de la table et écouta.

« *Qu'avez-vous dit? J'entends mal... Combien de temps est-il resté à l'intérieur?... Je vois... Nous pouvons sans doute nous attendre à le voir apparaître ici.* »

Pendant que la bande magnétique répétait les propos de Montag au téléphone, Cubitt écoutait attentivement, raide sur sa chaise. Elle observait Alex et esquissa un mince sourire lorsqu'elle entendit le déclic du combiné reposé sur son berceau.

Cependant la bobine continuait à se dérouler, répétant l'entretien des Rostand avec Montag.

« *Nous nous trouvons hélas devant une grave difficulté, je crois, messieurs.*

— Qu'est-ce qui ne va pas?

— Il s'agit d'Alex Drach... »

Mme Gérard laissa la bande se dérouler jusqu'à l'instant où Philip disait : « *Il n'y a pas tellement à s'inquiéter. Votre ami Baruch peut prendre soin de lui. En cas d'empêchement, j'ai quelqu'un sous la main qui s'en chargera...* » Mme Gérard appuya sur le bouton « stop » et se tourna vers Cubitt qui était visiblement bouleversée. « Avant de vous faire entendre le reste, dit Mme Gérard, je tiens à vous mettre en garde : cela n'aura rien d'agréable. »

Drach fronça les sourcils, intrigué. Cubitt gémit en prévoyant ce qu'il allait se passer.

Après un moment de silence, Mme Gérard ajouta : « Je tiens à ce que vous sachiez tous les deux que dans cette affaire mes sentiments sont profondément divisés. J'ai envisagé d'effacer une partie de la suite, dans l'intérêt de Cubitt. Puis j'ai réalisé que l'enjeu est trop important pour que je cède à mes sympathies personnelles. » Elle plongea son regard dans celui de Cubitt. « Assez parlé. »

Mme Gérard appuya sur le bouton « rewind » un court instant et pressa sur « play ». La voix de Philip se fit de nouveau entendre : « *Il n'y a pas tellement à s'inquiéter. Votre ami Baruch peut prendre soin de lui. En cas d'empêchement, j'ai quelqu'un sous la main qui s'en chargera.*

— Vraiment?

— Ne me sous-estimez pas, Weiller. Je suis plus proche que vous de Drach.

— La personne sur laquelle vous comptez ne serait-elle pas la jolie demoiselle

Keeble? » Le rire de Philip retentit dans la pièce. « *S'il le faut, elle m'obéira.* »

La bobine continua à se dérouler jusqu'à la fin de l'entretien.

Cubitt avait couvert son visage à deux mains et elle pleurait, pour la première fois depuis bien des années.

14

Alex et Cubitt retournèrent à leur chambre d'hôtel une heure plus tard. Les vêtements de la jeune femme étaient imprégnés de sueur et elle se sentait totalement brisée.

Après avoir écouté l'enregistrement, Alex n'avait manifesté aucune surprise. Il avait regardé alternativement les deux femmes et répété une phrase de Montag : « *Vous avez le choix... Tout comme votre père jadis.* » Ce fut tout. Ensuite, Mme Gérard et lui s'entretinrent brièvement dans le vestibule en laissant Cubitt dans la salle à manger où il retourna la chercher pour partir avec elle.

Quand Alex ouvrit la porte de la chambre, la jeune femme murmura : « Il faut que je te parle Alex. Permets-moi de t'expliquer.

— C'est vraiment inutile », répondit-il. La porte ouverte, il en retira distraitement la clé et allait la mettre dans sa poche quand son bras se figea brusquement. Cette clé était engluée.

Il appliqua son index à ses lèvres, écarta Cubitt du seuil, ouvrit totalement la porte et aspira à pleins poumons.

Elle resta muette, immobile, cependant qu'Alex entrait dans la chambre, ouvrait prudemment l'armoire puis se dirigeait à pas de loup vers la porte de la salle de bains. Il l'ouvrit, y jeta un coup d'œil circulaire et ne remarqua rien d'anormal. Il se retourna alors pour faire signe à Cubitt d'entrer.

« Que se passe-t-il ? » demanda-t-elle.

Il lui tendit la clé. Elle la prit. « Tu ne remarques rien ? demanda-t-il.

— Elle est gluante. » Cubitt se frotta les doigts les uns contre les autres et flaira la clé. « Ça sent la laque à cheveux. »

Alex hocha la tête.

« Qu'est-ce que ça veut dire ?

— Je ne sais pas, répondit-il. Mais je crois qu'on a fouillé notre chambre. . » Il se précipita vers l'appareil téléphonique, décrocha le combiné et dévissa le couvercle du micro. Il les remit en place et suivit le fil le long du mur en quête d'un appareil d'écoute. Toujours rien.

Ensuite il tourna son attention sur sa valise. Il l'ouvrit prudemment. Un tout petit morceau de papier tomba sur la moquette « Je me trompe sans doute, dit-il.

— A quel sujet? » demanda Cubitt.

Il ramassa la petite feuille de papier. « Si quelqu'un a fouillé ici, il a fait du mauvais boulot. Ma valise est restée fermée depuis notre départ. Mais si les intrus n'ont rien pris, peut-être ont-ils laissé quelque chose. »

Cubitt qui était restée adossée à la porte, s'approcha de lui. « Peut-être sommes-nous trop soupçonneux », dit-elle.

Alex haussa les épaules. « Peut-être, répéta-t-il. Je ne sais pas... » Il parcourut la pièce, écarta les rideaux, se jeta à plat ventre pour regarder sous le lit. Il ne savait d'ailleurs pas ce qu'il cherchait et ne trouva rien.

Cubitt l'observait, étonnée de voir que la tension transformait son visage en un masque menaçant. Elle ne l'avait pas encore vu ainsi. Une puissance presque animale rayonnait de lui et il paraissait encore plus désirable à la jeune femme.

« Ça va, dit-elle. Il n'y a personne ici. Sans doute a-t-on graissé les serrures...

— J'en doute », dit-il convaincu que quelque chose lui échappait. Mais, en regardant Cubitt, il haussa les épaules, sourit, fit un pas vers elle, la prit dans ses bras et la porta sur le lit.

« Attends, Alex, dit-elle. Il faut que je te parle.

— Plus tard. Nous aurons le temps de parler après. » Il la déshabilla, retira ses vêtements, s'allongea auprès d'elle, ferma les yeux et s'émerveilla une fois de plus en touchant sa peau d'une douceur extraordinaire.

Il lui passa légèrement la main de haut en bas du corps, en la touchant à peine. De l'autre main, il caressait les mamelons foncés

Au bout d'un instant, les jambes de Cubitt entourèrent celles d'Alex et se croisèrent derrière lui. Elle chuchota à son oreille, gémit, se frotta contre lui. Lentement, avec beaucoup de douceur, il la pénétra. Cubitt ouvrit les yeux et sourit. « Exquis », souffla-t-elle. Elle se démena d'un mouvement insistant du dos et des hanches. Ensorcelé par l'ovale ravissant du visage, les lèvres entrouvertes, les yeux verts lumineux, il ne voyait qu'elle, comme s'il la possédait en proie à une transe hypnotique. Elle l'emportait jusqu'à un point de non-retour. Elle n'avait pas cessé de remuer depuis l'instant où il l'avait pénétrée. Soudain elle le serra contre elle comme pour l'attirer plus profondément dans son corps. Devinant qu'il approchait du point culminant elle grogna par sympathie, remua plus violemment, lui saisit les fesses à pleines mains et, enfin, céda en frémissant à une succession de spasmes; échos de ceux qui ébranlaient Alex.

Ils restèrent longtemps allongés en s'étreignant. Elle lui caressa le front et demanda tout bas : « Pouvons-nous parler maintenant? »

Il secoua la tête. « Plus tard tout s'arrangera. » Il ferma les yeux et dériva vers le sommeil en souriant. Quelques minutes plus tard Cubitt s'écarta doucement de lui, se leva et alla à la salle de bains.

Puis, comme si elle avait oublié quelque chose, elle fit demi-tour, retourna au lit, baisa doucement Alex sur les lèvres et chuchota : « Je t'aime. » Pour la première fois de sa vie, elle prononçait ces mots sincèrement.

Sans ouvrir les yeux, Alex sourit. « De toute façon, l'affaire est réglée, dit-il. J'en suis heureux. » Cubitt alla à la salle de bains.

Au bout de quelques secondes Alex entendit le bruit de la douche puis un étrange cri étranglé.

Il bondit du lit, fonça dans la salle de bains et trouva Cubitt ratatinée au fond de la baignoire. L'eau qui tombait encore rejaillissait tout autour d'elle. « Cubitt ! » s'écria-t-il en lui posant la main sur l'épaule. Un choc électrique d'une violence inouïe le fit tourner sur lui-même et le précipita contre le miroir mural, si violemment que les débris de glace tombèrent sur le carrelage. Hébété, il secoua la tête, recouvra à demi la raison et tendit la main vers Cubitt mais hésita et ses yeux parcoururent vivement la pièce. Quand son regard atteignit le plafond, il remarqua un morceau de sparadrap et un fil électrique qui pénétrait dans le bras de la douche. Il se précipita dans la chambre et revint avec un soulier à semelle de caoutchouc dont il se servit pour fermer le robinet de la douche.

Il resta immobile un moment devant le corps superbe de la jeune femme, se pencha et prit le poignet en quête du pouls. Rien. Elle était morte. Il ne pouvait le croire. De nouveau, il parcourut la chambre, vérifia le téléphone, fouilla l'armoire, revint à la salle de bains. Oui Cubitt était bien morte.

Il eut l'impression d'être sous l'eau et que le corps ratatiné de Cubitt au visage torturé entrait et sortait de sa tête sous l'effet d'une houle. Cependant, il se démenait pour crever la surface de l'eau.

Il se pencha au-dessus de la baignoire et écarta les boucles blondes du visage. A cet instant, il se rappela qu'il ne pourrait plus rien faire d'autre pour elle. Il prit une grande sortie de bain en tissu éponge pour couvrir le cadavre, en se souvenant de quelle voix elle lui avait dit : « Je t'aime. » Elle était morte à sa place et lui sauvait ainsi la vie.

Alex se redressa, regarda au plafond, grimpa sur le bord de la baignoire, arracha le chatterton et le fil électrique, les roula en boule et les jeta, furieux, dans la corbeille à papiers.

Quoi que fût Baruch — car il s'agissait bien de Baruch, d'après ce qu'avait révélé la bande magnétique — c'était sûrement un professionnel.

Alex retourna dans la chambre à coucher. Encore hébété, il s'habilla rapidement. Pendant qu'il rassemblait ses affaires et bouclait sa valise, le choc et le chagrin s'estompèrent pour faire place à la fureur. Il alla à la fenêtre et regarda la Via Veneto encore bondée de noctambules. Il était tellement absorbé par ses pensées que la sonnerie du téléphone le fit sursauter. Il se précipita vers la table de nuit et décrocha.

« Alex ? » C'était Jocko.

Soulagé, Alex répondit : « Ils ont encore essayé de m'avoir. » Les jointures de ses doigts crispés sur l'appareil blanchissaient.

« Mais tu t'en es tiré ? demanda Jocko.

— Je suis sain et sauf mais une de mes amies est morte.

— Ecoute-moi bien, dit Jocko. Va-t'en. Va-t'en immédiatement. Où pouvons-nous nous voir ?

— Tu connais la Piazza Navona ?

— Oui. Parle.

— Je serai dans vingt minutes au palais Pambisti. Demande madame Gérard. »

Alex raccrocha, ramassa sa valise, puis quitta la chambre en se gardant d'aller à la salle de bains. Une fois sorti, il s'assura que la porte était bien fermée et mit la clé dans sa poche.

Il suivit le couloir jusqu'à l'ascenseur. Dans son impatience, il appuya plusieurs fois de suite sur le bouton « rez-de-chaussée ». Il entendait s'entretenir d'abord avec Jocko, puis téléphoner à un service d'ambulances ou à la police. Dans sa surexcitation il ne remarqua pas à ses pieds un œillet rouge fané jeté sur le lit de sable d'un cendrier en métal chromé.

15

Bouillonnant de colère et de haine, le plexus solaire crispé, Alex dévala la Via Veneto, en passant devant l'escalier d'Espagne, pour se rendre place Navona. Bien qu'il hâtât le pas, il scrutait le visage de tous les gens qu'il croisait et se retournait de temps en temps par crainte d'être suivi.

Apparemment personne ne lui était hostile dans les rues de Rome. Il ne vit que de jeunes amoureux, bras dessus, bras dessous ; des touristes juvéniles qui caquetaient en groupe, sac au dos ; un vieillard qui vendait des *granitas ;* des fontaines ; des mendiants ; un homme qui jouait de la flûte de Pan ; des bistros bondés. Il déboucha enfin sur la place Navona, la traversa de bout en bout en passant devant la fontaine du Bernin et arriva enfin devant le palais Pambisti. Il s'arrêta net.

Deux ambulances démarraient, suivies par plusieurs cars de police aux rotophares scintillants. Quelques Italiens parlaient à voix basse devant l'entrée. Alex se reprit et joua du coude pour atteindre l'ascenseur.

« *Che fiche!* s'exclama le liftier. Incroyable! » Cet homme tremblait.

« Que s'est-il passé? demanda Alex.

— *Terroristi.* Il y a deux heures. » Le liftier en gants blancs écarta les bras en un grand geste puis fit mine de frapper devant lui, de casser, de marteler, sans doute pour indiquer ce qu'il avait vu. Pendant l'ascension jusqu'au dernier étage, il expliqua comment trois hommes armés avaient envahi le palais et s'étaient frayé par la force un chemin jusque chez Mme Gérard qu'ils cherchaient personnellement.

La cabine de l'ascenseur s'arrêta. Les portes s'ouvrirent dans le vestibule de l'appartement. Alex se trouva alors devant un spectacle de dévastation totale : portes fracassées, mobilier renversé, une lampe brisée. Des débris de verre crissèrent sous ses pieds. Des inspecteurs de police qui discutaient entre eux à voix basse ne remarquèrent pas sa présence, pas plus que le photographe de presse. Deux solides gaillardes qui prenaient des notes sur de petits calepins parurent aussi trop préoccupées pour s'intéresser à lui.

Alex entra dans le bureau de Mme Gérard.

Il la trouva assise dans son fauteuil, derrière sa table de travail. Il ramassa une chaise, rajusta un de ses pieds et la posa devant le bureau.

Mme Gérard l'observa sans rien dire. Quelques secondes s'écoulèrent, comptées par le tic-tac de l'horloge murale.

Enfin elle parla. « J'étais sortie... D'habitude je suis ici, avec mes filles. En général je ne sors guère. Hier soir, après le départ de Montag... Je ne tenais plus en place. Il a fallu que je sorte. Trois hommes sont arrivés. Ils voulaient me voir et refusèrent de croire que j'étais absente... »

Elle parcourut du regard la pièce jonchée de verre brisé. Le miroir et le lustre étaient en miettes. « Pareil dans toutes les chambres... Ils ont rossé trois de mes filles... Des femmes ravissantes. L'une d'elles, une Indonésienne, est à l'hôpital.

— Et Cubitt est morte », dit sèchement Alex.

Mme Gérard releva brusquement la tête, le visage livide.

« A mon hôtel », précisa Alex.

Pendant un moment, ni l'un ni l'autre ne parla. Puis Alex demanda : « Qui a fait ça?

— Je vous l'ai dit, trois hommes. J'étais absente.

— Ce n'est pas ce que je vous demande, madame, dit Alex. Qui est responsable de ce saccage? »

Les traits de Mme Gérard se crispèrent. « Ce ne peut être que Montag, évidemment.

— Il doit donc savoir que vous êtes à même de l'identifier.

— Sans doute, mais comment l'aurait-il appris?

— Sans certitude je soupçonne les Rostand. »

De nouveau ils restèrent sans rien dire pendant un moment, puis Alex posa encore une question : « En avez-vous parlé aux carabiniers?

— Pas encore. J'étais absente. Ils interrogent le personnel qui se trouvait sur place au moment de l'agression et qui peut témoigner. Ils s'adresseront à moi plus tard. Je pourrai leur donner quelques renseignements sur Montag. »

Alex secoua la tête, se leva, alla jusqu'à la porte, l'entrouvrit pour jeter un coup d'œil dans le couloir, puis revint vers Mme Gérard mais cette fois il resta debout.

« Ne faites pas ça, dit-il. Je ne le veux pas.

— Pourquoi donc ? Après ce qu'il...

— Je veux me venger moi-même », dit-il.

Elle hocha la tête. « Je comprends, dit-elle. Mais permettez-moi de me rendre utile.

— Puis-je compter sur votre discrétion ?

— Evidemment. Comment retrouverez-vous Montag ?

— Par les Rostand, répondit-il. Ils doivent prendre contact avec lui. »

Une des fortes femmes qui prenaient des notes dans le vestibule à l'arrivée d'Alex, ouvrit la porte et fit un pas dans le bureau. « Seriez-vous Alex Drach ? demanda-t-elle.

— Oui. De quoi s'agit-il ?

— Trois personnes vous attendent dans le vestibule. »

Mme Gérard se leva brusquement en considérant Alex d'un regard inquiet. « Vous attendiez quelqu'un ?

— Oui, répondit-il. Ce sont des amis arrivés de Paris. »

Il suivit le long couloir d'un bout à l'autre de l'appartement et trouva dans le vestibule, mal à l'aise sous l'œil soupçonneux de deux carabiniers en armes, Jocko, son gendre Manetta et Minta.

Fonçant à une vitesse étonnante pour sa corpulence, Jocko traversa le vestibule avant qu'Alex eût ouvert la bouche.

« Alex ! hurla-t-il. Mon Dieu ! Tu es sain et sauf ? » Ses bras épais entourèrent le cou du jeune homme qu'il étreignit gauchement puis repoussa à bout de bras pour le regarder de la tête aux pieds.

« Je suis en parfait état », dit Alex en souriant. Il ne regardait que Minta.

Jocko suivit son regard et haussa les épaules, exaspéré.

Minta sourit, le regard étincelant. « Ne demande rien.

— Que demanderai-je ? dit Alex.

— Pourquoi je suis ici. »

Jocko secoua la tête. « *Quel type, cette fille !* Elle a insisté. Elle m'a dit qu'elle ne remettrait plus jamais les pieds chez moi si elle ne m'accompagnait pas. » Il plongea ses deux pouces dans ses goussets. « J'ai refusé, évidemment. »

Alex l'interrogea d'un regard stupéfait.

Jocko haussa les épaules et agita les deux mains. « Qu'aurais-je pu faire... Elle est corse. »

Alex éclata de rire. Pour la première fois depuis bien des jours il se sentait à l'aise. Il tendit la main à Manetta qui la serra sans sourire. Comme lors de leur première rencontre Alex fut frappé par ce qu'exprimait le regard du jeune homme : une sauvagerie de fauve.

En les conduisant au bureau de Mme Gérard, Alex expliqua succinctement ce qu'il était arrivé depuis leur entretien téléphonique.

« Rostand est ici ? demanda Jocko.

— Tous les deux, le père et le fils, répondit Alex. Montag aussi. Ils sont tous dans le coup.

— Tu en es sûr ?

— Absolument. »

Ils entrèrent dans le bureau. Alex fit les présentations.

« Excusez le désordre », dit Mme Gérard qui leur offrit à boire. Alex, Jocko et Manetta acceptèrent. Minta refusa. Elle évaluait du regard Mme Gérard, non sans sympathie.

« Premier point du programme, dit Alex. Je dois m'occuper de Cubitt. » Il jeta un coup d'œil à Minta. Rien n'indiqua ce qu'elle savait ou pensait.

« N'y mêlons pas la police, dit Jocko. Elle ferait trop d'histoires. As-tu rendu ta chambre d'hôtel ?

— Non. J'en ai encore la clé, répondit Alex.

— Donne-la-moi, dit Jocko en tendant la main. J'ai des amis à l'*Unione*. Ils arrangeront les choses correctement. »

Le souvenir de Cubitt ratatinée dans la baignoire traversa Alex comme une lame de feu. Il s'interdit de penser encore à elle et remit la clé à Jocko. « Deuxième point : trouver Montag. Il doit livrer des tableaux aux Rostand demain matin. Je veux assister à la cérémonie.

— Rome est une bien grande ville », dit Jocko.

Alex s'adressa à Mme Gérard. « Deux ou trois de vos filles consentiraient-elles à nous aider ?

— Je ne vois pas comment.

— En suivant les Rostand nous arriverons à Montag. Mais ils nous reconnaîtraient... Les filles pourraient les prendre en filature.

— Moi aussi, dit Jocko. Rostand ne m'a pas vu depuis le jour où il a quitté Paris pour Monte-Carlo pendant la guerre. Je pourrais le pister de près. »

Le regard d'Alex se fixa intensément sur celui du Corse. Cet homme n'était pas sot. Il devait savoir la vérité. Il n'ignorait pas notamment que Paul Drach n'était pas son père. « Tu en es sûr ?

— Comment me reconnaîtrait-il ? Ça date de quarante ans.

— Non, dit Alex. Je parle de son séjour à Monte-Carlo. Y était-il ? »

Jocko fit la grimace. Il comprenait le sens de la question. « Oui, dit-il enfin. Il était à Monte-Carlo. »

Alex hocha la tête et se tourna vers Mme Gérard. « J'aimerais quand même que vous nous assistiez.

— Eh bien oui, bien sûr, répondit-elle avec méfiance. Mes filles...

Je ne sais pas. Je ne veux pas les mettre en danger. Elles n'ont pas le même intérêt que vous et moi dans cette affaire.

— Elles ne courront aucun danger, assura Alex. Je n'ai besoin d'elles que pour la surveillance.

— *Surveillance...* C'est un mot français. » Mme Gérard haussa les épaules. « Dites-moi exactement ce que vous attendez d'elles.

— Il faut que quelqu'un suive pour nous les allées et venues des Rostand. Voilà à quoi nous serviraient ces jeunes dames.

— Mais elles ne sauront pas faire un travail pareil.

— Permettez-moi de leur parler, dit Alex en souriant. Dans une heure, elles pisteront nos bonshommes aussi habilement que des chiens de chasse. »

Tard ce soir-là, Mme Gérard, deux de ses belles hôtesses, Minta, Jocko, Manetta et Alex, assis autour d'une table, consultaient un plan à grande échelle de Rome.

« Nous organiserons un système de surveillance à tour de rôle », dit Drach. Il s'adressa d'abord à une très petite Irlandaise aux cheveux acajou, assise auprès de lui. « Vous, Paula, vous commencerez par suivre la parallèle. » Puis il parla à une Israélienne sculpturale. « Allégra, vous serez la première pisteuse et toi, Minta, la seconde.

— Qu'est-ce que la parallèle ? » demanda Paula.

Elle semblait avoir vingt-quatre ou vingt-cinq ans. Il aurait été difficile de préciser. En réalité, ses yeux rusés et son comportement permettaient de supposer qu'elle approchait de la trentaine. Mais, comme la plupart des femmes de petite taille, elle paraissait plus jeune que son âge.

« C'est simple », répondit Alex. Il traça un cercle autour de l'hôtel Excelsior. « Voici où sont descendus les Rostand. Nous nous déploierons autour de cet hôtel et dans le vestibule. Quand ils en sortiront, ils partiront à pied ou en voiture. S'ils marchent, nos limiers les suivront. Paula avancera parallèlement à eux, à peu près à la même hauteur, de l'autre côté de la rue. Allégra et Minta les suivront sur leur trottoir, à distance respectueuse, l'une derrière l'autre. Allégra en tête et Minta derrière elle. De temps en temps, quand les circonstances vous le permettent, vous intervertissez les positions afin qu'on ne vous repère pas trop souvent dans la même situation. N'oubliez pas pourtant ceci : celle qui prend la parallèle ne doit pas perdre les Rostand de vue. Ses yeux servent aux deux autres, en particulier quand nos deux oiseaux bifurquent à un carrefour et échappent donc à la vue de celles qui les suivent. »

Alex se tourna vers Manetta et Jocko. « S'ils quittent l'hôtel en voiture, nous aurons deux véhicules pour les suivre. Manetta et Jocko, vous les attendrez au sud de l'hôtel, dans la première auto. S'ils prennent cette direction j'embarquerai les dames et nous vous suivrons. Si les Rostand partent vers le nord, je serai à même de les suivre. C'est vous deux qui rallierez nos assistantes et roulerez derrière moi. » Le regard d'Alex fit le tour de la table. « Y a-t-il quelque chose qui vous échappe ? »

Personne ne posa de question.

« Bien, nous nous retrouverons ici demain matin, de bonne heure. »

Mme Gérard se leva. « Je préférerais que vous passiez tous la nuit ici.

— Vous êtes bien aimable, madame, dit Jocko, mais nous ne voudrions pas abuser de votre hospitalité.

— Ce ne serait pas abuser. Nous serons surtout plus en sécurité les uns et les autres. En outre, étant donné ma profession, j'ai des lits disponibles. »

Tous de rire, sauf Manetta.

Manetta s'installa pour la nuit dans le vestibule de l'appartement. Alex, Jocko et Minta allèrent au salon d'où le Corse donna plusieurs coups de téléphone. Le dernier concernait le corps de Cubitt. Cependant Minta et Alex regardaient par la fenêtre la Piazza Navona.

Le regard fixe comme si le jeu des fontaines l'hypnotisait, elle demanda à voix basse : « Comment était-elle, Alex ?

— Cubitt ?

— Oui. »

Alex prit le temps de réfléchir. « Il y avait bien des personnes en elle. J'en ai connu au moins deux. L'une était la belle courtisane, égoïste, qui ne se souciait jamais de la différence entre le bien et le mal. Elle n'avait probablement pas eu le temps d'y penser. Adolescente, elle n'avait pas les moyens de s'offrir une conscience. Plus tard, son ascension sociale l'occupait trop pour qu'elle s'en soucie.

— Et l'autre ? »

Alex sourit. « Cette Cubitt était une autre femme. On pouvait l'atteindre. Elle était capable d'aimer. » Il marqua un temps d'arrêt en scrutant le profil de Minta. « Peut-être désirait-elle seulement aimer. Par malheur, elle ne se respectait pas suffisamment elle-même pour tenir à quoi que ce fût.

— L'aimais-tu ? »

Alex serra les poings dans les poches de son veston. « Oui, la meilleure partie d'elle. »

Minta ne répondit pas pendant un bon moment et son visage non plus n'exprima rien. Après un long silence, elle se retourna vers lui et leva la tête. « J'espère qu'un jour tu trouveras celle qu'il te faut, dit-elle.

— Je la connais peut-être déjà.

— Vraiment ? »

Il éclata de rire, lui prit la tête entre ses deux mains et la baisa doucement sur les lèvres. « Il est temps de dormir. Demain sera une dure journée. »

Quand Minta partit se coucher, Jocko traversa la pièce pour rejoindre Alex à qui il offrit un verre de cognac.

« Sois prudent avec elle, Alex, dit-il, Minta est une fille vulnérable. »

Alex regarda par la fenêtre. Il pensait à d'autres choses. « Dis-moi la vérité, Jocko.

— A propos de Rostand et de ta mère ?

Alex acquiesça d'un hochement de tête.

« Je n'ai pas grand-chose à dire que tu n'aies déjà deviné. Evidemment j'avais des soupçons. Paul aussi, je pense. En tout cas, il se doutait des sentiments de ta mère pour Rostand. Je m'en suis rendu compte dès le début. Je l'ai vu dans ses yeux lorsqu'ils ont fait connaissance et, plus tard, quand elle est revenue de Monte-Carlo après la mort de Paul. Ce n'était plus la même femme. Elle était enceinte. Et puis tu es né. » Jocko marqua un temps d'arrêt, but une gorgée, puis se gratta sous le menton. « Noémie ne m'a jamais rien dit. Mais je savais.

— Et Rostand, savait-il ?

— Je ne peux répondre à cette question. Je crois qu'elle ne lui en a jamais rien dit, pas plus qu'à moi. Pourtant il a dû le deviner. Rostand n'est pas sot. »

Alex serra les dents et s'efforça de ne pas manifester sa colère. Il était fatigué. Son départ de New York lui semblait remonter à un temps infini. Il ne s'était pas encore posé la question essentielle et refusait même de le faire.

Ce fut Jocko qui la posa : « Que vas-tu faire de lui ?

— De Rostand ? »

Jocko hocha la tête.

« Je ne sais pas. Bien des cadavres bordent sa route. Il a trahi Paul. D'une manière ou d'une autre, il est responsable de sa mort. Et puis il y en eut tant d'autres... Quant à moi... » Alex haussa les épaules. « Je suis presque Corse. Tu m'as appris le mot *vendetta.* » Il passa sa langue sur ses lèvres. Elles étaient sèches. Il avait froid et transpirait pourtant. « Pourquoi ne m'as-tu pas révélé cela plus tôt ? demanda-t-il.

— Pour la même raison que je t'ai conseillé d'être prudent avec Minta. Je voulais ménager ta sensibilité.

— Tu as eu tort. Chacun doit prendre soin de soi-même. »

Jocko tira un grand mouchoir rouge de sa poche et essuya la sueur de son visage. « Il fait chaud ici. » Il pivota sur lui-même et s'en alla vers la porte. Au milieu de la pièce il s'arrêta et demanda : « Tu ne m'as pas répondu, Alex. Que vas-tu faire de lui ?

— J'en déciderai en temps voulu, Jocko. Tout compte fait, je suis toujours le fils de mon père.

— Lequel ?

— Ou plutôt le fils de qui ? »

16

Il régnait une chaleur étouffante dans la chambre. André Rostand s'éveilla, les sinus douloureux et un mauvais goût à la bouche. Il rejeta les couvertures et posa lentement les pieds par terre. Son réveille-matin lui indiqua qu'il était près de neuf heures. Il prit une douche froide et y resta jusqu'à ce que son cœur battît plus vite et que le sang palpitât à ses tempes. Il recouvrait lentement sa vigueur. Le regard moins brouillé, il se rasa, retourna à sa chambre et ouvrit les deux fenêtres. La fraîcheur du matin le ravigota.

Il s'habilla en pensant à Montag. Toutes les dispositions avaient été prises. La veille au soir, Baruch lui avait fourni des explications compliquées au sujet de l'itinéraire. Les tableaux étaient disponibles. Il ne restait plus qu'à les transporter. Le paiement aurait lieu par un virement au compte de Hans Weiller, qui serait remis en échange de la collection. Rostand avait reçu une liste des tableaux. Trésor inouï! Des Monet, Cézanne Renoir, Van Gogh. C'est en vertu de cet inventaire qu'ils s'étaient mis d'accord sur une somme de vingt-cinq millions de dollars. Rien n'avait été laissé au hasard.

Pourtant Rostand appréhendait quelque déception possib.e. Alex était à Rome et traquait Montag. S'il les trouvait ensemble... Cette idée fit frémir André. La mauvaise nuit qu'il avait passée y était aussi pour quelque chose.

En bas, dans la salle à manger, un maître d'hôtel impeccable conduisit André à une table proche d'une fenêtre donnant sur la Via Veneto. Philip s'y trouvait déjà et lisait le menu.

« Bonjour Père », dit-il en levant la tête.

André s'assit, attira le regard d'un garçon et, sans consulter la carte, commanda jus d'orange, pamplemousse, œufs brouillés et café.

« Je me demande comment tu t'y prends, dit Philip. Tu manges deux fois plus que moi et tu n'engraisses jamais.

— Mon métabolisme élevé me permet d'éliminer.

— J'ai le même métabolisme que toi.

— Mais je travaille. »

Philip ne tint pas compte de cette répartie et tendit la main vers le verre de jus de pomme, posé dans un bol de glace pilée.

« Pas de nouvelles? demanda le père.

— Mère a téléphoné hier soir. Tu devais être sorti.

— Non. J'avais interdit à la réception de me passer les communications.

— Elle nous attend au dernier vol de demain. Elle m'a dit aussi que tu lui manques. »

André hocha la tête et se promit de penser à acheter un manteau de printemps pour Jane. Elle aimait le style des couturiers italiens. « Rien au sujet de Drach ?

— Rien jusqu'à présent, répondit Philip. J'ai cherché à me renseigner dans les hôtels et d'autres établissements de ce genre. Aucune trace de lui.

— Et Montag ?

— Pas même un murmure depuis le dernier appel de Baruch.

— Où en es-tu au sujet du cargo ?

— Nous avons de l'espace dans le prochain qui partira pour Buenos Aires la semaine prochaine. En attendant, la collection sera en sécurité dans un entrepôt, ici même. » Philip but une gorgée de jus de pomme, mangea quelques bouchées puis posa la question qui l'obsédait depuis des semaines.

« Tu es toujours décidé à rendre la collection ?

— La bienveillance apporte ses propres récompenses, Philip.

— Ce n'est pas une réponse.

— La galerie ne te suffit pas ? Tu veux tout ? Même ce qui ne t'appartient pas ?

— Pourquoi pas, puisque nous le payons. »

André secoua la tête et ne répondit pas. Un sourire triste, presque condescendant, passa sur son visage.

17

« Imbéciles ! Vous avez roué de coups trois putains et vous n'avez pas trouvé celle qu'il fallait. Elle me connaît, je ne sais comment. Philip Rostand prétend qu'elle peut m'identifier. »

Vociférant ainsi, en proie à une rage meurtrière, Montag faisait les cent pas dans son bureau au dernier étage de l'immeuble de la Société pour la préservation des monuments et sanctuaires religieux. Les murs étaient tapissés de plans et de cartes des catacombes à différents niveaux. Y figurait le câblage des réseaux d'éclairage et de ventilation électrique.

Au garde-à-vous, honteux et subjugués, trois de ses subordonnés se tenaient côte à côte à l'extrémité de la pièce. Baruch feuilletait le magazine *Time* assis entre eux et Montag. La couverture de cette revue représentait André Rostand. Sous son visage figé, la légende disait : « Le roi des arts. »

Montag continuait à tempêter. « Imbéciles ! Je n'ai que des imbéciles à mon service. Croyez-vous que les gens soient interchangeables et que j'aurais confondu, comme vous, la femme qu'il fallait atteindre et les trois prostituées que vous avez assommées ? »

Baruch sourit le visage caché par le magazine. Montag se tourna vers lui. Sa rage atteignait un point culminant fébrile. On aurait cru qu'il avait avalé des lames de rasoir.

« Et toi. Tu devais éliminer un homme. Tu as électrocuté une femme. Tu ne distingues pas la différence entre les sexes. Pis encore : cette femme travaillait pour un de nos alliés. »

Baruch se dressa d'un bond. « Oui, Monsignore, vous avez raison. Je perds sans doute la tête. Je ne pensais pas que cette fille prendrait une douche. Elle ne semblait pas se donner assez de peine pour suer. »

Stupéfait par l'attitude de Baruch, Montag se tut un moment puis il reprit avec une douceur mielleuse : « Vous savez, frère Baruch, que vous êtes un psychopathe !

— Oui, monsignore.

— Un psychopathe ! Je dois m'en remettre aux services d'un psychopathe. » De nouveau Montag perdait son calme. Il braillait ainsi en s'adressant aux trois autres, comme s'il voulait les prendre à témoin.

Il bondit vers Baruch, lui arracha la revue des mains et la jeta contre le mur.

Les deux hommes se regardèrent fixement, face à face. Montag tremblait de rage. Puis il se remit à faire les cent pas et reprit lentement son sang-froid.

« Nous sommes dans une situation épineuse, dit-il plus tranquillement. Drach est une menace. Les récriminations entre nous ne serviront à rien. Sans l'erreur de Baruch, nous serions débarrassés de lui, mais il ne s'agit que d'une erreur. Vous aussi, tous les trois, vous avez cru bien faire. J'en suis sûr. » Le regard de Montag se fixa sur les yeux de Rolf : celui qui portait un clip d'argent à l'oreille. « Pourtant je ne parviens pas à comprendre ce que vous aviez en tête. Enfin, ça suffit ! Notre programme est simple : nous débarrasser de Drach, encaisser la galette et quitter Rome. »

Montag interrogea Baruch : « Les explosifs sont-ils prêts ?

— Oui, Monsignore, j'ai une demi-livre de plastic et les détonateurs nécessaires. Travail élémentaire. Tout sera agencé en temps voulu.

— Parfait. A toi maintenant, frère Rolf. Où en êtes-vous ? Je ne veux pas faire attendre à perpète les Rostand dans les catacombes si votre percée n'est pas achevée.

— Nous sommes prêts, assura Rolf fermement. Il ne reste plus que quelques centimètres de tuf entre le couloir et la chambre au trésor. Nous déblaierons l'entrée en quelques minutes. »

Un prêtre joufflu intervint. « Le camion est à notre disposition, Monsignore. A nous tous, nous viderons la caverne et nous chargerons le véhicule en quelques heures.

— Bien, dit Montag. Rostand s'est assuré un entrepôt. Toi, frère

Damian, tu livreras les tableaux à l'endroit indiqué. Dès que les Rostand en prendront possession les fonds seront virés à notre compte dans une banque suisse.

— Il ne reste donc plus que Drach, dit Baruch.

— Je le connais suffisamment pour deviner que nous le verrons apparaître d'un instant à l'autre... Peut-être même dans les catacombes.

— S'il y vient, je lui réserve une charmante surprise », dit Baruch en souriant.

Détendu, Montag plissa les lèvres de plaisir. « Oui, une charmante surprise, souffla-t-il, se parlant à lui-même. Comme celle d'Hubert Weiller quand nous avons mis les tableaux à l'abri. » Le dernier jour de sa vie ecclésiastique arrivé, il s'en rappela le préambule.

C'était par une journée étouffante de juin 1944. Cependant, à quinze mètres sous terre, dans les catacombes du Monte Verde, il faisait frais et l'air était sec. Le commandant SS Hans Heinrich Montag avançait à petits pas, la tête penchée en avant, ses yeux d'un bleu délavé grands ouverts dans l'ombre. Il enregistrait chaque tournant, chaque changement d'orientation du tunnel fortement incliné qui le conduisait sans cesse plus bas dans le labyrinthe. Depuis des semaines, avec l'aide du sergent Hans Weiller, il avait caché dans une chambre mortuaire le prodigieux trésor de tableaux prélevés sur le butin de guerre des nazis. Leur tâche terminée, il était temps d'isoler la chambre mortuaire.

A la lueur de sa torche électrique, Montag consulta sa boussole. « Encore deux quarts de tour en direction du nord, dit-il par-dessus son épaule à l'intention de Weiller qui le suivait.

— Très bien, mon commandant. »

Montag était convaincu d'avoir trouvé un dépôt parfaitement adapté à ses besoins. Des siècles plus tôt, le sol avait dû être beaucoup piétiné et il était dur comme de la terre battue. Aucune trace d'humidité dans la chambre mortuaire où la température devait rester constante toute l'année. Les trésors y seraient bien conservés.

« Personne ne les trouvera jamais ici, au fond de la terre, pas vrai Weiller ?

— Personne, mon commandant. »

Montag répéta mentalement : personne. Il avait passé des mois à dresser le plan des catacombes : réseaux de passages, de tunnels, de cryptes. Il y avait quarante-cinq catacombes distinctes sous le sol de Rome. Montag avait choisi celle du Monte Verde pour deux raisons : ses galeries sont les plus enchevêtrées ; on l'avait moins explorée que les autres. Tunnels et chambres mortuaires s'étendaient sur quelque vingt-cinq kilomètres carrés. On n'en avait guère reconnu que cinq ou six jusqu'alors.

Montag consulta le plan sur lequel il avait noté minutieusement tous les détails des tunnels. D'après sa boussole, il était presque arrivé à son but. Sans carte ni boussole, il ne serait pas parvenu à retrouver son chemin pour sortir du labyrinthe. Par endroits les tunnels plongeaient jusqu'à vingt mètres sous terre. Leur largeur atteignait rarement un mètre et leur hauteur se limitait à peu près à un mètre quatre-vingts. Ils se croisaient, s'entrecroisaient, passaient les uns sous les autres à n'en plus finir. Certains se terminaient en cul-de-sac. Quelques-uns seulement avaient été explorés jusqu'au bout.

Montag repéra la crypte du trésor et se pencha légèrement pour y pénétrer. Sa torche électrique illumina des centaines de toiles superbes : chefs-d'œuvre des impressionnistes et post-impressionnistes. Alignés au pied des murs de roc, percés d'alvéoles contenant les os des premiers chrétiens, ces tableaux prenaient une qualité presque mystique. Du bout des doigts, Montag caressa le nævus au bas de sa joue droite, tout en admirant sa galerie personnelle. « Quel trésor ! » pensa-t-il. Le Reichsmarschall avait conservé les primitifs, les chefs-d'œuvre anciens et laissé à son homme de confiance la disposition des « décadents » qui valaient des millions et que Montag pourrait négocier dans des temps meilleurs. A cet instant, le commandant SS regretta d'enterrer ces merveilles. Mais les circonstances l'y obligeaient.

Les Américains entraient dans Rome. Le sergent Weiller et le commandant Montag comptaient parmi les quelques rares Allemands restés sur place. Weiller n'avait pas grand-chose à craindre. Sergent de la Wehrmacht, il n'appartenait pas aux SS. Quant à Hans Montag, il pouvait s'attendre au pire, surtout si l'ennemi apprenait ce qu'il avait fait à Lodz. Prison à vie sans doute, voire même peloton d'exécution.

Toutefois Montag espérait s'en tirer. Il avait un projet.

Il posa une petite charge de dynamite à l'entrée de la crypte au trésor, y ajusta les détonateurs et retourna vers l'entrée des catacombes en débobinant le rouleau de fil électrique. Tout mis en place il dégaina son Luger et le braqua sur Weiller. « Je ne te ferai pas de mal, dit-il. J'ai seulement besoin de ton uniforme. Déshabille-toi. »

Weiller pâlit. « Je ne comprends pas, mon commandant, dit-il en gravissant deux marches de l'escalier.

— Un pas de plus et tu es mort », tonna Montag.

Malgré lui, Weiller retira son uniforme, cependant que Montag en faisait autant. Quand le sergent eut endossé la tenue de commandant SS et Montag, celle de sergent de l'infanterie, ce dernier envoya son subordonné vérifier que les détonateurs se trouvaient toujours sur la dynamite, bien qu'on eût tiré les fils sur plusieurs centaines de mètres.

Weiller fit quelques pas dans le tunnel puis secoua la tête et se tourna vers Montag : « Je n'irai pas plus loin », dit-il.

Un mince sourire plissa les lèvres de Montag. « Je suis désolé, Weiller. » Tenant son Luger à deux mains, il tira deux balles dans la poitrine du sergent. L'écho des coups de feu retentit de tunnel en tunnel. Weiller regardait Montag de ses yeux morts.

Montag laissa le cadavre à l'entrée des catacombes, déclencha l'explosion devant la crypte au trésor et ramena les fils électriques à lui.

Il gravit vivement les marches de l'escalier. Puis il retira sa vareuse grise et sa chemise, enleva une cartouche de son arme, en arracha la balle qu'il posa sur une stèle de pierre et alluma la poudre qui flamba. Il se pencha pour y appliquer son aisselle à l'endroit où tous les officiers SS étaient tatoués. Brûlure atrocement douloureuse mais efficace. La cicatrice effacerait les dernières traces de son passé, comme les vagues détruisent les châteaux de sable.

Dans son uniforme de la Wehrmacht, muni des papiers du sergent Hans Weiller, Montag quitta Monte Verde en direction du centre de la ville et se rendit au premier groupe de soldats américains qu'il rencontra.

18

Minta appela Alex du vestibule de l'hôtel Excelsior, juste après onze heures du matin. Il était alors dans un café à quelque cent mètres en direction du nord.

« Ils viennent de sortir, dit-elle à voix basse. Tous deux portent pardessus. Le plus âgé des Rostand a une canne. C'est bien eux. » Un instant de silence. « Ils ont tourné en bas du perron pour se diriger dans ta direction. Paula et Allégra se mettent en mouvement. Je dois y aller. » Minta raccrocha.

Alex quitta la cabine du téléphone et alla à la porte du café. La vue était dégagée sur la Via Veneto. Il vit arriver les Rostand.

Il avait bien expliqué aux femmes que le succès de leur filature dépendait autant de leur habileté que de leur discrétion. Elles devaient agir exactement comme si elles se promenaient ou allaient faire des achats. Il leur avait aussi répété de bien tenir leurs distances. Peut-être ne seraient-elles pas seules à pister les Rostand. Montag aussi les faisait peut-être surveiller par ses hommes. Ces derniers les repéreraient si elles commettaient la moindre faute.

Alex s'assit près de la vitrine à l'intérieur du café. Il vit les deux Rostand passer parmi les acteurs, aristocrates, touristes, belles filles, prostituées qui sillonnaient cette rue chic à toute heure du jour et de la nuit. Vêtues comme si elles allaient faire des achats dans les magasins, les trois femmes prirent position à la hauteur des Rostand sur le trottoir d'en face et derrière eux, sur le même trottoir. Paula qui faisait la parallèle, se perdait dans le flux des piétons. Allégra et Minta suivaient de quinze en quinze mètres.

Quand les Rostand passèrent devant le café où était Alex, il cacha son visage derrière un journal, tout en observant pour s'assurer qu'ils n'avaient pas conscience d'être suivis. A première vue rien ne l'indiquait.

Il était crispé. Les cinq premières minutes de chaque opération le mettaient toujours dans le même état. C'est en effet le moment où l'on est le plus porté à commettre des erreurs. Il espérait que les trois femmes prenaient les choses plus simplement que lui. Dès que la dernière des trois fut passée, il sortit du café et regarda dans les deux sens de la Via Veneto, cherchant à repérer quelque équipe de surveillance que Montag aurait mise en mouvement. Il était sûr, en effet, que l'Allemand suivait, tout comme lui, les allées et venues des Rostand.

Alex ne vit rien de suspect et quitta le café. Il fila parmi les touristes, traversa la chaussée et bondit dans une Fiat vert foncé. Il démarra aussitôt et roula vers le nord en jetant constamment des coups d'œil au rétroviseur. Comme prévu, Jocko et Manetta ne tardèrent pas à le suivre dans une Alpha Romeo, louée comme la Fiat.

Alex fit fonctionner un petit émetteur-récepteur de radio posé sur le siège auprès de lui. Un agent de police, chargé d'habitude de surveiller les spectateurs trop turbulents des matches de football et membre de l'*Unione,* l'avait prêté à Jocko.

« Nos hommes viennent de tourner à droite pour prendre la Via Boncompagni, dit Alex. Virez au prochain carrefour, roulez vers l'est au long de quelques pâtés de maisons et bifurquez de nouveau pour les attendre à l'autre bout de la rue.

— Apparemment ils ne vont pas bien loin, dit Jocko.

— Nous verrons. Ce n'est que le début. »

Alex rompit le contact et Manetta, qui conduisait l'Alpha Roméo, tourna à droite comme indiqué.

Alex dépassa les Rostand et se gara le long du trottoir dès qu'il y trouva un espace libre. Il les vit traverser la chaussée pour suivre l'autre trottoir de la Via Boncompagni, tout en continuant à avancer vers l'est.

Paula réagit spontanément comme il le fallait. En voyant les Rostand s'approcher d'elle, elle entra dans un petit magasin où l'on vendait des journaux et du tabac. De son côté, Allégra hâta le pas pour prendre la parallèle sur son trottoir. Cependant Minta traversa la rue à pas lents et se mit à pister les deux hommes en restant à quelque quinze mètres derrière eux. En sortant du magasin, Paula lui emboîta le pas à la même distance.

Toujours dans la Fiat, Alex sourit de satisfaction. Les trois femmes avaient bien appris leur leçon. Des policiers chevronnés n'auraient pas mieux exécuté ce changement de position. Il respira profondément et se détendit. La première manche était jouée et gagnée.

Un pâté de maisons plus loin, les Rostand s'arrêtèrent devant un bâtiment de pierre grise sans aucun attrait. Ils consultèrent leur montre en même temps et poussèrent les lourdes portes de l'immeuble. C'était une banque.

Trente secondes plus tard, Minta y arriva et entra, juste à temps pour prendre place dans la même file que les Rostand. Elle sentit son cœur battre furieusement dans sa poitrine en observant les deux hommes qui attendaient patiemment devant elle. Un jeune prêtre et une dame âgée portant un panier dans chaque main la séparaient des Rostand.

« Bonne journée, n'est-ce pas, messieurs ? dit le prêtre en souriant aux Rostand.

— Temps très agréable, répondit cordialement Philip.

— Etes-vous des touristes ?

— Oui, en vacances, répondit André.

— Alors, permettez-moi de vous recommander la collection exposée à la galerie Borghèse. Vous y verrez des tableaux merveilleux.

— Je le sais, dit André. Je vous remercie de me le rappeler. Nous irons à ce musée avant qu'il ferme à deux heures. » Tous trois sourirent. Ils ne dirent plus rien. Les Rostand atteignirent le guichet. André changea en lires plusieurs centaines de dollars et sortit de la banque avec Philip.

Minta envisagea de quitter sa place dans la file pour leur emboîter le pas. Mais elle se rappela la mise en garde d'Alex au sujet de Montag dont les hommes devaient aussi surveiller les Rostand. Leur conversation avec le jeune prêtre l'inquiétait aussi. Selon toute évidence, ils s'étaient exprimés en langage convenu. Par crainte de se brûler, elle resta dans la file et attendit que le prêtre eût changé de l'argent et quitta la banque un moment après lui.

Quand elle reparut sur le trottoir, les Rostand n'étaient plus en vue. Le jeune prêtre était monté dans une BMW où l'attendaient deux autres hommes vêtus de la même manière que lui. Ils démarrèrent dans la direction de la Via Veneto. Se sentant abandonnée, Minta hâta le pas dans la même direction. Les lèvres serrées par la déception, scrutant la rue devant elle, convaincue d'avoir laissé échapper son gibier, elle franchit deux carrefours. Elle s'en voulait : Alex attendait sûrement mieux d'elle. Arrivée Via Veneto, elle allait rebrousser chemin vers l'Excelsior quand elle repéra Jocko et Manetta dans l'Alpha beige. Elle regarda autour d'elle, frissonna de satisfaction et bondit vers la voiture.

« Où sont-ils ? demanda-t-elle en s'asseyant sur la banquette arrière.

— Devant nous, répondit Jocko. Que s'est-il passé dans la banque ?

— Ils ont pris contact avec un curé. » Minta répéta la conversation entre le prêtre et les Rostand.

Jocko appuya sur le bouton de l'appareil de radio et mit Alex au courant. « Qu'en penses-tu ? demanda-t-il. Terminé.

— Minta a probablement raison. Dans ce cas, nous les raccrocherons. Comme ils ne te reconnaîtront pas, va à la galerie Borghèse. Toi, Jocko et Minta, soyez à l'intérieur quand ils arriveront. Manetta pourra rester dans la voiture pour garder le contact radio. Je vous signalerai tout changement de programme éventuel. »

Alex était garé au bord du trottoir ; le moteur de la Fiat tournait au ralenti à l'extrémité est de la Via Ludovisi. Depuis quelques minutes, il regardait les Rostand se diriger vers le côté sud des jardins. Philip lui parut se dandiner joyeusement en marchant. « Pas étonnant que mon demi-frère prenne plaisir à un tel mélo », pensa-t-il. (Il n'avait encore jamais utilisé ce terme en pensant à Philip.) Paula et Allégra poursuivaient leur surveillance toujours aussi habilement.

Tout à coup, presque à la fin de l'avenue, André héla un taxi en maraude. Philip et lui y plongèrent et le véhicule pénétra dans les jardins Borghèse.

Alex déboîta. Il avait le temps de rallier Paula et Allégra. Il fit décrire un demi-cercle à sa voiture et poursuivit le taxi des Rostand. Dédaignant le raccourci par la Porta Pinciana, il prit la chaussée de gauche et roula dans le parc sous les pins parasols. Le musée Borghèse se trouvait à sa droite.

Il appuya sur le bouton de l'émetteur-récepteur. « Manetta ? »

Quelques crachements atmosphériques puis le jeune Corse répondit : « Ici. »

— Ils arrivent. Jocko et Minta sont bien à l'intérieur ?

— Chacun est à sa place.

— Ne bouge pas. Je vais ranger ma voiture derrière la Villa. S'ils s'en vont, annonce-moi leur départ.

— D'accord. »

A cet instant André et Philip franchissaient le portail de la galerie Borghèse.

Au rez-de-chaussée, André consacra un moment aux trois sculptures en marbre du Bernin. L'une représentait *l'Enlèvement de Perséphone.*

« Connais-tu la légende de Perséphone ? demanda-t-il à son fils.

— Qui s'intéresse à des sornettes pareilles ? » répondit insolemment Philip en secouant la tête.

André n'en tint pas compte. « C'était la demoiselle du printemps, dit-il. Un jour où elle cueillait des fleurs, des narcisses, si ma mémoire est bonne, la terre s'ouvrit sous ses pieds et Hadès, seigneur du monde souterrain, la retint captive parmi les morts. Déméter, déesse des moissons et mère de Perséphone, se plaignit à Zeus. Comme ce dernier n'intervenait pas, elle refusa de donner ses fruits. Alors Zeus envoya Hermès au secours de Perséphone. Hadès consentit à rendre la liberté à la demoiselle mais seulement une partie de l'année. Chaque hiver, elle doit retourner auprès de lui en qualité de reine du monde souterrain. » André marqua un temps d'arrêt en observant son fils. « Tu ne trouves pas que c'est une triste histoire ?

— La mythologie ne m'a jamais intéressé », répondit Philip en détournant la tête.

Ils montèrent un escalier. A l'étage, ils entrèrent dans une salle contenant les chefs-d'œuvre du Caravage qui contribuent à la célébrité de la galerie.

« J'aimerais en posséder quelques-uns », dit plaisamment Philip.

Un prêtre de forte carrure les aborda tout de go. « Avez-vous vu les Raphaël dans la salle voisine ? demanda-t-il en portant une tablette de chewing-gum à sa bouche puis il offrit le paquet aux Rostand.

André refusa et demanda : « Seriez-vous un guide ?

— Il est permis de le dire, au moins pour la journée. » Il fourra son paquet de chewing-gum dans une poche, sous sa soutane, se dirigea vers le palier en disant : « Suivez-moi, je vais vous conduire. »

Du fond de la salle, Jocko et Minta virent le trio descendre vers le rez-de-chaussée, attendirent un moment puis se précipitèrent vers le palier, juste à temps pour voir la tonsure du gros prêtre à l'instant où il sortait du musée, derrière les Rostand.

Au même instant, Manetta appelait Alex par radio et lui décrivait la BMW noire qui roulait lentement vers l'entrée du palais Borghèse, pour s'arrêter devant le prêtre et les deux négociants. Manetta attendit que la voiture eût disparu au bout de l'avenue avant de décrire un cercle sur le gravier du parking pour prendre Minta et Jocko à bord et filer à la poursuite de la BMW non sans avoir prévenu Alex.

Ce dernier se trouvait sur la gauche de la longue avenue prise par la BMW en quittant le musée. Il attendit son passage. L'instant capital approchait. Les Rostand avaient pris contact avec leurs contreparties. Désormais ils n'étaient plus tenus au bout d'une longue laisse mais définitivement dans le coup. Rien n'indiquait que Montag fût dans la BMW. Alex ne le croyait pas. Le chef SS n'apparaîtrait qu'au tout dernier moment, sans doute en même temps que la collection.

Quelques secondes plus tard, la voiture noire contenant deux prêtres et les Rostand doubla la Fiat. Alex déboîta et la prit en chasse dans les jardins Borghèse. Il lui sembla que la BMW s'éloignait du centre de la ville. Elle ralentit dans la circulation intense proche de la Piazza del Popolo, puis franchit le Ponte Margherita pour rouler rapidement le long du Tibre. Alex appela Jocko par radio.

« Où êtes-vous ? demanda-t-il.

— Deux minutes derrière toi », répondit Jocko.

La BMW longea le Tibre autour du château Saint-Ange puis bifurqua pour s'engager dans la Via della Conciliazione, en direction de la place Saint-Pierre. Les colonnades majestueuses apparurent. La voiture noire s'engagea sur la place et pénétra dans la Cité du Vatican.

Etat indépendant le plus petit du monde, cette cité s'étend sur quarante-quatre hectares, soit à peine plus que le parc des Buttes-Chaumont. Il possède tous les attributs d'une puissance : presses à imprimer, journal, chemin de fer, émetteur de télévision, monnaie et poste aux lettres avec ses propres timbres. La place Saint-Pierre, le palais pontifical et les murs du Vatican en marquent les frontières. Outre la basilique Saint-Pierre, deux seulement des six entrées sont ouvertes au public. Ce sont le portail de la Viale Vaticano et l'Arco delle Comparè.

Alex réalisa qu'il ne devait pas suivre plus loin la BMW et trouva à se garer sur la Via di Porta Angelica. De son siège, derrière le volant de la Fiat, il voyait droit devant lui le portail de Sainte-Anne. Il attendit. Un moment plus tard, Manetta, Jocko et Minta, dans l'Alpha Romeo beige, vinrent s'arrêter immédiatement derrière lui.

Au-delà du portail Sainte-Anne, un garde suisse fit signe à Baruch de s'arrêter. Ce militaire en uniforme d'autrefois avec manches bouffantes et culotte jaune, bleu, rouge obéissait plus à la coutume qu'au règlement. A peine Baruch eut-il freiné que le garde lui fit signe de rouler. La BMW alla tout droit vers un second point de contrôle où un policier de l'Etat du Vatican, en uniforme bleu foncé, lui fit encore signe d'arrêter et lui demanda son permis.

Pendant que le fonctionnaire examinait ce document, Baruch apprécia sa sveltesse.

Le policier hocha deux fois la tête, rendit le permis à Baruch et l'orienta de l'index vers l'arcade de pierres donnant accès au Cortile del Belvedere. Baruch passa devant le bureau de poste, puis sous l'arcade où il fut de nouveau arrêté par deux gardes suisses. L'un de ces derniers lui désigna une place libre au parking situé au milieu de cette cour immense.

Baruch gara donc sa voiture près de la fontaine à quatre jets, rectifia sa tenue ecclésiastique, sortit de la BMW et ouvrit la portière arrière. André et Philip Rostand en descendirent et suivirent Baruch jusqu'à l'entrée de la Bibliothèque vaticane.

« Impressionnant au point de vue architectural », remarqua Philip en montant le long escalier jusqu'à son sommet.

Sur le dernier palier André s'appuya des deux mains au pommeau de sa canne. Il haletait. En regardant par-dessus la rampe, il distinguait à peine la terrasse de pierre, trois étages au-dessous. Il n'avait plus la même vigueur qu'autrefois : équilibre instable, respiration pénible. Il se rappela l'accès de douleur à la poitrine qu'il avait ressenti à Zurich. Il battit des paupières, releva la tête et se trouva face à face avec Philip qui l'observait, visiblement inquiet.

« Ça va, père ? »

André hocha trois fois la tête. « Ça va bien. Allons-y. »

Un garde suisse les arrêta au seuil de la salle des Cartes. Baruch tira de sous sa soutane trois permis et les tendit au garde. « Ils sont valables », dit-il en allemand.

Le suisse fit un pas en arrière et rendit le permis en souriant. « *Jawohl mein Bruder.* »

Baruch reprit les permis et les glissa dans sa poche sous sa soutane. Cependant le garde ouvrait la porte.

Le trio s'engagea dans un couloir dont les étagères s'étendraient sur dix kilomètres si on les ajustait bout à bout. A l'extrémité, ils arrivèrent à une salle ronde gigantesque, aux murs couverts de fresques représentant des hommes barbus, symboles de l'érudition et de la philosophie, qui paraissaient les regarder de haut. Au-delà, ils entrèrent dans une petite pièce donnant accès à un palier sur lequel il y avait une autre porte en lourds panneaux de bois.

Baruch frappa un seul coup et entra.

Hans Heinrich Montag les accueillit avec un sourire satisfait. Il portait une simple soutane noire ornée d'un liséré rouge en bordure du col. Il se leva derrière son vaste bureau d'acajou dont il fit le tour pour aller au-devant d'André Rostand à qui il tendit sa main potelée et blanche. « Bienvenue au Vatican, dit-il. Au bout de trente ans j'ai pris l'habitude de me sentir chez moi ici. Dommage que ce soit mon dernier jour. »

André prit la main et la secoua comme le levier d'une pompe, pendant un court instant, tout en parcourant la pièce du regard : pas de fenêtre, sauf une lucarne au fond d'une alcôve ouverte sur le mur de droite.

« Votre refuge, Montag ?

— Excusez-moi, Rostand, mais je vous prie de m'appeler Monsignore Weiller, au moins tant que nous sommes dans les murs de la ville sainte.

— Certainement, Monsignore, dit André.

— Cela signifierait-il que les tableaux ne sont pas ici ? » demanda Philip.

Montag éclata de rire. « Non, évidemment pas. Pardonnez-moi d'avoir organisé un itinéraire aussi mélodramatique mais vous comprenez que nous devons être prudents. Arrivés à notre but vous ne le regretterez pas. » Il décrocha d'une patère un pardessus de laine noire à col de velours, l'enfila et les conduisit hors de la pièce.

Les quatre hommes descendirent l'escalier jusqu'au niveau de la cour. Ils passèrent par diverses salles fraîches où le claquement de leurs pas éveilla de multiples échos. Peu après, ils émergèrent au soleil dans la cour du Belvédère.

Ils la traversèrent. A peu près au milieu, Montag sourit à un évêque tellement courbé en avant qu'il paraissait bossu. Il s'agissait d'un sourire de simple politesse ne dénotant ni cordialité ni hostilité.

« Bon après-midi, Excellence, dit-il en rougissant légèrement. Puis-je vous présenter le négociant en objets d'art André Rostand et son fils Philip ? »

Les dents jaunâtres de Mgr Alois Schneider apparurent un instant fugace, révélées par un sourire de salon. « Ah, oui. Je connais ce nom.

— Vous nous flattez, Monseigneur », dit André.

L'évêque grogna et demanda à Montag : « Des amis à vous, Monsignore ? »

Montag esquissa une grimace. « Relations d'affaires pour le bien de l'Eglise », répondit-il.

Son excellence Schneider toisa André de la tête aux pieds, renifla et, sans ajouter un mot, partit en trottinant vers la bibliothèque.

19

A une heure cinq, la conduite intérieure BMW noire quitta la Cité du Vatican par la porte Sainte-Anne et tourna immédiatement à droite. Les Rostand s'y trouvaient avec trois hommes habillés en prêtre.

Alex démarra à distance respectueuse. Minta était toujours dans la Fiat avec lui. L'Alpha de Jocko et Manetta les suivit. La tension croissait.

Pendant la demi-heure que les Rostand avaient passée au Vatican, les quatre poursuivants s'étaient réunis pour envisager la possibilité de pousser leur surveillance jusqu'à l'intérieur. Mais ils avaient réalisé que les tableaux ne pouvaient pas y être entreposés. Alors chacune des deux équipes avait regagné sa voiture et il avait fallu attendre. Leur patience était enfin récompensée.

La BMW fila à travers la vaste étendue de la place Saint-Pierre puis vira en direction du sud, suivit la rive du Tibre et obliqua à l'est vers le Trastevere, vieux quartier populeux dont les rues étroites sinuent et s'entrecroisent dans toutes les directions. La poursuite ne serait pas facile.

La conduite intérieure noire continua à rouler vers l'est, en avant d'Alex et Minta, puis elle se mit à virer de manière imprévisible aux nombreux carrefours du Trastevere, roulant tantôt vers le nord, tantôt vers le sud, mais sans jamais parvenir à semer ses poursuivants, si telle était l'intention du chauffeur.

Alex suivit la BMW alors qu'elle virait une fois de plus à droite. Au carrefour suivant elle prit encore vers la droite, puis inopinément vers la gauche. Alex eut alors le temps d'entrevoir Manetta dans l'Alpha beige, quelques pâtés de maisons derrière lui. Il ralentit et s'arrêta au bord du trottoir. Un feu de circulation immobilisait la BMW.

Quand la voie fut libre, la conduite intérieure noire vira vers la gauche pour s'engager dans la Via Portuense, doubla vivement un camion et gagna de la vitesse. Elle fonçait vers le sud-ouest sur la route de Civitavecchia, au-delà du Trastevere.

Le récepteur de radio crachota. « Ils ne nous ont pas repérés, dit Jocko.

— Possible, répondit Alex. En tout cas ils ne semblent plus chercher à nous semer. Terminé ».

Minta leva les yeux vers Alex. « J'ai peur, dit-elle. Rien n'indique s'ils ne nous entraînent pas peut-être dans un piège.

— Peut-être. Mais nous sommes engagés et nous ne pouvons plus nous arrêter.

— Que vas-tu faire ? Ils sont au moins cinq.

— Je ne veux même pas y penser. Soucions-nous seulement de ne pas les perdre de vue. J'espère qu'ils nous conduisent à la collection. »

Un quart d'heure plus tard, la BMW vira à gauche pour franchir le seuil d'un ancien portail flanqué par deux hauts piliers de pierre. Cela donnait l'impression de l'entrée d'un domaine abandonné.

Alex ralentit et recula pour étendre ses bras de toute leur longueur. La nuit précédente et la matinée l'avaient fatigué. Il roula encore quelque cent cinquante mètres au-delà du portail puis s'arrêta et enjoignit à l'Alpha Romeo d'en faire autant.

Manetta freina immédiatement et glissa sur l'herbe au bord de la route. Jocko et lui jaillirent de la voiture au même instant.

« Manetta vient avec moi, dit Alex en tirant un 9 mm de sa poche revolver. Jocko reste avec Minta. Si nous ne sommes pas de retour dans une heure, tu pourras faire appel à tes amis, Jocko.

— Non, répondit le Corse. Si tu ne reviens pas dans une heure, j'entre. » Leurs regards se rencontrèrent. Alex esquissa un sourire, puis hocha la tête.

Il faisait chaud pour la saison. Alex perçut une odeur de résine et de feu de bois, lorsqu'il franchit d'un bond le mur bordant la propriété. Manetta exécuta le même saut, au même instant, à côté de lui. Ils partirent à découvert à travers champs, vers un long alignement de platanes qui bordaient une chaussée.

Le décor rappela à Alex des scènes de combat au Vietnam. Tout y était : champs nus, haies, arbres. Il eut l'impression de rejouer au ralenti une scène qui s'était déroulée dans la campagne près de Huê. Il se tourna vers Manetta dont le visage impassible ne dénotait ni fatigue ni souci. C'était exactement le second qu'il fallait à Alex dans une telle affaire.

Arrivés aux platanes, Alex tendit le bras à la verticale, la paume vers le sol. Manetta comprit immédiatement. Ils s'appuyèrent chacun à un tronc d'arbre et tendirent l'oreille. Des voix venaient d'un point assez rapproché.

Alex serra ses deux mains l'une contre l'autre pour indiquer à Manetta de rester sur place. Ce dernier comprit et hocha la tête.

Alex avança sans bruit d'un arbre à l'autre, vers ce qui semblait à distance être les ruines d'un monument. Quelques colonnes de pierre brisée, des débris de portique, voilà tout ce qu'il restait d'une villa romaine, jadis résidence somptueuse d'une puissante famille patricienne.

Parti à pas lents, comme s'il continuait à revivre son rêve du Vietnam, Alex prit de la vitesse sur le sol humide. Il quitta l'abri des arbres et s'engagea sur un sentier conduisant en déclivité vers un jardin en friche couvert de broussailles et de hautes herbes. Alors il les aperçut devant ce qui semblait être l'entrée d'une caverne. Il tomba à genoux et observa. Sous la conduite des deux hommes en tenue ecclésiastique, les Rostand, Montag et deux autres personnages descendirent un escalier qui échappait à la vue d'Alex. Il reconnut toutefois parmi les deux éclaireurs l'homme à boucle d'oreille d'argent qu'il avait aperçu à Londres et qui l'avait poursuivi de Roissy à Paris. Un sixième personnage resta au sommet de l'escalier.

Alex retourna vers Manetta. « En plus des Rostand, ils sont six en tout. Que penses-tu ?

— Nous sommes presque à égalité », répondit le Corse.

Alex sourit mais l'autre resta impassible.

Ils retournèrent au jardin abandonné. Manetta retint Alex par le coude pour l'arrêter. Il se désigna lui-même du doigt puis montra le prêtre resté à l'entrée de la caverne et décrivit un petit cercle du bout de l'index.

Alex hocha la tête et passa la tranche de sa main sur sa gorge. Manetta s'éloigna.

Cinq minutes plus tard, la sentinelle, assise sur un muret de pierre en haut de l'escalier, s'affairait à ajuster une crosse en bois à une mitraillette Mauser, tout en parcourant les environs du regard de temps à autre.

L'attente durait trop. L'index d'Alex encercla la détente de son 9 mm. Où donc était Manetta ?

Soudain ses mâchoires se crispèrent. Manetta se dressait derrière le faux prêtre, un long poignard au poing. De sa main libre, le jeune Corse couvrit la bouche de l'adversaire qui se leva, se pencha en avant et se démena. Ses mouvements devinrent spasmodiques puis il tomba à plat ventre.

En quelques bonds Alex atteignit le sommet de l'escalier. Un câble plongeait dans l'obscurité souterraine. Il s'approcha sans bruit de l'escalier mais ne descendit pas et prêta l'oreille. Il entendit un murmure de voix indistinct. S'il se hasardait sur la première marche, il offrirait une cible parfaitement découpée sur le ciel.

Après avoir essuyé son poignard avec son mouchoir, Manetta le rejoignit, désigna le soleil du bout du doigt puis laissa tomber sa main droite derrière la gauche. Il demandait ainsi s'il ne convenait pas d'attendre la tombée de la nuit.

Alex secoua la tête. Il ne voulait pas accorder aussi longtemps aux adversaires. N'importe quoi pouvait se produire. Rien n'empêchait d'autres gens d'arriver sur les lieux. Il fallait aussi envisager l'hypothèse d'autres sorties plus ou moins éloignées. Alex réalisa alors que l'entrée de cette cave était celle d'une partie des catacombes romaines : labyrinthe aux accès multiples.

Il regarda autour de lui, se jucha sur la murette pour étendre le champ de sa vue, redescendit et prit la soutane du prêtre mort. Il l'enfila par-dessus sa tête. Elle lui allait parfaitement. Hormis lorsqu'il pensait au trou englué de sang derrière son dos, il était sûr de pouvoir passer pour un membre de la bande à Montag. Il ramassa la torche électrique qui se trouvait auprès de la mitraillette.

Avant de descendre, il serra ses deux mains l'une dans l'autre pour demander à Manetta de rester sur place, retint son souffle et plongea vers l'obscurité.

Rien ne se produisit. Il reprit sa respiration et continua à descendre.

En bas de l'escalier de pierre, les voix lui parvinrent plus distinctement. Deux personnes parlaient à bonne distance. Alex fit quelques pas en avant et arriva à un carrefour. Une lumière brillait à l'extrémité du couloir de droite. Il se dirigea dans cette direction et constata qu'il suivait toujours le câble électrique. Tout à coup deux hommes jaillirent de l'obscurité.

Stupéfait, Alex s'immobilisa, le doigt sur la détente de son 9 mm dissimulé sous sa soutane. Il ne se servirait de cette arme qu'en dernier recours car le bruit de la déflagration alerterait sûrement les autres.

A la faible lueur qui régnait dans le souterrain, Alex reconnut le solide gaillard qui l'avait pisté dans les rues de Londres. Cette fois, l'homme à la boucle d'oreille en argent n'était pas avec lui. C'était un autre individu, de plus haute taille et visiblement plus vigoureux, qui l'accompagnait. Ce dernier arborait une moustache bien taillée. Le premier parla. « Pas plus loin, père. Excusez-nous. Pas de visite aujourd'hui. Les catacombes sont fermées pour cause de travaux. »

Alex entendit un claquement de chewing-gum. Il remarqua aussi que la main était dissimulée derrière le dos ; sans doute tenait-elle une arme. Peu lui importait d'ailleurs. Il serait venu à bout facilement de ce premier adversaire si le combat ne donnait pas le temps à son acolyte, plus solide, de réagir. Ce dernier aussi serait armé et...

« *Mi piace molto vedervi...* » Alex prononça ces quelques mots d'italien à toute vitesse. Il espérait étonner suffisamment pour avoir le temps de se glisser entre les deux hommes afin de régler le compte de l'un puis de l'autre.

Il dépassa donc celui qui mâchait du chewing-gum, en dépit d'une protestation confuse : « Excusez-moi, père. »

La torche électrique d'Alex frappa le plus petit en plein front et l'envoya au sol. Au même moment, il donna un coup de genou entre les jambes du second. Il entendit un craquement satisfaisant. L'adversaire poussa un cri. Alex entendit aussi une arme tinter sur le sol de pierre.

Il agit alors d'instinct en appliquant les notions de karaté qu'il pratiquait depuis des années. Il n'était pas *senseï* (champion dans ce domaine) et ne le serait jamais. Mais il en savait assez et était assez habile pour venir à bout des deux adversaires. Cette méthode de combat était devenue une seconde nature chez lui, désormais pure question de physique et de psychologie. Bien que dénué de complication, l'aspect physique exigeait beaucoup d'entraînement pour atteindre la perfection. L'énergie de chaque choc, sa puissance et son efficacité dépendent de la masse en cause multipliée par le carré de sa vitesse. Au maximum de vitesse et de précision correspond le maximum de dégâts. Telle est la partie technique. Le côté psychologique importe plus. Alex s'était étonné au début de son entraînement en constatant qu'il est plus difficile d'infliger de la douleur que de la subir. La plupart des gens sont aptes à endurer. Rares, hormis les psychopathes, sont ceux qui s'habituent à provoquer de la souffrance. Alex avait mis des années à comprendre cela. Désormais il n'avait plus de difficulté à ce sujet.

Il pivota sur sa gauche, frappa de nouveau du pied, cette fois plus haut, au bas-ventre de l'adversaire. Un grognement étranglé jaillit de la gorge du plus grand des deux qui se courba en avant et tomba à genoux. Un coup de talon aux vertèbres cervicales l'immobilisa définitivement.

« Parce que j'ai péché », murmura automatiquement Alex. Il retira la soutane et alla chercher Manetta.

Quand ils arrivèrent ensemble au point où les deux sentinelles gisaient au milieu du couloir, Manetta s'arrêta pour considérer Alex et sourit pour la première fois depuis que ce dernier le connaissait. Ils poursuivirent leur chemin. Grâce à la torche électrique de Manetta, Alex ouvrait la voie dans le labyrinthe. Il combattait une bouffée de claustrophobie en voyant le faisceau de lumière flotter sur le roc bordant le couloir et plonger de temps en temps dans des alvéoles bourrés d'ossements, voire dans des grottes qui avaient servi de chapelle au temps où les chrétiens étaient persécutés. Il passa sous une arche sur laquelle était gravée l'inscription suivante en latin :

Le champ où se trouvait la double caverne,
qu'il acheta pour sceller son trésor
dans le tabernacle du Seigneur.

Sans être certain de comprendre le sens de ces trois versets, Alex envisagea une hypothèse qui l'amusa.

Après avoir progressé plus profondément dans le labyrinthe Alex s'efforça de faire le compte des tournants à droite, à gauche, des descentes et des montées mais il ne tarda pas à abandonner. Ce monde souterrain était trop compliqué. Les tunnels s'entrecroisaient parfois à faible distance puis tombaient à un niveau au-dessous et se croisaient de nouveau dans une direction inverse. De temps en temps, on arrivait à un seuil conduisant à une salle : sans doute quelque chapelle, car on y voyait des sièges taillés dans le roc et des niches horizontales à l'usage des cadavres.

Alex perdit la notion du temps. Mais une chose le rassurait : il avait toujours suivi le câble électrique. A peu près à quatre cents mètres de l'entrée, il aperçut une lueur à bonne distance devant lui. Il éteignit sa torche électrique, fit signe à Manetta de s'arrêter et poursuivit plus prudemment son chemin dans l'obscurité. En approchant de la lumière, il entendit des voix. Retenant son souffle, il progressa encore plus lentement. Désormais les gens dont il entendait les voix n'étaient qu'à quelques mètres de lui. Il distinguait clairement chaque mot.

Le timbre suraigu de Philip Rostand émanait d'une petite crypte ouvrant à l'extrémité du tunnel. « Vous êtes fou, Montag ! vociférait-il. Vous ne savez donc rien en fait de peinture. Regardez ce qu'ils sont devenus ! »

Silence. Puis Montag répondit avec un fort accent allemand et d'une voix dans laquelle sonnait la panique : « D'après vous on n'y pourrait rien ? »

Ce fut André qui répondit : « Rien ! absolument rien !

— Alors que vais-je en faire ? demanda Montag.

— Vous pouvez vous les fourrer dans le cul ! vocifera Philip.

— Allons donc, dit Montag d'un ton suppliant. Vous pouvez sûrement les nettoyer.

— C'est impossible, dit André. Je vous l'ai déjà expliqué.

— Vous me mentez, je le sais, glapit Montag.

— Nous n'avons plus rien à nous dire, répliqua André. Conduisez-nous à la sortie. »

Cette fois le silence dura plus longtemps. Puis Montag parla d'un ton menaçant. « Je crains, moi aussi, que ce soit impossible, Herr Rostand. Ça s'impose à l'évidence. Si ces tableaux n'ont plus de valeur, vous ne valez plus rien non plus. » Il éclata de rire. « Pis encore, vous devenez un danger pour moi. Vous savez qui je suis. Vous pouvez m'identifier.

— Vous êtes fou, dit André.

— Pas plus que votre propre fils, brailla Montag. Pas vrai Philip ? Vous étiez prêt à liquider Fuller et Drach pour ces tableaux.

— Conduisez-nous hors d'ici ! cria Philip, affolé.

— Je vous répète que c'est impossible. Vous resterez exposés dans cette caverne avec la collection. Vous en jouirez pour l'éternité. Qu'en penses-tu Baruch ? Cette tombe convient admirablement à ces messieurs. »

La voix de Montag avait changé. La panique passée, il devenait implacable.

« Dois-je préparer les explosifs, Monsignore ? demanda Baruch.

— Au plus vite. Nous nous retrouverons à la Société. »

Un bruit de pas retentit, de moins en moins fort, dans le tunnel au-delà de la grotte. Une minute de silence s'écoula. Puis Alex entendit la voix de Philip qui disait : « Que faites-vous là, Baruch ? Pour l'amour du ciel, arrêtez ! Nous avons passé un accord. Je vous donnerai de l'argent. N'importe quoi. Une fortune en tableaux. La galerie est à moi maintenant, Baruch ! Je vous en supplie ! Rappelez-vous... » Alex entendit un bruit confus de lutte puis deux coups de feu.

Incapable d'attendre plus longtemps, il se précipita vers la grotte. A mi-chemin, la lumière crue d'une torche électrique l'immobilisa. C'était l'homme à la boucle d'oreille.

« Baruch ? s'écria ce dernier. Voilà Drach qui rapplique ! »

Alex fonça vers la droite et courut à perdre haleine dans un tunnel qui pouvait fort bien se terminer en cul-de-sac. Il entendit qu'on le poursuivait. Ne sachant dans quelle direction aller, il tourna systématiquement à droite. Ainsi retrouverait-il son chemin, même si la poursuite durait longtemps. En fuyant, dans ce méandre de tunnels, il remarqua que le sol n'était plus le même. L'eau coulait dans une rigole au milieu du couloir ; elle avait creusé un lit dans la pierre au cours de quelque deux milliers d'années.

Alex s'arrêta pour reprendre son souffle. Il n'entendit plus aucun bruit. Il se remit en route mais constata que son hypothèse la plus défavorable se révélait exacte : il était dans un cul-de-sac. Il éteignit sa lampe et retourna sur ses pas en tâtant le roc sur sa gauche dans l'espoir de retrouver son point de départ.

Tout à coup le tunnel s'illumina. Alex se figea sur place, ébloui. Il battit des paupières et finit par distinguer la silhouette d'un homme armé d'un revolver.

Ce devait être Baruch. A cet instant, un coup de feu tonna et la main gauche d'Alex explosa de douleur. Sa torche électrique tomba et se brisa. Il se jeta à plat ventre et roula sur le côté en tirant. La lampe de Baruch qui guidait son tir s'éteignit. L'ombre retomba dans le tunnel.

A peine conscient de sa douleur à la main, Alex nota mentalement les sons qu'il percevait : murmure de l'eau, froissement de vêtements, martellement de pieds courant sur le roc. Apparemment tout le monde s'éloignait... Puis ce fut de nouveau le silence. Alex attendit accroupi, retenant sa respiration. Bientôt l'immobilité lui donna des crampes mais il resta immobile.

Enfin au bout de quelques minutes, il glissa son 9 mm dans sa ceinture, banda avec un mouchoir sa main qui saignait, et avança lentement à tâtons dans le tunnel, en pleine obscurité. Il n'avait pas parcouru cent mètres qu'un bras le serra au cou comme un serpent.

« Ce ne sera pas douloureux », chuchota Baruch.

L'instant fugace qu'il fallut à l'assassin pour prononcer ces mots suffit à Alex. La chance y fut aussi pour quelque chose, sans doute. Son adversaire aurait pu l'exterminer dans l'ombre humide du royaume des morts mais Alex réagit instinctivement. Il saisit le poignet de Baruch, lui imprima un mouvement de rotation et le tira par-dessus son épaule. Baruch perdit l'équilibre. Il tira et l'écho du coup de feu se répercuta à l'infini dans les catacombes. Alex souleva l'épaule sous le coude de Baruch en tirant le poignet vers le bas. Le coude claqua net à la jointure.

Baruch poussa un cri d'agonie désespérée et s'arracha à l'étreinte d'Alex qui se plaqua au sol, prit son arme dans sa ceinture et tira dans la direction par laquelle Baruch avait fui. Aussitôt après il roula sur lui-même car l'ennemi était peut-être encore tout près et pouvait tirer, lui aussi. Or le silence dura.

Dans la nuit des catacombes, les deux adversaires restèrent immobiles. Chacun attendait que l'autre révèle sa position. Tapi dans un coin de la chambre mortuaire, Baruch se tenait le bras et grimaçait de douleur. De sa vie entière, il n'avait jamais perdu. Jamais. Il s'était cru invincible. Peut-être avait-il sous-estimé Drach. En parlant il s'était montré insolent envers le sort. C'était une erreur.

Baruch prit son pistolet dans sa main gauche. Il n'aimait pas ces armes qu'il considérait comme des jouets ou des outils sans délicatesse ni élégance. D'ailleurs dans l'obscurité ils ne servaient à rien.

Puis il éprouva une étrange sensation de faiblesse : son cœur battit plus vite ; sa bouche se dessécha ; son plexus solaire se crispa. Il prit ses aises, s'adossa au roc, étendit les jambes. Mais le malaise s'accentua. Tête basse, il haleta.

Il savait ce qui lui arrivait : rien d'extraordinaire pour un diabétique. C'étaient les symptômes préliminaires du coma par excès de sucre dans le sang. Il lui suffisait d'une injection immédiate d'insuline.

Baruch posa sans bruit son arme auprès de lui, ouvrit l'étui de cuir qu'il portait sous l'aisselle et en tira la boîte contenant une seringue de Pravaz et des ampoules d'insuline. Il retira vivement l'aiguille de la seringue et tâtonna pour saisir une ampoule... Sa main s'immobilisa. Quelle ampoule ? Il y en avait quatre dans la boîte. Trois contenaient de l'insuline et la quatrième, dix centimètres cubes de Triftazine : la solution de soufre pur dont il s'était servi pour anéantir Fuller. En temps normal la différence lui apparaissait clairement : l'insuline est incolore et la Triftazine, légèrement orangée. Mais dans l'obscurité rien ne lui permettait de les distinguer l'une de l'autre.

En faisant tourner l'ampoule entre ses doigts, Baruch évalua les risques. Allumer sa lampe électrique, ne fût-ce qu'une fraction de seconde, c'était offrir une cible. A cette distance Alex ne le raterait pas. D'autre part, choisir la mauvaise ampoule...

Transpirant abondamment, Baruch apprécia le caractère ironique de son dilemme : Drach ou l'ampoule de poison. D'une manière comme d'une autre il y avait un risque. Toutefois, avec l'ampoule la chance de rester vivant était de trois contre un. Il se fit une piqûre.

Accroupi à l'autre extrémité de la caverne, Alex épiait le bruit, même le plus infime, qui lui aurait révélé la position de Baruch. Il n'entendait rien que sa propre respiration. A un moment, il lui sembla percevoir un grognement assourdi. Tirer dans cette direction présentait trop de danger. Il attendit en se demandant si les battements de son cœur ne le trahissaient pas.

Il ressentait des élancements douloureux à la main mais la blessure n'était pas grave. La torche électrique avait amorti le choc de la balle.

Il se demanda à quelle vitesse Baruch pouvait se déplacer sans bruit. D'ailleurs que faisait-il cet homme ? Le silence et l'immobilité exaspérèrent Alex. Il eut envie de crier, se trouva stupide et en sourit.

Cinq, dix minutes s'écoulèrent. Toujours pas le moindre bruit. Baruch devait s'être enfui.

Tous les muscles de son corps tendus, Alex avança en rampant. De temps en temps, il se retournait sur sa droite, sur sa gauche. Il se redressa, progressa à pas de loup, entendit le bruit de ses propres pieds et se jeta aussitôt à plat ventre. Il attendit une longue minute. Enfin il gratta une allumette et n'en crut pas ses propres yeux : Baruch était là, dans l'angle le plus éloigné de la chambre mortuaire, affaissé, le visage figé, les yeux fixes. Apparemment il ne voyait rien. Puis Alex remarqua la seringue entre deux doigts de la main droite.

Presque épuisé, Alex alla jusqu'au mort vivant, lui prit sa torche électrique et s'en alla. Au seuil du tunnel de communication, il s'arrêta et se retourna. En regardant les yeux atones de l'assassin, Alex pensa à Hugh Jenner, au vieux Ford, à Ray Fuller et à Cubitt. Il revint sur ses pas, arracha l'œillet piqué au revers du veston, l'écrasa dans sa main et le jeta.

L'arme au poing, Alex repartit dans le tunnel vers la caverne où il avait entendu parler. Un homme de Montag subsistait : celui qui portait une boucle d'oreille en argent. Où se trouvait-il ?

Alex avança en tâtant le mur pour se guider. La progression n'était pas facile parce que le tunnel changeait sans cesse de direction. En outre, il était fatigué et aspirait au repos.

Il pensa à Montag. La colère le ragaillardit et lui donna la force de continuer son chemin.

Le labyrinthe des catacombes n'en finissait pas. Alex transpirait et avait froid en même temps. Il remonta le col de son pull-over autour de son cou et regretta de ne pas avoir gardé la soutane. Ce vêtement aurait...

Un cri étouffé retentit à distance devant lui. Il essuya de grosses gouttes de sueur qui tombaient de son front sur ses paupières et repartit en avant encore plus prudemment.

Un éclair de lumière jaillit pendant un instant à peine perceptible. Alex s'immobilisa. Aucun bruit. De nouveau il avança un pied puis l'autre. Il entendit respirer un homme qui ne pouvait guère se trouver qu'à deux ou trois mètres de lui.

Il braqua son 9 mm dans la diretion de ce bruit. Inutile de réfléchir. Il n'avait pas le temps. Il poussa un cri, se jeta au sol et roula sur lui-même.

« Alex ! C'est moi ! »

Il serra son 9 mm sous son bras et alluma sa torche électrique dont le faisceau lui révéla Manetta, debout, au-dessus du corps de l'homme à la boucle d'oreille dont la gorge ouverte saignait encore abondamment, comme un affreux sourire rouge. Alex se rappela le jour où Jocko avait égorgé un soldat allemand.

« *Giustizia !* » dit-il en avançant vers le jeune Corse maigre qui essuyait son poignard pour la deuxième fois dans l'après-midi.

« *Giustizia !* » répéta Manetta.

Les deux hommes s'en allèrent ensemble vers la chambre mortuaire d'où Alex avait entendu émaner des voix. Elle était beaucoup plus proche qu'il ne l'avait cru. A peine y entrèrent-ils qu'ils virent André Rostand lamentablement agenouillé auprès de Philip dont il tenait la main. La poitrine du jeune homme était déchirée. D'après l'aspect de la blessure Alex reconnut l'impact des balles du 11 mm Magnum. L'ombre d'Alex passa sur le visage du mort. André se retourna en vacillant sur ses genoux. « Enfin, tu es venu les chercher, Alex ? dit-il.

— Tu parles des tableaux ? »

André hocha lentement la tête.

« Je suis venu pour beaucoup plus que ça. Où est Montag ?

— Parti, répondit André en se penchant de nouveau vers Philip. Je ne sais pas où. »

Alex se baissa et prit le poignet de Philip entre ses doigts. Geste futile. « Que s'est-il passé ?

— Ils allaient nous enterrer ici. Philip a essayé de fuir. Il s'est battu avec Baruch qui l'a tué. »

Pendant un moment Alex resta accroupi auprès d'André. Puis il se releva, se tourna vers Manetta et jeta un coup d'œil vers l'entrée de la caverne. Le jeune Corse comprit et s'en alla sans rien dire.

« Que sont devenus les tableaux ? demanda Alex.

— Ah ! Ton patrimoine ! Tes chefs-d'œuvre ! La collection Drach ! » André poussa un terrible soupir. « Je vais te les montrer. »

Il se leva, prit une lanterne par terre et avança dans la grotte. La lumière se refléta sur des centaines de tableaux rangés le long du mur. Il s'approcha de l'un d'eux. Quand la lumière fut assez vive, Alex constata que la toile était noire... Noire comme de la poix. Il regarda les autres... Tous absolument noirs.

« Des Monet peut-être, dit André en montrant quelques tableaux. Où des Seurat. Regarde celui-ci. Un Cézanne peut-être ou un Pissarro ? » Il éleva sa lanterne pour faire apparaître le relief des peintures. « Tu ne trouves pas ça admirable ? »

Alex ne répondit pas.

« Les peintures, les jeunes peintures, expliqua tranquillement André, sont pareilles aux plantes. Elles ont besoin d'air et de lumière pour survivre. Elles continuent à vivre chimiquement tant que leur oxydation n'est pas terminée. Ça leur prend à peu près cent cinquante ans. Ensuite elles résistent à tout parce qu'elles sont mortes au point de vue chimique. Mais ces œuvres qui nous entourent étaient encore vivantes puisqu'elles furent toutes peintes après 1850. Montag n'en savait rien, évidemment. » André soupira. « Il a détruit ces chefs-d'œuvre parce qu'il prenait les peintures pour des marchandises mortes qu'on peut entreposer dans l'obscurité et récupérer au moment voulu. » André émit un petit rire sardonique. « Eh bien, comme tu le vois, les peintures flétrissent. Faute de lumière et d'air elles fanent et meurent. Il s'agit évidemment d'un phénomène chimique, mais je préfère croire qu'elles ont besoin d'être vues. Elles veulent être admirées.

— Tu as fait porter le chapeau à Paul Drach, n'est-ce pas ?

— Non. Le coupable, c'est Montag. J'en ai profité évidemment. Mais j'étais jeune, Alex. J'étais jeune et j'avais peur.

— Ma mère et toi vous trouviez ensemble à Monte-Carlo. »

André regarda Alex droit dans les yeux. « Oui, après la prise de Paris par les Allemands.

— Elle t'a mis au courant ?

— Non, mais j'ai soupçonné la vérité dès la première lettre que Jocko m'envoya à ton sujet. Puis, quand tu es entré dans mon bureau... tu avais quinze ans alors, j'ai su. Il m'a suffit d'un coup d'œil pour comprendre. »

André parcourut l'étalage de tableaux morts puis abaissa son regard vers Philip.

« Tu ressembles à mon père, sais-tu ? » dit-il.

Alex revit mentalement la vieille photo d'Aaron Rostand, dans un cadre rond, au-dessus de la cheminée, dans le bureau d'André, tout près de la canne en merisier. A cet instant, il comprit que depuis des années il avait reconnu son visage dans cette photo comme dans un miroir. Il pivota sur lui-même pour s'en aller.

André le saisit par le bras. « Ne m'abandonne pas », dit-il.

Alex s'écarta vivement. « Lâche-moi, André.

— Ne fais pas ça, supplia le père. Il ne me reste plus que toi. Tout t'appartient : la galerie, les collections, Rostand International, tout. »

Alex secoua la tête. « Je n'en veux pas.

— Tu ne comprends pas. J'ai toujours voulu que ce patrimoine te revienne. J'ai fait de mon mieux pour toi. Je t'ai protégé. Je t'ai donné tout ce que je pouvais te donner. J'allais même te remettre ces tableaux. » D'un large mouvement du bras, André désigna les toiles disposées au pied du mur de roc autour de la caverne. « Je te le jure.

— C'est toi qui ne comprends pas. Tu as choisi ta voie en ne pensant qu'à toi. » Alex secoua la tête. « Le sort t'a accordé une occasion de te racheter. Tu aurais pu épingler Montag dès qu'il est apparu à New York. Tu ne l'as pas fait. Tu t'imaginais pouvoir tout arranger à ta guise. Mais tu n'as jamais payé les pots cassés. Réfléchis, André ! Bien des gens sont morts par ta faute.

— Pas par la mienne. C'est Montag le coupable, et Philip.

— Tu ne comprends donc vraiment pas. Tu as trahi ton meilleur ami, ta femme, ton fils et même tes deux fils. Tu ne comprends donc pas ce que ça signifie ?

— Si. Je m'en rends compte. J'en ai souffert pendant quarante ans. Je me savais coupable, j'en avais des remords.

— Mais tu n'as rien appris. Si nos fautes ne nous enseignent rien, nous les répéterons, a dit un sage. André, tu as vécu un mensonge pendant quarante ans. Tu as tant menti et si longtemps que tu te mens à toi-même. »

Alex s'engagea dans le tunnel.

André le suivit. « Que vas-tu faire ? cria-t-il.

— Trouver Montag ! »

20

Montag prit son temps. Rien ne pressait. Personne ne trouverait la sortie des catacombes par laquelle il était passé. Ces imbéciles croyaient-ils vraiment l'avoir pris au piège ? Il avait survécu à la guerre et à ses suites. Ce n'était pas pour se faire cueillir dans cette tanière comme un renard. Depuis longtemps, il avait trouvé plusieurs moyens d'accéder aux catacombes de Monte Verde. Pendant que Baruch s'occupait de Drach, il comptait régler le compte de la putain. D'abord il voulait découvrir comment elle avait appris qui il était. Ensuite il en terminerait avec elle.

Il parcourut du regard la Piazza Navona en quête d'un signe inquiétant. Il ne vit que des enfants qui sautaient à la corde ; des femmes qui se rendaient au marché où en revenaient ; de vieux bonshommes qui jouaient aux dominos dans un café ; au beau milieu de la place, des gars et des filles qui flirtaient en se promenant autour de la fontaine.

Montag mit la main sur la crosse de son arme pour s'assurer que le canon ne pointait pas hors du pardessus noir qu'il portait sur sa soutane. Puis il marcha vivement vers l'entrée du palais Pambisti. En finir rapidement et quitter Rome !

Il entra par la porte cochère, passa sous la façade et traversa ensuite la cour intérieure pour atteindre la cage de l'ascenseur. Rien d'inquiétant. Personne en vue. Parfait. Peut-être pourrait-il s'offrir du plaisir avec elle. Sa poitrine était encore ferme, semblait-il.

Quand la cage de l'ascenseur arriva au rez-de-chaussée, il y entra et salua le liftier d'un hochement de tête en souriant avec bienveillance.

« Bonjour mon fils », dit-il.

Le liftier fronça légèrement les sourcils quand Montag demanda à être conduit à l'étage de Mme Gérard.

Le faux prêtre n'en tint pas compte et débarqua tranquillement dans le vestibule de l'appartement situé sous les combles. Il s'engagea aussitôt dans le couloir conduisant au bureau, la main droite sur la crosse de son arme. Eh bien oui, il comptait s'offrir du bon temps avant de la tuer. Cette idée l'excita au point de le faire trembler.

Il lâcha son pistolet et leva la main pour se caresser la joue. Ce fut une erreur fatale. S'il avait laissé la main dans sa poche, il aurait eu le temps de se retourner et de tirer lorsque Mme Gérard apparut sur le seuil d'une porte, à sa gauche.

Elle était armée d'un 6,35 à canon court.

« Arrêtez-vous et ne bougez plus », dit-elle.

Impuissant, Montag resta figé sur place.

« Laissez votre main droite sur votre joue », dit-elle en faisant un pas en avant. Elle tâta le pardessus de Montag et tira le pistolet de la poche. « Allez à mon bureau maintenant », ordonna-t-elle.

Montag hésita, tourna la tête, sourit et se rendit au bureau.

Mme Gérard le suivit. « Plus vite », dit-elle. Ils passèrent devant le salon et entrèrent dans le bureau.

« Adossez-vous au mur », dit-elle en le dépassant mais sans cesser de le tenir en joue. On n'entendait aucun bruit. « Vous ne vous souvenez pas de moi, n'est-ce pas Montag ?

— Weiller, madame. Monsignore Hubert Weiller. Vous me prenez pour quelqu'un d'autre.

— Lodz, Montag. Rappelez-vous. Mai 1940. Les fosses de la mort. Une grande fille blonde de quatorze ans. »

Montag secoua la tête. « Je crains que vous ne vous trompiez, madame.

— Non, Montag. Vous savez que je ne me trompe pas. D'ailleurs peu importe que vous vous souveniez ou pas. Moi, je me rappelle.

— Il faut que je vous parle, madame, dit Montag. Je suis venu vous voir pour cela. Rien ne m'y obligeait mais nous avons tant de choses en commun. » Il fit un pas en avant.

« Arrière ! » cria-t-elle.

Montag s'adossa au mur. « Je suis riche, madame. Je possède des millions. Nous pourrions les partager. »

Mme Gérard abaissa le canon de son arme, la braquant droit sur l'aine de Montag.

« *Mein Gott!* gémit Montag. Une occasion de parler. Je n'en demande pas plus.

— Quelle occasion avez-vous laissé à vos victimes ?

— A Lodz, nous nous défendions. Nous étions en guerre. »

Mme Gérard rectifia l'orientation de son pistolet.

Montag tomba à genoux, les bras levés, suppliant. « Je vous en prie. Je vous donnerai n'importe quoi. » La terreur crispa ses traits. « S'il vous plaît.

— Je ne veux rien de vous, dit tranquillement Mme Gérard. Je ne veux que vous voir mourir.

— Attendez ! hurla-t-il. Ecoutez-moi. »

Elle n'écouta pas. Ce drame ne l'intéressait pas et elle s'en étonnait. En prévoyant cet instant, elle avait cru en tirer du plaisir. Elle n'en éprouvait pas. Peut-être était-elle trop loin de Lodz dans l'espace et dans le temps. Se venger... Oui elle se vengeait mais sans passion. Les années avaient affadi son désir de voir mourir Montag. Longtemps, très longtemps, elle avait pensé aux moyens de le faire souffrir. De tous ses désirs il ne restait plus rien qu'une certitude : cet homme ne devait plus exister.

Il bredouillait de manière incohérente. En fin de compte, elle châtiait un inconnu qui portait le nom de Montag. L'individu qui l'avait violée, qui avait massacré sa famille, faisait place à un vieillard abêti par la terreur.

Elle hésita encore un instant puis appuya sur la détente. La balle éclata dans l'aine de Montag.

Il tourna sur lui-même, comme un poisson ferré, puis tomba sur le flanc, agita les jambes et cria de douleur en regardant son exécutrice.

« Vous pouvez brailler tant que vous voudrez, Montag. Les murs sont épais. »

Elle recula jusqu'à son bureau auquel elle s'appuya puis visa Montag à l'estomac et parla lentement.

« J'étais une belle fille, vivante et heureuse. J'avais toute la vie devant moi. Vous avez tué cette fille et tout ce qu'elle aimait. A sa place, vous avez suscité votre bourreau. Vous auriez dû me tuer, moi aussi, comme les miens. »

Montag gémissait en se tordant sur le tapis, les deux mains appliquées à son bas-ventre pour contenir le flux de sang. « *Mein Gott, mein Gott!* ayez pitié de moi. »

Mme Gérard sourit. Qu'il pût encore parler la surprenait. Sans doute ne souffrait-il pas assez. Elle fit un pas en avant et visa au-dessous de l'estomac. Il bondit, comme un taureau qui charge dans l'arène, les mains tendues vers le pistolet.

Ni l'arme ni la main ne fléchirent. L'index de Mme Gérard serra de nouveau la détente. La balle déchira l'estomac de Montag et le rejeta contre le mur.

Affaissé, il la regardait, bouche bée. La salive qui coulait de ses lèvres ne tarda pas à se teinter de rouge.

« Non, vous n'êtes pas assez courageux pour me résister, dit-elle méchamment. Ce n'est pas fini. »

Les sourcils se fermèrent à demi sur les yeux clairs de Montag. Il feula et, dans un élan de désespoir, se leva en plongeant vers son bourreau. « Foutue putain ! » brailla-t-il dans un jet de sang.

Elle attendit qu'il fut sur le point de l'atteindre jusqu'au dernier instant possible, jusqu'à ce qu'il crût pouvoir la désarmer... et tira deux fois.

Montag grogna de douleur et fut précipité contre le mur pour la troisième et dernière fois. Les balles avaient atteint exactement leur but · l'une, la pomme d'Adam ; l'autre, l'œil droit.

« Que ressentez-vous, Montag ? demanda-t-elle aussitôt, sachant qu'il n'avait plus longtemps à vivre. Vous vouliez me parler. Faites. »

Il la regarda, hébété.

« Je dois vous remercier, Montag. Vous avez joué votre rôle à la perfection. Combien d'entre nous parviennent à réaliser leurs rêves, même leurs cauchemars ? »

Il lui restait peut-être encore une ou deux secondes, juste le temps d'ajouter : « Va-t'en au diable, Montag ! »

Il tomba en avant, mort.

21

Mme Gérard sortit du palais Pambisti et marcha au soleil de cette fin d'après-midi d'hiver. La Piazza Navona donnait l'impression d'un immense parc modelé par un artiste habile. La foule y était celle de tous les jours : touristes, la caméra en sautoir ; couples assis aux terrasses des cafés ; enfants qui s'amusaient en riant. Un grand moine mince, qui sortait de Sainte-Agnès, renvoya adroitement d'un coup de pied le ballon que des gamins avaient envoyé dans sa direction. Mme Gérard admirait tout : les buveurs de café, les enfants, les gens qui regardaient les manchettes de journaux devant un kiosque, il lui semblait rajeunir, entrer dans une nouvelle vie. Etonnamment détendue, elle poursuivit son chemin au-delà de la fontaine du Bernin et s'assit au bord d'une autre où Neptune combattait un dauphin. Elle y resta longtemps à contempler les allées et venues des passants, puis elle avisa Alex et Minta qui venaient vers elle sur les pavés arrondis.

Ils la reconnurent et leur soulagement apparut sur leurs visages. Ils s'assirent auprès d'elle, l'un à droite, l'autre à gauche.

Là, au pied de la fontaine, ils ne dirent rien et écoutèrent les cris des marchands de ballons rouges, le glou-glou de l'eau. Ils regardaient se dérouler devant eux les scènes de la vie.

Ce fut Alex qui rompit le silence. « C'était bien Montag, n'est-ce pas ? » demanda-t-il en pensant à l'horrible cadavre borgne, tordu sur lui-même, que Minta et lui avaient trouvé un instant auparavant dans le bureau de Mme Gérard. Il avait alors remarqué que le sang caillé ressemble à la peinture.

Mme Gérard acquiesça d'un long hochement de tête en regardant droit devant elle. « C'est fini », dit-elle. Puis elle se tourna vers Minta. « Je serais probablement devenue une fille comme vous si... » Elle se tut. Ils virent la douleur lui passer en un frisson à travers tout le corps. Son regard erra avec regret au long des murs de la place, qui changeaient de couleur au coucher du soleil. Puis il s'arrêta à une fenêtre du premier étage de l'angle nord. On y voyait écrit en lettre d'or GALLERIA NAVONA, Alex suivit la direction de son regard. Il distingua des gens qui circulaient sous la lumière artificielle de la galerie et qui s'arrêtaient de temps en temps, en extase devant les tableaux.

De bonne heure le lendemain matin, le cadavre de « Monsignore » Hans Weiller fut enterré dans une tombe anonyme près de Civita Castellana, petit village, à quatre-vingts kilomètres au nord de Rome. Cinq autres « prêtres » partageaient sa sépulture. Signés par le médecin du village, les certificats de décès attribuaient leur mort à une collision de voitures sur l'autostrade. Assistaient aux inhumations une douzaine de fossoyeurs ainsi qu'un solide gaillard aux cheveux noirs, portant au cou un médaillon d'or.

Quand la dernière bière eut été couverte de terre, il fit demi-tour et s'en alla vers l'Alpha Romeo garée à l'entrée du cimetière. Un autre homme, plus jeune, mince mais aux cheveux aussi noirs, l'y attendait. Ils filèrent jusqu'à l'aéroport Leonardo da Vinci où ils embarquèrent dans le premier avion pour Paris.

Pendant que l'appareil des Corvo volait vers les Alpes, le soleil proche de son zénith brillait sur le paisible cimetière anglais de Rome. Alex Drach serrait les poings pour empêcher ses mains de trembler devant la tombe de Cubitt. Le vent froid faisait briller ses yeux. Il avait apporté une douzaine de roses et les éparpilla sur la motte de terre. Son haleine sortait de sa bouche en buée, il se sentait vide et désemparé.

La riche couleur des roses rouges sur le sol de glaise, lui rappela les victimes du drame. Cubitt emportée à l'instant où elle allait commencer à vivre. Ray Fuller dont la vie limitée à un vide de l'esprit, équivalait à la mort. Philip exécuté par le tueur qu'il soudoyait. Mais la mort la plus cruelle serait peut-être celle d'André Rostand : un anéantissement psychique, quand il emporterait le corps de son fils à New York, esseulé et brisé.

Debout dans le cimetière, Alex ne put s'empêcher de penser à sa propre vie et à la chance qu'il avait de survivre. Il se rappela la dernière question de Jocko à Mme Gérard. Après tout, de qui était-il le fils ?

Une tranquillité parfaite régnait en lui. La cruelle réponse comportait un rien de miséricorde. En vérité il n'avait jamais eu de père. Mais cela n'avait plus d'importance.

Au bout de quelques minutes, il quitta le cimetière et monta dans le taxi qui l'y avait amené. Il demanda au chauffeur de le conduire à l'aéroport où Minta l'attendait. Il s'adossa à la banquette et ferma les yeux. Ils auraient le temps de passer par la Corse où avait lieu une fête foraine. Ça tombait bien, pensa-t-il en souriant. Il était temps de faire la fête.

Achevé d'imprimer le 13 août 1981
sur presse CAMERON,
dans les ateliers de la S.E.P.C.
à Saint-Amand-Montrond (Cher)
pour le compte des éditions Robert Laffont
6, place Saint-Sulpice-75279 Paris Cedex 06

Dépôt légal : 3e trimestre 1981.
N° d'Édition M 058. N° d'impression : 541/296.